D1107016

Traversée vent debout

Du même auteur
chez le même éditeur

Les damnés ne meurent jamais
Injection mortelle
Le Démon dans ma tête
Le Chien d'Ulysse
Sous le signe du rasoir
Prélude à un cri
Le Codex de Syracuse
Sombre Complice
Comment j'ai trouvé un boulot

JIM NISBET

Traversée vent debout

Traduit de l'anglais (États-Unis)
par Catherine Richard et Éric Chedaille

Rivages/Thriller
Collection dirigée par François Guérif

Rivages

Titre original : *Windward Passage*

106, boulevard Saint-Germain — 75006 Paris

ISBN : 978-2-7436-2407-1

Celui-ci est pour Riley, Peelhead, Joe Ellis
et Janwillem van de Wetering
... quatre originaux de pierre

Je découvris que les livres et la mer avaient beaucoup de choses en commun. C'étaient des concentrés de silence et de solitude.

Sterling HAYDEN — *Wanderer*
(Traduction de Julien Guérif)

passants en transe dans la rue
je n'ai pas été des vôtres
depuis si longtemps

Tom RAWORTH — *The Conscience of a Conservative*
(Traduction de Claude Royet-Journoud)

Une conspiration anéantit tous les titres donnés par les caprices sociaux. Là, un homme prend d'emblée le rang que lui assigne sa manière d'envisager la mort. L'esprit lui-même perd de son empire…

STENDHAL — *Le Rouge et le noir*

Il y a dans un trésor quelque chose qui s'attache à l'esprit d'un homme. Il prie et blasphème et persévère cependant ; il maudit le jour où il en a entendu parler pour la première fois, et laisse arriver sa dernière heure sans s'en apercevoir, croyant toujours qu'il ne l'a manqué que d'un cheveu. Il le voit chaque fois qu'il ferme les yeux. Il ne l'oublie qu'à sa mort — et même alors… docteur, avez-vous jamais entendu parler des misérables gringos de l'Azuera, qui ne peuvent pas mourir ? Ah ! ah ! Ce sont des marins comme moi. On ne peut pas échapper à un trésor une fois qu'il s'est attaché à votre esprit.

Joseph CONRAD — *Nostromo*

Au loin blanchit la voile solitaire…
La vague verte écume et rit sous elle,
Un soleil d'or fait flamboyer les flots ;
Mais c'est l'orage et la nuit qu'elle appelle.
Espère-t-elle y trouver le repos ?

Mikhaïl LERMONTOV — *La Voile*

Restait la mer, suprême refuge de ceux qui ont décidé de s'affranchir de l'humanité.

Rafael SABATINI — *Captain Blood*

Remerciements et sources

Le titre de l'ouvrage de John Vigor, cité en page 325, a été librement adapté par les traducteurs, *Twenty Small Sailboats to Take You Anywhere* (Paradise Cay Publications, 1999) n'ayant jamais été publié en français.

Merci à Gregg Gannon pour son anecdote à propos du chef de la Sécurité.

Merci aussi à Brian Toss et son *Rigger's Apprentice* – le manuel de l'apprenti gréeur – pour le nœud de bois à barbouquet ; à l'*Almanach marin* de Reed ; au *Self-Steering for Sailing Craft* de John S. Letcher Jr ; à l'*American Heritage Dictionary* ; à Klutch pour le Crunch des Forêts tropicales™ ; au Dr Scott Stryker pour quelques détails scientifiques provocants ; et à George Steiner pour *Tolstoï ou Dostoïevski.*

N'hésitez pas à consulter l'analyse de la théorie du « bon individu », de A.E. van Vogt, publiée par Colin Wilson dans son ouvrage *The Criminal History of Mankind* (non traduit en France).

Lecteurs, ne laissez pas passer la chance de découvrir l'ouvrage de Leonard Clark intitulé *Les Sept Cités de Cibola*, à la page 86 duquel vous trouverez l'extrait concernant le serpent venimeux !

Avertissement du transcripteur

Les transcriptions neuronales sont souvent sibyllines.

Dans la chambre à brouillard communément appelée barrière synaptique, où la perception sensorielle le dispute à la ratiocination, les traînées de condensation — dérivés scintillants quoique évanescents de ces échanges — n'incitent pas au jugement mais à l'émerveillement à mesure qu'elles se déploient au travers des brumes de protéines.

Il ne s'agit pas d'affirmer qu'un roman entier ne saurait consister qu'en une transcription neuronale, voire plusieurs — en dépit des preuves du contraire, pour ne pas dire au mépris de l'âge, on s'accroche à ses ambitions —, simplement il se trouve que le prologue de *Traversée vent debout* est une transcription neuronale ; cela semblait la façon la plus efficace de signifier d'avance qu'au moins un de nos personnages allait survivre assez longtemps pour être témoin de certains… changements. D'une avalanche de changements. Baudelaire demandait : *Avalanche, veux-tu m'emporter dans ta chute ?* Que se serait-il passé si le monstre l'avait pris au mot ?

Le roman tout entier revient ensuite au début de l'histoire. Narrativement parlant, passé le prologue c'est du tout cuit.

Enfin. Presque.

De toute façon, cher lecteur, tu me fais confiance n'est-ce pas ?

Après tout, c'est la Vraie Vérité.

En plus de ça, comme un vieil ami l'a un jour fait remarquer, si tout ne fait qu'un, il ne reste plus rien.

Alors, prêt ?

*Bon voyage**[1] !

Jim NISBET

1. Les mots suivis d'un astérisque figurent en français dans l'original.

Prologue

« Gagné ! »

« Ding, ding, ding… »

Des projecteurs balayèrent le public.

« Deuxième prix… visite publique inédite du sanctuaire depuis l'achèvement de sa construction ! » Vivats et applaudissements sporadiques. Un croissant de lumière glissa sur une projection du visage de l'agent Few qui eut l'air passagèrement aveuglé. Des haut-parleurs se mirent à beugler *Mandat de tripartisme*, l'hymne inepte et populaire de Condor Silversteed. C'était trop fort. De mauvais goût. Les membres qui peuplaient le parterre poussèrent des acclamations. Ceux des loges panoramiques du Comité, malgré le double vitrage de leurs baies sans tain, baissèrent aussitôt le son. La grande gagnante allait être annoncée, mais tout était préétabli, truqué, il y a des choses qu'on ne peut vraiment pas laisser au hasard. La sono se mit en sourdine çà et là. Dans les loges, pas de bruit plus violent que le pop des bouchons de champagne, les rires gras, le gémissement particulier d'un orgasme terrassant une prostate récalcitrante, le claquement de paumes d'un marché conclu. Les homoncules de service, à ce signal, aboyèrent tels des lions de mer — presque phoques, mais pas tout à fait — : c'est la Vraie Vérité.

La gagnante finit par être localisée et son identipuce de coccyx scannée par les dronifleurs suspendus. L'Annonceur aurait pu demander au central de droniflage de la situer sur le plan quadrillé de l'auditorium dès l'instant où son numéro fut annoncé, mais pourquoi ôter au suspense son artificialité ? On pouvait avancer que dans un cas comme dans l'autre la surprise de la gagnante aurait été la même, mais aussi opposer qu'émoussé comme l'était le sensorium des spectateurs, le temps de réaction de la fille aurait pu se révéler assez lent pour affadir des processus déjà dilués par l'apparat du cérémonial. Bien que son analyse n'ait pas été sollicitée, le central fournit aussitôt une transformée de Fourier inverse comparant la courbe de réactivité du gagnant moyen et l'effet caractéristique d'émoussement d'un public. Programmée d'entrée de jeu pour encourager ce genre d'effets, la direction n'en décida pas moins qu'en l'occurrence, l'émoussement allait trop loin.

Red Means contemplait d'un air furieux la plongée abrupte entre la loge et le parterre de la salle — loge que, pour une raison inconnue, le décorateur avait récemment tapissée de mohair. De peluche mohair orange à longs poils rêches. Du varech échoué après une marée inhabituellement haute et laissé pourrir au soleil, puant et grouillant de puces de mer et de mouches, aurait mieux valu que ce mohair synthétique au relent presque imperceptible de formol.

Pas trace de Tipsy. Ils étaient arrivés ensemble, et elle l'avait quitté presque aussitôt sans plus reparaître.

Il sirota sans conviction sa Kalik. Quand un homme en arrive au point où sa bière a un sale goût, c'est que les choses sont allées un lagon trop loin.

Cette cérémonie n'avait eu lieu qu'une fois par le passé, quelque quatorze ans plus tôt, et il savait qu'une grande partie sinon la totalité de ce qu'il voyait n'était qu'une animation — un montage de rediffusions entrecoupées d'intermèdes et bouche-trous générés par ordinateur. Il ne se fiait pas à ce qu'il voyait, pas plus qu'il ne s'était jamais fié aux défilés, feux d'artifice, rassemblements, ou discours.

La fille était donc sincèrement surprise. Pas d'inquiétude. Son giclo-patch personnel micro-influençait sa réaction, de même que ceux des spectateurs environnants s'occupaient de leurs propres réponses. (Avec une acuité inversement proportionnelle au carré de leur éloignement de la fille.) Elle s'appelait Melanie Hecatomb, était âgée de dix-sept ans et avait vécu toute sa vie au 74e étage de la Transbay Tower, dans le centre-ville de San Francisco. Quelle coïncidence. Il se trouvait que le forfait-sanctuaire comprenait trois jours et deux nuits à l'hôtel Disney Pier, en bas de Bryant Street, juste au pied du Bay Bridge. Et quelle importance si, juste au pied du Bay Bridge, seules cinq ou six marées par an avaient un coefficient suffisamment élevé pour permettre ne serait-ce qu'au deuxième plus gros paquebot de la flotte Disney, le *Scrooge McPrincess*, de venir s'amarrer ; chaque apparition tirant du gong le tintement de quelque deux millions d'euroshells.

Sous la pression du Consortium des Cédants officieusement connu sous le nom de *frijolistas*, des sociétés mercenaires travaillaient non-stop à l'installation d'une série d'écluses, mais la baie de San Francisco, en manifeste hydraulique qu'elle est, se révélait récalcitrante. En tout cas, quelle coïncidence ce serait, comme le fit remarquer l'Annonceur, si l'atmosphère devait se révéler propice à une telle productivité ce jour-là entre tous, ce qui arrivait souvent à San Francisco au temps jadis, et arrivera encore, surtout une fois que le code du Chantier d'Éco-aménagement de Transbay — autrefois Yerba Buena Island — sera débuggé, ce qui devra attendre que la dernière émission obligataire soit chinoisifiée à quatre-vingt-dix pour cent ; si tout se passe bien, cependant, Melanie Hecatomb pourrait gagner à pied sa Suite ! Puis on aura droit à un défilé ! À un feu d'artifice !

Les Télégués n'auraient pas acclamé plus fort s'ils avaient cru que la Propagande avait vraiment du sens. Leur réaction, en plus de la musique en fond sonore, couvrit presque le vieux succès de Condor Silversteed : *Il me faut un nouveau patch*. Les Délégués de chair et cartilage poussèrent des vivats parce que putainzut, tout compte fait, Melanie Hecatomb était des leurs. Si ça lui arrivait à elle, ça pouvait arriver à n'importe qui.

Le hasard voulut que l'agent Oscar Few soit l'ambulimage la plus proche de Melanie, mais il eut beau la rejoindre vite, elle avait déjà eu le temps de dispenser trois ou quatre reconnaissances pubiennes. Les privilégiés de ce Carré du Frisson, comme les appelaient des branchés facétieux, furent isolés du Public par un *cordon sanitaire** Vélum dès qu'ils franchirent la galerie circulaire d'issue. Un patch de Membre était à même d'assurer une prophylaxie normale. Mais le Comité devait encore trouver la manière de membranalyser les inévitables endomorphines libérées par cette allégresse particulière du contact. Il insistait pour aborder le problème comme s'il s'agissait d'un simple déséquilibre hormonal, ce qui, en contrepartie, ouvrait la porte à un vaste réseau de technologies bien établies assorties de contrats non négociables. L'un après l'autre, toutefois, les sujets affirmèrent que l'expérience éclipsait tout ce qu'un synthéticoït pouvait apporter, aussi était-elle prisée.

Le Comité céda et chargea toute une ville, en Inde, de plancher sur le problème. Même si les Vélums fonctionnaient assez bien, ils étaient chers. Les *frijolistas* se plaignirent de coûts extraordinaires. Le Comité allait publier un rapport à son retour de vacances, ce qui tombait juste après le grand morceau de bravoure du Parti à San Francisco — en d'autres termes, à des mois de là, c'est-à-dire d'alors.

« Suivez le fric », conseilla l'image de l'agent Few à la demoiselle Hecatomb. Il le lui montra du doigt. Un chemin de billets de mille euroshells luminescents s'étirait sinueusement dans la pénombre, partant des pieds de la fille et traversant la foule. « Il n'y a que nous qui les voyions. Tâchez de ne pas vous en écarter. Même maintenant, on pourrait vous alpaguer comme Droïde défoncée.

– Je suis, comment dire, super remontée, lui annonça Melanie Hecatomb avec un sourire que Few ne connaissait que trop bien. J'ai le temps pour deux ou trois reconnaissances de plus ? »

Few secoua la jambe. « J'ai bien peur que non. »

Melanie Hecatomb fit la moue, puis s'éclaira : « Alors avec vous, beau costaud ? »

Few, qui mesurait un mètre soixante-douze, connaissait la musique. « C'est faisable, tergiversa-t-il. Mais d'abord, on doit quitter l'holotorium.

– Je suis tout humide », susurra Melanie Hecatomb, extasiée. « Allez-y, je vous suis. »

L'agrégat neuronal nommé Few n'avait jamais pu se faire à la nouvelle sexualité — pas plus qu'à l'ancienne, bon sang —, et il avait pris l'habitude d'en ignorer les manifestations les plus louches, surtout pendant le boulot. Mais quand même, c'était à l'avenir qu'il était confronté en l'occurrence, un avenir qui devenait vite le présent, et ça ne lui plaisait pas. À l'intérieur du cercle de lumière, ils se frayèrent un chemin dans la foule. Le chemin de lucre les entraîna dans une échappée triumvirale, pollinisant le vacuum de perdants avec les phéromones de la chance échue à la fille et bluffant tous les participants rhinoportés postérieurs à la version 11.4. Bien que, aux yeux de tout autre que les plus cyniques, leur cheminement ressemble à une avancée hasardeuse, le Comité réduisit la dissémination au milliardième.

« Et maintenant, lança l'Annonceur, voyons ensemble ce que mademoiselle Équitrombe… »

Un programmeur de dronifleur cala le lapsus dans la boucle d'attente et corrigea.

« Ah. (En entendant la modification dans son oreillette, l'Annonceur rajusta sa cravate.) Hecatomb. »

Incroyable, pensa une fois de plus Few, en jetant un bref regard en arrière, ils portent encore des cravates.

« Mademoiselle Hecatomb arrivera bien sûr à Bassorah vêtue des plus fins Vélums, coupés sur mesure de façon à... » Une fanfare de cuivres synthétisés interrompit *Rehausseur de piédestal*, le vieux tube de Condor Silversteed qui commençait à se répandre, de façon presque subliminale, d'un bout à l'autre de la salle. « ... Un séjour de trois jours tous frais payés dans la Suite Coq-en-Pâte, tout en haut de l'hôtel Disney Pier. » Cette émission, c'était bien connu, coûtait plusieurs milliers d'euroshells à l'heure, et le public délira en proportion. « ... Après quoi cette jeune femme... », et là, bras levé par-dessus l'épaule, paume tournée vers le plafond, l'Annonceur désigna le grand écran placardé dans l'obscurité, derrière lui, sur lequel des assemblages corpométriques de Melanie Hecatomb animaient les pixels d'une pole-dance lascive. Face, dos, profil, il y avait même des vues en plongée et contre-plongée révélant toutes, malgré la tenue pubienne *couture** de bon goût de la fille, des détails extrêmement intimes de ses extensions qu'on pouvait, pour la plupart, qualifier de florissantes quoique scientifiquement calculées à l'issue d'évaluations neurologiques pratiquées sur les rares moines célibataires restant en captivité. « ... présentera à 99,9 % la physionomie de la It-girl de trois jours. » Une tomographie de la zone pelvienne de Melanie Hecatomb apparut alors sur l'écran, et l'un des programmes les plus sophistiqués jamais développés par le Comité, dont le seul maintien du code base nécessitait deux villes en Inde, entreprit de l'agrandir systématiquement. « Raboter ici, rabattre là, retirer imperfection là, cicatrice ancienne de rapport sexuel adolescent là, et... ouaouh ! Mesdames et messieurs, on pourrait peut-être ne jamais la laisser muter ! Qu'en dites-vous ? » La frénésie s'empara de l'holotorium. Car, après tout, des phéromones étaient encore généreusement répandues dans la salle, qui laissaient entendre à tout un chacun ou presque que la même chose pouvait arriver n'importe quand et n'importe où à n'importe qui, dans la simple mesure où on ne s'égarait pas trop loin de la projection voxel du Parti.

« Ding ding ding ding », clamèrent opportunément de petites sonos grêles dispersées çà et là dans le sensorium sonore. « Nous avons une gagnante ! » Brusquement, les applaudissements décrurent jusqu'à se limiter à quelques claquements de mains et acclamations exubérantes isolés, puis cessèrent complètement. On eût dit que quelqu'un avait actionné un interrupteur.

Sa bière était tiède. Red laissa tomber la bouteille entamée dans le seau à glace et en décapsula une nouvelle avec les dents. C'est tout ce qu'il va me rester dans l'histoire, marmonna-t-il tout seul, mes putains de chicots. Il trempa les lèvres dans la bière avant de compléter : et encore.

« Au bout de trois petites journées d'immersion totale dans le continuum zygote, Melanie Hecatomb ressentira son Vélum sur mesure de la même façon que… que… vous avez trouvé ! (Là, il pointa le doigt dans l'obscurité comme s'il désignait un quelconque individu.) De la même façon qu'un bébé chevreau ressent les contractions péristaltiques d'un ana-con-DAdada… ! »

Tout en s'octroyant une deuxième gorgée, Red tordit entre pouce et index la capsule crénelée. Elle tinta contre le verre et disparut avec un léger crissement dans une longueur d'angoralène extrudé industriel.

Des rires masculins s'élevèrent du public, portés par une vague de phéromones féminines due à l'enthousiasme des reconnaissances. L'Annonceur cligna des yeux et brandit un bristol format 9 x 13 (anachronisme dont les Piliers du Parti — PP — conservent encore toute une provision, subdivision Anachropilier). Il parut le relire, à bout de bras toutefois, et même en plissant les paupières, puis le jeta par-dessus son épaule, hors de la lumière (où il pourrait être attrapé, passé dans un broyeur avide et reclassé par un diligent pilier fantôme). « Technologie d'autrefois, dit-il en se penchant sur le micro, juste là pour faire de l'effet », et bien que l'on serve cette synecdoque éculée depuis les prémices du développement axonal de chacun des spectateurs, le public rugit son approbation à cette remarque et, partant, à tous ses effets, spéciaux ou autres. Avant que cette bouffée d'enthousiasme ne soit complètement retombée, l'Annonceur se tourna pour contempler sur l'écran une nouvelle image de Melanie Hecatomb. Cette fois, elle avait été, faute d'un terme plus approprié, minutieusement peaufinée. Enveloppée d'une peau chic indiscernable de son Vélum de marque et vice versa. Le programme lui fit effectuer une rotation passant par diverses projections corpométriques, X, Y et Z, figées, mécaniques, image par image. Déjà, grâce aux algorithmes tout dernier cri, une beauté en quatre dimensions. Peu à peu, l'image commença à présenter de plus en plus de caractéristiques post-humaines, sans toutefois perdre entièrement certains traits propres aux films d'animation et considérés dernièrement comme sexy et en vogue, jusqu'à ce qu'elle présente tous les reliefs appréciés du bardo de l'humanoïdisme façon Calabi-Yau sanctionné par le Comité.

« Résection-remplacement homologue de la hanche. Augmentation mammaire, bien sûr, et morphologie vulvaire… » La projection était impitoyablement détaillée. « Et voyez un peu mesdames, et vous messieurs, particulièrement, le summum du luxe personnel : le vison périnéal !

– Le rasoir, c'est ringard », cria quelqu'un…

En dépit de l'insonorisation hypothétique, Red percevait la moindre fastidieuse friction de fellation deux loges plus loin, sans parler des « conversations » émanant, claires et nettes, des transformateurs vocatifs.

« Qu'est-ce qui se passe ? demanda une voix aux fricatives mouillées de champagne.

– Ils sont mégachiément excités, monsieur-madame-ou-autre-c'est-selon », débita un Shadow9, son asymptote d'obséquiosité quasiment dans le rouge. (La dernière version bêta tient compte de cet inconvénient.)

« À l'avenir, vous pouvez faire indirectement référence à moi en tant que Il, Elle ou On. Pour les adresses directes, Entité fera l'affaire. »

Le Shadow9 se laissa infléchir par cette généreuse condescendance. « Certainement, Entité.

– C'est plus précis », glissa-t-Il/Elle derrière sa main à sa compagne astronomiquement rétribuée. Il dégagea le pétromucus qui lui brouillait la vox et reprit, s'adressant au Shadow9 : « Vous êtes nouveau par ici ?

– Frais émoulu du Sysclass unilatéralement référenciable, Endocarpe, secteur est du Démarrage à froid. »

Il/Elle soupesa cette réponse. « Et c'en est où à Guang Dang ?

– Pollué. (Deuxième inflexion.) Entité.

– Et alors ? Tout le monde ne fait que travailler, là-bas… exact ?

– Vingt-huit heures par jour, six jours sur sept, Entité.

– J'aime bien faire un peu connaissance avec eux, murmura-t-Il/Elle, derrière sa main, à la compagne. La familiarité permet de déceler de façon aléatoire des défauts dans la version bêta. De concevoir à chaud un test de Turing. (Il tapota la rotule rougie de sa compagne.) Pour ça que moi j'encaisse un paquet.

– Zut alors, roucoula la compagne facturée-à-la-seconde de l'Entité.

– Tu t'es déjà intéressée aux nazis ? demanda l'Entité. Non, sérieux. (Il lui pompa les grandes lèvres à l'aide d'un instrument rassurant.) Ça m'intéresse.

– Je pourrais potasser le sujet dès maintenant. » Son rire tinta, presque semblable à un plateau de coupes à champagne réfrigérées à bord du TGV pour la Lune, songea le Shadow9, qui n'avait pourtant jamais été nulle part sans y arriver instantanément, une fois déduite ou ajoutée la résistance inhérente aux frictions du vide. En tout cas, l'expérience figurait dans le Flou où tout un chacun pouvait aller voir. « Zut, ronronna la partenaire, tu ne préférerais pas m'injecter une gélule sujet ?

– Cette seule pensée me colle la trique.

– Visez-moi cette armature ! »

Red ferma les yeux et se passa la bouteille fraîche sur le front comme s'il s'agissait d'une raclette en caoutchouc, d'une tempe à l'autre. En général, ça faisait du bien.

« ... Et à quoi », demanda l'Annonceur, sans vraiment attendre de réponse, « notre demoiselle Hecatomb totalement restructurée assistera-t-elle au cours de sa visite du sanctuaire ? » Un photomontage s'afficha derrière lui sur l'écran. Une main autopropulsée lui glissa un bristol format 9 x 13. « Qu'est-ce que c'est que ça ? » Les doigts crispés, l'Annonceur effleura la pastille épinglée au revers de sa veste et pour l'heure muette. « J'ai failli oublier ! » Il regagna son rond de lumière. Jeta un deuxième coup d'œil au bristol. « Et qui, selon vous, va guider notre heureuse gagnante Melanie... Hec... tomb... sa... visite ?

– Holo-Charley ! » cria quelqu'un.

L'Annonceur s'éventa avec le bristol en levant les yeux au ciel.

« Holo-Asche ! » lança une contre-proposition évidente.

L'Annonceur croisa les bras en hochant négativement la tête, un sourire méprisant aux lèvres.

« Non, non ! Holo-Virgile !

– Bien sûr !

– Ça sera Holo-Virgile, obligé ! »

Ayant fait mine d'écouter et de soupeser toutes ces suggestions, et passant sur la subite envie de froncer les sourcils suscitée par la référence classique — laquelle, comme n'importe quel apparatchik pouvait l'expliquer, réduisait dangereusement le champ de la compréhension d'un public —, l'Annonceur secoua la tête de plus belle et proposa qu'ils abandonnent.

« On abandonne ! cria la *claque**.

– Grâce aux toutes dernières recherches morphologiques et psychométriques… » L'Annonceur se tourna et indiqua l'écran, derrière lui, sur lequel l'image de Melanie Hecatomb reparut, le corps totalement encerclé, du cervelet aux orteils, des deux métatarses aux sept chakras, de minuscules comètes de lumière multicolores. L'image du visage d'Oscar Few, de sa main qui guidait, ou de ses chaussures à semelles épaisses, apparut, disparut et reparut dans les ombres holographiques entourant la gagnante, de même qu'avec une autre heureuse jeune gagnante, quatorze ans plus tôt.

« Joli, fit une voix dans la loge voisine. Ce mec est le truc le plus réaliste de toute la salle. Toi mise à part », ajouta-t-il onctueusement, en s'adressant à la compagne.

Tout était chorégraphié de façon à accompagner *Éviscération chromatique*, la célèbre composition pour orgue Hammond B-3 et harmonica de verre de Condor Rachid, tirée de l'unique album qu'il ait réussi à sortir depuis que des divergences créatives l'avaient conduit à la scission avec Condor Silversteed, jusqu'à ce qu'en fin de compte, le calme revenu et la nécessité économique les obligent à se réunir, moins d'une heure plus tard. De temps à autre, l'image animée de Melanie Hecatomb poussait un couinement aigu, se tortillait et gratifiait l'une ou l'autre des entités photoniques d'un regard perplexe et sévère, comme pour l'accuser d'une grivoiserie déplacée. À l'insu d'à peu près tout le monde, seule la présence constante de Few maintenait Melanie Hecatomb en orbite. Triomphe de la physique subventionnée par l'État. Les moindres boomers et caissons de basses de la salle diffusaient des grondements de timbales. Les moindres tweeters, petits et moyens modèles, émettaient des ding ding ding. Les haut-parleurs intermédiaires glapissaient : « Woupiii, gagné », et « paoh paoh paoh ! »

« … holostar, spécialiste de la vie nocturne et femme à ses heures, qui a rendu tout son sens au *chic** d'apparatchik, le seul, l'unique, le métabranché… Condor Silversteed ! »

Il étira la dernière syllabe tandis que les femmes faisaient semblant de couiner et les hommes, de désapprouver. Gloussements et grognements, éclats de rire et éructations fusèrent, pour finalement s'amalgamer en une pellicule d'applaudissements, sans enthousiasme mais joyeux, déclenchés par la *claque** qui faisait tinter les identipuces cervicales et prostatiques. Pas l'ombre d'une déconvenue, aux oubliettes le côté préétabli, et plus encore les trucages, décelables ne serait-ce qu'à l'unique bande passante... ils applaudissaient, au contraire*, l'audace exemplaire du placement de produit.

« Interrogez-la sur *Dotation au Parti*, de Silversteed », cria un individu masculin sur fond de rires entendus.

Le menton de l'Annonceur lui tomba sur la poitrine. « Ah, dit-il. Se pourrait-il qu'en plus d'être la-fille-la-plus-vernie-au-monde-aujourd'hui... (Applaudissements et vivats), mademoiselle Hecatomb sache exactement ce qu'elle veut ? »

Rugissement approbateur.

« Mais », reprit brusquement l'Annonceur, et le public se tut alors tout aussi brusquement, « à quoi ce couple chanceux assistera-t-il dans le Sanctuaire du Continuum ionisé de fraîche date ? Hein ?

– À l'amour zygote ! cria quelqu'un.

– À l'éveil politique ! » cria un autre.

Personne ne réagit. Personne ne reprit le slogan.

« Les incongruités sont des choses qui arrivent, clama l'Annonceur, mais ma parole, celle-là était de très mauvais goût.

– Pardon. Je ne voulais pas. Pard... ! » Deux chuintements et deux détonations, évoquant une paire de fusées en bouteille légèrement désynchronisées explosant à retardement, tronquèrent les excuses. Le silence se déploya d'un bout à l'autre de la salle. Deux minuscules effluences soufrées filtrèrent par les plus proches grilles de retour du climatiseur de pollution. Les mots *Guider par l'exemple* vinrent à l'esprit de tous les agrégats neuronaux assistant au spectacle.

Red fit la moue. Il n'avait jamais vraiment su si ces « rectifications » mineures étaient authentiques ou pas. Dans un cas comme dans l'autre, cependant, elles semblaient curieusement... touchantes.

« En pleine avancée », annonça l'Annonceur en palpant son nœud de cravate, les doigts crispés. « Voici donc », il désigna l'écran fixé en hauteur derrière lui, « le Graal du Continuum ».

Putain de Dieu, grommela Red, même moi je sais ça par cœur !

Dans la loge voisine, Il/Elle et sa partenaire facturée-à-la-seconde se penchèrent vers la transparence insonorisée. Le Shadow9 lui-même s'infléchit de curiosité. Mais bien qu'ils expriment tous, au même titre que le public, une certaine admiration, Red trouva pour sa part que le Graal avait tout d'une lampe à lave translucide posée sur une *mesa* à Golden, dans le Colorado.

Deux amphores infundibulaires, accolées l'une à l'autre comme des clochers à bulbe verticalement énantiomorphes, l'une s'étrécissant au-dessus de la pointe renversée de l'autre, qui n'étaient pas sans évoquer un grand sablier ou la tour de refroidissement d'un tout petit réacteur, contenaient un scintillant cocktail de sérum sanguin et nutriments. L'une d'un bleu cobalt artificiel, l'autre jaune de chrome, uniquement pour l'effet, l'un et l'autre liquides bouillonnant, infatigablement effervescents, comme un cocktail sur Vénus.

« J'ai soif », murmura Red. Il regarda sa bouteille. À moitié vide, et tiède à nouveau.

Tout sauf la glace carbonique, allait opiner le Shadow9 quand il avisa les vapeurs givrantes. Des globules de gaz montaient en flèche vers la surface, ou adhéraient au flanc transparent du récipient, évoquant ces chambres d'hôtel en forme de vésicule de varech à trois pans qu'on trouve dans n'importe quelle escale Disney. La base de chacun des récipients était sertie d'une platine biseautée en or, choisie pour ses nobles caractéristiques, une succession de huit vis Torx à épaulement fixant ce socle au dispositif.

« Chier », murmura Red dans une sibilance durcie par le dégoût.

« En direct, aboya théâtralement l'Annonceur, du Hafizat al-Zayt ! »

Un silence religieux convulsa la salle tout entière. « Je dois vous prévenir que si vous ressentez de légères démangeaisons dans votre patch intradermique, c'est parce qu'en prévision de la suite de notre programme, nous avançons vos fonctions métaboliques, ce qui induit une certaine hypoesthésie, en nous fiant aux pronostics les plus pointus et récents fondés, bien sûr, sur vos dossiers médicaux individuels, ce que vous avez consommé ce matin au petit déjeuner, et l'affiliation au Parti. »

Rires. Quelle affiliation ? Le Parti, c'est le Parti !

Un soupir collectif balaya la salle à l'instar d'une brise phéromodulée sur la piscine de la plage arrière adjacente à la Suite Casse-cou Dan O'Neil de n'importe quel navire de croisière Disney, charriant de légers effluves de chlore, plumeria, mûres, cuir, cotte de mailles récemment découpée au laser, et émanations particulières aux décodeurs de plantes télégraphes (*Desmodium motorium*).

« Voyez maintenant l'Alambic », clama l'Annonceur avec un profond respect, tandis que la tache lumineuse d'un pointeur laser encadrait la chose, « qui contient le site de protéine requis en vue de la carte… génétique de… la Dynastie Kleagaaan… ! »

L'onde de choc sinueuse triplebusifia le public déjà éperdu d'approbation. Des acclamations fusèrent et submergèrent ce que la *claque** avait espéré déclencher comme applaudissements. En bref, une cacophonie.

« Ça n'avait rien de difficile, lança l'Annonceur, rayonnant. Il suffisait de demander ! »

La réponse du parterre, deux étages en dessous de l'estrade et cinq des loges, dans la débauche de lumière se déversant de l'avant-scène, révéla ce qui perturbait l'équilibre du public : l'envie irrépressible de danser le pogo. Des bras s'agitaient. Des doigts se dressaient. Des postillons voltigeaient. Des bouteilles d'eau en plastique et, de temps à autre, des perruques pubiennes du samedi soir s'élevaient dans la lumière puis retombaient.

« Sur la droite », insista l'animateur, le volume de sa sono notablement plus fort. « Sur la droite… » Mais le public ne réagissait pas comme il l'espérait. Il commençait à faire le même bruit qu'un de ces congrès politiques d'autrefois, ceux qui se tenaient quand le prodigieux condensat était plus difficile à imiter, ceux de la mi-vingtième siècle dans lesquels personne ne savait qui pouvaient bien être les candidats tant qu'une semaine entière n'avait pas été sacrifiée à des débats contradictoires, ententes, gaz lacrymogènes, bakchiches. Nul nul nul. Quelqu'un du service technique eut la brillante idée de rebalancer les roulements de timbales, ce qui déblaya suffisamment le spatiotemporel pour que soit envoyée une reprise de l'annonce : « … plateforme… protéine… Dynastie… Klegan ! »

Cette fois, l'effet fut le même que celui de l'éther dans les injecteurs d'un moteur diesel. La pagaille éclata, mais s'orienta dans la bonne direction : vers un surcroît de pagaille. Une énergie brute flingua les processus logiques, si bien que les patches intradermiques crachèrent narcotiques et substances pharmaceutiques littéralement dans les coiffes de rotateurs. Même les musculatures les plus développées, en gymnase ou grâce aux hormones, ne purent complètement inverser le mouvement. La sueur roulait sur les crânes chauves. La brumisation résultante dérouta détecteurs sensitifs, désémoïficateurs, couches hygiéno-climatiques et, pour finir, déconnecta les circuits de sécurité.

La catharsis, dit-on quelque part dans un vague manuel, est la soupape de la société.

Sur le grand écran, l'agent Few, qui s'était glissé entre la caméra et la fille, recula dans l'ombre avec cette dernière et sortit du champ.

L'éruption suscita une volée de pastilles à slogans. « Bien sûr, on pourrait faire ça dans une éprouvette », proclamait une paire indissociable, « Mais c'est tellement mieux à la maison ! » D'autres mariaient : « *In vitro we trust !* » et « Ce qui compte, ce n'est pas ce qu'on dit », ou couplaient avec « Mais la façon dont on le dit ! » Ces pastilles, entre autres, fleurirent sur le thorax de certains -gués. Des suturologues repéraient sur écran, recueillaient et recyclaient les égarées, mutantes, orphelines et renégates, dont la date de crédibilité avait expiré.

En dépit d'un survol assidu de la foule, des bagarres à mains nues éclatèrent parmi les Délégués. Les Télégués eux-mêmes, visibles sur les écrans des divers centres et niches logistiques dispersés dans tout le Moscone Holodome, dont le contenu était minutieusement filtré au montage, explosèrent en critiques assassines. Les Hologués fusionnèrent en un chœur de grésillements. La sono se mit à beugler *L'Hymne rationnel* de Condor Silversteed, immédiatement suivi de sa sempiternelle scie, *Les Nucléotides sont avec nous*, déchiquetant les membranes papier encore en place dans plus d'un haut-parleur de location.

L'Annonceur commença à se fractionner en ses composants holographiques avec un bourdonnement semblable à celui d'une radio THF trop atténuée. Des touches de défilement, dont la fréquence, qui dépassait ordinairement le seuil d'audition humaine, était transposée en sons audibles par des algorithmes de sécurité, déchirèrent le mélange fioul/air surexploité. Finalement, les algorithmes de sécurité prirent le contrôle intégral des dronifleurs, et lancèrent aussitôt l'injection intradermique générale — c'est-à-dire visant l'ensemble des -gués présents à l'intérieur ou l'extérieur de l'auditorium — d'un puissant cocktail de sirop de Coca, sulfate de mescaline, et pentazocine.

Capharnaüm, malgré tout.

Il/Elle grommela comme pour Lui-/Elle-même, bien que l'intimité soit une chose inexistante : « Quand le droniflage de la sécurité parasite le propre voxcode de l'Annonceur, on comprend que c'est une affaire d'intelligence artificielle », énonça le Shadow9 d'un ton sentencieux.

La partenaire facturée-à-la-seconde étala de l'huile pour bébé sur l'armature fumante de l'entité.

Le sol même de l'holotorium commença à se dépixelliser.

Les cris étaient polémiques.

« Alors, rugit l'appareil. Combien de personnes ici placent la nécessité de la religion au-dessus de celle d'un marché mondial ? »

Personne ne fut assez bête pour lever la main à cette question, mais le sol s'ouvrit tout de même sous les pieds des croyants, car, comme le colportait un nombre préétabli de pastilles : « L'Intimité compromet la Vérité ».

En tombant, quelques pastilles réussirent à se fixer à certains de ces -gués, affichant comme devise : « La logique est programmée ». Comme si quelqu'un avait besoin qu'on le lui rappelle.

« Et que dire des gens qui zappent l'affiliation au Parti en dépit du vrai Vecteur du Capitalisme ? »

Des grésillements perturbèrent Holos et Télés.

Le sol s'ouvrit sous les pieds de certains Délégués, qu'ils aient compris la question ou pas…

Là-dessus, les Condors Rachid et Septum, triomphalement réunis avec Silversteed juste à temps pour le charrier à propos du rabiotage de la Lune de miel, invitèrent tous les -gués restants à reprendre en chœur une des scies pur lawrencium du groupe. Qui pouvait refuser pareille invite ?

Ça accroche peut-être un peu, poupée,
Mais une chose est sûre, c'est ce
Rythme-là
Rythme-là
Rythme-là…

« Et combien d'entre vous ont la ferme intention de vibrer devant les moindres transformutations de la sublime Melanie Hecatomb… » et là, l'image totalement remodelée de Melanie, débarrassée de son Vélum prophylactique de marque, s'imposa de nouveau sur tous les écrans du Relais Convovulum, et le délire s'empara de la *claque**. À l'arrière-plan, l'image de l'agent Few restait figée sur place, visiblement désemparée. « … lors de son méta-hajj au Graal du continuum capitaliste ! »

Repérés par droniflage, des Télégués, Délégués et Hologués donnaient de grands coups sur les rivets mêmes du Moscone

Holotorium en vociférant à gorge déployée. Des projecteurs les envéluminèrent tous individuellement, une vigoureuse pénombre phéromonée recouvrant tous les rhinochâssis oblitéra le moindre effluve résiduel, à droite, à gauche et au centre, et le substrat se re-coagula sous les pieds.

« Gagné ! Ding ding ding : gagné ! Paoh paoh, paoh, paoh paoh ! Nous avons une gagnante… »

Le silence régnait dans la loge en mohair. N'importe qui y aurait entendu une capsule de Kalik choir dans la peluche. Mais il n'y avait personne dans la loge. Dans le porte-boisson récemment fixé au fauteuil inclinable par l'entretien, de petites bulles montaient à la surface d'une bouteille de bière à demi vide.

I

Fortune de mer

1

Quand la collision se produisit, Charley était couché en bas, profondément endormi sur la couchette en V. L'erre se sublima en bruit, chaleur et éclats de bois, jusqu'au moment où le bateau s'immobilisa. En panne, mais toujours à flot. Convertie en vitesse, l'inertie du corps de Charley le précipita la tête la première dans le compartiment avant. Là, le jas de l'ancre de quarante livres tenta de lui séparer l'humérus de la cavité glénoïde, mécanisme qui le rendit de nouveau inerte, vélocité sublimée en chaleur et douleur.

Sans les différentes voiles de rechange et le sac de secours, qui amortirent l'impact, cette ancre aurait fort bien pu lui disloquer l'épaule. Comme cela se produisit au début de sa deuxième heure de sommeil continu en l'espace de quatre jours, ce ne fut pas le choc qui le réveilla mais la douleur. Quelques centimètres de plus sur bâbord, et le coup aurait été sans conséquence ; quelques centimètres de plus sur tribord, et il aurait pu être fatal.

Il avait fait un jour, du haut d'un quai, une chute de trois mètres sur la bitte d'amarrage d'une marie-salope du Mississippi, s'infligeant à peu près la même blessure à cette même épaule, blessure depuis portée à se répéter. Et à chaque fois très douloureuse. Allongé de la sorte dans le compartiment avant, il en était à passer en revue le protocole habituel — pas de battement de l'aile gauche pendant deux ou trois semaines ; aucun remède n'apaiserait complètement l'inflammation, et même lire un livre sur sa couchette lui vaudrait des élancements ; la seule ressource était pour l'heure de respirer posément, laisser la douleur enfler telle une prothèse pneumatique posée tout à côté, et s'efforcer de la dissocier de soi jusqu'à ce qu'elle se stabilise suffisamment pour permettre une pensée cohérente — quand il entendit un bruit d'eau.

De l'eau. Juste sous sa tête. De l'eau en train de pénétrer à bord.

Si un marin peut, par n'importe quel type de temps, dormir l'oreille collée à la coque de son bateau comme une bernique au rocher et se reposer aussi tranquillement qu'un ouvrier agricole somnolant tout l'après-midi au terme d'une longue et torride matinée passée à faucher des blés lui arrivant à la taille, la moindre altération dans le chant de l'eau va le tirer de son sommeil. Le temps qu'il se dégage de l'ancre, Charley était parfaitement réveillé et la douleur presque oubliée, car, au jour dispensé par le capot situé quelques centimètres au-dessus de sa tête, de l'eau de mer luisait au milieu des maillons de la chaîne de mouillage posés en tas sur le brion. Alors qu'il découvrait ce tableau, une vague souleva l'arrière, l'étrave enfourna et, submergeant la chaîne, l'eau de la mer des Caraïbes vint lui mouiller les genoux.

« Un trou, dit-il à voix haute. Sous la flottaison. »

Malgré son aile blessée il lui était peut-être possible de disposer le tourmentin sur la voie d'eau, plonger sous la coque, bricoler une réparation… Cela se dit « aveugler ». Va voir dans le dico. Moi, j'ai à faire. Il regardait l'eau. Ce trou est trop important pour être aveuglé. Sans compter, se dit-il, que je n'ai ni étoupe ni filasse. Il tenta de lever son bras parcouru de fourmillements. Pas moyen. Je suis en train de sombrer avant l'heure. Il porta la main à son épaule. Mieux vaut peut-être d'abord déplacer l'ancre et une partie de la chaîne pour accéder au sac de secours. Est-ce qu'un marin digne de ce nom, se réprimanda-t-il, place une pioche de quarante livres et soixante-cinq mètres de mouillage entre le sac de secours et la descente ? Du pur loup de mer. Pour sûr. À l'instant où cette pensée le traversait, le bateau empanna.

Il n'eut pas besoin de voir la chose se faire. S'il s'était trouvé sur le pont, il aurait pu se faire projeter par-dessus bord, blesser encore plus gravement, voire tuer sur le coup. Avec son avant qui flottait bas, son arrière plus léger et plus évolutif, le bateau obliqua suffisamment pour déborder la girouette du pilote automatique, sa poupe pivota dans le lit du vent. Arrachant les vis de son palan de retenue, la bôme balaya le pont de tribord à bâbord et poursuivit sa course. Dans un fracas accompagné d'un sifflement de câbles et de manilles qui ébranla tout le bateau, elle alla se plier contre les haubans de bâbord, en rompant deux, se trouvant arrêtée par le troisième et dernier, le plus avant.

Il ne faut pas que je me laisse déborder par les événements, se dit Charley. Il se dirigea tant bien que mal vers l'arrière, bras inerte ballant le long du corps comme une drisse inutilisée. À l'instant où il atteignait l'échelle de descente, une embardée du bateau lui fit donner de l'épaule contre la cloison. Une douleur fulgurante concentra toute sa chaleur dans l'articulation, protestation si vive que son estomac se tordit. Il y a de l'oxycodone dans la trousse de secours, se dit-il en sortant la tête à l'extérieur — enfin, il y en a si Cedric Osawa ne se l'est pas envoyée. C'est d'ailleurs pour la mettre hors de portée de Cedric qu'il l'avait rangée là quelque temps plus tôt. Depuis, il n'était pas allé y voir.

Sur le pont, tout était à peu près tel qu'il se l'était figuré, sauf que le rotor du régulateur d'allure flottait dans le sillage de *Vellela Vellela* telle la cuiller d'un leurre géant pour le bar, toujours relié au bateau par un de ses deux supports en inox, cependant que l'autre oscillait au-dessus du tableau arrière, pareil à la tige d'une fleur étêtée. Et il eut un coup au cœur en voyant que ce n'était pas un écueil qui se dessinait à l'arrière sous la pale galvanisée, même si cela y ressemblait, ainsi festonné d'anatifes et de gorgones ; non, il s'agissait d'un conteneur flottant entre deux eaux, une demi-brasse sous la surface. Les six cent quarante-cinq brasses de profondeur portées sur la carte se dévidaient en dessous — quelque mille deux cents mètres, les deux tiers d'un mille nautique, et c'était là une donnée propre à vous serrer le ventre pour de bon. Sous ses yeux, le machin heurta de nouveau le bateau, juste un coup léger cette fois, sur la hanche bâbord. Posant la main sur la barre, Charley constata que l'épave avait arraché la pale du régulateur, mais pas endommagé le safran. Sa présence d'esprit réclamait à grands cris une pinte d'adrénaline, ressource avec laquelle rivalisaient déjà de façon disproportionnée stupéfaction, peur, résignation, courage et blessure au bras ; cependant que le monstrueux coffre de fer, qui mesurait près d'une fois et demie les vingt-huit pieds de *Vellela Vellela*, roulait pesamment, obscène, sous la houle bleue. Tout en arêtes duveteuses dissimulant des angles acérés, il embardait languissamment de cinq ou six degrés, comme invitant le petit navire à un nouvel accouplement, peut-être fatal cette fois, et que j'enfonce ta petite étrave, et que je défonce ta petite quille, sa masse rectiligne grossie et obscurcie par un ondoyant varech infusé de rouille, cosse géante à maturité destinée à être éventrée par l'implacable bulbe précédant un tanker de trois cents mètres et à dégorger dans l'aquasphère, en une sorte de thalassique *piñata*, la petite berline, les ordinateurs, le radio-réveil, l'électroménager, les téléviseurs, bicyclettes, battes de base-ball, meubles de jardin, doudounes et autres jouets en plastique bariolés de la famille d'un GI. Monsieur, intervint d'une voix flûtée le bosco à demeure depuis belle lurette dans la tête de Charley, relevez donc ce numéro d'identification alphanumérique en partie lisible et téléphonez à notre avocate pour lui demander d'informer ce foutu transporteur, à qui appartiennent dix mille de ces machins, qu'on va lui coller une plainte, lui souffler dans les bronches, lui remonter les bretelles, lui sonner les cloches.

Le Bosco tout craché. Toujours à vouloir attirer l'attention de l'avocate à la lingerie affriolante sous son tailleur rayé, et voilà l'occasion rêvée. Les talents de la dame trouveraient là à s'exercer, honoraires dus uniquement en cas de victoire, bien sûr.

Le Gulf Stream portait une houle assez formée, quoique point trop courte, mais il fallait que Charley reprenne les choses en main avant que le bateau ne parte au lof ou que son avant camus n'enfourne dans un creux. Alors même que cette pensée l'occupait, la vague suivante se présenta, s'inséra entre le conteneur et le petit yacht, souleva la poupe. La proue piqua abruptement, noyée sous les eaux. Charley attendit. Et *Vellela Vellela* remonta péniblement.

Monté sur le rouf, il fila la drisse de grand-voile de la main droite tout en amenant tant bien que mal la toile de l'autre main. De retour dans le cockpit, il l'étouffa pour tenter de dégager la bôme du dernier hauban opérant, mais elle s'y était coincée. L'aluminium avait mordu dans le filin d'acier, comme une branche d'arbre qui, poussant contre un fil de clôture, finit par l'absorber. En fait, se dit-il en examinant la situation, la portion de bôme située entre mât et hauban semblait travailler comme une espèce de barre de flèche basse. Ce qui signifiait qu'au moins une part de la charge était renvoyée vers le mât via la bôme plutôt que vers la cadène restante. Ou une connerie foncièrement optimiste du même tonneau, commenta le bosco. Autant ne pas y toucher.

Charley reporta son attention sur le génois, dont l'écoute avait résisté à l'empannage. Il ne s'était apparemment pas enroulé autour de l'étai. Pourtant, lorsqu'il eut largué la drisse, la voile ne descendit pas, et une action sur le cunningham ne produisit pas plus d'effet. Main droite en visière — car la gauche ne montait plus à cette hauteur —, il regarda en l'air, estimant probable que la drisse avait sauté de la gorge et se trouvait maintenant coincée entre réa et joue de la poulie, pour demeurer ainsi jusqu'à ce que quelqu'un monte en tête de mât. Se hisser là-haut à l'aide de la drisse de grand-voile, avec un seul bras valide et un unique hauban bâbord ? Je ne crois pas, déclara le Bosco.

Il allait devoir naviguer sous foc seul. Tant que le vent ne forcirait pas, Charley ferait sa limonade avec le citron qui lui avait été alloué. Génois en l'air malgré l'avarie, il en tourna la drisse au taquet, puis il lofa doucement pour le faire passer sur bâbord et prendre l'allure du vent de travers tribord amures, ce qui fit porter la tension sur les haubans intacts.

En dépit de tout, le bateau se remit à progresser.

D'après le compas, nous cinglons vers le Texas, observa le Bosco avec ironie. Mieux vaut faire de l'ouest plutôt que plonger comme un lest, émit Charley. Faut que vous n'ayez jamais mis les pieds au Texas, repartit le Bosco.

Avec un regard vers l'arrière pour s'assurer qu'ils mettaient du champ entre eux et le mastoc artefact de la flotte marchande, Charley régla la barre et l'écoute jusqu'à ce que, de façon étonnante et en dépit du fait que son arrière passait dans l'eau bien plus facilement que son avant, le bateau s'équilibre et trace son sillon. Quelque part entre bord de largue et naufrage, c'était une allure inédite pour Charley qui, malgré toute une vie passée sur l'eau, n'avait jamais perdu un navire ni en tant que chef de bord ni même en tant que matelot.

Oui da, plaça le Bosco, et chaque jour en mer est une nouvelle aventure, quatre-vingt-quinze pour cent d'ennui et cinq pour cent de terreur, comme une fuligineuse olive verte fourrée au piment antillais se dandinant en embuscade au fond d'un martini bien frappé. Je n'avais jamais vu les choses ainsi, admit Charley. C'est pour ça que je suis le mieux payé de nous deux, skipper.

Charley préleva une poulie dans un seau à matériel rangé dans le coffre tribord du cockpit et, à l'aide d'une estrope, la frappa sur un taquet en abord de la barre. Il passa ensuite l'écoute de génois contre le winch bâbord et, lui faisant traverser le cockpit, l'engagea dans la poulie, puis, à l'aide d'un nœud de cabestan gansé, en noua le dormant sur la barre qu'il relia à un taquet bâbord par une double longueur de sandow, avant de passer un moment à en régler la tension. Un peu de bidouillage avec le gréement, approuva le Bosco, et voilà le bateau qui gouverne tout seul. Pas mal pour un misanthrope qui se veut puriste au point de vagabonder sur le grand bouillon sans un putain de moteur.

Sûr qu'un moulin nous ferait rudement du bien à cette heure, mon bon Sancho Panza, fit remarquer Charley. À quand donc remonte la dernière fois qu'on s'est penchés sur la carte ?

Qui a besoin d'une foutue carte ? Vous savez foutrement bien où on est.

Dans le Gulf Stream, c'est ça ?

Exact. Et où on va ?

À Boca Chica, pas loin au nord de Key West. En théorie, du moins.

Le Gulf Stream va se charger de la littéralisation de la chose, convint le Bosco avec aigreur.

Il y a des chances, repartit Charley, les yeux mi-clos. Bermudes, nous voici !

On devrait peut-être installer le réflecteur radar ?

Je ne crois pas.

Déclencher la radiobalise ?

Charley regarda derrière lui. Pas d'inquiétude, le rassura le Bosco. Vous avez débranché la batterie. Au fait, ajouta-t-il d'une voix égale, vous avez visé ce bestiau ?

Charley le vit.

Et là, un deuxième.

Charley vit aussi celui-là. Comment font-ils pour savoir ?

C'est leur boulot. Au moins y a-t-il par ici quelqu'un qui fait son boulot, plaça le Bosco d'un ton plein de sous-entendus.

Charley ne put ni récuser ni goûter ce truisme, mais force lui fut d'admettre, du haut de sa longue expérience, que ces créatures étaient vraiment troublantes.

Dites, reprit le Bosco, c'est pas par ici qu'un long-courrier est tombé dans les années 80 ?

Oui, quelque part dans ces parages, confirma Charley.

Le Bosco raffolait de cette histoire. C'est que le skipper s'était bien débrouillé pour poser l'avion. Passagers et équipage survécurent à l'impact. Pas un seul mort à déplorer. Tout le monde put sortir avant que l'épave ne s'enfonce. Chacun avait enfilé son gilet de sauvetage. Tout parfaitement goupillé. Nickel, même. Puis vint la nuit.

Tu ne vas tout de même pas… ?

Les rescapés de barboter dans l'obscurité en entendant, impuissants, tel et tel de leurs compagnons se faire emporter. D'abord un hurlement par-ci, puis un autre par-là. Peut-être à quelque distance, peut-être tout près. Puis le silence. Et peut-être çà et là des gémissements. Puis de nouveau là-bas…

Boucle-la.

L'eau chuintait le long de la coque, et pour un peu, on aurait cru que *Vellela Vellela* faisait route. Le bateau se soulevait à chaque passage de vague et se posait dans le creux, montrant à s'y tromper les qualités marines qui étaient celles de sa carène. Avaient été. Désormais, elle était pataude. Mais il n'est rien comme de naviguer au portant, éclairé par un soleil se levant au vent, avec une houle de l'arrière qui exhausse le bateau puis le laisse doucement redescendre, il n'est rien de tel pour atteindre à la vénusté pélagique. Il n'avait jamais connu de mers comme on en voit dans les Caraïbes.

Elle retombe un peu plus profondément à chaque creux, admit le bosco, un peu plus lourde, encore et toujours. Dirons-nous que l'heure est au canot et au sac de survie, ou bien est-ce qu'on se verse un remontant ?

Ce sera plutôt la première option, convint Charley, même si l'on dit qu'on ne doit abandonner le navire que lorsqu'il s'engloutit, parce que… Parce que, coupa le Bosco avec l'air de s'ennuyer, même si l'eau affleure le pont, la plupart des bateaux ne coulent jamais vraiment — surtout, ajouta-t-il sardoniquement, s'ils sont pourvus d'un ou deux compartiments étanches et qu'ils sont en polyester avec une quille aileron.

La coque est percée, déclara tristement Charley. Il observa la barre de gouvernail et le génois durant un moment, et il lui sembla que le bateau pourrait continuer à naviguer indéfiniment, du moins tant que la situation se maintiendrait.

Mais il ne fallait pas rêver. Il y avait une tonne et demie de plomb dans la quille. La flottabilité ferait défaut et la gravité l'emporterait. Alors qu'il se disait cela, le reflet d'un nouvel aileron accrocha son regard, par deux ou trois quarts sur bâbord, à une soixantaine de mètres de distance, sous la bordure du foc. Le moment était venu de sortir le kit de survie.

Quittant la barre, il descendit à l'intérieur pour découvrir, comme s'il ne s'y attendait pas, environ cinq centimètres d'eau recouvrant le plancher du carré. Un gant de caoutchouc et un couvercle en plastique rouge y dansaient d'un bord sur l'autre, alors qu'on les aurait plutôt vus flotter dans un creux de rocher. Il y avait également dans l'eau plusieurs clés plates. Métriques, comme il le savait, rangées à la hâte et sans soin. Soudain saisi d'un sentiment d'urgence, il sortit d'un tiroir proche de la table à cartes une poche étanche contenant son portefeuille, son passeport, deux mille cinq cents dollars bahaméens, les papiers du bateau, le journal de bord, le tapuscrit annoté d'un roman inachevé auquel il n'avait pratiquement plus touché depuis deux ans, et six ou huit grandes enveloppes adressées à son unique correspondant, une sœur qu'il avait vue une fois en l'espace de vingt-cinq ans.

Deux cent soixante-dix pages. Ah, fit le Bosco d'un ton songeur, ce furent des jours tranquilles, au mouillage dans Blue Hole Cove, à tricoter cette histoire.

Deux cent soixante-seize, rectifia doucement Charley tout en repliant la carte NOAA n° 11013, *Détroits de Floride et atterrages*, suivant ses pliures usagées pour la glisser dans la poche avec le reste.

Pas comme aujourd'hui, ajouta le Bosco.

Charley pataugea jusque dans le poste avant pour découvrir que le mouillage s'était drapé en plusieurs longueurs sur le sac de survie. Pardi, fulmina le Bosco, c'est l'étreinte amoureuse d'un constrictor aussi infect que galvanisé. Charley dégagea la chaîne d'une seule main, car son bras gauche, trop sollicité, était désormais inopérant. Il empoigna le sac par les œillets de sa fermeture à cordon et, s'asseyant par terre pour se propulser avec les talons, le traîna à reculons sur les planchers inondés. Sa toile s'imprégnant d'eau, le sac devenait de plus en plus pesant. Il l'avait confectionné lui-même dans une très vieille voile en coton. Z'auriez dû utiliser du nylon, avança le Bosco. Tu devrais peut-être chercher un boulot, lui rétorqua Charley. J'en ai déjà un, répondit l'autre d'un ton suffisant. Charley s'arrêta pour défaire le nœud plat du cordon et fourrer dans le sac la poche étanche qu'il tenait jusqu'alors entre les dents. Qui a eu l'idée d'employer une vieille voile pour ça ? interrogea le Bosco. Un penny d'économisé est un penny de gagné, haleta Charley. Avisé avec les pennies, imprudent avec les livres, répliqua l'autre. Je ne tiens pas à passer mon dernier jour sur cette terre à penser à l'argent, répondit sèchement Charley. À quoi le Bosco se mit à rigoler franchement. Puis-je savoir quel démiurge vous fait l'aumône de postuler orgueilleusement que votre dernier jour devrait être, entre tous, différent des autres ?

Passant devant le coin cuisine, faisant mentalement l'inventaire, en grande partie invisible, du bord, Charley ouvrit à la volée un tiroir pour y prélever un mince couteau à désosser norvégien, encore dans sa gaine, et se le glisser entre ceinture et reins. Il remonta, toujours à reculons, les quatre marches en teck de la descente. Là, un pied dans le cockpit, l'autre sur l'avant-dernier degré, il regarda vers l'arrière pour s'assurer que la voie était libre. Un mouvement accrocha son regard par-delà le tableau, et il s'immobilisa pour contempler un spectacle qu'il n'avait jamais vu ni même imaginé : derrière le bateau, la mer était parcourue de cinq ou six ailerons dorsaux, d'une surface allant d'un à deux pieds carrés, chacun traînant un zigzag de petites bulles blanches. Il s'avisa de reprendre la tâche en cours et tout en gardant les yeux et l'esprit tournés vers l'arrière, il exerça une traction sur le sac. Son pied humide glissa sur le fond du cockpit. L'autre dérapa sur la marche vernie de la descente. Cherchant à se rattraper alors qu'il tombait à la renverse, Charley saisit un bout qui pendait de l'ouverture du sac. Il aurait pu s'agir de la garcette servant à le fermer. Il n'en était rien. Sa main se referma sur le cordon commandant le gonflement automatique du radeau de survie, prévu pour deux occupants, et, comme précisé sur la notice, un coup sec suffit. Le cordon propulsa une aiguille en acier inoxydable à travers la capsule d'une cartouche de CO2. Alors, allongé sur le dos dans dix centimètres d'eau au fond du cockpit, quasi assommé par l'extrémité de la barre, qui l'avait frappé en plein occiput, Charley regarda, impuissant, le radeau en cours de gonflage déchirer de bout en bout la couture faite à la main dans la vieille toile. Le radeau continua d'enfler, tressautant et grinçant comme un duo de clowns confectionnant une troupe d'animaux de baudruche, jusqu'à bientôt emplir tout l'espace entre la table à cartes et le rouf du carré de *Vellela Vellela*.

Hum, fit le Bosco en lisant une étiquette plastifiée attachée au cordon, il est dit ici que ce truc peut être facilement utilisé par pratiquement n'importe qui à bord, même les femmes et les enfants.

Rappelle-moi de fonder une famille, marmonna ironiquement Charley tout en ramassant la poche étanche dans l'eau du cockpit, où l'avait recrachée l'ouverture du sac de survie. Faute d'un meilleur endroit, il la glissa avec le couteau, entre ses reins et l'élastique de son short.

Vaudrait mieux se dépêcher, rapport à la famille en question, suggéra le Bosco.

Sinon, se dirent-ils à l'unisson, on risque de mourir tout seuls.

2

Quentin écopa d'un feu rouge sur la 2e Rue au coin de Townsend Street, à un pâté d'immeubles du nouveau stade de base-ball et moins de trente mètres de la boutique d'accastillage. « Oh, bon sang », s'écria Tipsy qui occupait le siège passager.

« Eh, oui ! » Quentin remonta ses lunettes de soleil. Il était 5 h 25 et ils étaient pile en face du soleil couchant. « Il n'y a plus grand monde qui respecte encore les feux rouges. »

Tipsy, dont les phalanges blêmissaient autour de la barre d'appui du tableau de bord, répondit au pare-brise : « Trop galant, le type qui évite aux filles de se faire embrocher par deux files de bagnoles en provenance de la droite.

– La seule raison, c'est que les portes passager pour les 230SL de 1973 sont dures à dénicher.

– Tu devrais écrire un livre sur les destriers de la chevalerie.

– Quand j'aurai fini mon catalogue des étalons de Folsom Street (Quentin renifla sous ses lunettes), ça m'étonnerait qu'il me reste du papier. »

Tipsy regarda dehors par la vitre passager, puis regarda de plus belle, et sourit malgré elle. « Tu devrais peut-être piquer une image au film de ce type. »

Quentin regarda. « Tout ce que je vois, c'est une immense étendue métallique orange cuivré.

– Sors le périscope », suggéra Tipsy.

Quentin se pencha en avant et orienta son regard vers le haut du pare-brise, selon un angle d'à peu près quarante-cinq degrés par rapport à la base plane du capot. « C'est un Hummer.

– C'est toi l'expert en étalons. (Tipsy ajusta sa propre ligne de mire, vers le sommet de la vitre passager.) Tu arrives à voir au moins un des écrans vidéo qu'il y a à l'intérieur de ce truc ?

– Pourquoi ça ?

– Si je te le dis, je vais me sentir gênée.

– Donne-moi un indice.

– Attends que le feu passe au vert. »

Quentin lui adressa un bref regard, puis se pencha de nouveau au-dessus du tableau de bord. « C'est le gouverneur ?

– J'en doute. »

Il reprit sa posture normale derrière le volant. « J'aimerais lui toucher un mot du mariage homosexuel. (Au bout d'un moment, il vrilla les mains sur le volant comme s'il actionnait les gaz d'une moto.) Alors, c'est quoi le gros mystère ?

– Tu vas voir.

– Ce feu est le deuxième plus long de la ville, dit Quentin en le montrant du doigt. Le seul à faire mieux en matière de distorsion du temps, c'est le feu au carrefour de South Van Ness et Mission Street. »

Le Hummer se rua en avant.

« C'est vert.

– Et alors ?

– Alors suis-le. Tu n'as pas l'intention de... ? »

La voiture bloquée derrière eux klaxonna.

« Ah, dit Tipsy. Je comprends. »

Deux voitures plus loin, un chauffeur donna deux coups de klaxon. « Non, tu ne comprends pas. » Quentin tambourina du bout des doigts sur le bord du volant.

« Mais si, je comprends.

– C'est l'heure de pointe, après tout, commenta Quentin. Si je me fais descendre par un habitant des quartiers périphériques fou de rage, ça sera ta faute. »

Concert polyphonique de klaxons.

« Je trouve ça digne d'une composition de George Antheil, dit Quentin.

– Dis voir, ballot...

– Ballot, rien moins. Et qui est-ce qui ne conduit pas parce qu'elle a ramassé un retrait de permis pour conduite en état d'ivresse ? »

Tipsy assena une claque au tableau de bord. « J'essaie de combler tes lacunes en matière de culture pop et tout ce que tu trouves à faire c'est me jeter mon passé au visage. » Un flot de véhicules les dépassa par la droite en klaxonnant.

« Ton passé ? Ce retrait de permis date de deux mois. »

Tipsy se cala contre le dossier de son siège et croisa les bras. « J'aurais dû être lesbienne. »

Malgré les deux panneaux d'interdiction de tourner à gauche placardés en évidence au-delà du croisement, Quentin mit son clignotant à gauche. Les klaxons cornaient maintenant sans interruption. « Ouvre les yeux, ma grande, pendant toute l'année à venir, tu auras besoin de moi autant qu'un junkie de laxatifs.

– Il ne reste plus que dix mois. Et c'est répugnant.

– Entièrement d'accord avec toi.

– Tu veux bien rattraper ce Hummer, s'il te plaît ?

– Verbe intransitif de base employé en tant qu'adverbe. » Quentin mit le pied au plancher et un panache de fumée bleue sembla les propulser. « Ça pourrait revenir cher, ajouta-t-il en jetant un coup d'œil dans le rétroviseur. L'huile pour boîte de vitesses coûte jusqu'à huit dollars le litre. »

Ils rattrapèrent le Hummer au niveau de la 5e Rue, juste au moment où il prenait un sens interdit sur la gauche pour rallier la bretelle d'accès à l'autoroute 280. « Suis-le », ordonna Tipsy.

Après un coup d'œil dans le rétroviseur, Quentin obtempéra. « Si on continue comme ça, on va finir tous les deux à pied.

– Laisse une vingtaine de mètres et reste derrière lui. »

Quentin s'exécuta.

« Là. (Tipsy tendit l'index, toujours cramponnée à la barre d'appui de l'autre main.) Tu vois l'écran vidéo encastré à l'arrière de chacun des appuie-tête ?

– Nom d'un petit bonhomme, une tévé dans une conduite intérieure !

– C'est proposé en option depuis vingt ans.

– Et alors ? Il n'y a même pas de passager derrière pour regarder. Visiblement, ce porc prétentieux n'a ni famille ni amis.

– Tu vois ce qui est à l'écran ? »

Le soleil était à angle droit de leur trajectoire, à présent, suspendu au ras d'un épais brouillard qui se répandait sur Twin Peaks, à quatre ou cinq kilomètres sur la droite de la Mercedes.

Quentin se rapprocha à une dizaine de mètres du Hummer et scruta. « Caramba ! s'exclama-t-il, c'est un film pornographique.

(Il regarda par-dessus ses lunettes de soleil.) *Tant pis**, tout compte fait : ça n'a l'air d'impliquer que des hétéros.

– Il y a aussi un écran dans le tableau de bord, remarqua obligeamment Tipsy, ce qui porte le total à trois. (Ils regardèrent un moment, à cent dix kilomètres-heure.) Une nouvelle page pour le livre sur les étalons ?

– Ma foi, tergiversa Quentin, peut-être qu'au lieu de perdre son temps de trajet en obligeant son intellect à barboter dans les commentaires sportifs de la radio, ce possesseur de Hummer se livre à une étude approfondie des rites, mœurs et techniques d'accouplement hétérosexuel dans l'espoir d'achever sa maîtrise d'anthropologie et divertissement, au point mort depuis des lustres. (Quatre cents mètres défilèrent avant que Quentin ajoute :) Ce qui pourrait bien déboucher sur titularisation, mutuelle santé en béton et retraite anticipée à quatre-vingts pour cent du salaire mensuel.

– Je te parie un dollar, rétorqua brusquement Tipsy, qu'il a coupé le son du film et branché le sport à la radio.

– Et en plus, il téléphone, remarqua Quentin.

– Pour peu qu'il se masturbe de l'autre main, estima Tipsy, qui est-ce qui conduit ?

– Régulateur de vitesse, suggéra Quentin. Tiens, un gros plan. »

Au bout d'un instant de silence : « Ça c'est de la grosse bite, commenta Tipsy d'un ton empreint de respect.

– Ah », répondit doucement Quentin, remontant ses lunettes sur son nez du bout de l'index. « Pas à ma connaissance. »

Tipsy lui décocha un regard agacé. « Comment ça, pas à ta connaissance ? On pourrait tuer quelqu'un avec un engin pareil.

– Les gens se bousculent pour se faire tuer par des engins de ce genre, lui rappela Quentin. On appelle ça un phallicide.

– Il y a un nom pour… Fais gaffe ! » Les mains de Tipsy se muèrent en griffes pour mieux affermir leur emprise sur la barre d'appui du tableau de bord.

Quentin rectifia brutalement la trajectoire. Les pneus du coupé protestèrent, mais le rail de sécurité menaçant s'éloigna.

« Pfiou ! (Tipsy relâcha sa prise.) Jusqu'à aujourd'hui, je n'avais jamais pensé que la pornographie pouvait tuer. »

Quentin décéléra un peu. « Bon alors, dit-il en jetant un coup d'œil au paysage environnant. Tu nous as amenés jusqu'à Portrero Hill juste pour me montrer un type qui passe un film porno sur tous les écrans de son Hummer ? »

Une BMW noire vint se caser dans l'espace qui s'était ménagé entre le Hummer et la Mercedes. « C'est tout ce à quoi tu es capable de penser, lança Tipsy au pare-brise : toi, toi, toi ? Et si un gamin voyait ça ? Qu'est-ce qu'il ou elle serait censé en penser ? Non, attends. Si c'était un garçon, je sais ce qu'il en penserait. Mais si c'était une fille ? Si c'était ta petite fille, Quentin, attachée sur le siège arrière de ta Volvo ?

– Je ne pratique ni la reproduction (Quentin leva une main), ni les Volvo.

– Envisage l'hypothèse. Tu as acheté une adorable petite fille dans je ne sais quel catalogue et tu es en train de la conduire à la garderie. Elle est assise sur le siège passager, pile à la place que j'occupe, en tablier et chaussures bicolores, son cartable et sa boîte à sandwich dans les bras…

– On est où, là, dans un poème de Billy Collins ?

– … et elle voit exactement ce que je suis en train de voir. Qu'est-ce que tu ferais ? Hmm ? Je vais te le dire, moi. Tu resterais là sans bouger et tu encaisserais, encore et encore et encore, comme tout le monde le fait dans cette société sinistrée. (Elle assena une claque au tableau de bord.) Voilà ce que tu ferais ! C'est une question de *rigueur morale* », ajouta-t-elle d'un ton féroce, les lèvres à quelques centimètres de l'oreille de Quentin.

Ce dernier se recroquevilla une nouvelle fois contre sa portière. « Ne va pas t'entailler les glandes mammaires avec ce harnais de sécurité. (Il vérifia son rétroviseur latéral.) J'entends ce que tu dis. Tu crois que ce bazar est équipé d'une télécommande ?

– Ça me paraîtrait obligatoire.

– Dans ce cas, volons au secours de ma petite fille à la sensibilité si délicate. (Quentin accéléra pour déboîter sur la voie de gauche, doubla la BM noire, rejoignit le Hummer et resta à sa hauteur.) Voyons si ça marche. (Il actionna un bouton sur un manchon métallique du même format qu'un tube de rouge à lèvres, rangé parmi les clefs qui pendaient du contact.) Patience. »

Tipsy fronça les sourcils. « Hein ?

– Ça balaie les fréquences. »

Soudain, tous les écrans à cristaux liquides du Hummer s'éteignirent.

Tipsy en fut immensément ragaillardie. « Ouaouh ! Je suis la nunuche de base ou quoi ? (Elle éclata d'un rire juvénile et donna une claque sur le tableau de bord.) Comment tu fais ? »

Quentin brandit l'index en direction du petit manchon. « Ça s'appelle un Quietus, et c'est réglé sur les fréquences spécifiques aux boîtiers de commande de télévision. Quatorze dollars quatre-vingt-quinze, pile AA en sus. C'est génial dans les restaurants avec télés braillardes, ça marche sur les juke-box modernes, et pour autant que je le sache, ça désamorce aussi les Engins Explosifs Improvisés. »

La BMW noire accéléra brusquement et les doubla par la gauche.

« Plus la peine de lui coller au pare-chocs », fit remarquer Tipsy.

Le conducteur du Hummer s'arracha à sa conversation téléphonique et jeta un regard furibond à son écran de bord éteint. Il l'effleura, le toucha avec plus de fermeté, puis se mit à taper dessus. Il se renversa en arrière pour regarder l'écran encastré à l'arrière de l'appuie-tête du côté passager, mais ne parvint pas à le voir. Il se pencha par-dessus la console centrale et, en s'étirant bien, releva la manette du siège passager avec la main du téléphone, l'appareil calé entre épaule et oreille, sans cesser de parler, et de conduire. Le siège bascula en avant et l'homme put constater que l'écran vidéo encastré dans l'appuie-tête était, lui aussi, éteint.

Ses lèvres articulèrent : « Je te rappelle », puis il referma son téléphone et appuya sur quelques touches du tableau de bord. Les trois écrans se ranimèrent, et l'activité sexuelle reprit.

« Il aime quand c'est branché, souffla Tipsy, et moi quand c'est éteint.

– Ne le regarde pas, sinon il va comprendre que c'est nous, conseilla Quentin d'un ton revêche. S'il est capable d'acheter un Hummer, il est capable de tout.

– Qu'est-ce que tu racontes ? Un type avec une coupe mohican teinte en rose, qui porte une chemise à motifs ananas rouges et jaunes au volant d'un Hummer orange cuivré avec un film porno en marche sur au moins trois écrans vidéo piquerait une crise de parano parce que les gens le regardent ? C'est ce que tu es en train de dire ? »

Quentin effleura le Quietus. « Ton argument est recevable. » Les écrans du Hummer s'éteignirent en un clin d'œil.

« Ah, regarde, dit Tipsy. Il tape sur son tableau de bord à coups de téléphone.

– Ça tiendra le coup, dit Quentin en jetant un coup d'œil dans le rétroviseur latéral du côté passager. Cette voiture est construite par et pour des Américains. (Un morceau se détacha du téléphone.)

En revanche, son appareil de télécommunication a l'air de fabrication étrangère.

– Il est peut-être encore sous garantie.

– Il vaudrait mieux. Les gens cognent sur des tas de trucs à coups de portable. Et s'entrecognent aussi. »

Quentin se laissa distancer par le Hummer. Derrière, roulait un pick-up Ford F250 dont la cabine contenait deux rangées de plaquistes somnolents. Un bric à brac de cartons, bidons et projecteurs de chantier sur pied débordait du plateau, le tout maculé de projections d'enduit séchées. Quentin se rangea derrière le pick-up et prit la sortie qui donnait sur Cesar Chavez Street.

Au feu, il demanda : « Bon alors, qu'est-ce qu'on fait ? On retourne se payer le carrefour de la 2e Rue et de Townsend Street à l'heure de pointe ? Tu en as un besoin urgent, de cette carte ?

– Ils ferment à cinq heures et demie, dit Tipsy. Tu ne te boirais pas une bière ? »

Quentin fronça les sourcils.

« En effet, dit Tipsy, anticipant les pensées de Quentin. Je suis une vilaine sœur.

– Tu es sûre ?

– Juste une. Ensuite, si tu pouvais…

– Te déposer à ton stage de reconstitution de permis ?

– Tu es gentil.

– À Diamond Heights.

– Tu as retenu l'endroit !

– C'est toi qui régales. On ira chercher la carte demain.

– Pas demain. Demain, je dois commencer une nouvelle dissertation pour le stage de reconstitution. J'ai mis deux jours à rédiger celle que je rends ce soir. L'écriture, je dois bien le dire, ce n'est pas mon *forte*.

– Fort, corrigea Quentin. Il faut travailler si dur que ça pour récupérer son permis ?

– Tu rigoles ? Ils ne plaisantent pas, là-bas. Ma mission, c'était d'assister à une fête sans boire une goutte pendant tout le temps que j'y passais. Incroyable, non ?

– Passionnant, mentit Quentin. Ça t'a donc laissé tout le temps d'écrire.

– La première chose que j'ai remarquée ? Se soûler puis dessoûler, ça prend beaucoup plus de temps que rédiger une dissertation.

– Sans parler de la concentration.
– C'est fait pour ça, les fêtes... non ?
– Je me suis toujours demandé pourquoi les gens allaient galvauder une bonne cuite dans une fête.
– Eh bien, pour baiser, premièrement.
– Ah oui ?
– Et pour danser. Rappelle-moi cette phrase que tu cites toujours ?
– "La danse est la forme la plus vile des relations humaines" ?
– C'est ça.
– Gilbert Keith Chesterton.
– Quel abruti.
– Pour les reconnaître, il faut être des leurs.
– Pour savoir ça par cœur, il faut être des leurs.
– On parlait de ta dissertation.
– Donc, je suis allée dans une fête, je n'ai pas bu et je me suis bien amusée. J'ai dansé, j'ai baisé, pas dépensé un sou, et je n'ai pas eu la gueule de bois.
– Et à quoi ça sert ? Tu peux vivre jusqu'à la fin de tes jours sans boire ?
– Ça paraît longuet, non.
– C'est une question ?
– Non.
– Alors ?
– Alors quoi ?
– Alors c'était bien quand même ?
– Non, ce n'était pas bien quand même. Tu imagines un peu à quel point c'est dur de trouver quelqu'un avec qui tu aies envie de baiser sans être bourré ?
– Ma foi, non. J'ai le problème inverse. »
Tipsy regarda droit devant elle.
« Cette bite, dit-elle deux croisements plus loin, elle était vraiment grosse. »

3

Une des raisons qui fait que l'on s'en va sur la mer, rappela le Bosco, est la *schadenfreude*, la joie mauvaise que l'on retire du fait que les autres doivent vaquer à leurs occupations avec des chaussures aux pieds, alors que pas nous.

Charley hocha la tête. Pas étonnant que j'aie glissé.

Ha ha…

Ah, ha, ha…

Ah HA HAAA…

Comme Charley s'agenouillait pour se relever, le bateau fit une embardée. Par réflexe, il garda le bassin en dessous de son propre centre de gravité. Mais le génois faseya et les sandows laissèrent la barre venir lui heurter le bras gauche, ce qui lui envoya un élancement à travers l'épaule. Un nœud était en train de lui monter à l'arrière du crâne. Il était en voie de déshydratation. C'est marrant, se dit-il tout en frictionnant cette nodosité avec le talon de sa main droite, j'avais coutume de me tenir pour un assez bon marin.

Tu parles, lança le Bosco. Nu-pieds et incompétent.

Seule la mer s'en amusa. Elle seule, tout en glissant le long de la coque, s'arrêtant çà et là pour clapoter contre la hiloire, pour lancer la valeur d'une tasse sur le passavant, afin de tester, tester toujours, en quête du point faible. *Vellela Vellela* se souleva de l'arrière, descendit se vautrer dans le creux, enfourna un peu plus. Le génois ralingua, le gréement de fortune grinça. Un petit mur d'eau, haut de deux ou trois centimètres, ruissela sur le pont entre le rail d'écoute du génois et le côté du rouf, s'étala sur le pontage, s'écoula par les dalots de l'arrière pour retomber dans la mer, à peine trente centimètres plus bas.

L'eau tiède de la Caraïbe.

Charley plissa les yeux en direction de l'est, vers le soleil. Il devait être 9 heures, d'une journée déjà bien longue. L'énergie dépensée laissait derrière elle un manque, un vide, une vacuité, une douleur. Deux douleurs. Trois. Un thé, voilà qui ferait du bien. Ou des flocons d'avoine bien chauds agrémentés de sel, de raisins secs, de sucre roux et de rhum de Haïti. Il regarda du côté de la descente, désormais obstruée par les distensions orange vif d'une espèce de tissu miracle, barré çà et là des bandes argentées d'un adhésif réfléchissant. De l'autre côté étaient enfermés tous les vivres sans exception, y compris l'eau douce.

Il se redressa et, se tenant à la main courante du rouf, partit à reculons vers l'avant, le long du passavant tribord. Chaque hublot devant lequel il passa — il y en avait trois — laissait voir de l'orange. Arrivé sur la plage avant, il examina la façon dont se comportait la proue. Elle flottait bas et, ce qui lui serra le cœur, supportait mal le poids de son corps. Il leva la tête vers la voile. Par une brise plus fraîche, ce génois pouvait fort bien envoyer le bateau par le fond. Cela valait-il le coup de le tailler en lambeaux ? Ou d'y mettre le feu ? Mais avec quoi ? L'inertie du bateau sollicitait à l'excès le gréement dormant. Les trois haubans intacts, ceux de tribord, étaient tendus à se rompre ; s'il les avait pincés, ils auraient bourdonné. L'unique hauban de bâbord se détendait lorsque la proue plongeait, se raidissait lorsqu'elle se soulevait. Soumis à de telles contraintes, il ne pourrait tenir longtemps.

Charley s'agenouilla devant le capot de pont. Celui-ci était fermé de l'intérieur, mais il devait être possible d'y pratiquer un trou au besoin. Peut-être pas, en fait, car il mesurait douze millimètres d'épaisseur. Les ultraviolets tropicaux, ajoutés à des années d'embruns salins et sableux, avaient presque complètement opacifié l'épais plexiglas. Charley se pencha pour amener l'œil droit à une quinzaine de centimètres, puis à trois. Il crut d'abord ne rien distinguer, sinon peut-être le tas de chaîne, vague lueur dans une pénombre grisâtre. C'est alors que l'avant plongea. L'épaisseur du plexiglas parut se rider vers son périmètre, puis se contracter lentement sur un point qui ensuite glissa vers le côté le plus bas du bateau, bâbord, et disparut.

De l'eau de mer.

Elle était montée jusqu'à la face intérieure du capot.

Dans ce cas…

Charley se redressa pour s'asseoir sur ses talons.

Dans ce cas.

Un aileron fit surface sur bâbord. Nageant de la proue vers la poupe, le fuselage du requin frotta contre le bordage, produisant au passage un bruit propre à décaper la peinture des carènes et la myéline des fibres nerveuses. Comme captivé, Charley regardait défiler la nageoire luisante. Elle devait bien mesurer soixante centimètres de haut, alors que *Vellela Vellela* n'en avait plus trente de franc-bord sur son côté sous le vent. Tirant le couteau à désosser de la gaine glissée au creux de ses reins, Charley en porta deux coups à l'aileron, réussissant à l'entailler la première fois. Le squale disparut avec une surprenante rapidité, laissant derrière lui un petit navire à flot sur un océan désert. Plus ou moins à flot ; de moins en moins à flot. Et un océan pas si désert que cela.

Alors qu'il considérait son couteau à dix dollars, lui revint en tête une formule de Melville décrivant *l'intense fanatisme des fins* d'Achab. Il orienta la lame de telle manière qu'elle lança des reflets.

Toi aussi, va falloir y croire, mon grand.

Il jeta le long du bord un regard qui ne fit que confirmer l'évidence. Il y vit les lignes parallèles des virures s'étageant sous la flottaison changeante du bateau, visibles sur une trentaine de centimètres à travers l'eau claire puis disparaissant sous le bouchain, et il aperçut le bordé qui avait été défoncé entre deux couples. Il se laissa aller sur le dos, appuyé sur les coudes, et étendit les jambes vers l'arrière. Mais son épaule abîmée ne lui permit pas de se détendre dans cette position. Pivotant pour s'appuyer sur l'avant-bras droit, il se prit à contempler l'étendue liquide, entre deux chandeliers, en se disant que la scène devait pas mal ressembler à *Trombe*, le tableau de Winslow Homer. Il connaissait les tables — ayant consacré une heure d'inaction à l'assimilation des calculs — qui disaient que si les yeux de l'observateur se trouvaient à un mètre cinquante au-dessus d'eaux calmes, ce dernier ne pouvait voir à plus de deux milles et demi dans toutes les directions, soit une étendue totale de cinq milles. Ce qui donne un champ visuel de π par le carré de 2,5 milles, soit un cercle de près de vingt milles carrés de haute mer. Un secteur riquiqui sous *commande visuelle*. Terme intéressant. Qui pue la théorie.

Lui-même se trouvait probablement en non-commande non-visuelle de plusieurs milliers de milles carrés d'océan désert. S'il déclenchait la radiobalise, il avait une chance d'être secouru dans un jour ou deux, à condition que le bateau tienne jusque-là. Mais si on lui portait secours, il y aurait des questions embarrassantes et, si vague ou évasif qu'il se montre, cela donnerait forcément lieu à des réponses embarrassées. Ces réponses entraîneraient de nouvelles questions, et il lui faudrait alors cesser d'être vague ou évasif, cesser tout court de coopérer, il y aurait une accumulation de preuves, un avocat commis d'office, un procès et la prison — une peine ferme et pas moyen d'y couper. Retour à l'école en haut du fleuve, une école vraiment dure, un cours d'eau envasé qui plus est, et point de pagaies. S'il était chanceux, ce serait une taule fédérale, probablement en Floride, où l'une des principales rigueurs à endurer serait un perpétuel matraquage de télévision étasunienne. Sinon — il lança mentalement un regard vers le sud-est — ce sera scorpions et poux. La faune cubaine. Déjà senti une araignée te marcher sur le visage dans le noir ? Eh bien, *mon vieux**, ce sont de sinusoïdales cascades d'arpions hirsutes travaillant en syncopes parallèles, je ne te dis pas l'effet sur l'imagination, et il n'y a rien à ajouter. Sympa, commenta le Bosco avant d'ajouter pour la forme : et ça donne quoi comparé au fait de cultiver délibérément cataracte et surdité afin de se protéger du rayonnement cathodique mutilant de la télé américaine ?

Charley remarqua qu'il venait de ficher de façon répétée la pointe du couteau dans le pont. Son propre pont ou celui d'autrui, il s'agit d'un considérable manquement à l'étiquette. De ces choses qui ne se font vraiment pas. Pas nickel du tout. En plus, cela émousse le couteau.

Il se retint de le balancer par-dessus bord.

La proue plongea dans un creux, le génois faseya, de l'eau balaya le pont, lui mouillant les jambes. La brûlure du soleil était en passe de devenir un problème, si bien que cette humidité lui procura une sensation agréable, à court terme ; à long terme, la salinité allait aggraver les choses. Cela ne présageait rien de bon. L'écoute battit et la barre grinça. La voile se remplit et l'écoute se tendit. Le bateau poursuivait sa marche alourdie.

Gonflé et coincé de la sorte à l'intérieur du carré, ce foutu radeau tiendrait peut-être lieu de compartiment étanche et maintiendrait indéfiniment *Vellela Vellela* à flot. À quelque chose malheur est bon, si ce n'est qu'en gardant le bateau indéfiniment à flot, cela prolongerait d'autant le supplice, sans parler du fait que cela préserverait les éléments à charge et bloquerait efficacement le coupable sur le lieu du délit. À dériver en rond sans plus de ressources qu'un cafard sur un abaisse-langue. Pas ma langue, plaça allégrement le Bosco. Pourquoi pas plutôt un criquet sur un bâton de sucette ? Charley faillit sourire. Et zut. À quoi sert un bosco, sinon à vous redonner courage ? D'accord, concéda-t-il, disons alors qu'à quelque chose bonheur est néfaste.

Les faits se bousculaient dans sa tête, et il commençait à s'y perdre un peu. Mais ce n'est pas pour rien qu'il naviguait en solitaire. S'il goûtait certes l'appel du large, il était d'abord et avant tout un misanthrope invétéré. Il avait l'habitude de débrouiller les dilemmes par lui-même, il aimait l'indépendance que lui apportait une confiance quasi exclusive en ses propres bourdes comme en sa propre ingéniosité, et il prenait donc le temps de piger les choses quand il en avait le loisir, ou bien, dans le cas contraire, il se décidait d'un coup. Pour l'heure, allongé sur la plage avant, il regardait le monde défiler devant lui et ruminait.

Et effectivement, environ deux heures plus tard, *Vellela Vellela* paraissait avoir conclu une espèce de compromis avec les circonstances. Il avait stabilisé son assiette, avec un franc-bord d'une quinzaine de centimètres. Le niveau d'eau dans le cockpit correspondait à celui de la mer environnante. La coque se trouvant à ce point emplie, le génois tractait une charge bien plus importante qu'à l'accoutumée ; cet équilibre ne pouvait durer. Toutefois, tant que le vent resterait modéré, le gréement dormant tiendrait peut-être le coup. Charley nettoya une partie des dégâts occasionnés par l'empannage involontaire, il raccourcit et lova différentes manœuvres et écoutes. Il pesa du pied sur le rail du hale-bas, en partie arraché et tordu sur bâbord, pour le replier complètement sur lui-même. Il gréa la grand-voile affalée en une sorte de taud au-dessus du rouf, afin de s'y protéger un peu du soleil ; car de même que les vivres et l'eau, les cartes, les instruments de navigation, le coupe-boulons et autres équipements, la crème solaire IP 30-plus était piégée à l'intérieur.

Et cet équilibre définissait les termes du dilemme auquel il chercha pendant toute la matinée à se soustraire en s'occupant à mettre de l'ordre sur le pont. Rien à manger, pas d'eau, pas d'écran total, un bateau qui n'en était plus vraiment un, et, de plus, il ne voulait pas qu'on le retrouve. Il y avait en particulier une personne par laquelle Charley ne pouvait se permettre d'être retrouvé. L'individu se nommait Red Means et il était son employeur du moment ; il s'agissait d'un vieil ami, mais aussi d'un flibustier. De la vieille école, mille sabords, tu me l'as mise profond, mon pote, je te la mets profond. Pourquoi ne pas travailler pour le meilleur ?

En fait, la cargaison de *Vellela Vellela*, soigneusement dissimulée dans un petit compartiment de la quille, appartenait à Red Means et à lui seul, du moins jusqu'à ce que Charley trouve moyen de la décharger au bord d'un lagon minuscule, sur un îlot inhabité d'un hectare à peine sis au nord-ouest de Boca Chica Key.

Et s'il échouait ? En ce cas, même la meilleure des excuses ne pourrait faire l'affaire. Une collision avec un conteneur submergé n'était-elle pas une meilleure excuse que la meilleure des excuses ? Probablement pas. Sans compter que Charley dormait au moment de l'impact. Quand bien même il aurait été réveillé, l'aurait-il vu à temps ? Est-ce que les précédentes soixante-douze heures de veille ininterrompue ne comptaient pas pour quelque chose ? Il leva la tête pour parcourir des yeux la courbe de la coupe cobalt renversée, où empiétait çà et là un banc de cumulus voguant vers l'ouest.

Un regard des yeux roux de Red, et Charley livrerait la vérité aussi imparablement qu'une tourbière régurgite une momie. Le fait est que Charley était trop honnête, pas assez implacable, et peut-être pas même assez malin dans le sens où « malin » s'applique aux tenants et aboutissants du trafic de drogue. Il s'en était aperçu lors de son tout premier convoyage, de nombreuses années plus tôt. Il ne possédait tout simplement pas le sang-froid requis. À vrai dire, il était tout ce qu'il y a de futé par d'autres côtés, et bon marin qui plus est. Mais les flingues ? Les garde-côtes ? Des années de taule ? Des orgies dopées à l'alcool et à la drogue ? Toute une année sans bosser en échange de trois semaines d'insomnie baignée d'adrénaline ? Qu'était-il advenu du calvinisme, dieu de dieu, du travail pour l'amour du travail ? Et quid de la vertu anoblissante du respect de la loi ? Sans parler du salut des élus par la seule volonté de Dieu, et en ce cas à quoi bon tenter sa chance ? Avait-il fait le mauvais choix en étant Charley plutôt que l'Élu ? Ou en étant Charley plutôt que Red ? Le mieux serait de discuter de ça plus tard, au bar, temporisa le Bosco. Ça ne risque pas de nous avancer ici. En plus, à vous entendre on dirait que vous avez perdu la boule. Non, sérieusement, persista Charley, est-ce qu'une simple incapacité foncière à suivre une voie normale, associée à l'amour de tout ce qui est maritime, conduit nécessairement à une existence criminelle ?

Dans votre cas, c'est évident, laissa tomber le Bosco.

C'était exact. Onze ans plus tôt, à environ quatre-vingts nautiques au large de l'île de Saint-Simon, en Géorgie, les garde-côtes avaient pincé Charley avec deux cent cinquante kilos d'herbe colombienne. Le même mode opératoire : en solitaire à bord d'un modeste voilier avec tout l'attirail du plaisancier décontracté — panneaux solaires sur le dog house, barbecue suspendu au balcon arrière, planche à voile et kayak arrimés contre les ridoirs —, vagabondant au gré du vent et des courants, goûtant la liberté de l'océan. Charley se moquait bien des jouets, mais il ne détestait pas le côté showbiz. Il naviguait donc par une frisquette matinée du Gulf Stream, bien emmitouflé, barre amarrée, tasse de thé dans une main, morceau de cake de Noël dans l'autre, quand l'*Ineluctable*, vedette garde-côte de trente mètres de long — coque blanche, bande diagonale orange à mi-longueur, mitrailleuse de calibre 12.7 à l'avant et à l'arrière, trois antennes radar tournant au-dessus de la timonerie et une double rangée de feuilles de cannabis, vertes et dentelées, peinte à la base de la cheminée, chacune représentant une saisie importante — sortit de la brume à environ une encablure sur l'arrière de *Xanadu Caprice*. Charley vivait un si bon moment, perdu dans sa rêverie au milieu de ce magnifique environnement, à une vingtaine d'heures du débarquement de sa cargaison en échange de l'embarquement d'une mallette de cash, qu'il ne remarqua la présence des autorités que lorsqu'il s'entendit héler par un haut-parleur qui, avec ses cent vingt-cinq décibels, manqua de le faire sursauter par-dessus bord. Le thé lui ébouillanta les doigts de la main gauche. On lui demanda poliment la permission de monter à bord, il l'accorda de même. Les fonctionnaires trouvèrent immédiatement la marijuana. Il y en avait une telle quantité qu'il avait utilisé les savonnettes en guise de mobilier.

C'était une autre époque. En ce temps-là, chaque kilo arrivait avec un gramme de cocaïne noyé en son centre. Les fédéraux ne s'en avisèrent même pas. Après avoir soigneusement pesé et photographié les savonnettes, ils entreprirent d'incinérer le tout. S'ils avaient relevé la présence de la poudre, les choses se seraient sûrement beaucoup plus mal passées pour Charley. Ce qu'on pourrait appeler une mornifle du destin, ne se lassait pas dc lui répéter le Bosco.

Sur la plage avant de *Vellela Vellela*, Charley affichait le sourire contrit de qui, au milieu d'une journée très chargée, se laisse aller à un moment de rêverie.

Ce fiasco se solda par deux ans et demi à la prison fédérale de Marianna, et encore cette peine fut-elle précédée d'un an et demi au sein du système judiciaire, période pendant laquelle, faute de verser une caution astronomique, il poireauta au gnouf chez les garde-côtes de Savannah. Il était délinquant primaire. Marianna est présentée comme un centre de vacances, mais une prison reste une prison. Il aurait certainement bénéficié d'une remise de peine s'il avait bavé quelques noms et accepté de déposer. C'est ce que lui avaient dit les fédéraux, et ils sont dignes de foi — oui ? non ? Ils lui proposaient également une nouvelle identité, lui permettant de se refaire une virginité en tant que, disons, mécanicien diéséliste dans un garage pour poids lourds de Buffalo dans le Wyoming.

Dieu de dieu, gémit le Bosco, vous noircissez le tableau.

Dignes de foi ou non, ils n'obtinrent rien de Charley. Il attendit, menotté, le temps qu'ils exposent leur affaire, qu'ils la gagnent et qu'un juge le condamne à une peine d'emprisonnement. En tout cas, il n'en parlait jamais et cela l'aidait à ne pas trop y repenser. Quand il obtint par la suite deux ans de conditionnelle et qu'il put quitter la Floride et le pays, Red lui trouva du boulot dans un petit chantier naval de la Guadeloupe. Après tout, c'était grâce à Charley, qui l'avait bouclée, que plusieurs personnes avaient eu le privilège de continuer à se rouler les pouces pendant les années en question. Même si Charley n'avait jamais été leur seul fer au feu, ils ne l'oublièrent pas. À sa sortie, ces amis le remirent en selle en le dotant d'une somme substantielle, ce qui expliquait son séjour outre-mer et le fait qu'il avait pu retaper comme il faut la coque qui allait devenir *Vellela Vellela*.

Trois ans qu'il l'avait mise à l'eau.

Et aujourd'hui ?

Eh bien, il se trouvait apparemment en passe de retourner à la case départ. Quoique, ayant déjà plongé une fois, il ne pouvait pas vraiment prétendre, arithmétiquement parlant, à la première case. Plutôt à la case zéro. Pour une récidive et compte tenu du système des peines plancher, n'importe quel juge se verrait obligé de le boucler pour entre dix et vingt ans. À moins que ce ne soit entre quinze et perpète ? Il ne savait pas bien. Il n'avait pas suivi les évolutions de la législation. Peut-être aurait-il dû se renseigner, disons, deux mois plus tôt ?

De retour sous l'ombrage du taud improvisé, il se prit à étudier tour à tour la mer et la chose orange qui obstruait la descente. Il se mit à y voir plus clair. Différents éléments du scénario commençaient de revêtir le caractère d'insolubilité qu'il avait pressenti. Au bout d'un moment, les pièces les plus dispersées du puzzle trouvèrent leur place. Primo, les autorités ne constituaient pas une option envisageable. Il ne voulait plus jamais revoir l'intérieur d'une prison, point barre. Et en dépit des risques élevés, il persisterait à ne balancer personne. Après tout — l'ironie lui retroussa la lèvre —, il avait une réputation à défendre. En plus de quoi, les autorités pouvaient aller se faire foutre. La misanthropie ne naît-elle pas d'une réaction contre l'autorité ? Enfin, quelle que soit la suite des événements, cargaison et bateau étaient perdus. Surcroît d'ironie, ils étaient censés l'être. Mais pas encore. Pas de cette façon.

En plus, il avait faim et soif, il avait cinquante-trois ans, il était recuit par le soleil, il n'avait pas d'enfants, comme déjà précisé ce jour, et, à l'exception accessoire d'une sœur croisée une fois en vingt ans et des poussières — en quoi aurait-elle compté par conséquent ? —, il était sans attaches.

De la pose alanguie du solitaire hypnotisé par les bulles du sillage, Charley bondit en position accroupie et, dans un rugissement, porta un coup de couteau au radeau de survie comme à l'abdomen d'un grizzli qui lui aurait barré le passage. Orienté vers le haut, le fil de la lame ouvrit le tissu miracle du seuil de la descente jusqu'au capot du rouf, d'un coup suffisamment convaincant pour arracher à la coulisse en teck un éclat long comme le petit doigt.

Le CO2 ne mit qu'une seconde à s'échapper, âpre exhalaison de gaz fétide qui aurait forcé Charley à détourner la tête, n'eût été sa fascination. Puis, engorgée par l'eau de mer emprisonnée derrière, la descente vomit la totalité du radeau en le retournant comme une chaussette, flasque cascade de matériau de haute technologie, aussitôt suivie d'une foule d'objets divers. Le niveau d'eau dans la cabine s'égalisa avec celui du cockpit, submergeant le seuil de la descente.

À la suite du radeau arrivèrent une boîte alimentaire en plastique, une bouteille d'eau, une tennis, une glène de bout de 6 millimètres en polypropylène, un tournevis Torx à manche creux, une boîte de patates douces en conserve, un masque de plongée avec son tuba, un tee-shirt gorgé d'eau et quelques volontaires sortis de la bibliothèque du bord — *Voyage* par Sterling Hayden, *Seul autour du monde* par Harry Pidgeon, *La longue route* par Bernard Moitessier, *Cap Horn* par Felix Reisenberg, *La Pensée chinoise* par H. G. Creel, *Seul par les mers impossibles* de Vito Dumas, une édition caribéenne périmée de l'*Almanach marin* de Reed, *Naviguer en solitaire* par Richard Henderson, *L'Odyssée* d'Homère, *Martin Eden* de Jack London et *Le Virginien* de Owen Wister.

Il avait toujours trimballé bien trop de bouquins.

En même temps que ces menues possessions, jaillit le plus grand centipède que Charley eût jamais vu. Mesurant vingt bons centimètres de long pour deux et demi de large, sans compter l'allonge de ses forcipules et nombreuses pattes, la créature se tordait et se contorsionnait dans l'eau du cockpit, comme tenue par une main invisible.

4

Au chantier naval, Quentin se gara au milieu d'une forêt de tins et de bardage, dans l'angle de la clôture grillagée le plus proche de la rue, et il n'était pas sorti de la voiture que, déjà, deux hommes approchaient. L'un portait des lunettes de soleil et un blouson frappé du logo des Forty-niners, l'autre des lunettes de soleil et une chemise en flanelle, et les deux la moustache.

« Dites-moi que vous n'êtes pas flics, leur lança Tipsy par-dessus le toit de la Mercedes.

– Teresa Powell ? riposta celui au blouson.

– De la part de qui ?

– Gardez les mains bien en évidence, mon vieux, dit l'autre à Quentin.

– Hein ? fit Quentin. Mais je remonte la vitre.

– Bouclez-la. »

Le premier type écarta son blouson pour montrer un carré de synthétique bleu sur lequel était piqué un badge « SFPD ».

« J'ai payé toutes mes prunes, protesta Tipsy. Et je suis inscrite au stage. On a déjà eu droit à quatre séances.

– Quel stage ? demanda le flic.

– Le stage de reconstitution de permis. »

Le flic en blouson regarda son partenaire, puis revint à Tipsy. « Vous êtes donc bien Teresa Powell.

– Tout le monde m'appelle Tipsy[1].

1. Le mot « tipsy » signifie « pompette ». (*N.d.T.*)

– Même au stage ? »

Elle hocha la tête d'un air faussement lugubre. « Un mec s'était déjà inscrit sous ce nom-là avant moi.

– C'est pas grand-chose, l'identité, déplora le flic. Vous avez arrêté de boire ? » demanda-t-il avec une compassion inattendue.

Tipsy mentit au nez et à la barbe de l'agent : « Complètement. »

Quentin leva les yeux au ciel.

Le flic pinça les lèvres. « Dommage, dit-il. Vous en avez fini avec nous, ou nous avec vous ? (Il hocha la tête.) Vous allez avoir besoin d'un verre. »

Au quartier général de la Police de San Francisco, à la jonction de Bryant Street et de la 5e Rue, ils eurent droit à une salle rien que pour eux. Quentin et Tipsy s'assirent à une table métallique, face aux deux flics également assis. La pièce ne contenait pas d'autres meubles, mais il y avait deux caméras façon système de surveillance fixées au plafond, braquées chacune vers un côté de la table. Des relents caractéristiques de café brûlé et de troubles gastro-intestinaux le disputaient à l'odeur de moisi particulière aux vieilles serpillières.

« Vous avez déjà entendu parler de la Cavalcade des Merveilles ? »

Quentin et Tipsy se regardèrent. Ils regardèrent l'agent Protone, puis regardèrent l'agent Few. « Ça fait nom d'église, risqua Quentin.

– Ou de cirque ambulant, suggéra Tipsy.

– Négatif », dit tout haut l'agent Protone. Il enfonça quelques touches sur un magnétophone à cassettes qu'il posa sur la table, entre eux.

« Ouaouh, fit Tipsy. Ça fait longtemps que je n'ai pas vu un magnétophone à cassettes.

– Toute ma carrière est sur cassettes, répondit Few. J'essaie d'être cohérent sur le plan technologique. »

Quentin réaffirma son scepticisme. « Ça ne peut pas être important au point qu'on enregistre.

– C'est enregistré dans un souci de fidélité et de protection réciproque, énonça mécaniquement Few. Donc vous n'avez jamais entendu parler de la Cavalcade des Merveilles, l'une des merveilles en question étant la prédétermination génétique par l'alimentation. »

Regards vides.

« La détermination génétique ? (Tipsy fit la grimace.) Par l'alimentation ?

– La génétique, c'est un plan foireux, dit Quentin. La descendance pourrait se révéler, oh je ne sais pas moi, disons… différente. »

Tipsy secoua la tête en souriant.

« Je suis plus ou moins d'accord, dit Few, mais eux ne pensent pas la même chose et de toute façon, c'est un risque qu'ils semblent disposés à prendre. (Il désigna son partenaire.) Protone expliquera ça mieux que moi. »

Cet agent Few est sacrément nerveux, comme flic, se dit Tipsy en son for intérieur.

Protone s'éclaircit la voix. « La Cavalcade des Merveilles est une organisation consacrée à la manipulation du cours de l'histoire mondiale via celle de la démocratie américaine. À la pseudo-direction de la pseudo-évolution, ajouta-t-il d'un ton sinistre, fondée sur le principe qui stipule que la démocratie est trop importante pour être livrée au peuple, et qu'une lignée de rois génétiquement conçus et strictement éduqués, déguisés en représentants élus, serait sans doute une meilleure solution. »

Estomaqués, Tipsy et Quentin restèrent muets.

« Bien, finit par lancer Few.

– Où étaient-ils pendant les trois mandats des Bush ? demanda Tipsy.

– L'idée a sans doute pu germer à ce moment-là », dit Protone.

Tipsy lâcha un sifflement.

« En d'autres termes (Quentin fronça les sourcils), c'est une organisation fasciste ou nationaliste ?

– Gagné sur les deux tableaux. Si le sujet vous intéresse vraiment, vous pourrez peut-être jeter un coup d'œil à cet ouvrage. (Il sortit de son attaché-case un livre qu'il posa sur la table.) *Barjots, Agents de presse et Apparatchiks*, lut tout haut Quentin. *Le crépuscule du régime américain*. Par J. J. Wadsworth. » L'illustration de la jaquette représentait un drapeau américain truffé de plombs, flottant au-dessus d'une foule en demi-teinte de gens brandissant des pancartes illisibles, hurlant et montrant le poing au lecteur.

Tipsy déplia un rabat intérieur. « "Tout ce que vous avez toujours voulu savoir sur les imprécations postillonnantes".

– Wadsworth, Wadsworth, dit Quentin. Il n'était pas au ministère des Affaires étrangères ?

– Il a exercé plusieurs fonctions, au sein du gouvernement et en dehors, confirma Protone. Dont celle de barbouze.

– Un bureaucrate de carrière, résuma Few.

– Vous voulez dire que *Le crépuscule du régime* serait un genre d'euphémisme insidieux ? Si vous nous donniez un exemple concret ?

– Pas de problème. La privatisation des fonds publics est un jeu dont ils raffolent. (Protone réfléchit un instant.) Tenez, un autre : le soi-disant Moyen-Orient est le foyer des troubles mondiaux depuis, disons, deux mille ans.

– Choisissez un point de départ… n'importe lequel ! » Tipsy s'esclaffa, sans réelle conviction cependant. Puis son sourire s'effaça. « Vous parlez sérieusement, les gars ? »

Protone pinça les lèvres. « En ce qui concerne les troubles en question, on pourrait remonter jusqu'à la guerre de Troie…

– *L'Iliade* traite d'événements qui se sont produits il y a trois mille deux cents ans », plaça Quentin.

Tous les regards se tournèrent vers lui.

« Mais la cité elle-même remonte à l'Âge du bronze… environ deux mille ans plus tôt, ajouta-t-il obligeamment.

– Alors évitons, se dépêcha de proposer Tipsy, évitons, s'il vous plaît, de remonter jusqu'à la guerre de Troie.

– On n'a pas le temps de le faire convenablement, renchérit Protone sans presque marquer de pause. Mais mon collègue a quelques détails pertinents à soumettre. »

Few battit rapidement des paupières, comme un appareil mécanique attendant la chute d'une pièce de vingt-cinq cents, puis se lança : « On va se contenter de remonter jusqu'à la déclaration Balfour et la partition britannique qui ont créé l'Irak en 1921, ou, un peu moins loin de nous historiquement parlant, à ce que les Palestiniens commémorent…

– Terme erroné, coupa Protone. Essaie “déplorent”.

– … sous le nom de *Naqba* (Few hocha la tête), la Catastrophe.

– Également connue comme la création d'Israël par les Nations unies en 1948 », compléta Quentin.

Few poursuivit : « Bien que l'État d'Israël compte à peine quatre millions d'habitants, on peut raisonnablement estimer que les troubles ont été son héritage et son apport au Moyen-Orient tout au long de son existence. Israël possède des armes nucléaires, sans parler des bombes à fragmentation, refuse de ratifier le traité de non-prolifération nucléaire et, que ce soit pour attaquer ou se défendre, a fait usage d'armes conventionnelles contre tous ses voisins. Quelque chose comme dix millions de soi-disant Palestiniens sont les otages de la notion de bien-être d'Israël. "Dieu" entretient des relations télépathiques avec les deux camps.

– Évidemment, marmonna Quentin.

– … Les États-Unis ont soutenu Israël sur toute la ligne avec des fonds, des armes, et une politique, tant publique que clandestine. »

Protone souleva une main et la retourna sur la table, paume vers le plafond. « D'accord ?

– Pas si on est palestinien. » Quentin se rembrunit.

Tipsy secoua la tête. « Tout ce que vous venez d'énoncer l'un et l'autre, jusqu'aux temps des verbes et à la ponctuation, est susceptible de déclencher de violents débats. »

Few hocha la tête. « Amen. »

Quentin regarda Few. L'agent avait les cheveux lissés en arrière et ne s'était pas rasé de deux ou trois jours. Pas un poil gris, ni dans la chevelure ni dans la barbe, pourtant il faisait vieux. La couleur de son teint variait du pâle au grisâtre, il avait le regard fatigué, des poches sous les yeux, un tic irrégulier lui convulsait la paupière gauche. Compte tenu de son odeur, il fumait, ce qui expliquait peut-être en partie la teinte bleuâtre de ses lèvres. Quentin sourit.

« Qu'est-ce qu'il y a de si drôle ? demanda Protone.

– Je me rappelais simplement, répondit aimablement Quentin, que certaines personnes se figurent que les flics ne sont pas malins.

– Du moment qu'ils croient ça, répondit Protone, ça nous facilite d'autant le boulot.

– Ni instruits, ajouta Few.

– Et encore moins humains, dut renchérir Tipsy.

– On nous sert ça à longueur de temps. Les gens croient que les flics sont comme ceux qu'ils voient à la télé.

– Qui ne sont pourtant pas des flics, releva Tipsy, mais des acteurs, pour la plupart.

– Ouais, fit Protone. Ceux-là, on les a dans les pattes à longueur de temps. Ils veulent faire un tour dans la voiture pie, assister à des interrogatoires, passer une heure en cellule.

– Tout ça, on peut le faire à Alcatraz, fit remarquer Quentin.

– Mais faut casquer, là-bas », expliqua Protone.

Few sourit presque. « Ils savent tout des armes, aussi. Bien mieux que moi. »

Protone le regarda. « Ou presque. »

Few ne releva pas.

Ce type-là s'est fait tirer dessus, se demanda Quentin, ou il a tiré sur quelqu'un ? Peut-être les deux ? Après un silence gêné, il lança : « Revenons-en à la Cavalcade des Merveilles.

– Bon, alors, comme certains de ces flics d'opérette, dit Protone, les Chevaliers de la Cavalcade, comme ils se font appeler, se figurent être rancardés sur une nouvelle manière de diriger le monde.

– Eh ben ! (Tipsy secoua la tête.) Ils ne savent pas qu'ils doivent prendre la queue derrière l'ensemble des autres rancardés ?

– Je me demande, dit pensivement Quentin. Il me semble que le poste est à prendre.

– Quel individu sain d'esprit en voudrait ?

– Encore une excellente question de la petite dame, répondit l'agent Protone.

– Ça suffit comme ça avec la petite dame, rétorqua Tipsy d'un ton acerbe.

– Compris, fit aussitôt Protone.

– Le *sain d'esprit* est pourtant sous-entendu », embraya Few avec une ferveur inattendue, martelant la table de l'index pour accentuer son propos. « Étant donné qu'au fond du type ad hoc, se niche un être qui ne remet pas en question son sens du devoir, ni sa latitude supposée pour effectuer des changements chez ceux qui l'entourent — ou mieux, les leur infliger —, changements allant jusqu'à ceux relatifs à la vie et la mort — qu'ils incluent —, et qui, de ce fait, est à peu près en phase avec la question, à savoir : qui, au sein du tableau d'ensemble, est à même de faire quoi que ce soit pour le tableau d'ensemble ? »

Quentin fronça les sourcils. « Vous parlez en termes d'*ambitions mondiales de la dernière super-puissance restante* ?

– Bien sûr.

– Dans le genre : *Les Nations unies existent uniquement par notre bon vouloir et pour notre bon plaisir* ?

– C'est le langage qu'ils tiennent.

– Vous décidez que les gens à même d'intervenir dans des problèmes comme le Moyen-Orient sont ceux qui ont la charge de la politique étrangère au sein du gouvernement des États-Unis ? » Quentin regarda tour à tour les visages qui l'entouraient.

« Moi, non, fit remarquer Few. Mais eux, si.

– Compte tenu des événements récents, ça semble à peine croyable.

– Le type ad hoc reste pourtant le bon, reprit Few, en dépit ou à cause des événements récents, en d'autres termes, en dépit des signes favorables ou défavorables. Le Type Ad Hoc envisage les choses à long terme.

– Cette Cavalcade serait un groupe de réflexion ?

– Oui, et plus.

– Je déteste ça, quand les groupes réflexionnent », plaça Tipsy avant d'ajouter : « Si vous voulez bien m'excuser, je crois que je me suis trompée de classe. J'ai une dissertation à rédiger pour mon stage de reconstitution de permis. C'est… »

Protone détendit le bras pour dévoiler son poignet et consulta sa montre. « On va vous y amener, miss Powell. »

La mine de Tipsy s'assombrit. « Vous savez où je… »

Protone ramena sa manche sur le cadran de sa montre. « On sait. On vous tient à l'œil. (Il esquissa un sourire, chose exceptionnelle.) Ce retrait de permis, ça nous a bien facilité les choses. Comme vous ne pouvez plus prendre le volant, on vous a fait suivre par des flics à vélo. »

Quentin gloussa.

« Mais je… » commença Tipsy. Elle fit un geste qui les englobait tous les deux, Quentin et elle. « On… »

L'agent Protone leva les mains, paumes tournées vers le ciel. « On a enquêté sur vous dans les grandes largeurs. On sait que vous êtes inconscients. (Son regard englobait Quentin.) Tous les deux.

– Si l'inconscience était un délit, énonça aussitôt Quentin, soixante-dix-huit pour cent de la population du pays seraient derrière les barreaux.

– Quatre-vingt-huit pour cent. (La paupière de Few tressauta.) Peut-être même quatre-vingt-dix. »

Quel que soit le problème, se dit Quentin en son for intérieur, ce Few le prend très au sérieux.

« La Cavalcade est un groupe de réflexion, reprit Protone. Et quand ils parlent de changer les choses dans le monde, ils sont sérieux. Sérieux à mort.

– Changements dans quel genre ? demanda Quentin.

– Pour continuer avec l'exemple du Moyen-Orient, ils parlent sérieusement d'y introduire des changements d'une façon ou d'une autre, si vous voyez ce que je veux dire, changements définitifs et universels, en d'autres termes, à tout jamais et pour tout un chacun. »

Quentin et Tipsy échangèrent un regard. « Non, dit Quentin, on ne voit pas ce que vous voulez dire. »

Protone persista. « S'il ne tenait qu'à eux, les Chevaliers choperaient tous les attaquants des deux équipes et les foutraient en l'air. (Il leva brusquement les mains vers le plafond.) Certains plus haut que d'autres, bien sûr. Ce sont des maniaques de la domination, des fraudes sont à prévoir, des marchandages, des bagarres pour le pétrole, les droits de l'homme c'est pour les tapettes, de toute façon c'est un leurre, et en tout état de cause, un luxe que nous autorise notre statut mondial de privilégiés. Une bonne partie de leurs soi-disant conseils vient de la Bible, et s'ils étaient un peu moins financés, branchés, décidés, protégés, fous, un peu moins déterminés bon Dieu, on pourrait les oublier. Malheureusement… »

Tipsy envisagea un instant de demander où il était question de pétrole dans la Bible.

« Et cetera », dit Protone, apparemment d'accord avec elle.

« Ces gars-là ne se rendent pas compte que diriger l'histoire, ce n'est pas superviser une mayonnaise ? demanda Tipsy.

– Non. (Protone hocha négativement la tête.) Ils ne s'en rendent pas compte. Pire, on doit pouvoir échafauder un raisonnement justifiant qu'ils conçoivent l'histoire comme une sorte de sandwich. Une denrée quantifiable, vendable, et même volable, qui plus est sûre de rancir si personne ne la consomme. Et plus tôt elle est consommée, ajouta-t-il avec fougue, plus elle est nutritive.

– Que sont devenues les métaphores footballistiques ?

– En matière de politique étrangère, toutes les métaphores footballistiques ont été épuisées par les derniers gouvernements. Mais comme le disait Joseph Campbell, si on veut changer l'histoire, changeons de métaphore. À moins que ce soit de narration ?

– Joseph Campbell ? s'émerveilla tout haut Quentin.

– En tout cas, il est presque l'heure, fit remarquer Tipsy.

– Mais ils ne posent pas de question sur notre métaphore, supposa Quentin.

– Ce n'est pas faux.

– Tous les attaquants ? insista Quentin. Israël ? L'Égypte ? Le Liban ? La Palestine ? L'Irak ? La Jordanie ? L'Iran ? La Syrie ? L'Arabie Saoudite ? Quid des arrières : la Russie, la Chine, l'Inde, l'OPEP ? »

Few hocha la tête, encore et encore et encore, de façon aussi répétitive que le tic de sa paupière.

Quentin regarda un flic, puis l'autre. « Qui est-ce que j'oublie ? »

Aucun des deux ne répondit.

« La Turquie ? suggéra Quentin d'un ton franchement dubitatif.

Protone hocha pensivement la tête.

« Mais c'est…, murmura Quentin. C'est fou. Si Israël a en tout quatre millions d'habitants, la seule ville de Bagdad en compte quinze. Du moins, en comptait. Ça revient à peu près à dire que Sancho Panza est capable d'expédier certains moulins plus haut que d'autres pour que Don Quichotte les ramasse les uns après les autres et quand bon lui chante à mesure qu'ils retombent.

– En plein dans l'écu », plaisanta Tipsy.

Personne ne trouva de réplique à ce jeu de mots lamentable et pourtant tout à fait de circonstance. « Vos comparaisons sont excellentes, dit cependant Protone à Quentin.

– Enfin bon, commenta Tipsy comme pour se convaincre elle-même, l'esprit chevaleresque c'est tellement vieux jeu. »

Protone hocha pensivement la tête.

« Et bien sûr », dit Quentin encore plus doucement, comme s'il s'adressait au plateau de la table, « personne n'a d'arme nucléaire, à Bagdad. »

Nul ne dit mot.

Quentin leva les yeux et, par deux fois, scruta le visage de chacun des flics. « N'est-ce pas ?

– Si c'est à moi que vous posez la question (Protone haussa les épaules), je trouve déjà bien assez moche qu'Israël en ait.

– Israël possède des armes nucléaires depuis le gouvernement Johnson, énonça platement Quentin. Qui a tué Karen Silkwood ? » chuchota-t-il en aparté.

Few enchaîna aussitôt. « Sans doute les mêmes gens que ceux qui ont payé Michael Crichton pour écrire un roman affirmant que le réchauffement de la planète est un complot mensonger destiné à servir un programme socialiste d'extrémistes défenseurs de l'environnement, et présentant l'environnement comme une entité divine, dit-il. Si vous voulez mon avis. »

Tout le monde le regarda.

« Crétin de flic », dit affectueusement Protone, avant d'ajouter : « Il n'a pourtant aucun élément pour étayer sa théorie. Bon sang, je ne me rappelle même pas le titre du livre.

– *État d'urgence*, dit Tipsy. C'est son bouquin le plus barbant.

– Ouaouh ! » Few émit un sifflement.

« J'aimerais être assez inculte pour ne pas savoir à quel point il est barbant, ajouta-t-elle d'un ton mélancolique.

– Patience, ma chérie, dit Quentin, tu es en bonne voie.

– Vous n'avez pas envisagé de devenir trop cultivée pour le savoir ? » demanda Few avec sollicitude.

Quentin leva les mains. « La suggestion ne vient pas de moi.

– Une femme verra une simple librairie d'aéroport là où une autre voit une magnifique bibliothèque en bois massif, grogna Tipsy.

– Messieurs, coupa Quentin d'un ton aussi sobre que les trois heures que Tipsy s'apprêtait à passer à Diamond Heights, seriez-vous en train de nous dire que l'une des Merveilles de la Cavalcade serait, ou pourrait être, une arme nucléaire aux mains de n'importe lequel des dizaines d'opposants censément fanatiques — et indéniablement farouches au demeurant — que compte l'État d'Israël ?

– C'est le genre de laïus dont ils se gavent les uns les autres, dit Few.

– Pour se stimuler ?

– C'est évident, non ? »

Protone décocha à Few un regard manifestement agacé. « Il existe d'autres techniques, dit-il d'un ton brusque.

– Techniques ? protesta Quentin, très surpris. C'est la guerre nucléaire au Moyen-Orient — ou dans n'importe quelle autre région, du reste — que vous taxez de technique ?

– Les Chevaliers, dit Protone, lâchent une ogive nucléaire sur Téhéran, Falloujah, ou Gaza… comme ça. Par moments, ils ont le sang chaud. Personnellement, je ne suis pas convaincu.

– Vous êtes dingue ? se récria Quentin. Vous attendez encore d'être convaincu ?

– Une fois qu'on s'est fait une idée, on perd son statut d'intellectuel, fit valoir Protone. D'ailleurs, ils n'ont pas tort à propos du Moyen-Orient.

– Comment ça, coupa Quentin, quand ils disent que la région est ingérable ?

– Absolument. (Protone le regarda franchement.) Vous êtes de l'avis contraire ?

– C'est bon, concéda Quentin, admettons que la région soit ingérable. Ça ne veut pas dire qu'on la laisse se saborder… du moins pas si on peut empêcher ça. Et ça ne veut certes pas dire qu'on les aide à le faire, bon sang. » Son regard se porta sur un flic, puis l'autre. Un pli amer pinçait les lèvres de Few. Protone avait l'air presque amusé. « Si ? demanda Quentin. Enfin quoi, si ? insista-t-il.

– Oscar ? dit Protone. Réponds au monsieur.

– Comme vous venez de le dire (Few ne regardait personne en face), la situation est ingérable. »

Quentin regarda Tipsy. Elle paraissait troublée, déconcertée.

« D'accord, le Moyen-Orient… se saborde. Et donc, quoi ? On met sur place des types en combinaisons stériles pour exploiter les immenses réserves de pétrole qu'abrite le sous-sol de cet hiver nucléaire ?

– L'hiver nucléaire, c'est une chose », dit Few, morose, en s'adressant ostensiblement au plateau de la table. « Les mecs avec des programmes tous azimuts, qui font péter des pipelines d'importance vitale, c'en est une autre. »

Personne ne pipa mot.

« Qu'est-ce que vous faites… qu'est-ce que vous faites de cet hiver nucléaire ? demanda Tipsy.

– Facile, plaisanta Quentin. On l'isole sous un dôme géodésique de la taille d'un pays, et tous les pipelines courent dessous.

– On vous a mal perçu. (Few pointait l'index vers Quentin.) Vous n'êtes pas inconscient. »

Quentin se renversa contre le dossier de sa chaise, abasourdi. « Seigneur.

– Vous voyez ? dit Protone. Les flics aussi ont des opinions. »

Quentin poussa un profond soupir. « Crétins de flics.

– Les opinions, c'est comme les trous de balle », lança Tipsy.

Protone se prit le front entre le pouce et l'index, le massa, regarda Few, puis Quentin. « Bien entendu, en tant que simples flics, nous on ne s'occupe pas des affaires d'armes nucléaires, de jeux à somme nulle, ou autres.

– Vous devriez, dit Quentin. Je trouve. »

Protone s'autorisa un petit sourire. « Je suis sûr que c'est censé être rassurant.

– D'autant plus qu'il est question de chevaliers, cavalcades et autres, qui n'ont pas une piètre opinion de leurs piètres opinions, argumenta Quentin.

– Les opinions, c'est comme les trous de balle, réitéra Tipsy.

– Ce n'est pas faux, confirma aigrement Few. Et c'est une litote, avec ça.

– Il y a des gens qui ont plus d'un trou de balle ? demanda naïvement Tipsy.

– C'est bon, c'est bon. (Quentin posa les deux mains à plat sur la table.) Si on n'est pas soupçonnés d'importer clandestinement des armes nucléaires pour le mieux-être de l'humanité, qu'est-ce qu'on fait ici ?

– On ne peut pas passer notre temps à arrêter les gens au nom de ce qu'ils pensent ou de ce qu'ils disent, énonça Few d'un ton pédant.

– Pas encore, en tout cas, plaça Protone.

– Si vous le pouviez, vous seriez sans doute obligés de vous arrêter vous-mêmes, fit remarquer Quentin.

– Ce n'est pas faux.

– Ce qu'on peut faire, en revanche, c'est arrêter les gens ayant commis des crimes déjà répertoriés.

– Du genre ? »

Protone leva quelques doigts de ses mains croisées. « Importation de drogue. Détention de drogue. Trafic de drogue. Vol avec effraction. Contrefaçon. Meurtre. »

Un silence s'étira jusqu'à ce que Tipsy annonce spontanément que, pour sa part, elle considérait la conduite sous l'empire de la boisson comme la limite.

« Pour résumer, Teresa Powell est la parente de quelqu'un qui effectue des missions pour quelqu'un dont le commanditaire n'est autre que quelqu'un de haut placé dans la branche religieuse des Chevaliers.

– Parente… ? répéta Tipsy d'un ton incrédule. Mais je n'ai qu'un parent en vie dans le monde ent… » Elle s'interrompit. Lentement, elle porta la main à ses lèvres.

« La branche religieuse ? répéta Quentin d'un ton incrédule. En quoi diable croient-ils ?

– Là, monsieur, vous m'étonnez, dit Protone.

– Alors ?

– Ils croient en Dieu, bien sûr.

– Doux Jésus, lança Tipsy avec amertume.

– Quand ça les arrange, confirma Protone en hochant la tête.

– L'idée la plus utile aux tyrans est celle de Dieu, rappela pensivement Quentin.

– Marx ? (Few s'éclaira.) Lénine ? »

Quentin le fixa des yeux. « Stendhal.

– Compris ? lança Protone au magnétophone. On enchaîne.

– Peu importe qui a dit ça, assura Quentin à Few. Ça respire la vérité.

– Pensez en termes d'avatars, dit Protone en hochant la tête. Ces gars-là ont leurs dirigeants, leurs conceptions des dirigeants, et de temps à autre, il s'en présente un qu'ils jugent pour l'heure suffisant. Mais il est clair qu'au fond, ça se résume à un genre de conspiration royaliste. L'idée, c'est qu'ils veulent former un dirigeant depuis la naissance.

– Un peu comme les Israéliens avec leurs pilotes de chasse, plaça Few.

– Comment ça ?

– Ils les désignent à la naissance et tout suit derrière.

– Ah oui ? Comment…

– Ça suffit avec les Israéliens. Ils ont une devise, ces eugénistes ? »

Protone pinça les lèvres. « D'après moi ça serait : "Tout ce qu'il y a de mieux pour l'élite". Mais bien entendu, jamais ils ne le reconnaîtraient hors de leurs salles de réunion.

– Ça ferait pourtant bien sur leurs pièces de monnaie. En latin, bien sûr. »

Few sourit presque. Sa paupière tressauta.

Tipsy souriait, elle.

« Combien de membres compte cette élite ? demanda Quentin. Dix millions, pour citer un nombre au hasard, ça paraît beaucoup. (Il plissa les paupières.) Quatre millions ?

– Bien moins que ça, lui assura Protone. Bien moins et pas, euh, limités à un État.

– Alors limités à une classe sociale ?

– Ça, c'est vous qui le dites.

– Bon, coupa impatiemment Tipsy, de quoi est-il question, là ? D'un gros merdier fasciste qui éclabousse l'histoire fasciste ? »

Protone hocha la tête à nouveau, mais à contrecœur.

« Ouais, dit Few d'un ton morose. C'est le seul moyen. »

Quentin secoua la tête comme s'il n'avait pas bien entendu. « Quoi ?

– Il parle du point de vue des Chevaliers, leur assura Protone. Ne faites pas attention. Oscar a passé tellement de temps en infiltration qu'il lui arrive d'oublier à qui il s'adresse. »

Tipsy regarda Few comme si elle le voyait sous un autre jour. « Oscar Few.

– C'est un surnom.

– Je vois. Ça ne vous met pas en valeur. »

Few esquissa un geste modeste.

« Personne ne vous appelle jamais "Joyeux" ? » demanda Quentin.

Few se renfrogna.

« Non, répondit Protone à sa place. Pourquoi ?

– Simple curiosité. (Quentin haussa les épaules.) Donc, vous avez assisté à leurs réunions ? »

Few acquiesça prudemment.

« Le boulot de la police est une chose », dit Quentin, avec une compassion pleine de gravité, « et je suis sûr que ça ne manque pas de bons moments. Mais le show-business ? (Il secoua la tête.) Le show-business, c'est autre chose.

– C'est vrai, dit Few en s'éclairant un peu. On pourrait même dire que ça s'arrête au show-business. »

Ils le regardèrent tous.

« Je n'arrive pas à croire que vous parliez de show-business à propos d'une conspiration royaliste, admonesta Tipsy. Donc, répéta-t-elle en toisant l'agent Few d'un regard nerveux, vous avez assisté à leurs réunions ? » Mais la question assourdissante qui lui occupait l'esprit visait à savoir dans quel guêpier son frère était allé se fourrer.

« Seulement aux trucs de petit niveau », dit Protone, parlant au nom de Few qui semblait trop ébranlé pour répondre. « Les types des hautes sphères l'auraient tout de suite chopé. Ils sont bien trop barrés pour qu'on les infiltre facilement. Ils sont tous diplômés des universités prestigieuses de l'Ivy League, par exemple. (Protone hocha la tête.) Oscar règle des détails pour leur service de sécurité. Périmètres autour des lieux de réunions, trajets jusqu'aux aéroports, grands congrès, les trucs du genre. Ça nous permet quand même d'enquêter plus facilement sur eux, quand ils sont dans le coin. (Il souffla un peu d'air par le nez.) Ils ne viennent pas trop souvent à San Francisco.

– Donc, aucun d'eux n'y habite ?

– Je n'ai pas dit ça. »

Quentin et Tipsy cillèrent tous les deux.

« En tout cas, la branche religieuse de ce bazar veille au maintien scrupuleux de certains rituels qu'ils ont codifiés et instaurés. Il ne s'agit pas exactement d'un culte. Ils n'ont pas de cérémonie d'investiture, d'articles de foi, d'uniformes… rien de tout ça.

– Sauf qu'ils sont nombreux à se raser le crâne, plaça Few.

– Quand allez-vous raser le vôtre ? »

Few hocha la tête, morose. « Sans doute très bientôt.

– Cela dit, ils se reconnaissent généralement les uns les autres à leurs publications et autres communications, à leurs liens de famille, aux causes qu'ils veulent bien soutenir avec ce qui s'appelle du fric. En fait, on pourrait dire qu'il n'y a pas grand-chose de vraiment choquant, ni qu'on puisse considérer comme séditieux. Les prévisions de catastrophes mondiales sont le fonds de commerce d'un nombre incalculable d'organisations, tout compte fait, depuis le Pentagone jusqu'aux Nations unies et, disons, à des dizaines de groupes de réflexion, sans parler des sous-groupes auxiliaires des gouvernements de tous les pays industrialisés.

– Et sans parler de la réalité elle-même, plaça Tipsy.

– En fait », bredouilla Few, accélérant le débit, « le premier cercle des Chevaliers se consacre à certains objectifs, et ses membres sont liés par certains articles de foi. D'un point de vue extérieur, ce groupe d'individus paraît sans aucun doute sérieux et engagé, dévoué presque religieusement à la modification de différents vecteurs des événements mondiaux dans le but d'atteindre des objectifs et ambitions définis. Il ne fait aucun doute, par exemple, qu'ils sont fermement décidés à mener la barque de la politique étrangère non seulement des États-Unis, mais des pays développés en général. Ces individus pensent, pour la plupart, qu'il serait bon d'éradiquer ce qu'ils considèrent comme la turpitude morale, qui plus est — quoique, à cet égard, leurs rangs comptent juste assez d'époux adultères, d'homosexuels cachés, d'inconditionnels de la pornographie en ligne et de dispensateurs d'influences néfastes, pour mettre un frein à leur hypocrisie. Certaines factions veulent la Terre sainte pour les Juifs et les Chrétiens, mais même au sein des Chevaliers, on les appelle "les Fous", alors que les producteurs et les non-producteurs de pétrole intègrent la dialectique de la *Realpolitik* selon laquelle le nationalisme expansionniste ou *démocratisation* est perçu comme un dispositif écran suffisant pour justifier l'avancement de l'intérêt national. Les Fous écoutent et sont écoutés, la politique est approuvée, et l'étape suivante est la mise en œuvre. Une fois lancée, il n'est plus possible de revenir en arrière, la fin justifie les moyens, un point c'est tout. Ce qui n'empêche pas certains éléments de caresser des objectifs autres, de substitution, ou même contraires, et de fait l'organisation considère que ce genre de menées secondaires accroît globalement le bien-être et l'intérêt de ses membres, y voit une sorte de saine discorde, dans des limites raisonnables, naturellement.

– Un dirigeant conçu à partir de matériaux génétiques procréés de façon sélective, ajouta Protone, élevé et éduqué depuis sa naissance, représente à leurs yeux le summum d'une notion qu'ils désignent comme le charisme du fétichisme séculier. (Il esquissa un sourire las.) Vous n'avez sans doute jamais entendu parler de ça.

– Jamais, déclara platement Tipsy, et j'ai passé toute ma vie adulte à San Francisco.

– Idem, dit Quentin, et ça fait deux fois plus de temps que je vis à San Francisco. »

Protone et Few échangèrent un regard. « Ça résume l'entrevue d'aujourd'hui, en un mot comme en cent, dit-il. On vous a dit qu'on vous tenait à l'œil. On a des raisons de penser que, sous peu, d'autres gens vont enquêter sur vous. Eux et nous, on s'attend à voir surgir votre frère. »

Tipsy pointa l'index vers le sol. « Ici ? » demanda-t-elle, stupéfaite. « À San Francisco ? »

L'agent Protone regarda l'agent Few. Ce dernier secoua la tête. Protone jeta deux cartes de visite sur la table. « Quand vous les verrez, appelez-nous. Je n'ai pas besoin de préciser, ajouta-t-il, qu'à ce stade-là ce sera un vrai soulagement pour vous d'avoir quelqu'un à appeler, mais…

– Mais vous venez de le faire, dit Tipsy. Et mon frère ?

– Lui, pareil. Il est quasi certain qu'il n'arrivera pas à échapper à la fois aux autorités et à… ces gens si intéressants. Mais si, d'une façon ou d'une autre, il parvient à vous contacter avant qu'on ne le contacte, appelez-nous, sans faute. Immédiatement.

– Mais c'est… mon frère. »

Protone consulta sa montre et se leva de sa chaise. « Il ne faut pas rater votre stage de reconstitution de permis. On y va. »

Tipsy secoua la tête, comme pour s'éclaircir les idées. « Je n'ai pas vu mon frère depuis… depuis…

– Depuis la Thaïlande, dit Few en la regardant attentivement. Ça doit faire une quinzaine d'années. »

Tipsy le dévisagea. Quentin cilla. Elle regarda Protone. Protone se levait. Elle regarda Quentin. Quentin haussa un sourcil et ouvrit la main.

Tipsy s'en prit aux flics. « C'est tout ?

– Pour l'instant, dit Protone.

– Vous ne pouvez pas en rester là », décréta-t-elle.

Few eut l'air perplexe. « Bien sûr que si. » Il débrancha le magnétophone à cassettes.

« Si vous ratez ne serait-ce qu'un de ces cours, lui rappela Protone, vous serez obligée de tout recommencer. (Il poussa sa chaise contre la table.) Le règlement est strict, dans ces stages. »

5

Le centipède était plus long que le tube d'après-soleil à l'aloe vera qui dansait sur l'eau à proximité, et guère plus mince. Son corps était de la couleur de la poignée en porphyre d'un pistolet ayant beaucoup servi, ses pattes d'un ivoire encrassé virant à l'ocre, et leur spiculeuse extrémité présentait la translucidité fauve des anthères d'une fleur de poirier. Même s'il savait que ce genre d'arthropode pouvait à l'occasion dévorer une blatte ou une tarentule, voire une chauve-souris, et avait peut-être par conséquent son utilité, ce fut sans état d'âme que Charley cloua la créature sur le flanc du coffre bâbord du cockpit avec la moitié de la lame de son couteau.

Plaisant dérivatif, bien que ce ne fût là qu'une des nombreuses distractions ayant cours à bord de *Vellela Vellela*. Juché sur le platbord au vent, il apaisa ses chairs brûlées avec de l'aloe vera. Le taud improvisé battait au vent. Les vidanges du cockpit ne vidangeaient point. Le génois se gonflait, faseyait. La barre et ses tendeurs grinçaient. Le soleil flamboyait. Le centipède se convulsait autour de l'implacable lame du destin.

D'un rangement situé derrière la descente, Charley tira une bouteille en plastique d'une contenance d'un litre. Cette eau, tirée par ses soins, provenait d'un aquifère insulaire. Il lui trouva une saveur miraculeuse, mais but avec parcimonie.

Il savait depuis longtemps qu'en mer, lorsque les choses se mettent à aller de travers, la cascade des événements subséquents peut être très difficile à prévoir comme à endiguer. Parfois, il suffit que coince un détail insignifiant — une manille qui casse, un feu mal identifié, un empannage accidentel, un passe-coque corrodé — et c'en est terminé. Chaque effet procède de sa cause avec une logique sans faille. Une chose se détraque, puis deux, quatre, huit…

À moins que ce ne soit seize ? Est-ce que les emmerdes se multiplient de façon arithmétique ou bien exponentielle ? Doublent-elles ou s'élèvent-elles au carré ?

Comment dit-on quand le bien et le mal n'ont rien à y voir ? Anti-manichéisme ?

Réalité ?

Certes, Manichaeus, si on s'en souvient, regardait le monde matériel comme intrinsèquement mauvais, alors qu'il tenait le monde spirituel, tel qu'incarné par l'humanité, pour foncièrement bon.

Ma foi, émit le Bosco, pour ce que j'en vois d'une altitude d'un mètre et quelque, la mer s'en bat l'œil dans un sens comme dans l'autre. Et pour ce qui me concerne, je ne me sens pas si bon que ça. Pas bon du tout, même.

Les choses étant ce qu'elles sont, songea Charley, si on retient une idée de toutes ces années de bourlingue, c'est que bien et mal sont autant de rubans flottant en haut de l'arbre de mai.

N'est-ce pas surtout pitoyable, fit observer le Bosco, quand un homme ne peut plus s'en remettre qu'à ses propres ressources philosophiques ?

Charley, qui examinait la bouteille, émit un grognement.

Son étiquette avait depuis longtemps disparu. Elle ne contenait plus que cinq centimètres d'eau à tout casser, et il les but. L'air ailleurs, il plongea la bouteille dans l'eau salée qui lui arrivait désormais aux genoux. Quand elle fut emplie au tiers environ, il revissa le bouchon, puis la laissa tomber dans le cockpit. Elle remonta, se coucha parallèlement à la surface et flotta. Hmmm, fit le bosco qui, face à un problème purement pratique, avait coutume d'oublier tout le reste. Charley dévissa la capsule, rajouta de l'eau et fit un nouvel essai. Deux expérimentations plus tard, la bouteille émergea et se mit à flotter verticalement, goulot vers le bas, un quart de sa longueur dépassant la surface.

Frôlé par le récipient, le centipède, bien que léthargique, darda ses forcipules sur le plastique.

Après avoir soigneusement rincé la zone ainsi touchée, car il savait la toxine à tout le moins allergénique, Charley sortit la bouteille de l'eau et la posa sur le rouf. Puis il ramassa le masque et le tuba parmi les objets nageant dans le cockpit, cracha sur la face intérieure du verre, y répartit la salive du bout des doigts, coiffa l'ensemble et disparut à l'intérieur de la cabine.

Vellela Vellela descendit en crabe la pente d'une vague peu marquée, et l'eau contenue dans le cockpit immergea le centipède.

Charley reparut, trempé de la plante des pieds à sa tonsure délavée par le soleil, souffla pour la forme dans le tuba afin d'en chasser l'eau, le retira, puis le laissa tomber dans le cockpit. S'il remarqua cette menue ironie, il n'en montra rien. Au lieu de quoi il déboucha la bouteille, y laissa tomber un petit dispositif électronique et remit le bouchon en place.

Je vous crois pas, fit le Bosco.

Tu as mieux, comme idée ?

Ouais, bougonna le Bosco. Rembobinons la bande.

Je vois, dit Charley, en serrant encore la capsule d'un quart de tour.

À propos, observa le Bosco, ce plastique ne va pas tenir le coup plus d'une semaine avec les UV.

Je suis preneur, répondit Charley.

De son bras valide, il lança la bouteille aussi loin qu'il le put vers l'arrière.

Tout en faisant pénétrer la pommade dans son épaule gauche, brûlante à l'intérieur comme à l'extérieur, et en regardant mourir le centipède, avec de temps en temps un regard vers le soleil, qui le regardait mourir lui-même, et vers l'arrière en direction de la bouteille d'eau, à présent séparée de *Vellela Vellela* par deux longueurs de houle, Charley repensait à un yacht magnifique qu'il avait vu lors d'une exposition de bateaux en bois à Tiburon en Californie. Bien que ce navire fût d'une beauté incontestable et que Charley fût lui-même surtout en quête d'un embarquement pour Hawaï, c'est son nom qui l'avait attiré. Il s'appelait *Martin Eden*, et Charley avait trouvé qu'il s'agissait d'un nom bien étrange pour un bateau de plaisance, fût-il très beau. Il avait lu le livre de Jack London et, même s'il y avait trouvé bien des choses à son goût — c'était d'ailleurs celui qu'il préférait de ses romans —, il ne parvenait pas à en faire cadrer les thèses finales — à savoir que notre monde est peut-être le plus avili de tous les mondes possibles ; que la seule issue est la mort ; que l'unique question est comment réussir cette mort — avec la majesté de ce navire. Chaque centimètre carré du pont était huilé, chaque étai bien ridé, chaque cordage lové en glène ou en galette, les cuivres rutilaient, le livre de bord était à jour et tenu d'une main soignée.

Cela semblait de bien mauvais augure que de baptiser un bateau *Martin Eden*. Presque une invite lancée au mauvais sort. Comme il s'y attendait en demandant la permission de monter à bord, Charley fut accueilli non par le skipper, qui se serait peut-être gardé de raconter l'histoire, mais par un marin qui vivait à bord et faisait fonction de gardien. Le personnage ne se fit pas prier pour emmener Charley faire le tour du propriétaire, car le bateau était à vendre. Il suffit, pour en entendre l'excellente histoire, d'une lente déambulation vers l'arrière après un petit détour en bas. S'arrêtant auprès de la roue de gouvernail, Charley remarqua sur-le-champ que, non contente de dépasser de trois bons mètres l'aplomb du tableau arrière, la bôme, qui paraissait constituée d'un pin de Douglas tout entier, ne dominait le pont que d'un mètre soixante-dix, ce qui la plaçait juste au-dessus de son épaule, tout contre son oreille.

Dérivant dans la mer des Caraïbes à quelque 2 600 milles à vol d'oiseau de Tiburon, Charley passait pensivement de la pommade sur le trapèze de cette même épaule. La bouteille se trouvait maintenant à quatre longueurs de houle. Difficile de la distinguer dans la lumière aveuglante.

« Ça paraît singulier, dit Charley au gardien en caressant l'espar verni, d'avoir baptisé ce bateau d'après le roman de London. »

Le type dressa l'oreille. « Oui… (Il lui manquait plusieurs dents et il affichait le teint rubicond et brouillé d'un alcoolique endurci, les rayons du soleil rivalisant avec la couperose pour coloniser ses joues recuites.) Vous l'avez lu, alors ? »

Charley répondit par l'affirmative.

Et l'autre de réciter :

From too much love of living
From hope and fear set free,
We thank with brief thanksgiving
Whatever gods may be,
That no life lives for ever,
That dead men rise up never,

That even the weariest river
Winds somewhere safe to sea.[1]

Ce qui ne laissa pas d'étonner Charley.

« Algernon Swinburne, dit-il.

– Exact, confirma le gardien. Martin Eden lit ça à voix haute à la fin du bouquin. Et à la sienne aussi, de fin.

– Je n'ai pas relu ce livre depuis tout gosse, dit Charley en secouant la tête.

– La plupart des gens ne le liront jamais. Vous vous rappelez le nom du bateau d'Eden ?

– Ça oui. *Mariposa*. Papillon.

– Tout juste.

– Et celui de London s'appelait le *Snark*.

– Oui. Et je me suis toujours demandé ce que ça voulait dire.

– Imaginez que vous êtes une grenouille dotée d'une langue extensible et gluante, capable de jaillir et de choper une mouche en un éclair (Charley claqua les mains une fois). Snark !

– Vous êtes timbré ? » interrogea l'autre, sans plus d'inflexion que s'il demandait de la monnaie pour le parcmètre.

« Non, répondit Charley. Et vous ?

– Uniquement quand je suis avec des gens.

– Onomatopéique ? » suggéra Charley pour l'amadouer, revenant au sujet précédent, à quoi le gardien secoua la tête. « D'accord, admit Charley. En ce cas, ça doit venir de Lewis Carroll.

– *La Chasse au Snark.*

– C'est un nom qui se conçoit pour un bateau. (Le gardien hocha la tête.) À la différence de *Martin Eden* », dit Charley, revenant au sujet de départ.

« Oui… »

Le gardien secoua la tête. Puis, fronçant les sourcils et appliquant un index contre son nez violacé, il eut un regard vers la capitainerie, là-haut sur le quai, et déclara : « Le propriétaire aime pas bien qu'on fasse circuler cette histoire, vu que le bateau est à vendre et tout ça. Mais… (D'un regard direct, il prit la mesure de son

1. « D'un amour excessif de la vie / De l'espoir et de la peur délivrés, / Nous rendons grâce en peu de mots / Aux dieux quels qu'ils soient, / Que nulle vie ne soit éternelle, / Que les morts jamais ne ressuscitent, / Que même la plus lasse rivière / finisse par trouver son repos dans la mer. » Une des strophes du poème *The Garden of Proserpine* d'Algernon Swinburne (1837-1909). (*N.d.T.*)

interlocuteur.)… vous auriez pas les moyens de remplacer une des vis en bronze du taquet de la drisse de pavillon.

– Pure vérité, fit Charley dans un sourire.

– L'homme qui passa commande de cette merveille était médecin, reprit l'autre en baissant la voix. Elle fut construite à la fin des années vingt, là-bas pas loin, au chantier des frères Nunes. » Il désigna l'endroit d'un geste du pouce par-dessus son épaule.

Bien que la presqu'île de Belvedere, étroite et très cossue, s'étirât vers le sud et Raccoon Straits, faisant écran entre le *Martin Eden* et Sausalito, cette municipalité se trouvait à un mille tout juste vers l'ouest, de l'autre côté de la baie de Richardson. Charley n'ignorait pas que le fantôme du légendaire chantier y dormait désormais sous un restaurant indien.

« La dernière remise en état a pris trois ans. Elle dure encore. Tout doit être au petit poil. Jusqu'ici, ce bateau a coûté cent mille billets au propriétaire, et il ne l'a quasiment jamais sorti sous voiles. Mais il ne regarde pas à la dépense pour le tenir dans un état impeccable, avec sa splendeur d'origine comme critère idéal, vous pouvez le constater.

– Du beau boulot, faut reconnaître », répondit Charley tout en se disant que s'il se trouvait un docteur en médecine pour publier un ouvrage définitif sur la rétention anale maritime, ce navire serait tout désigné pour en illustrer la jaquette.

« Donc, reprit le gardien, arrive le jour du lancement — dans les années vingt, je vous parle — et du même coup le moment où notre toubib en prend possession. Sa très belle et mondaine moitié fracasse une bouteille de champagne contre l'étrave, et voilà le bateau qui glisse jusqu'à l'eau. Pour sûr, il y a du beau linge à bord, famille, hommes politiques et tout ce qui s'ensuit, et un bel équipage à la manœuvre. On envoie la toile. C'est l'été, une ou deux heures de l'après-midi, et sitôt doublé le promontoire de Yellow Bluff, ça souffle de l'ouest à décorner les bœufs. Le skipper professionnel gouverne vent de travers, cap sur le Golden Gate. Notez que… (l'homme lève le doigt) c'était avant qu'il y ait le pont. »

Charley haussa un sourcil. « Je n'y avais pas pensé. Ce devait être splendide.

– Sûr que ça l'était », fit l'autre d'un air pénétré, non moins certain que s'il avait été sur place. « Les voilà donc qui taillent la route, tout dessus tribord amures, peaufinant les réglages. Le cap Lime est par le travers, avec toute l'étendue du Pacifique qui leur fait de l'œil, quand le skipper invite le propriétaire à prendre la barre. (Le gardien recula d'un pas et fit le salut militaire.) Le gamin — je dis le gamin, mais il avait trente-cinq ans — attendait ce moment depuis deux ans. Il ne se fait pas prier pour empoigner la barre. Au bout d'une ou deux minutes, le skipper lui dit : "Mes compliments, monsieur, mais vous allez devoir virer vent devant ou bien abattre pour virer lof pour lof, et ce sans trop tarder, rapport à ce que vous ne voulez pas vous mettre au plain sur Baker Beach le jour de votre première sortie."

– Ni un autre jour, du reste, renchérit Charley.

– "Tout de suite, répond le toubib avec enthousiasme. Pare à virer !" "Au commandement du propriétaire !" lance le skipper. "Paré à virer !" mugit le maître d'équipage, tandis que les matelots courent aux écoutes. "La barre en dessous !" hurle le toubib. "La barre en dessous !" reprend le bosco. Le proprio tourne la roue en grand et l'étrave du *Martin Eden* entre dans le lit du vent. (Le gardien claqua des mains.) Aussi tranchant qu'un couteau dans le pudding.

– Ça devait être quelque chose », fit Charley, amusé.

« Sitôt les focs à contre, c'est : "Largue les écoutes !" Notez bien que c'est la première fois que le propriétaire mène son bateau sous voiles, sans parler d'actionner la roue du gouvernail. Bon sang, c'est la première fois que quiconque l'actionne, cette barre ! C'est la première fois que ce bateau change d'amures ! Il marche aussi bien qu'il marchera jamais, tout dessus par trente nœuds de vent, et ça vaut le coup d'œil. Il file dix bons nœuds, avec un os entre les dents, et tous les yeux sont levés pour voir la toile changer de bord. Seulement voilà, le propriétaire a mis la barre à tribord *toute*. Si bien que, tandis que les matelots bordent tout à plat, le vent d'ouest couche presque le *Martin Eden*. (Le gardien soupira et tapota le flanc de la bôme.) "Choque partout ! rugit le skipper. On va se laisser repousser dans la baie !" Seulement, le propriétaire, inexpérimenté, complètement dépassé et pris de panique, ne comprend pas ce que ça veut dire et, ne sachant que faire, ne fait rien. En pleine survente, il garde son safran sur tribord, et on s'aperçoit que le bateau a continué de virer, les écoutes ont été filées, mais il fait le grand tour, comme disent les régatiers, ayant viré vent devant pour se retrouver bientôt au grand largue bâbord amures, soit un changement de cap de près de cent quatre-vingts degrés. Mais il continue d'abattre ! "Borde la grande écoute !" rugit le skipper. "Que ça saute ! gueule le bosco. Borde la grande écoute !" Mais c'est maintenant l'arrière qui passe dans le lit du vent et, en moins de temps qu'il n'en faut au poste avant pour siffler une ration de rhum, le bateau empanne, quelque chose d'affreux. (Le gardien tapa du plat de la main sur le côté de la bôme.) Passant de tribord à bâbord, ce grand bon dieu d'espar balaie tout l'arrière et continue comme ça jusqu'aux enfléchures dans un grand fracas de toile, de manœuvres et de poulies. Si le bateau n'a pas démâté ni éclaté en mille morceaux devant le cap du Fort, ça tenait assurément à la chance et au solide savoir-faire des charpentiers. Mais ce jour-là, de la chance, il n'y en eut pas pour tout le monde. »

Le bonhomme marqua une pause. À l'autre bout du quai, une mouette prit son essor avec un cri de protestation pour traverser le port à tire-d'aile. « Au moment où la chute de la grand-voile prenait à contre, mais avant que la bôme n'arrive dans un claquement de toile propre à alerter un marin, le skipper saisit à bras-le-corps la femme du propriétaire, qui se trouvait être la personne la plus proche de lui, et se jeta avec elle pêle-mêle sur le pont, juste au moment où cet espar gros comme un arbre passait au-dessus d'eux. Telle la faux du destin, je vous mens pas. Un marin sait qu'il faut se baisser, bien sûr. Quant aux invités, tout ce beau monde se trouvait à l'abri, en avant du mât ou bien en bas dans la cabine. Mais le fléau cueillit le proprio là où il se tenait à la barre, en plein sur la calebasse, la lui éclata comme il faut, expulsa de son nez une décharge de morve sanglante et projeta la dépouille du pauvre gars loin par-dessus le couronnement. (Le gardien fit ricocher sa main gauche sur sa dextre, sous la bôme et vers bâbord, geste que Charley suivit des yeux.) Le jeune propriétaire avait trépassé avant que son lest soit passé par-dessus bord. Il tomba à l'eau et s'y abîma. On ne le retrouva jamais. »

Dans le silence momentané, un faible mouvement de houle pénétra dans le port et passa parmi les bateaux qui y étaient amarrés. Dans un grincement d'aussières, le *Martin Eden* se souleva et s'abaissa avec le reste de la flotte.

« Le temps qu'ils reprennent le *Martin Eden* en main pour quadriller le coin, le cadavre du jeune médecin avait été emporté par le jusant. Ils poussèrent jusqu'à l'extrémité occidentale de Four Fathom Bank, soit environ cinq milles, pour tenter de le retrouver. Mais ce fut en vain, et nul doute que le retour à Sausalito fut bien silencieux. La sacoche du pauvre garçon est toujours enterrée sous ce petit triangle de gazon qui se trouve près de la première église unitarienne, à l'angle des rues Franklin et Geary. À côté du prêcheur qui l'a bâtie. Me souviens plus de son nom. (Le bonhomme se racla la gorge, fit deux pas vers l'arrière et cracha dans l'eau.) Environ six mois plus tard, reprit-il en s'essuyant la barbe d'un revers de manche, elle épousait le skipper.

– Qui ça ?

– Eh bien, mais la veuve du médecin. Elle laissa passer un délai convenable, puis elle épousa le type qui lui avait sauvé la vie. Et lui apporta un joli douaire, avec ça : ce toubib possédait la moitié de Russian Hill. »

Charley regarda en direction de la ville. À huit kilomètres de là, de l'autre côté de la baie, le pare-brise d'un tramway roulant vers le nord envoyait des miroitements en dévalant Powell Street. Et le gardien d'ajouter :

« Elle vendit le *Martin Eden* avant le mariage, quand même, au premier amateur qui se présenta avec un dollar à la main. Et ce qui est peut-être le plus étrange, c'est qu'en l'espace de quatre-vingts ans, il n'a jamais eu de poste d'amarrage ailleurs que dans la baie de San Francisco. (Il passa une main sur la lisse de couronnement et secoua la tête d'un air nostalgique.) Ça fait quand même beaucoup de bateau pour un dollar… »

Quelle est la morale de cette histoire ? interrogea le Bosco dans un bâillement.

Je ne sais pas, dit Charley, brutalement arraché à sa rumination. Le tube d'aloe vera reposait dans la paume de sa main. Il avait un peu de crème au creux de l'autre. Il plissa les yeux vers l'arrière. La bouteille d'eau n'était plus en vue.

Qu'est-ce que vous diriez de : pas besoin d'être plein aux as pour être réduit à rien par un empannage accidentel ? proposa le Bosco.

Ça doit être ça, opina Charley tout en s'enduisant le trapèze de pommade.

Soit ça, ajouta le Bosco, soit on pourrait en conclure que si on attend le bon moment, si on veille au grain…

Oui ?

… Il y aura toujours moyen d'acquérir un bateau pour pas cher. Le Bosco fit claquer sa langue. C'est un marché à l'avantage de l'acheteur.

Toujours. Charley eut un petit sourire. Absolument.

6

Skip Faulkner tendit une lettre par-dessus le bar. « Dernières nouvelles des Tropiques. »

Quentin commanda une bière et un verre d'eau gazeuse pendant que Tipsy ouvrait la lettre. *Sœurette*, disait la première ligne, *je n'ai pas l'intention de te bourrer le mou*. Elle posa la feuille. « Nom d'un chien. (Elle contempla le verre de bière.) Je préférerais pourtant. » Elle reprit la lettre. *Je me suis remis au boulot.* Elle la posa derechef. « Nom d'un chien. »

Quentin ne prit pas la peine de décoller les yeux de la télévision qui jacassait en espagnol sur une étagère, au-dessus de l'autre extrémité du bar. Sur l'écran, le Secrétaire chargé de la Sécurité intérieure, debout à un pupitre frappé de l'intitulé de sa fonction, remuait les lèvres. Derrière lui, de multiples répétitions des mots *Código de Naranja* couvraient un mur entier. En dessous de lui, un bandeau défilant annonçait un coup d'envoi retardé à 17 h 45 — heure normale du fuseau horaire de la Côte pacifique — pour le match des Forty-niners, en raison du discours du Président, après quoi vinrent les titres *Muerte Misteriosa Del Activista Famoso* et *Esta Noche a las 23 horas : ¿ Numero Uno ? ¡ No vale la pena !* « Quoi ?

– Ces flics sont sur un coup.

– Je serais content qu'on puisse en dire autant de la Sécurité intérieure. Hé, Faulkner.

– Yo.

– Je peux te demander comment ça se fait que vous autres, vous regardiez la télé en espagnol ? »

Faulkner n'eut pas un regard pour l'écran. « Qu'est-ce que ça change ? »

Mais c'est fini. Dernière mission.

Tipsy lança, en parlant de la lettre de son frère : « Je n'en reviens pas.

– Moi non plus, répondit Faulkner en parlant de la télévision.

– Je crois que tout le monde en est là », dit Quentin en parlant de Tipsy et Faulkner.

J'en ai marre de bosser sur les bateaux des riches. Pourtant c'est la seule façon de gagner honnêtement sa vie, par ici, si on peut parler d'honnêteté, et c'est tellement simple. Bien sûr, j'ai rencontré quelques propriétaires avec qui j'avais pas mal d'affinités. Des gens intéressants, qui s'étaient faits à la force du poignet, et pour certains, sympas et généreux en plus. Mais ça ne rapporte rien de plus que quelques cocktails et un asservissement, l'occasion de prendre la mer avec ou sans les propriétaires à destination des endroits où ils veulent, croient vouloir, ou finissent par ne même pas séjourner. Il y a une certaine fierté à maintenir les choses impeccables, étincelantes, qui que soit le propriétaire et quel que soit le prix du bateau, la fierté ne se distinguant de la vanité que par la malheureuse virgule qui scinde les quatre chiffres d'une cagnotte de traversée. Pourtant, Tipsy, la peur rôde parmi ces gens, à présent. Ils font des difficultés à propos de tous les ports dans lesquels ils passent la nuit, ils s'assurent de n'être entourés que de gens de leur espèce. La sécurité — celle qui consiste à ne pas se faire enlever — est indéniablement devenue une préoccupation. Des yachts de luxe transportent bandits et armes automatiques sous couvert de « Sécurité privée ». On se met à couple d'un de ces trucs — 120, 150, 175 pieds à la flottaison —, et toute la nuit il y a un type sur la plateforme hélico de la plage arrière, avec une arme et une oreillette. Et ce n'est pas le Top 50 qu'il écoute : il est en contact avec un type du même genre à l'avant. Le bateau est éclairé, ou pas. Il y a une fête à bord, ou seulement le propriétaire et une partenaire. Aucune différence.

Et elle n'a rien de déplacé, cette peur. Il y a maintenant des endroits où ces bateaux-là ne vont pas. Un détroit très serré du nom de Bab-el-Mandeb, par exemple. C'est la porte d'accès à la mer Rouge depuis le golfe d'Aden. Sur quelque chose comme six cents kilomètres au nord et à l'est, la côte appartient au Yémen, un des pays les plus dangereux du monde. Une fois, j'ai rencontré un type qui travaillait pour la compagnie qui a construit le premier aéroport au Yémen, dans les années 1970. Il comparait l'expérience au fait de se poser en plein âge de pierre aux commandes d'une machine à explorer le temps.

Mais tout le monde s'accorde à dire que l'âge de pierre aussi a besoin d'argent.

La limite ouest du Bab-el-Mandeb, c'est Djibouti, qui n'est pas le plus petit pays d'Afrique, mais presque. Au nord c'est l'Érythrée, au sud la Somalie, et plein ouest, à moins d'une centaine de milles du port principal, qui s'appelle aussi Djibouti, s'étendent plus de quatre millions de kilomètres carrés d'Éthiopie.

Taxer cette partie du monde d'endroit dangereux est une litote. La planète est dangereuse. Et en tant qu'épicentre de ce monde, Bab-el-Mandeb grouille de pirates.

Les histoires ne manquent pas. Tu te souviens peut-être d'un supertanker qui s'était fait détourner là-bas, mais de nos jours, il n'y a plus un voilier pour tenter de franchir seul le détroit, et encore moins en solitaire. Si quelqu'un devait être assez fou pour le faire, il ne tarderait pas à se faire harceler par un panga — un genre de longue et mince barque à fond plat avec deux moteurs hors-bord de 200 chevaux qui pendent à l'arrière. Ça, c'est l'éclaireur, en reconnaissance. Deux ou trois tours et il s'en va. Mais à la nuit tombante, le type tout seul sur son voilier va se retrouver flanqué d'une escorte de deux pangas contenant chacun trois ou quatre hommes. Tous armés jusqu'aux dents : poignard, pistolet, peut-être un lance-roquettes et un modèle ou un autre d'arme automatique, le plus souvent une Kalachnikov. Ce qui est un bon choix. Je me rappelle certains gars de la Guerre américaine, des types restés assez longtemps sur le terrain, qui laissaient tomber les AR-15 au profit de l'AK-47...

« La Guerre américaine, répéta tout haut Tipsy.

– Laquelle ? demanda Quentin.

– La Guerre américaine, répéta Tipsy.

– Oui, bien sûr, répondit Quentin. C'est le nom que lui donnaient les Vietnamiens... qu'ils lui donnent toujours.

– Charley l'appelle comme ça, lui aussi.

– Vous parlez de celle qu'on aurait dû gagner ? » pépia une voix derrière Quentin.

Tipsy se pencha en arrière pour regarder. Deux tabourets plus loin, le long du bar, se tenait un jeune homme mince en polo de sport rose avec un petit drapeau américain épinglé au col.

« Mais on ne l'a pas gagnée », fit remarquer Quentin sans prendre la peine de se retourner.

L'expression du jeune homme se crispa.

« Ça fera cinq dollars tout rond », lui dit Faulkner.

L'homme tira un portefeuille de la poche arrière de son pantalon de toile et y choisit un billet de cinq dollars qu'il tendit au serveur. « Alors pourquoi ne pas l'avoir appelée la Guerre française ? » dit-il, fermant son portefeuille et s'emparant de sa pinte de bière.

« Je suis sûr qu'elle s'est appelée la Guerre française, répondit Quentin de son ton le plus mesuré, tant que le pays se battait encore contre les Français. Les Vietnamiens l'ont gagnée aussi, celle-là.

– Bon, dit le jeune homme en trempant les lèvres dans l'écume qui coiffait sa pression, vous êtes communiste ?

– Pire. (Quentin esquissa un sourire pincé.) Je suis un fils de communiste.

– Votre doctrine est sur le déclin », répondit l'homme. On aurait presque dit qu'il compatissait.

« Le joli credo que voilà. Cela dit (Quentin secoua la tête), pas de chance. Mon père a soutenu Harry Bridges depuis le début.

– Triste erreur », commenta tristement le jeune homme.

Tipsy ignora l'énergumène, se retourna pour fixer des yeux les images télévisées pendant quelques instants, après quoi, sans presque respirer, elle se tourna vers Quentin, assis à sa droite.

D'un geste, Quentin désigna la pinte de bière, dans la main du jeune homme. « Vous avez oublié le pourboire du serveur, lui dit-il.

– Non, répliqua le jeune homme.

– Restez économe. (Quentin glissa un dollar de sa propre monnaie vers la pompe à bière.) Vous arriverez peut-être à gratter de quoi payer l'actuelle guerre américaine. »

Tipsy s'esclaffa, d'un rire généreux, accueillant, qui semblait inviter le jeune homme à rire avec elle des remarques acerbes de son compagnon. Mais le jeune homme ne riait pas.

« Eh, mec, dit-il. Vous êtes sérieux ?

– Aussi sérieux qu'un Noir peut l'être en pareille compagnie.

– Hé, dites, reprit le jeune homme en levant sa bière vers son torse, moi aussi je suis Noir.

– Ah oui ? (Quentin le regarda droit dans les yeux.) Je n'avais pas remarqué.

– Eh bien ! (Tipsy s'éclaircit poliment la voix.) Ça fait longtemps que je n'avais pas assisté à une conversation dans laquelle chaque mot a son importance. »

Quentin releva aussitôt. « Et il était question de quoi, la dernière fois ? »

Le jeune homme ouvrit la bouche pour dire quelque chose.

« Tire ton cul de mon voisinage », lança brusquement Quentin.

Le jeune homme cilla.

« Et soit dit en passant, mec, ajouta Quentin, je parle sérieusement. »

Après un instant de réflexion, le jeune homme prit son portefeuille et sa pinte de bière. « Je crois que je vais aller voir ce qui se passe sur la terrasse.

– Pendant que vous y serez, voyez ce que vous pourrez apprendre sur la Guerre américaine, lança Quentin au dos qui s'éloignait. Nom d'un chien. Cette ville tombe de plus en plus bas.

– Dis voir Quentin, enchaîna Tipsy, ton père et Harry Bridges ne se sont pas fait casser la figure une bande de fois à une extrémité ou l'autre de cette berge même ?

– En effet, confirma Quentin.

– Non seulement ça, mais ton père était bien le seul Noir du syndicat des dockers ?

– Non. (Quentin trempa les lèvres dans l'eau gazeuse.) Ils étaient deux.

– Alors qu'est-ce que ça a de nouveau, ou même d'insultant, qu'un petit malin se figure que le communisme c'est mal, et que la guerre du Vietnam était gagnable ?

– Rien. (Quentin secoua la tête.) Les opinions, c'est comme les trous de balle…

– Tout le monde en a, compléta Tipsy.

– C'est juste que j'attends mieux de mes semblables san-franciscains.

– Sans doute que lui aussi. »

Quentin soupira. « Au moins, on n'en est pas venus aux mains. J'aurais pu esquinter ce gamin, à vouloir lui mettre du plomb dans la cervelle.

– Tu rigoles ? Il est probablement ceinture noire en droit de la responsabilité civile. À la moindre tache sur son alligator, il t'attaque et te fait raquer tout ce que tu possèdes.

– C'est un crocodile.

– Après quoi il va croître et se multiplier sous le toit même dont il t'a privé.

– C'est écœurant. Arrête. J'essaie de boire convenablement. (Il avala une gorgée d'eau.) Alors, qu'est-ce qu'il raconte d'autre, Charley ?

– Quand je l'ai laissé, il en était à justifier une forme de piraterie par une autre. »

... ils ont des grappins, des radios, des munitions, et pas l'ombre d'un scrupule. Certains considèrent même que leur cause est juste. On peut mettre en panne et tenter sa chance, mais le risque est soit de se faire dépouiller et de rester en vie, soit de se faire dépouiller et zigouiller. Si on a une femme à son bord — ou si on en est une — il faut fuir, car pour une femme, ce sera l'esclavage. Mais ils sont plus rapides que n'importe quel voilier, plus rapides qu'un cargo. Certains de ces pangas montent jusqu'à quarante nœuds. Sinon ça peut se finir au corps à corps, mais c'est sans espoir.

Pourquoi est-ce que je te raconte ça ? Les yachts sur lesquels j'ai travaillé ne pensent même pas au Bab-el-Mandeb. Ils flânent d'un port de plaisance à un autre, ici aux Caraïbes et en Méditerranée, à la recherche de leurs pairs. Ça ressemble assez à la saison des amours chez les calmars. Les croisières lointaines ne les découragent pas du tout, mais si on ne se fait pas voir pour le plaisir d'être vu, et jauger pour le plaisir d'évaluer le degré de nos excès, et ce par sa propre caste, pourquoi claquer soixante-dix ou quatre-vingts millions dans un bateau ?

C'est pourtant plus insidieux que ça. Les gens n'ont aucune envie de voir leurs bateaux dans les parages de Bab-el-Mandeb. Ils savent que c'est dangereux. Cela dit, certains mouillages de la côte ouest du Guatemala n'offrent plus aucune sécurité pour eux, comme c'est le cas presque partout en Colombie depuis des années, comme ça l'est devenu d'un bout à l'autre du littoral brésilien, panaméen, costaricien...

Le cercle se rétrécit.

Qu'est-ce que je suis censé faire ? Défendre le bateau sur lequel je me trouve, au risque de me faire descendre ?

Quoi qu'il en soit, après avoir traîné de-ci de-là pendant presque un an sans même un pot de chambre où pisser, mis à part Vellela Vellela, *j'ai décidé de me lancer dans un gros coup. Un coup assez modeste, au regard des critères de la plupart des gens, mais qui suffira à mes besoins. Tu sais bien, j'en suis sûr, que je ne connais qu'une ou deux façons de faire. Mais pour le cas où je ne décrocherais pas le cocotier, je tenais à te mettre au courant.*

« Nom d'un chien, dit Tipsy. Ces flics avaient raison. (Elle gifla les pages de la lettre d'un revers de main.) Je n'ai pas envie d'être au courant.

– Il parle de trafic, c'est ça ? » demanda Quentin.

Tipsy fit la grimace.

« Je suppose que les médicaments pour la désintoxication ne tiennent pas leurs promesses. Ça explique sans doute le ton philosophique lugubre qui se dégage de cette lettre particulière.

– Charley m'écrit depuis qu'il a fugué de la maison. (Elle désigna la lettre.) Pratiquement depuis que son ami construisait des aéroports à l'âge de pierre.

– Dis-moi quelque chose que je ne sache pas déjà. »

Tipsy cligna des paupières. « Ne serais-je pas en train de galvauder ma maturité en réaffirmant sans cesse des évidences ?

– Je n'avais jamais vu en toi une essayiste progressiste.

– J'adore les lettres de mon frère. Les courriels et les téléphones portables ont complètement enterré le courrier postal, mais Charley n'a jamais arrêté ni les cartes postales ni les lettres. Regarde ça. (Elle montra l'enveloppe à Quentin.) Adresse manuscrite, lettre manuscrite. Belle écriture. Papier en provenance d'un bloc ligné. Timbres exotiques. Éclaboussures séchées. (Elle huma les feuilles.) Rhum et fumée de kérosène. »

Quentin perçut la nervosité du ton de son amie. Plutôt que demander qu'elle lui dise une chose qu'il ne sache pas déjà, il répondit : « C'est sûr, ma belle. »

De l'autre côté du bar, Faulkner s'arrêta pour regarder le timbre tout en s'essuyant les mains dans un torchon. « Je l'ai déjà, celui-là. » Il s'épongea le front dans sa manche, accrocha le torchon sous le bar, et retourna à son travail.

« Rum Cay. Tu imagines ? Ça ne te dirait pas d'aller là-bas ?

– Pourquoi est-ce que j'aurais envie d'aller là-bas alors que je peux rester à San Francisco, à débattre du Vietnam et des droits des travailleurs ? Tu crois que c'est différent, là-bas ?

– Charley dit que dans les îles, on peine à trouver quelqu'un qui ait quoi que ce soit à foutre des manigances des États-Unis.

– Ah oui ? (Quentin se hérissa.) Tout ça changera dès la minute où on commencera à leur larguer des bombes.

– Ça, ça attirera leur attention.

– Ils ne savent pas qu'on est le pays le plus important du monde ?

– Je crois que non.

– C'est ce que se figure mon pote on ne peut plus rose, là, sur la terrasse. »

Tipsy se retourna pour jeter un coup d'œil. « Je croyais qu'il était parti.

– Penses-tu. Il est en train de raconter à ses potes qu'il y a de la négritude bidon à taquiner au bar.

– Peut-être qu'ils te paieront un verre avant que ton cerveau tombe en poussière au Musée des Idées révolues.

– Grâce à quoi crois-tu que ce musée se construira ?

– L'argent ?

– Grâce à l'idée impérissable qui englobe toutes les autres.

– On en enrichit l'inventaire d'heure en heure.

– Compris », grommela Quentin d'une voix tendue. De toute évidence, il était réellement agacé.

« Quentin, réponds-moi franchement : il va falloir sortir d'ici à reculons, flingue au poing ?

– Hé ! (Quentin martela le bar du bout de l'index.) C'est moi l'habitué, ici. Et ce Noir bon chic bon genre, là-bas dehors, n'est qu'un connard de provocateur.

– Je croyais que tu tenais l'eau mieux que ça. »

Quentin se crispa. « De l'eau ? Bonne idée. Un shot de tequila pour te bichonner. Tu sais à quel point j'adore mater. »

Tipsy ne protesta pas.

« Faulkner.

– Yo.

– Un shot de Casaderos. »

Le bar était presque bondé. Mais Faulkner posa un verre à shot sur un sous-bock, le remplit généreusement à ras bord et le flanqua d'un quartier de citron vert et d'une salière ; la bouteille avait regagné son étagère avant que Quentin et Tipsy aient repris leur conversation.

« La poésie en action. (Quentin posa un billet de dix par-dessus le billet d'un dollar esseulé.) C'est pour toi. »

Faulkner rassembla la monnaie et toqua du doigt sur le bar.

Sans s'occuper du sel ni du citron, Tipsy s'empara du verre de tequila. Quentin leva sa pinte d'eau gazeuse. « Puissent les écailles tomber de leurs yeux télé-hypnotisés.

– De quoi tu parles ? demanda Tipsy en reculant son verre pour ne pas trinquer. Ils dirigent le pays. Ils dirigent cette connerie de planète. Porte un toast crédible, bon Dieu. »

Sans la moindre hésitation, Quentin rétorqua : « Puissent leurs yeux télé-hypnotisés finir pochés au pétrole brut doux allégé et servis, pour la délectation de voraces mineurs travaillant à l'extraction d'hapkéite, au moment de la pause à la cafétéria de notre première *maquiladora* lunaire, comme préconisé par la Loi de 2052 sur les Repas des Employés d'Entreprises extraterrestres. »

Tipsy sourit. Ils trinquèrent.

Tu te souviens sûrement de Red Means, le type qui m'a rendu le service de s'occuper de toi à l'époque où j'étais en vacances, pour employer un euphémisme. Ajoute à ça la carcasse de Vellela Vellela, *le boulot dans un chantier à la Guadeloupe et pas mal d'autres trucs. Je te la fais courte : il y a trois ans, quand j'ai mis* Vellela Vellela *à l'eau, nous avons poursuivi chacun de notre côté.*

Eh bien, pas grand-chose n'a changé en ce qui le concerne. Il pourrait mener la grande vie sur l'une ou l'autre des îles les plus luxueuses des environs. Il a des valises de fric enterrées sur la moitié des plages des Caraïbes. Il est citoyen, avec passeport, d'au moins trois pays souverains, dont les États-Unis, mais il préfère vivre modestement à bord de son bateau de pêche, qu'il soit à quai ou au mouillage. Ses employés accostent tout le temps là-bas, bien sûr, çà et là dans les Keys, au large des côtes de Floride et de Géorgie, sur le cours du fleuve Saint Johns, aux Îles-barrières, au cap Fear et ainsi de suite.

Ça me rappelle l'histoire de la population d'une certaine île-barrière. On est au début des années 90. Red avait le shérif local dans la poche, si bien que toutes les deux ou trois semaines, ce dernier avait une affaire pressante sur le continent. Une heure ou deux après que les feux arrière de son véhicule de patrouille avaient disparu vers l'ouest de l'autre côté de la levée, une dalle — ainsi appelle-t-on du haut en bas du Gulf Stream ces crevettiers mangés de rouille, du genre qu'une fois sur deux il faut ramener en remorque quand ils font une sortie — émergeait de la brume en donnant de la bande pour venir s'amarrer à l'unique jetée du patelin. Partant de la levée, la seule route carrossable de l'île traverse le marais et les trois pâtés de maisons d'un ersatz urbain pour se terminer sur la jetée en question. Or cette dalle est chargée à couler de came. Cinq ou six gars et un camion à plateau se matérialisent, et six cents kilos de marijuana sont transbordés aussi vite qu'un couteau tranche du pudding.

« Tranche quoi ? demanda Quentin.

– Un genre d'aliment pour navigateurs », dit Tipsy en haussant les épaules.

... Par la suite, ça a été de la cocaïne. Puis, plus tard, les Stups se sont pointés et ils ont embarqué tout le monde, y compris le shérif — qui,

soit dit en passant, coupa à la taule et se garda sous le coude plusieurs centaines de milliers de francs qu'il avait garés sur un compte en Suisse. Je suis bien placé pour le savoir.

Quentin mit la main en visière au niveau de ses sourcils. « Ton frère ne sait pas que la grande majorité du public en a jusque-là des histoires de drogue ?

– Qu'est-ce qui te dit que c'est une histoire de drogue ? »

Quentin la regarda. « Il semblerait que, non seulement notre homme n'entende rien à son propre récit, mais sa sœur non plus. »

Tipsy soupira. « Si… »

Quentin grogna : « Faulkner.

– Yo. »

D'un hochement du menton, Quentin désigna son verre vide.

« Même chose ? »

Quentin acquiesça.

« Pas pour moi, dit modestement Tipsy. Ça me suffit.

– Ne dis pas de conneries. C'est ta tournée, fit remarquer Quentin.

– Oh, zut. Dans ce cas… (Elle jeta un coup d'œil à la page suivante.) On est presque à la fin.

– Lis-nous ça. »

... à y bien repenser, je n'ai jamais vraiment su le fin mot de cette histoire de poire pour la soif. Cependant, dans un contexte légèrement différent... Ah, il y a quelqu'un qui toque contre le bordage...

« Là, je comprends, dit Quentin. Ce qui compte, ce n'est pas comment on perd la partie, mais comment on la joue. »

Bon, on est deux heures plus tard. Je vais coller un timbre sur cette lettre et l'envoyer en ville en même temps que le plongeur qui vient de me caréner le bateau. J'ai décidé d'appareiller au point du jour. Beaucoup à faire d'ici là. Avec toute mon affection.

« Là-bas, très loin sur le vaste océan bleu (Tipsy replia la lettre), mon frère Charley pense à moi. » Elle battit des paupières.

« Il ferait mieux de penser à son avocat, marmonna Quentin.

– Tu recommences ! (Tipsy glissa la lettre dans son enveloppe qu'elle posa de côté.) Toujours ton pessimisme pragmatique. Qu'est-ce qui te dit qu'il va se faire choper ?

– Tu plaisantes ? Les flics attendent son… »

Tipsy lui couvrit la bouche de sa main libre et, de l'autre, cogna son verre à shot contre la deuxième pinte d'eau de Quentin. « Ça va rester entre toi et moi tant que ça ne sera pas passé, d'accord ? »

Quentin souleva pensivement son verre. « Bon alors, Tipsy, lança-t-il d'un ton faussement dégagé, que sais-tu de ce type nommé Red ?

– C'est le type que Charley a refusé de balancer.

– Donc, Red a une dette envers Charley… non ? Une sacrée dette, on dirait.

– Une sacrée. (Elle haussa un sourcil.) En effet.

– Du coup, il n'aurait pas pu… disons… tout simplement renflouer Charley ?

– Au lieu de lui filer un boulot dangereux, tu veux dire ?

– Exactement.

– Je n'en sais rien. Je n'ai jamais rencontré ce type. J'en ai juste entendu parler au fil des années. La première fois, Charley était encore en prison. Un jour, j'ai reçu un mandat de cinq mille dollars. (Elle tapota le fond du verre sur le bar.) Ici même. Tombé du ciel. Je vivais encore à bord du *Dhow Jones*, à Mission Creek.

– Une belle passoire, ce house-boat, je m'en souviens.

– Une belle passoire. En fait, à l'époque, il avait sombré et reposait sur le fond — qui ne se trouvait pas à plus d'un mètre vingt sous la quille, au plus haut niveau d'eau —, et il était temps que je me trouve un nouveau logis, sans quoi j'allais mourir à force d'inhaler des moisissures. Je ne savais plus à quel saint me vouer quand ce tas de fric est arrivé.

– Mais tu n'étais pas au courant pour les moisissures, à ce moment-là.

– C'est vrai. Je croyais que c'était mon mode de vie qui m'asphyxiait.

– Redis-moi où est la différence, déjà ?

– Ce fric m'a renflouée pendant près d'un an. »

Quentin sourit et se mit à chantonner : « Autrefois, la vie était simple et ne coûtait rien, dans la plus belle ville du monde…

– Ne m'en parle pas. À l'époque, quand j'arrivais à tenir cinq mois avec cinq mille dollars, j'avais de la chance. »

Quentin la regarda et sourit. Que c'était donc charmant ! Autrefois, dans la plus belle ville du monde, tout le monde savait qu'il ne fallait pas plus de cinq minutes à Quentin Asche pour gagner cinq mille dollars, Tipsy et lui le savaient l'un comme l'autre. « Toujours est-il que l'argent venait de Red.

– Il venait de Red, et c'était Charley qui lui avait demandé de l'envoyer. Aucun remboursement n'était attendu. Et je n'ai toujours pas rencontré ce Red. (Elle s'interrompit.) C'est seulement bien plus tard qu'un jour, Charley a mentionné la provenance de ce fric.

– Trafic de drogue ? »

Tipsy secoua la tête. « S'il n'y avait que ça.

– Qu'est-ce que tu peux bien insinuer ? »

Tipsy soupira et secoua la tête. « Red avait une femme, à l'époque. La mère de deux de ses gosses.

– Il en a combien ?

– Aucune idée. Elle était accro quand elle s'est retrouvée enceinte, accro quand elle a mis le bébé au monde, et accro tout le temps de l'allaitement.

– Oh, je t'en prie, dit Quentin.

– Ouais. Bon, en tout cas, quand Charley est tombé, il s'en est fallu de vraiment peu que Red se fasse prendre aussi. Sa femme et lui ont confié les gosses et disparu de la circulation pendant à peu près un an. Ils vivaient dans une cabane de pêche perchée sur des pilotis en cyprès dans le sud-est de la Floride, quelque part dans les marigots, pas loin de Watson's Store. Il fallait un hydravion pour se rendre sur place, et les gens qu'on croisait là-bas auraient quasiment tous préféré descendre un inconnu, le jeter aux alligators et se servir de son hydravion comme réserve de pièces, plutôt que lui parler de, je ne sais pas moi, la bataille de Huê, disons.

– Et pourquoi pas de la Guerre américaine de 1959-1975 ? suggéra Quentin.

– Quentin… »

Quentin martela le bar du bout de l'index. « Premier Américain officiellement mort au champ d'honneur au Vietnam ? 8 juillet 1959. Très bien. Dernier officiellement mort au combat au Vietnam ? 29 avril 1975, bien, là encore. On est en droit d'employer *officiellement* cette appellation.

– Tu me lèves le cœur.

– En voilà une plus dure, tellement dure que je ne la formulerai pas comme une question. Le premier chargement d'armes américain est arrivé au Vietnam d'avant la partition, alors colonie française, le 10 août 1950. Tu m'as bien entendu. On ne court aucun risque, en fait, à supposer que ça a entraîné la mort de quelqu'un, ce qui porte le total à vingt-cinq années de conflit. Cela dit, jeune demoiselle…

– Oui ?

– Ce n'est pas moi qui te lève le cœur, mais les moisissures qui te tiennent lieu de gouvernement. »

Tipsy haussa les épaules. « On lance les dés muets.

– Qu'est-ce que c'est que ça, du fatalisme ? Les dés sont fournis par le gouvernement, grommela Quentin d'un air sombre.

– Ce n'est peut-être pas faux, comme pourrait le dire l'agent Few. (Elle s'éclaira.) J'aime bien cette expression. »

Quentin chassa avec un aplomb étonnant le malaise suscité par son envolée statistique. « Tu aimes bien l'agent Few, aussi ?

– Il est plutôt mignon…

– Une histoire à la fois.

– Mais Quentin, mon grand, tout ça n'est qu'une seule vaste histoire. »

Il éluda d'un geste de la main.

« Quoi qu'il en soit, Red avait assuré l'approvisionnement en dope de cette femme tout le temps qu'il était trafiquant de haut vol. Et voilà qu'ils étaient dans les ennuis jusqu'au cou, avec très peu de fric à eux, et aucun moyen d'accéder aux diverses valises enterrées sur la moitié des plages des Caraïbes, comme l'affirmait mon frère. Red s'est alors dit qu'il allait faire d'une pierre trois coups. Rendre le service qu'il devait à Charley en aidant la sœur de Charley ; aider sa femme ; s'aider lui-même. Le mariage est une affaire compliquée, c'est sûr.

– Je suis mal placé pour le savoir », dit Quentin d'un air supérieur.

Tipsy lui coula un regard, mais Quentin lui en retourna un de son cru. « Donc, reprit-elle, en bref, par une nuit sans lune, ils se sont glissés dans je ne sais quelle clinique clandestine à Miami où, en encore plus bref, Red a vendu un des reins de sa femme. »

La mine de Quentin s'affaissa. « Là, c'est trop bref.

– En fait, elle était en train de mourir d'un cancer, de toute façon…

– C'est censé me permettre de mieux comprendre ?

– … raison pour laquelle c'était une junkie depuis le début. La drogue l'aidait à supporter la douleur, raison pour laquelle Red avait accepté de l'approvisionner, et c'est au moins une des raisons pour lesquelles il est resté avec elle. »

Quentin cilla.

« C'est ce qui s'est passé. (Tipsy haussa les épaules.) D'après Charley, en tout cas. Il m'a écrit une longue lettre pour me raconter ça. Il aime raconter, dans ses lettres.

– Ce que j'avais sans doute remarqué.

– Elle s'appelait Carmen. Charley l'aimait bien.

– Je peine à le croire.

– Eh bien, dit-elle, peine donc à le croire.

– Donc il n'a pas envoyé la totalité de, euh, l'argent du rein ?

– Il m'en a envoyé la moitié. Le reste, il s'en est servi pour continuer à approvisionner Carmen en stupéfiants jusqu'à ce que l'heure de son overdose soit venue.

– Parce que… quoi ? Comment… ?

– Parce que sa femme lui devait un service, et lui en devait un à Charley, que moi je suis la sœur de Charley, que Red aimait Carmen, et qu'ils savaient tous les deux qu'elle était au bout du rouleau. (Elle écarta les deux mains au-dessus du bar.) C'est la simplicité même.

– Ce n'est pas l'euthanasie qui est compliquée, c'est le mariage.

– Ce n'est pas faux.

– Minute. (Quentin ranima sa physionomie au point de froncer les sourcils.) J'essaie de percevoir… enfin bon, où est-ce que tu t'inscris dans cette équation ? Enfin bon… (Il posa deux doigts sur le bar, entre Tipsy et lui, et batailla pour trouver une formulation appropriée.) Enfin bon, c'est quoi tout ça ? Une histoire de karma ? »

Tipsy s'écarta. « On va devoir t'attribuer deux ou trois salles pour toi tout seul, dans ce fameux Musée des Idées révolues, déclara-t-elle solennellement.

– Autrement dit, conjectura Quentin, tu espères bien que ce n'est pas ça. »

7

Charley avait entendu parler de ces choses étranges qui montent de la sentine dès qu'un navire est assuré de sombrer, surtout si ce navire a passé des années sous les tropiques. De la vermine bien évidemment, des insectes et des petits mammifères de tout poil, mais également des reptiles, peut-être à l'origine attirés par les autres habitants de l'écosystème du fond de cale. Un skipper nicaraguayen lui raconta un jour avoir, en plein ouragan, arpenté le pont de sa goélette désemparée avec toutes sortes de créatures rampant et trottant sous ses pieds nus. Bien que, de temps en temps, la lueur d'un éclair lui donnât un aperçu de ce sur quoi il pouvait s'attendre à marcher, c'était à ce moment-là, comme il le fit remarquer, le cadet de ses soucis. Cet ouragan dura trois jours.

Charley se demandait bien de quel port le centipède était originaire. Se pouvait-il qu'il fût à bord depuis son entrée en propriété ? Le regardant dormir ? Mais la spéculation manquait de conviction, n'étant qu'une activité dilatoire destinée à empêcher son imagination de ruminer de possibles autres épreuves, et elle eut tôt fait de tourner court.

Rien ne sert de ruminer, conseilla le Bosco. Suffit d'attendre.

Comme en réaction à ce fatalisme, pourtant non exprimé à voix haute — encore que ce soit ridicule, se morigéna Charley, car dès lors qu'elle a été exprimée consciemment, fût-ce en silence, une idée est habillée, a pris réalité —, quelque chose heurta la proue sur bâbord. Le son lui évoqua un tapis, peut-être alourdi par le poids d'un cadavre enroulé dedans, qu'on traînerait sur un sol de ciment brut. Non qu'il eût jamais connu pareille circonstance, mais pardi, autant laisser l'imagination, à défaut d'autre chose, naviguer bon plein et voir ensuite ce qu'il en est en réalité — à savoir encore un squale frottant le long de la coque, en train de tester, tester encore… Ce rappel brutal à sa véritable situation conduisit Charley à se demander, si tant est qu'il eût le choix, pour quel genre de mort le skipper opterait plutôt que de se faire dévorer par un requin.

C'est donc maintenant qu'on trouve le temps de se poser les questions fondamentales, grogna le Bosco.

Charley l'ignora. Pas un dépérissement prolongé en prison. Ça, on le sait. Pas le supplice de la cale administré par Red Means. Ça, on le sait aussi. La déshydratation ? Trop lent. Il regarda le centipède. Un couteau en plein cœur ? Le centipède possède-t-il un cœur ? Voilà, en souffrance, le sujet d'un livre que je ne lirai ni n'écrirai jamais, se dit-il. Bien que cela lui parût assurément préférable à la mort entre les mâchoires d'un requin, il se demanda s'il aurait le cran de se poignarder lui-même. Peut-être est-ce là le seuil entre passif et actif ? Il se souvenait d'avoir tenté de s'injecter une dose minuscule d'héroïne par un bel après-midi d'été dans un baraquement délabré situé sur les arrières d'un routier d'Orlando. Garrot en place, seringue remplie, veine saillante, son meilleur copain des beaux jours le regardant — des beaux jours puisque Charley avait acheté suffisamment de blanche pour deux —, il n'avait pu s'y résoudre. Ce n'est pas la peur de la dope qui retint sa main, mais la peur de l'aiguille. Il doit y avoir un terme pour ça, mais « judicieux » doit pouvoir faire l'affaire. Pour finir, c'est son copain qui s'en était chargé pour lui. Il savait y faire, le copain. Il s'y entendait si bien qu'il avait continué, pour succomber à une surdose à peine un an plus tard. De son côté, Charley n'avait pas goûté cette première expérience et ne s'était plus jamais rien injecté. Il avait aimé planer ? Eh bien, il y a planer et planer, se dit-il avec ironie. Tout ce dont il se souvenait vraiment, trente ans après, c'était d'avoir gerbé. Par contre, en ce moment, lui rappela le bosco, ce qui vous fait planer, c'est l'idée de votre suicide et de votre succession. Charley parcourut du regard l'océan désert. Quel paradis artificiel pouvait éclipser la perspective d'une éternité saline ?

Il retira précautionneusement du teck la pointe du couteau en y gardant le centipède embroché et, lui faisant décrire un arc, balança le cadavre par-dessus bord. La créature toucha l'eau avec un bruit à peine perceptible à une dizaine de mètres par le travers, et, au grand étonnement de Charley, fut aussitôt happée par la gueule d'un requin. Un très gros spécimen. Cette opération n'aurait pu s'accomplir avec plus de voracité ni d'efficacité ; en d'autres termes, elle fut une perfection de gloutonnerie ergonomique. La profusion de dents fut suivie en surface par un œil unique qui, indéniablement, photographia la scène aérienne, avec une lueur mauvaise, comme contrarié par la maigreur de la présente offrande et cependant sans retenue en sa précambrienne délectation du menu à venir. Cette appréciation fut suivie de la sinueuse présentation d'un aileron dorsal, d'un barbillon tribord, d'un antérieur fuselé et d'une queue deltoïde, puis le tout retourna dans ce lieu sans fond de prodiges salins qu'est la mer infinie.

Le génois mollit, se regonfla en claquant. La barre grinça. De toute façon, se dit Charley, je suis destiné à finir dénervé. Il amena la pointe du couteau contre son torse nu, sous le mamelon gauche, là où il imaginait que le cœur se tenait… embusqué ? Pas le mot. Planqué conviendrait mieux. Allez, mon garçon, s'encouragea-t-il, prends ton remède…

Il s'agissait d'une lame fine et tranchante, propre à faire efficacement son office. Il s'en appuya la pointe contre le sein. C'est alors que, délaissant la fossette ainsi creusée sous le *pectoralis major*, son regard accommoda sur un flacon ambré translucide qui dansait dans les cinquante centimètres d'eau occupant désormais le cockpit. Car, en adéquation avec l'état de son patron, *Vellela Vellela* ne se maintenait plus à flot. Lentement mais sûrement, il sombrait. À l'intérieur, il restait à peine un mètre entre l'eau et le plafond du rouf. Alors qu'il appréciait cette évolution, une bouteille d'eau de Javel remonta à la surface dans le coin cuisine submergé, et sa capsule bleue vint tinter contre l'abat-jour en cuivre, au-dessus de la table à cartes.

Peut-être qu'après tout, Cedric Osawa n'avait pas razzié l'oxycodone.

Charley replaça le couteau dans son étui, coincé entre sa ceinture et ses reins, et sortit la boîte de l'eau. Avec quelque difficulté, en partie imputable à son état de nervosité, il parvint à en ouvrir le couvercle doté d'une sécurité enfants. L'intérieur était sec. Entre d'épaisses pastilles de vitamine C, de la vitamine B fortement dosée, de l'echinacea encore odorante, de l'hydraste du Canada, de la pseudoéphédrine (destinée à dilater les sinus pour la plongée sous-marine), du Dexamyl (pour la vigilance pendant les traversées), de l'aspirine, de l'ibuprofène, de la pénicilline et de la streptomycine, quatre doses bleu vif de 80 milligrammes d'oxycodone affirmèrent leur présence au milieu de leurs semblables plus anodines, telles des reines consanguines au sein d'une termitière. Il se les déversa avec révérence dans la paume de la main et balança le flacon par-dessus bord.

L'oxycodone est une morphine synthétique. Le quart d'une seule de ces pilules bleues suffisait à faire immédiatement glisser un sujet normal dans l'inconscience. Charley calcula que, prises ensemble et mastiquées pour obvier à leur propriété de diffusion progressive, ces quatre-là devaient constituer une bonne surdose.

Alors qu'il réfléchissait à ces questions, *Vellela Vellela* fit une embardée. Charley partit à la renverse mais réussit à se retourner. Son épaule gauche heurta la paroi du rouf à droite de la descente. Tout en refermant le poing sur les pilules, il put amortir son élan grâce à l'eau contenue dans le cockpit. Ce mouvement de rotation l'amena sur le dos, la tête sous l'eau, pilules tenues en l'air. La douleur, suffisante pour lui couper le souffle, ne l'empêcha pas de pousser un rugissement lorsqu'il émergea. Il se releva à genoux dans cinquante centimètres d'eau et regarda vers l'avant. La proue et la bordure du génois se trouvaient sous l'eau. Cependant, le vent était suffisant pour remplir la voile, mais pas assez fort pour couler le bateau ni le coucher sur le flanc, du moins pas encore, et Charley caressa un instant l'étrange idée que *Vellela Vellela* puisse continuer de naviguer malgré l'immersion de sa coque et de son gréement tout entier.

La logique n'était pas quelque chose qui l'aurait poussé à s'attarder ici-bas pour en constater les effets. La logique du rêve.

À présent, le bras gauche lui pendait à l'épaule telle une longue chaussette pleine à saturation de sable. Il ouvrit la main. Les pilules étaient humides. Des fragments lui collaient à la paume. Un, deux. Trois ? Allez. Quatre. Il se plaqua la main sur la bouche.

Cinq.

Les pilules reposaient sur sa langue, amères, insidieuses.

Six.

Il se mit à mastiquer.

Sept, huit, neuf…

Il broya les cachets âcres entre ses molaires, se lécha la paume, puis fit descendre le tout avec deux gorgées d'eau de mer prestement puisées dans ses mains en coupe. Cela avait tout d'un infâme cocktail à base de varech et d'acide de batterie, mais l'affaire était faite. Il réprima un haut-le-cœur, battit des paupières. Oui, c'était fait. Alors qu'il s'efforçait de réfléchir à ce qui lui occupait l'esprit, la vague suivante tenta de précipiter la poupe alourdie de *Vellela Vellela* en avant de sa proue noyée. Le génois fut déventé, la barre grinça et l'un des sandows rompit, mais la houle poursuivit son chemin et le gréement de fortune retrouva peu ou prou son allure grand largue. Cependant, une petite bouffée, une pincée de vent, le moindre djinn impubère pouvait désormais coucher le bateau et, pour le coup, ce serait à n'en pas douter la fin.

Assis sur le plancher du cockpit, dans l'eau jusqu'au cou, Charley promenait sa langue sur ses gencives, sondant en quête de restes de médicament les multiples espaces entre ses rares dents saines. L'extrémité d'un aileron dorsal, venu luire le long du bord, s'éleva à une hauteur dépassant de plusieurs centimètres celle de sa tête.

Ce ne sera plus très long maintenant. Il se peut encore que je fasse connaissance avec cette dentition. Que faire ? Dans le calme induit par les premiers miroitements de la brume narcotique, laquelle n'allait pas manquer de le submerger si seulement il parvenait à saper la durée afin que son métabolisme fasse son boulot, il se souvint d'une longueur de chaîne et de deux cadenas qu'il rangeait avec les aussières dans le coffre bâbord du cockpit. Prestement, du moins à ce qu'il lui sembla, il ouvrit le moraillon, souleva le couvercle. À genoux, de l'eau jusqu'à la cage thoracique, une fouille au milieu des pare-battages, des bouts et des gilets de sauvetage lui permit de mettre la main sur six mètres de chaîne au carbone. Arborant un drôle de sourire, il tira la chaîne hors du coffre sans se soucier des dommages que les maillons causaient au bois. Non pas un mais deux cadenas accompagnaient la chaîne, chaque paire de clés assujettie avec du fil de fer à l'anneau fermé du cadenas opposé. Bien des fois, il avait utilisé ce dispositif, dans un port inconnu ou peu sûr, pour embosser solidement *Vellela Vellela* à un quai ou sur une bouée de corps-mort. À présent, il allait l'appliquer à sa propre personne.

Il sortit à quatre pattes de l'abri du taud en traînant la chaîne derrière lui. Arrivé au mât, il se dit que ce qu'il restait du haubanage lui offrirait peut-être une petite protection contre la prédation venue de l'océan, une sorte de cage anti-requins à l'intérieur de laquelle il pourrait gagner du temps. S'étant assis, adossé au pied de mât et tourné vers l'arrière, il fit un tour de chaîne autour de sa taille et du mât, en dessous du vit-de-mulet. Il ouvrit un cadenas, serra étroitement la chaîne, engagea l'anse du cadenas dans deux maillons et le referma d'un coup sec. Il se tortilla pour vérifier le montage, tout en se disant qu'au besoin, poussé par la panique, il pourrait toujours se faire suffisamment maigre pour s'en extraire. Il rouvrit le cadenas.

Au même instant, le deuxième sandow de la barre céda. L'étrave enfourna et vint dans le vent, le génois prit à contre sur tribord et la cadène du dernier hauban rompit dans un craquement mouillé, le câble s'arracha à la pliure de la bôme. Le mât cassa net à peut-être un mètre au-dessus de la tête de Charley. Dans un soupir de toile, un crépitement de poulies et de ridoirs, la totalité du gréement s'abattit sur tribord.

Privé de la traction exercée par le génois, dévié par la traînée additionnelle de l'espar, le petit navire vint présenter son flanc tribord travers à la lame.

Charley récupéra son couteau et se le coinça entre les dents.

Bien que des éléments du gréement aient chu sur toute la surface du pont, pas un câble, pas un bout ne le toucha. L'auvent de fortune s'était déchiré comme un mouchoir en papier. Charley ne regarda même pas alentour pour évaluer les dégâts. Il improvisa en vitesse un harnais de sécurité à cinq points, du type communément utilisé à bord des voitures de course : un passage de la chaîne derrière le mât en dessous du vit-de-mulet, puis entre ses cuisses, un retour en croix derrière le mât au-dessus cette fois du vit-de-mulet, pour ensuite ramener la chaîne sur ses épaules et se la croiser sur le torse, finissant par un dernier X derrière le mât pour serrer les deux extrémités sur son sternum où, l'oxycodone autorisant une gymnastique de moins en moins douloureuse, il referma un cadenas au moment précis où le bateau commençait de glisser sous la surface comme pour y suivre son gréement. Une lame balaya le pont, emportant ce qui restait du taud et submergeant Charley jusqu'au menton.

Ses jambes et son avant-bras gauche refirent surface alors qu'à soixante centimètres de lui, une paire de mâchoires se refermait sur les câbles et ridoirs enchevêtrés autour des cadènes. Le métal lacéra dans un jaillissement de sang l'intérieur de la gueule du monstre, cependant que l'impact ébranlait le navire. L'exhalation de la bête eut un relent de grâce présidentielle. Après un instant de stupeur, Charley empoigna son couteau, sans remarquer qu'il s'entaillait le coin de la bouche, et tenta d'en porter un coup au squale. Mais celui-ci fila, indemne. Ainsi la cage fonctionnait, nota Charley sans trop de satisfaction tout en replaçant le couteau entre ses dents. Battant à peut-être deux fois son rythme de croisière, son cœur taraudé par les nerfs diffusait dans son système vasculaire des érythrocytes chargés de narcotique comme autant de tracts poussés par la mousson au milieu d'une population crédule. Non qu'il n'eût conscience qu'un spectateur impartial aurait trouvé cette image parfaitement grotesque. Bien au contraire. Voyons-le verbaliser sans ambiguïté : Wa-ouh ! s'extasiait-il, putain, ce que cette came est costaud ! Et de balancer les clés de cadenas par-dessus son épaule amochée comme on ferait d'une poignée de sel propitiatoire.

Ensuite, à croire que l'exaltation ne retombait pas, il arracha à l'aide de son mauvais bras la poche étanche qu'il s'était glissée entre la ceinture et les reins. Il l'ouvrit, en sortit le manuscrit de son roman inachevé et lança par-dessus son épaule des liasses de feuilles volantes, sans plus de réflexion qu'il n'en avait consacré quelques heures plus tôt à l'empalement du centipède. Les pages s'épanouirent dans la brise en un panache pixellisé, modeste cumulus blanc dégringolant comme un reflet sur le vert translucide de la houle loin en dessous du ciel céruléen. Puis ce fut comme si la mer, par un tour de passe-passe inaperçu même du spectateur le plus attentif, saisissait et capturait tous les rectangles sans exception, à l'unité, par paquets de trois, de dix, jusqu'à ce que la totalité s'en trouvât aussi noyée qu'autant de linoléum erratique revêtant en vain ce qui ne peut être recouvert. Tout comme les clés, comme une poignée de sel, comme la possibilité de la chance, ruban de plus sur l'arbre de mai du réel, 276 pages déposées sous le vent comme feuilles mortes chassées par la pluie, comme les lambeaux rectilignes d'une éphémère fumée, somme dérisoire d'une concession saugrenue à la fortune.

Non que Charley vît ce tableau. Comme c'est étrange, se disait-il, toujours tourné vers l'arrière, son couteau entre les dents, comme c'est étrange que je me sente libéré. La tenant levée hors de l'eau, il referma la poche étanche et la coinça de nouveau dans sa ceinture, presque quarante-cinq centimètres sous la surface, à présent. Pour préserver les papiers du bateau, le journal de bord, une carte marine, quelques enveloppes vides pré-adressées à sa sœur, qu'il avait fourrées là simplement pour qu'elles ne prennent pas l'humidité, ainsi que son passeport et son portefeuille — simple habitude. Tandis que son mauvais bras, désormais guère plus qu'une veilleuse métabolique quasi affranchie de la douleur, flottait comme une ligne de loch inerte, il se dit : voilà bien la chose la plus satisfaisante que j'aie faite depuis longtemps. De quoi d'autre puis-je me débarrasser ? Mis à part écrire des lettres. Même pour un unique correspondant, j'aime les rédiger. Mais me débarrasser de ces pages ! ¡ Adiós ! Il contempla la houle durant toute une minute sans vraiment la voir, ne pensant guère qu'à la saveur très singulière de cette satisfaction déliquescente. Peut-être que dans la mort, se dit-il avec un détachement merveilleux et fou, je résoudrai le problème que posait — que pose — le roman.

À présent, la coque de *Vellela Vellela*, ce bateau qu'il avait passé deux ans à rééquiper et remettre en état de naviguer, à bord duquel il avait habité la moitié de ce temps-là et qu'il avait emmené en croisière pendant trois années supplémentaires, s'enfonçait sur tribord, se trouvait submergée sur bâbord, s'engloutissait un peu plus à chaque itération, épave démâtée en train de sombrer. Son génois se gonflait sous l'eau, environné de détritus, tel le corsage saturé de la robe d'Ophélie.

Le requin ne réapparaissait pas. Mais alors que Charley glissait sous la surface, une ombre traversa comme par capillarité sa vision périphérique. J'y suis presque, pensa-t-il. Mais je dois m'attendre à de multiples incisions. Il empoigna le couteau. Et si j'abordais le roman comme j'écrirais une lettre à un ami ? T'as intérêt à boire le bouillon, crétin ; c'est ça ou te faire déchiqueter comme de la boette. Où est passé le Bosco ? Mais son esprit ne renonçait pas si facilement au bail contracté avec son corps. Bien au contraire, son larynx se claquemurait dans son petit garni pour ne pas recevoir la logeuse. Et puis lui était venue cette nouvelle idée concernant le Roman. Laquelle, déjà ? Le composer comme une lettre. Pourquoi n'y avoir pas pensé plus tôt ? Peut-être l'écriture a-t-elle à voir avec la dopamine ? La chaîne l'empêchait de se hisser à la surface pour rédiger un roman. Il agita la pointe du couteau dans l'eau devant lui comme s'il se battait en duel. Pour vivre ? Pour écrire ? Pour étudier les effets des alcaloïdes sur le système nerveux central ? Pour ça, London avait vu juste. L'organisme se bat pour la bonne tonalité. Ne rigolez pas, sinon vous allez vous noyer. La vie, vous vouliez dire. Se bat pour vivre. Quelle différence est-ce que ça fait ? C'est son boulot, à l'organisme. Moi, je vous le dis.

London vous l'a dit. L'important, ce n'est pas vous. L'important, c'est de transmettre votre matériel génétique à la prochaine génération. C'est le dernier conseil que je vous donne, déclara le bosco, vu que, croyez-le ou pas, j'ai beau être en immersion et tout ça, je suis en train de m'évaporer. Hein ? Charley rigola à s'en exorbiter les yeux. Ça, on a bien foiré cette mission ! Ohé ? Ohé... Multiples incisions. Vlan, un coup d'estoc ! Hardi ! Mais tandis que l'ombre descendait dans l'eau devant lui, ses yeux discernèrent des vestiges de technologie non squalidée. Des palmes noires avec... des rehauts jaune vert ? Un couteau à gaine sanglé sur un mollet velu. Un textile brun, gonflé d'eau. Un rabat de poche déboutonné, poche retournée. Des plombs gris sur une ceinture jaune. Le bavoir noir d'une salopette de plongée. Une grosse montre. Des tuyaux et des bulles. Autour du rostre formé par un masque dansaient des boucles auburn. Une vivante couronne de pélamides couleur cannelle, telle fut la comparaison qui traversa l'esprit de Charley. Charmante analogie. Mais tu ne me la feras pas à moi, fiston, protesta-t-il, se sentant immensément malin. Ici, c'est la mer des Caraïbes ; le pélamide est une cochonnerie particulière au Pacifique. Dans ces eaux-ci, c'est des squa- squa- des squalidés qu'il faut se méfier...

Le plongeur avait dans la main gauche ce qui ressemblait bigrement à une visseuse à choc pneumatique. La spirale d'un tuyau jaune relié à la poignée façon pistolet remontait et se perdait vers la surface. Souvenir de la surface. Un requin marteau, une demi-fois plus long que lui, apparut sur le côté du plongeur. Fais gaffe ! hurla Charley en expulsant de l'air. Le plongeur se tourna, appliqua sans hésiter le mandrin de sa visseuse sur la tête de la créature et pressa la détente. Un panache de bulles s'éleva des évents de l'outil. Le requin disparut.

Cela produisait exactement le bruit de qui changerait un pneu sous l'eau, s'extasia Charley.

De sa main libre, le plongeur dégaina son couteau. Tout un côté de cette lame d'une longueur considérable était dentelé comme une scie de jardin.

« *Merde, vieux*, lança Charley, expulsant d'un rire son dernier rien d'oxygène dans l'eau salée, *tu ne sais donc pas que la chaîne de 10, ça se découpe pas au couteau de plongée ?*

« *Ah hahahahahaha...* »

II

Le chancre de l'assuétude

8

Cedric Osawa pénétra dans l'aéroport international de Miami avec un sac de marin barré de l'inscription « 150 % génois », un exemplaire tout neuf des *Sept cités de Cibola* de Leonard Clark, et un coupe-vent foutu. Il déposa son bagage à l'enregistrement et faisait la queue, digérant béatement un excellent déjeuner cubain, quand la Sécurité intérieure de Miami lui confisqua son couteau épissoir, que lui avait offert pour son quinzième anniversaire le premier skipper sous les ordres duquel il ait navigué, et qu'il avait réussi à conserver, contrairement à tout le reste dans sa vie, pendant plus de trente-cinq ans.

Il fut question de l'arrêter pour avoir tenté de monter à bord d'un avion de ligne avec une arme, mais une fois le responsable de la sécurité convaincu que non seulement Cedric n'avait pas emprunté un vol intérieur depuis quinze ans, mais qu'il ne démordrait pas du fait qu'il n'avait jamais entendu autre chose que la version chilienne du 11-Septembre, laquelle était jusque-là inconnue du responsable, l'homme dit à Cedric de remettre ses chaussures et de retourner faire la queue avec le reste des voyageurs fatigués. Au lieu de quoi Cedric tendit la main et réclama son couteau.

L'un des deux agents de sécurité lança précipitamment : « Vous n'avez pas besoin de ce… »

Le responsable le fit taire d'un geste. « C'est de Sécurité intérieure qu'il est question ici, Mr Osawa. Lequel de ces deux mots ne comprenez-vous pas ? »

Cedric tendit l'index vers le couteau, abandonné dans un bac sur un comptoir en inox flanqué des deux agents subalternes. « C'est un outil dans mon métier, dit-il simplement, et il m'appartient depuis que je suis adulte. »

Ce fut donc ainsi que Cedric remporta le droit de franchir une porte aveugle toute proche, sur laquelle ne figurait aucune indication.

« L'attachement sentimental s'efface devant les nécessités de la Sécurité intérieure, Mr Osawa. (Le responsable lui montra un registre, épais et bien abîmé, relié de souple maroquin comme une bible, quoique rouge, blanc et bleu.) C'est ce que dit la loi antiterroriste, le Patriot Act.

– Il me faut mon couteau », insista doucement Cedric.

Le responsable jeta un regard contrarié à l'objet du litige. « Combien coûterait un couteau de remplacement ? demanda-t-il d'un ton mesuré.

– Vous avez combien ? » rétorqua Cedric.

Le responsable refusa d'envisager une réponse.

« De toute façon, expliqua Cedric, ça ne fait pas assez. »

Le responsable désigna la porte, derrière laquelle grondait toute une caverne de passagers rangés comme des petits gâteaux dans une vitrine, ceintures, chaussures et billets à la main, dont les individualités étaient délimitées par un labyrinthe de cordons nylon et poteaux chromés. Deux autocollants ornaient l'intérieur de la porte aveugle :

J'♥ GUANTANAMO

J'♥ LES ÉCOUTES TÉLÉPHONIQUES

« Vous n'avez pas envie d'avoir votre avion ? demanda le responsable.

– Sans mon couteau, ça me ferait une belle jambe, répondit simplement Cedric. Je pars bosser dans l'Ouest.

– Et quel métier exercez-vous, Mr… » Le responsable jeta un coup d'œil au permis mer de Cedric, pour bateaux jusqu'à cent tonneaux.

« Osawa, dit Cedric. Je fais tout ce qu'il y a à faire sur un bateau.

– Donc vous allez à San Francisco pour un emploi à bord d'un bateau ?

– Oui, monsieur.

– Quelle sorte d'emploi ?

– Eh bien, je vais prendre la mer, monsieur, répondit patiemment Cedric bien qu'il commençât à se demander à quel degré d'imbécillité il était confronté. Pour convoyer un bateau de San Francisco à Zihuatanejo.

– C'est pour ça que vous avez tous ces tatouages ?

– Je vous demande pardon ?

– Pour vous aider à convoyer des bateaux ? »

Un des deux agents lâcha un hennissement.

« Ce sont vos auxiliaires de navigation ? poursuivit le responsable en se retournant pour adresser un regard au subalterne hennissant de façon à masquer son propre sourire.

– En fait, capitaine, répondit Cedric d'un ton uni en portant la main à son avant-bras droit, celui-là je l'ai eu quand je faisais mon service. »

Le responsable haussa un sourcil, puis pencha la tête pour lire ce qui était tatoué à l'encre sur l'avant-bras de Cedric, d'un geste précautionneux, comme s'il craignait que l'individu ne guette une occasion de lui décocher un coup de pied dans les parties. Le responsable avait appris la précaution en payant de sa personne.

« Semper… ? lut-il tout haut. (Son regard remonta se planter dans celui de Cedric.) *Semper fidelis* ? récita-t-il plus qu'il ne lut. Vous faites partie des Marines ?

– Les Marines ? (Cedric inclina la tête de côté, comme s'il était perplexe.) Qu'est-ce que j'irais faire dans une unité de tapettes comme les Marines ? »

Cette fois, les deux subalternes lâchèrent un hennissement. Avec une étonnante prestesse, le responsable fit volte-face et aboya : « Repos ! » Les subalternes gommèrent leur sourire et rectifièrent la position, le regard braqué droit devant eux. Le responsable se retourna vers Cedric. « Alors ?

– Marine marchande. Quatre ans. »

Le responsable lui prit l'avant-bras au niveau du poignet et lut tout haut, déchiffrant péniblement : « *Semper Voco Imp*… (Il laissa retomber le bras de Cedric, agacé de feindre, même passagèrement, une connaissance du latin dépassant celle des devises de matafs.) Ça veut dire quoi ? demanda-t-il d'un ton bourru. C'est quelle unité, ça ?

– *Semper Voco Imperium Dubium*. (Cedric fournit généreusement une traduction :) Toujours contester l'autorité. (Puis il ajouta, sans esquiver le regard noir du responsable :) L'unité, elle est plutôt éparpillée. »

Le responsable n'en croyait pas ses oreilles. « Qu'est-ce que ça à voir avec le service, ces conneries ?

– Tout. Il faut que je vous explique ? Certaines personnes aiment pas qu'on leur dise ce qu'elles ont à faire. »

Le responsable fulminait visiblement. « Ce n'est pas comme ça que ça marche. C'est *Semper fidelis*, voilà comment ça se passe, matelot.

– Pour *Semper*, je suis d'accord.

– Ça suffit. (Le responsable s'écarta.) Escortez ce type jusqu'à sa porte d'embarquement et veillez à ce qu'il ne loupe pas l'avion.

– Le couteau..., lança Cedric.

– ... Sera envoyé à la fonte, acheva à sa place le responsable, avant d'être coulé avec beaucoup d'autres pour fabriquer des chopes à bière d'un litre frappées de tableaux patriotiques des batailles gagnées ou perdues au fil de l'histoire des États-Unis, données gratuitement dans les magasins des bases américaines du monde entier en contrepartie de l'achat de deux caisses de bière 3,2 brassée en Amérique, ou de la location de dix DVD américains quels qu'ils soient, ou d'un acompte sur une assurance-vie militaire. Ce n'est pas grand-chose mais ça montre qu'on soutient nos soldats, et le moindre petit geste compte. Vous soutenez bien nos soldats ? » s'avisa de demander le responsable.

Le regard de Cedric se porta sur le couteau, effleura tout à tour les deux subalternes, puis revint au responsable. « Je vois, dit-il avec une tranquille aisance, que finalement vous n'êtes guère qu'un fonctionnaire de base à petite queue. » Il approcha de son œil son pouce et son majeur écartés d'un gros centimètre, sans que son regard flanche devant les yeux exorbités du responsable.

Plus tard, dans la salle de détente, l'un des deux sous-fifres raconterait à quelques collègues que la nuque du chef avait viré au rouge vif pire que les couilles de Staline.

Car il se trouva finalement que l'insulte plus ou moins générique de Cedric était tombée génialement pile. Les deux mêmes subalternes s'étaient également trouvés là le jour où le chef avait sorti de la file d'attente une mondaine française parce que ses bijoux n'arrêtaient pas de déclencher le détecteur de métaux, et qu'en plus c'était une bombe liftée. Quand cette dame, déjà en retard pour son vol international, protesta d'un ton mesuré quoique légèrement hautain, le chef lui répondit avec une suffisance vulgaire, si bien que les choses se détériorèrent rapidement, jusqu'à ce qu'elle le traite de *vrai fonctionnaire heureusement pourvu d'une bite microscopique** devant les deux ou trois cents autres francophones attendant d'embarquer dans un avion pour Paris. Quand les glapissements d'hilarité étonnée furent retombés, sur fond de clappements de langues, d'exclamations et de *Oh la la**, le chef insista pour appeler un interprète officiel pour le cas peu probable où cette étrangère parlerait en langage codé, déclinant les bons offices que lui proposèrent un grand nombre de voyageurs bilingues. Cela prit un certain temps. Mais dès lors qu'il fut informé de ce que la femme avait réellement dit, il appela les gouines par radio et leur donna l'ordre de procéder à une fouille corporelle. La femme manqua son avion.

À peu près un an plus tard, le chef apprit à ses dépens que le mari de la mondaine détenait une bonne part de la banque qui avait pris l'hypothèque sur sa maison.

Depuis, le chef avait toujours appliqué les dispositions de la Sécurité intérieure en faisant preuve d'un beau flair pour repérer les voyageurs qui ne disposaient pas de recours. Cedric Osawa, lui avait-il semblé, s'inscrivait dans cette catégorie.

Entre-temps, derrière le dos du chef bien sûr, ses subordonnés et tous leurs homologues de l'aéroport s'étaient mis à l'appeler Pine-d'œuf le Niqueur-de-mouches.

Pour l'heure, le regard du chef luisait d'un éclat métallique et, au moins aux yeux de ses subordonnés, la peinture même des murs de la salle d'interrogatoire semblait suer. Quand sa bouche s'ouvrit, on aurait dit l'incision qu'un cuisinier pratique du coin de la spatule dans une saucisse de veau pour en vérifier le degré de cuisson.

« Je porte à la Sécurité intérieure le même intérêt que le reste du monde au football, dit le responsable d'une voix presque inaudible. C'est ma priorité absolue. Ma carrière. Ma vie. Rien ne peut avoir plus d'importance. Je n'en dors plus la nuit.

– Vous aimez la Sécurité intérieure comme les pigeons aiment la tombe du président Grant, contra Cedric Osawa.

– Mais cette nuit, poursuivit le chef avec une conviction accrue, je vais dormir à poings fermés. Merkin.

– Ouichef.

– Mr… »

Merkin jeta un coup d'œil à son porte-bloc, qu'il avait maintenu derrière son dos en posture de repos, et le tourna prestement dans le bon sens. « Osawa, chef.

– Ajoutez le nom de Mr Osawa à la liste d'Interdiction de Vol. Dans la case "Remarques", inscrivez : *Déteste l'Amérique*. Dans "Dernière adresse connue", inscrivez (et là, le Responsable ne put réprimer un sourire sarcastique) : *Parc des Everglades.* »

Pour signifier son admiration, le subalterne adressa un bref regard à son binôme et cligna des paupières. Le binôme garda le regard braqué droit devant lui.

« Alors, Merkin ? »

Merkin bredouilla une affirmation et tira le stylo-bille agrafé à l'intérieur de sa poche de poitrine. La pointe émergea du corps du stylo avec un déclic sonore. Tout le monde attendit qu'il ait fini de copier le numéro du passeport de Cedric Osawa sur le formulaire épinglé au bloc. Un certain temps parut s'écouler.

« Terminé ? » finit par demander le responsable.

Bien qu'il soit encore en train d'écrire, Merkin acquiesça nerveusement.

« Je n'entends pas ce que vous dites », insista le responsable.

Dûment impressionné, Merkin bégaya : « T-terminé, ch-chef.

– C'est bon. Maintenant, veuillez avoir l'amabilité d'escorter Mr Nigawa, ici présent…

– Osawa, corrigea Merkin, chef. »

Le responsable s'interrompit le temps de gratifier Merkin d'un long regard, puis reprit : « … jusqu'à la station de taxis située à l'extérieur du carrousel à bagages. Bosworth ?

– Oui, chef.

– Trouvez le bagage de Mr Osawa. Vous avez bien un bagage ?

– J'en ai plus qu'en entrant ici », répondit doucement Cedric.

Les deux subalternes échangèrent un coup d'œil, puis regardèrent leur responsable. Une mine perplexe se peignit sur son visage. On aurait dit, souligna plus tard Merkin, qu'interrogé et interrogeur allaient suivre la logique de leur différend jusqu'à un dénouement violent.

Presque imperceptiblement, le responsable sourit. « Trouvez le bagage de Mr Osawa, rapportez-le-lui à la station de taxis des Arrivées, assurez-vous qu'il monte dans un taxi et ne lâchez pas le taxi des yeux jusqu'à ce qu'il disparaisse à l'horizon. »

Tirant d'une main une radio de sa ceinture tout en sortant une clé magnétique de sa poche de l'autre main, Bosworth activa le déverrouillage de la porte et sortit. Le responsable dit à Cedric : « Si par ailleurs vous êtes blanc comme neige, Osawa, vous pourrez faire une demande pour qu'on vous retire de la liste d'Interdiction de Vol d'ici six mois à un an. Consultez notre site web pour trouver les formulaires et procédures adéquats. Mais si vous n'êtes pas blanc comme neige… ne faites pas de demande. Parce que, dans ce cas-là, on le saura. Et faire une demande alors qu'on n'est pas blanc comme neige est, en fait, considéré comme un crime. Vous m'avez compris ? D'ici là (il leva une main, paume vers le ciel, comme si la situation devait sous peu excéder sa compétence, ce qui arriverait sans aucun doute), vous allez devoir prendre le train. Ou le bus. Trains et bus sont un petit peu plus coulants que nous en matière de sécurité. En tout cas pour l'instant. »

Sur le trottoir, Bosworth tendit à Cedric son sac de marin. Merkin s'avança sur la chaussée à contresens de la circulation, un bras levé, faisant signe à un taxi.

« C'est un chef-d'œuvre, votre patron, fit remarquer Cedric d'un ton détaché.

– Il faut le voir en fin de service, répondit Bosworth, morose.

– C'est le début, là ? »

Bosworth opina.

« Que je réfléchisse. Une fourche élévatrice les charge, lui et son ulcère, dans un autochenille tracté par des Clydesdale ? »

Bosworth le regarda. « Marrant que vous formuliez ça dans ces termes. J'allais faire allusion à l'ulcère du chef. Et en plus, il souffre de reflux gastrique.

– Le métabolisme de ce type, j'en ai rien à foutre.

– Ce qu'il y a de marrant, c'est que vous avez raison sur toute la ligne. Tous les jours, à la fin de son service, le chef se tasse comme il peut dans une Alfa Romeo Giulietta Spider Veloce décapotable de 1957 parfaitement restaurée. C'est la prunelle de ses yeux, la fierté de son existence et, compte tenu de sa tension artérielle, son teint s'accorde idéalement à la carrosserie coquelicot. Il a même une chemise noire à rayures rouges spéciale qu'il met pour piloter son engin dans les gymkhanas auto, et une casquette noire avec un petit pompon rouge sur le dessus, le tout assorti au passepoil rouge de la sellerie en cuir noir.

– Votre patron vit seul. Le week-end, il bichonne sa bagnole. Il refuse de la sortir par temps de pluie. Le soir, il se plante à côté d'elle sur une canne-siège et sirote du single malt en écoutant *Madame Butterfly*.

– Quoi ! s'extasia Bosworth. Vous avez connu ce type toute votre vie ? »

Cedric haussa les épaules avec modestie.

« C'est pile comme vous avez dit. Le chef a entièrement restauré sa voiture tout seul. Ça lui a pris des années. Il a lui-même refait la caisse, la peinture, tout le circuit électrique, reconditionné le moteur, déniché des pièces d'origine qu'il a payées deux fois le prix, attendu pendant dix-huit mois la sellerie personnalisée. Ça l'a occupé tout au long de son divorce et de la perte de sa maison, en lui évitant du même coup de se suicider ou de tuer son ex-femme, un des avocats, quelqu'un de la banque, ou même Merkin ou moi. Mais de toute façon, ce n'est pas de ça que je parle. Ce que je voulais dire, c'est que là, c'est juste le début de son service. À la fin, il est bien pire.

– C'est à quelle heure, la fin de son service ? »

Bosworth haussa les épaules. « Minuit et demi.

– Il pourrait bien péter un plomb d'ici là », évalua Cedric avec optimisme. Il dévisagea Bosworth. « Il vous reste un bon bout de chemin avant de vous mettre au lit. »

Bosworth soupira d'un air las. « M'en parlez pas. »

Un taxi se rangea le long du trottoir. Merkin descendit de la place côté passager et ouvrit la portière arrière pour Cedric.

« On vous demande un diplôme universitaire pour faire ça, les gars ? demanda Cedric.

– Pour ça ? (Merkin hocha négativement la tête.) Il me faudrait un diplôme universitaire ?

– Moi j'en ai un, affirma Bosworth. (Il cligna des paupières.) Obtenu il y a quatorze ans.

– *Quod erat demonstrandum* », fit remarquer Merkin.

Cedric hocha la tête. « Les gars, on se reverra peut-être d'ici un an.

– Peut-être, dit Bosworth.

– J'achète deux billets de loto tous les vendredis soir, dit Merkin.

– Pigeon », dit Bosworth.

Merkin le toisa froidement. « C'est ça qu'on t'a appris à l'université ? »

Cedric jeta son sac de marin sur la banquette et s'y engouffra à son tour. Merkin ferma la portière et salua. Le taxi s'éloigna du trottoir. Comme on leur en avait donné l'ordre, les deux fonctionnaires le suivirent des yeux.

Cedric demanda l'heure au chauffeur.

L'homme jeta un coup d'œil derrière le téléphone portable calé entre sa paume et le volant : « Seize heures trente-cinq. »

Le taxi rejoignit une autoroute. Cedric demanda au chauffeur s'il connaissait une boutique d'accastillage.

L'homme fronça les sourcils dans le rétroviseur. « Une boutique de quoi ? »

Cedric lui expliqua.

« J'ai un pote qui vient juste d'acheter un bateau, annonça le chauffeur au rétroviseur. Il dit qu'il va partir en croisière dans les Bahamas. » Il effleura une touche présélectionnée sur son téléphone et se lança dans une conversation en sranan tongo. Il raccrocha bientôt et, abandonnant le créole du Surinam, lança au rétroviseur : « Il loue ce qu'il appelle une place de ponton à une demi-heure d'ici. Sur place, il y a un chantier naval, une coopérative maritime, et un bar. Il lui faut les trois. (Il secoua la tête.) Remettre ce rafiot en état de prendre la mer, ça va demander un sacré boulot.

– Vous savez ce qu'on dit aux propriétaires de bateaux ? » lui demanda Cedric.

Le chauffeur hocha négativement la tête.

« Que bateau signifie avant tout Baille Ton Oseille. »

Le chauffeur adressa un grand sourire au rétroviseur. « Je le rappelle tout de suite. »

Son appel ne dura que quelques secondes.

« Alors ?

– Il la connaissait déjà, celle-là. »

De retour à l'aéroport à 23 heures, vêtu d'un ample short marron de friperie et d'une chemisette boutonnée assortie avec une poche de poitrine sur laquelle était brodé KEN en lettres blanches. Cedric monta dans le bus-navette des employés de l'aéroport. Avec sa paire de lunettes de soleil calée sur le dessus du crâne et, autour du cou, une chaînette à billes passée dans le coin d'un bout de menu plastifié pris dans un bar, découpé au format carte de crédit et glissé dans sa poche de chemise, il avait tout du parfait bagagiste. Les quelques employés déjà à bord de la navette étaient crevés et n'ouvraient pas la bouche, à l'exception de deux hôtesses et d'un steward qui entretenaient une conversation animée à propos d'un célèbre acteur de cinéma qui s'était soûlé en première classe et avait exhibé ses parties intimes dans le bus au retour de Londres.

L'aéroport international de Miami est vaste, et le parking des employés contient un grand nombre de véhicules. Mais il est bien éclairé et assez vite, parmi les rangées successives de voitures, un coupé décapotable rouge vif rutilant se détacha du lot. Huit ou dix rangées plus loin, Cedric descendit de la navette par la porte arrière.

Il était un petit peu plus soûl qu'il n'aurait dû pour entreprendre un boulot sérieux, mais le mépris que la tâche lui inspirait compensa.

Son nouveau couteau faisait partie des modèles les moins chers proposés par la coopérative Tropicana, et c'était un exemplaire rustique du genre. L'épissoir pénétra sans peine dans le flanc de chacun des pneus à ceinture radiale métallique de l'Alfa. Sa lame à dos renflé vint très vite à bout de la capote en toile noire et traça sans peine de profondes entailles dans un certain nombre de couches de laque rouge polies à la main, raclant jusqu'au métal, du phare avant au feu arrière du roadster, côté passager.

Comme il s'attaquait parallèlement à la première rayure côté conducteur, du feu arrière au phare avant, l'idée lui vint que la taille inhabituelle des pneus nécessiterait sans doute une commande particulière.

Il l'espérait bien.

9

Je suis entré à Port Nelson, à Rum Cay, juste avant midi, après avoir pris la cape à l'extérieur, le temps de n'avoir plus le soleil dans les yeux. L'entrée est délicate, et il en est qui parleraient sans doute de gageure.

Ma foi, des connards pareils, ça se motive à coups de tresse bien souquée. Il y a des hauts-fonds, des têtes de corail, des épaves, d'anciens pilotis, et j'en passe. Les pêcheurs raffolent de l'endroit et cela ajoute encore aux obstacles. Il y avait un canot avec cinq ou six cannes de lancer en plein milieu du chenal. Ayant dit cela, je me sens mieux. C'est leur île, après tout.

J'ai mouillé sur deux ancres, tête et cul, dans deux mètres d'eau, de sorte que, quoi que fasse la marée, le courant soit plus ou moins parallèle à la quille de Vellela Vellela *et ne nous chahute pas trop ; et peut-être aurai-je droit à une nuit de sommeil par-dessus le marché. J'ai noté que nous sommes largement hors de vue de la cabane qui vend de la glace et des appâts en haut de la jetée dite du Gouvernement. Nul doute que ce soit pour ménager les apparences. Impossible que ce péquin ne soit pas un ami de Red. D'ailleurs, ce dernier a bien insisté sur le fait que cet emplacement était l'endroit idéal.*

J'ai lancé, comme convenu, un appel sur le canal 21, passant sur le 42, à double fréquence, après l'accusé de réception. Suis resté installé dans le cockpit avec une bouteille de rhum jusqu'à ce que je n'en puisse plus des maringouins. La libellule mangeuse de moustiques était rangée à l'avant, derrière la Danforth et le kit de survie, à croire que je n'avais jamais vécu un crépuscule dans la Caraïbe. Mais cela tient surtout à ce que je ne sais rien du déroulement des opérations. C'est que je ne suis qu'une mule, moi. Pourquoi devrais-je être au courant du programme ?

« Hé, Tipsy. »

Tipsy leva les yeux de la lettre.

Faulkner tendit l'index. « Ça, c'en est un que j'ai pas. »

Tipsy souleva son verre posé sur l'enveloppe. Faulkner la prit et plissa les paupières à la vue du trésor. « Crooked Island. Récent, celui-là. À peine quatre mois.

– J'avais remarqué, dit Tipsy.

– Qu'est-ce qu'il fabrique ?

– Toujours à son bon vieux roman épistolaire, répondit-elle d'un ton évasif. (Elle trempa les lèvres dans la bière.) Le bouquin qu'il a toujours eu envie d'écrire mais n'a jamais écrit. Alors que cet opus, là (elle brandit les pages de la lettre), s'écrit tout seul.

– Et il se fait baiser, dans l'histoire ?

– Pourquoi tu demandes, Faulkner ?

– Les romans épistolaires, c'est toujours des histoires de baise. Rappelle-toi *Les Liaisons dangereuses.* »

Tipsy avait peine à se rappeler un livre qu'elle n'avait jamais lu. « Tu n'as pas des verres à laver ?

– Si le bouquin est destiné à justifier l'existence de son auteur, insista Quentin, il sera soit infiniment long, soit infiniment bref.

– Je ne suis même pas sûre qu'il existe. (Tipsy gratifia Quentin d'un regard agacé.) Qu'est-ce que tu as, aujourd'hui ? (Quentin haussa un sourcil et désigna l'amas de pilules entassées sur leur propre sous-bock, à côté de sa pinte d'eau gazeuse.) Personne sur qui taper », supposa-t-elle.

Faulkner plaça un coin de l'enveloppe sous la buse à vapeur et actionna le piston. Un des angles dentelés du timbre triangulaire se souleva dans la vapeur.

Le lendemain à la première heure, se pointe la plus drôle de petite embarcation qu'on ait jamais vue. J'étais en bas en train de préparer le petit déjeuner tout en me disant que j'allais descendre à terre pour faire des vivres et voir à quoi ressemble le patelin. Après tout, c'était la première fois que je faisais escale à Rum Cay. Je passe la tête par le capot de la descente et qu'est-ce que je vois ? Un antique crevettier de Monterey du nom de Jumbo, *ce qui signifie Bonjour en swahili, ou Salutations, comme tu n'es pas sans savoir. Sa cheminée était tellement mangée de rouille qu'on aurait dit un treillis pour plante grimpante.*

Comment diable ce petit barlu est-il arrivé jusqu'ici de Californie, d'où le modèle est originaire ? Son patron n'a pas su me renseigner sur ce point. Cela ne fait que deux ans qu'il en est propriétaire. On lisait « Arnauld Plongée » de chaque côté de la coque. Les plages avant et arrière, et même le toit de la cabine, étaient encombrés de matériel : un vieux compresseur pour bouteilles et scaphandres, des brosses métalliques, des balais-brosses en nylon à manche tant long que court, toutes sortes de grattoirs et d'outils, des glènes de cordage, des monceaux de chaîne, des bouteilles à oxygène et acétylène, un générateur de soudage fonctionnant à l'essence, un cageot contenant des anodes en zinc neuves et usagées, une caisse remplie de solvants et de produits époxy, et j'en passe.

Il prononçait son nom à la française — Arrrno. Élevé dans un chantier naval de la Guadeloupe entre un père américain et une mère française, il a appris à manier un voilier avant de savoir marcher, et à régater avant de savoir lire convenablement. S'il y avait quelque chose à gratter sur une île, en dehors d'un emploi subalterne dans l'hôtellerie, il y avait posé son sac — quasiment toutes les îles des Bahamas, îles du Vent, îles Sous le Vent, Antilles, et différents ports du golfe répartis sur la côte orientale de l'Amérique Centrale, du Texas, de l'Alabama et de la Floride jusqu'aux Keys.

Cette histoire de Guadeloupe était une jolie coïncidence. Je connais le chantier en question — c'est là que j'ai retapé Vellela Vellela *— et je connais sa mère. Elle est toujours aux commandes. Papa a tiré sa révérence. Pas mal, comme titre de chanson. Il en existe probablement deux cents qui portent ce titre. Déquillé par la boisson, il y a un bail. Si bien qu'il n'y a plus trop à se demander quel est le lien avec Red.*

Arnauld s'est montré plutôt sympa, mais passé cette première prise de contact, ça a été boulot boulot. Tant pour un graissage-réglage, tant pour monter dans la mâture, repasser des drisses, faire des surliures, telles et telles majorations sur les fournitures, ainsi qu'un tarif de base pour un carénage, fonction de la longueur à la flottaison et moyennant une rémunération à l'heure si le travail prend plus de temps que prévu. J'ai bien tenté de marchander, mais il se montrait intraitable. Dans ce contexte de filouterie, on aurait pu penser que ça n'avait guère d'importance. Mais il avait l'air d'y prendre plaisir. Ça donnait une somme plutôt exorbitante selon les critères ayant cours en Floride. Mais, comme il me le fit inutilement remarquer, on n'était pas en Floride et ce n'était pas mon fric. Pour finir, je suis tombé d'accord avec son prix pour la carène, le safran et une inspection générale de la coque, ainsi qu'un nettoyage poussé et le remplacement d'une anode, le tout réglé d'avance. Je lui ai donné du liquide et il m'a fait un reçu. Il s'est préparé à plonger et je suis retourné à mon petit déjeuner.

Mais il n'est guère agréable de se trouver à l'intérieur et d'entendre cogner contre la coque. Aussi, ma vaisselle faite, j'ai emprunté à Arnauld son annexe et je suis descendu à terre.

Ah, petite sœur ! Dois-je m'étendre sur les charmes langoureux de ces ports perdus des Tropiques ? Les petites villes qui leur sont associées sont peut-être interchangeables, et il y aurait à dire sur certaines d'entre elles, mais je ne m'en lasse pas. Elles se parent, bien sûr, de toutes sortes de végétaux inconnus. Et de même, ethniquement parlant, les Caraïbes sont un brassage. Il y a de l'Espagnol et du Français, plus toute la côte occidentale de l'Afrique, des Anglais d'Amérique, des Anglais d'Angleterre, et toute sorte de créoles et de patois dérivés. En tout cas, des gens super, du premier jusqu'au dernier. Est-ce que je t'ai parlé de ce qu'on y mange ? As-tu goûté à de bons conch fritters *récemment ? Évidemment, non. Tu vis toujours de bière et de chips ? J'ai acheté des timbres au petit bureau postal inclus dans ce qu'on appelle ici le bâtiment de l'Administration.*

« Il veut dire des frites, précisa obligeamment Tipsy. “Chips”, c'est le nom qu'on donne aux frites dans les îles. Pareil qu'en Angleterre.

– On appelle bien ça des “frites françaises”, aux États-Unis, pinailla Faulkner en lui rendant l'enveloppe sans timbre.

– Des *frites de liberté** ! » s'écria Quentin. Son menton était posé sur ses avant-bras croisés, eux-mêmes en appui sur le bar. À quelques centimètres de ses yeux, de petites bulles s'élevaient derrière le flanc clair de la pinte d'eau gazeuse, au-delà de la réserve décroissante de médicaments. « *Frites de liberté, d'égalité, de fraternité, et de mort**. (Il sourit d'un air satisfait.) Frites de mort.

– Tu me paies déjà pour que je t'aide à mourir, fit remarquer Faulkner. Je vous remets ça ? Tipsy ?

– Je vais en reprendre une.

– Quentin ?

– À quoi ça rime, de toute façon ? Qu'est-ce que ça a de si attirant, de dériver sans but sur les mers pendant des années et des années ? grommela Quentin à son verre d'eau.

– Tu devrais essayer, un jour », suggéra Faulkner en posant devant Tipsy une nouvelle bière dans un verre embué.

Quentin tourna les yeux en direction de la bière de Tipsy, puis les leva vers Faulkner, puis les détourna. Faulkner travaillait dans ce bar chaque printemps et été depuis vingt ans, et économisait la moindre pièce gagnée. Le mois d'octobre venu, il filait dans le sud avec sa cagnotte, deux ou trois sacs de matériel, et sa guitare. Tous les mois d'octobre, son Columbia de 34 pieds l'attendait à Zihuatanejo, dans une anse des îles San Blas, ou dans un petit port du Honduras, du Guatemala ou du Bélize, parfois même loin en bas de la côte chilienne. Il avait eu des femmes et des petites amies, mais personne pour le moment. Faulkner était de ces gars qui, un beau matin, trente ans plus tôt, avaient franchi le Golden Gate à la faveur de la marée, tourné à gauche et n'étaient jamais vraiment revenus.

« Ça me fait trop l'effet d'une corvée non rémunérée », répondit Quentin.

Faulkner se fichait éperdument de ce que pensait Quentin. Mais pour l'heure, il lavait des verres dans l'évier, sous le bar, et avait l'esprit inoccupé. « Tu n'écoutes pas la lettre de Charley, Quentin ? Ça te fait l'effet d'une corvée ? »

Quentin fit la grimace. « Désolé, Skip, mais ce que j'en dis moi, c'est qu'en général, rien ne tombe jamais tout cuit. »

D'une main savonneuse, Faulkner désigna le menu inscrit à la craie sur une ardoise, au-dessus du bar. « Tu vois du tout cuit quelque part, toi ?

– Je ne vois que ça, surtout dans l'idée que les *gringos* se font des tropiques. Et ce n'est jamais vrai.

– D'accord. Parle pour toi.

– Mais je parlais pour moi.

– Tu crois que les types qui prennent la mer se contentent de faire des ronds dans l'eau et de se causer les uns aux autres par radio tout en buvant du rhum et en peaufinant des chants de marins devant une assiette de poisson frais au petit déjeuner ?

– Oui. (Quentin se redressa.) C'est ce que je crois. »

Faulkner retourna le dernier verre sur l'égouttoir et s'essuya les mains. « C'est difficile d'expliquer les mystères et plaisirs de la mer à quelqu'un pour qui l'inconfort, c'est une table de restaurant bancale.

– Ooooh… non ! s'écria Tipsy en s'arrachant à la lecture de sa lettre. Ça le fait sortir de ses gonds, ça. »

Effectivement, Quentin sortit de ses gonds.

« Le mois dernier, de ce côté-ci du bar, voilà qu'un gros balourd me traite de communiste comme si c'était l'insulte suprême… pire que *infogérance externalisée*, disons, ou *purulence exophtalmique…* »

Tipsy ouvrit grand les yeux en se réjouissant d'avance. « Vas-y, Quentin, attaque…

– … Et aujourd'hui, poursuivit Quentin, voilà que de l'autre côté du bar, un type potentiellement cool, un travailleur comme moi, me traite de… quoi, déjà ?… Black Urbain Professionnel ? Je ne sais pas trop à quel moment je suis devenu le grand méchant loup ici, mais oh, Faulkner, choisis ton camp. Ce sera quoi ? Les petits connards de branleurs avec des chemises à crocodile, ou moi… (Quentin braqua le pouce vers son propre torse) qui sais au moins par quel bout boire ma connerie de verre d'eau ?

– J'ai changé d'avis, dit Tipsy. Du calme, Quentin. »

Faulkner plia le torchon dans le sens de la longueur et le posa sur l'égouttoir, de son côté du bar. « Indépendamment du fait que les *buppies*, comme tu les appelles, craquent un fric sérieux en boissons sérieuses dans ce bar, au lieu de s'envoyer des verres d'eau gazeuse gratis sous prétexte qu'ils connaissent le serveur, je m'en fous passablement.

– C'est juste, répliqua Quentin sans une seconde d'hésitation. Tu t'en fous parce que dans un mois ou deux grand maximum, tu seras quelque trente degrés de latitude plus bas qu'ici, le cul dans un transat, face au soleil levant, à tâcher de gratter les trois accords de *Margaritaville* alors que la seule chose que tu auras envie de faire, c'est ouvrir ta première cannette de bière et laisser tomber tout le reste.

– Cinq », dit Faulkner.

Quentin sursauta. « Cinq quoi ?

– Accords, dans *Margaritaville*.

– *Et tu trouves que c'est une vie ?* » hurla tout à coup Quentin.

Faulkner toqua du bout de l'index le pilulier à compartiments posé sur le bar et siffla : « Et ça, tu trouves que c'est une vie ?

– Coup bas ! admonesta Tipsy.

– Non ! (Un sourire mauvais aux lèvres, Quentin se dressa sur le dernier barreau de son tabouret et ouvrit les bras pour englober le bar entier.) Moi, non ! »

Dans le silence qui suivit cet échange, quelqu'un, quelque part dans la salle, émit un long sifflement qui partit sur une note moyenne, puis décrocha dans les aigus avant de dégringoler vers les graves en un long glissando, jusqu'à s'éteindre.

Quentin dressa l'oreille en direction du sifflement. « Vous savez de quoi je crois qu'il est question, dans tout ça ? »

Ni Tipsy ni Faulkner ne répondirent.

Quentin hocha la tête. « De l'immense nuage d'ineffable culpabilité qui pèse sur le pays tout entier. On est là, à picoler, du fric en poche, la psyché intacte — du moins, on le croit —, pendant que dans toutes sortes d'endroits à l'autre bout du monde, nos armées — oui, les forces armées des États-Unis d'Amérique — sont en train d'exploser les tripes à tous ceux qui se mettent en travers de leur chemin, c'est-à-dire du nôtre. Hommes, femmes, enfants... toutes les formes de vie, chiens, infrastructures et cultures entières compris, sont incinérés tous les jours au nom de la politique étrangère la plus absconse, malavisée et crypto-impérialiste que ce pays ait jamais adoptée, et ça inclut l'épisode vietnamien, la doctrine Monroe et la soi-disant Guerre hispano-américaine. Et, de toute façon, comme en divers conflits voués à la catastrophe, aussi effroyables que fallacieux, prétendument menés pour le compte des bons citoyens de notre pays, et pour le bien des bons citoyens de tel ou tel pays occupé, et en aucun cas pour le bien du méchant peuple de notre pays, non plus que pour le compte du mauvais peuple de tel autre pays, ce sont des terroristes s'ils sont contre nous — et des patriotes s'ils sont avec nous — qu'il incombe à nos forces armées de traquer et d'abattre où qu'on puisse les trouver, s'ils peuvent l'être, chose impossible car ils n'existent pas en tant que tels, puisque leur nom est *multitude*... cette tentative, comme je l'ai dit, qui nous est imposée de façon aussi flagrante, à tout le moins, qu'à notre supposé ennemi, a *vicié la psyché nationale*. Ne sommes-nous pas tous impliqués là-dedans ? James Baldwin n'avait-il pas raison quand il disait que les hommes sont tous frères ? Il n'y a plus rien à ajouter ? Si on ne peut pas pousser plus loin, on est obligé de s'en tenir là ?

– Amen, mon frère, dit Tipsy pour l'encourager.

– Vous êtes obligé de nous faire un sermon ? cria quelqu'un.

– Laissez-le parler ! insista un autre.

– La ferme ! » brailla un troisième, sans qu'il soit possible de déterminer à qui il s'adressait.

« C'est la culpabilité, poursuivit Quentin, et la seule culpabilité qui nous accable. Car notre politique consiste à agresser nos frères et sœurs du monde. Chacun de nous sait qu'en ce moment même, des hommes, des femmes et des enfants se font décimer par un vaste choix des armes les plus mortelles qu'ait jamais fabriquées la moindre technologie par le passé. On laisse tomber le nucléaire.

Qui en a besoin ? On a les balles radioactives, on a les mortiers à la thermite et les grenades au phosphore, on a des bombes à guidage laser de 250 kilos, on a des hélicoptères équipés de mitrailleuses Gatling qui crachent 2 500 balles explosives de 12,7 millimètres à la minute, on a des drones équipés de missiles air-sol. Non ! Mesdames et messieurs ! (Quentin claqua le bar du plat de la main et ses pilules sursautèrent.) La vraie question, c'est comment quiconque possédant un cerveau dans ce pays peut dormir la nuit. Chaque tentative n'est ni plus ni moins qu'une diversion de l'immonde vérité, à savoir qu'alors même que nous sommes ici en train d'en débattre, des actes inhumains sont perpétrés sur nos semblables en notre nom, qu'on vive sa vie en toute sincérité ou pas. Et je vous le demande… (Quentin mit la main sur son cœur et scruta la salle du bar) un régime concerté de cruauté et de brutalité excessive n'a-t-il pas remplacé celui du respect garanti de la loi, de l'habeas corpus et de l'impartialité de la justice ? Et pour quoi ? Pour une chose, et une chose seulement.

– Une chose ?

– La ferme !

– Il a dit une chose ?

– On s'en fout !

– Pendant qu'on y est, *libérez les pandas* !

– Quelle chose ? »

Quentin leva juste un index. La salle se tut. « Pour qu'un tas de gens, principalement des Irakiens, mais aussi de jeunes Américains, des hommes et des femmes exactement comme vous et moi — mis à part le fait que, pour la plupart, ils ont grandi dans la pauvreté et, pour faire quelque chose de leur vie, se sont engagés dans l'armée, contrairement à nous — puissent mourir face contre terre dans le sable d'un pays étranger. Et pourquoi ? Je vais vous le dire. Pour que la Chine soit certaine de disposer des réserves de pétrole qu'il lui faut pour assurer sa mainmise sur le monde. »

Le silence s'abattit sur la salle. Tipsy, à côté de lui, et Faulkner, derrière le bar, contemplaient.

« Bravo ! lança quelqu'un.

– Oui, oui ! cria un autre.

– C'est la Guerre chinoise, clama un troisième.

– Qui était au courant ? demanda un quatrième.

– Payez un verre à ce mec, brailla un cinquième.

– Connard de gauchiste !

– Rabatteur de droite !
– Marionnette centriste !
– *Gung hay fat choy !* »

Quentin s'effondra sur son tabouret et contempla fixement son verre d'eau. Sa lèvre supérieure tremblait. « Voilà, déclara-t-il explicitement. Je l'ai dit.

– Dit quoi ? » répondirent en chœur Tipsy et Faulkner.

10

Cedric Osawa attendait le bus Greyhound à destination de l'Ouest, qui devait quitter Miami à minuit.

La liste d'Interdiction de Vol allait être une foutue entrave pour se trouver une retraite douillette, si tant est qu'il en ait un jour les moyens, de même que l'absence d'assurance maladie allait être une foutue entrave pour prendre une retraite salutaire. Retraite ? Assurance maladie ? Hah ! N'espérez pas me coller les deux pieds dans le même sabot. Rire de samouraï, effet Doppler au long des siècles à venir, Ah ha, ah ha ha, ahhh hahhahhahhahahah…

Le bus surgit en ronchonnant du brouillard d'humidité et entra dans la gare routière faiblement éclairée comme un véhicule fantôme. Cedric n'était pas monté dans un Greyhound depuis sa jeunesse galvaudée de longue date. À l'époque, se rappela-t-il, le condensé de désespoir qu'on pouvait contempler sur chaque siège avait suffi à faire naître en lui l'ambition de devenir quelque chose. Marin, peut-être, un marin qui trouve les relents de sentine plus ragoûtants que de quelconques exhalaisons de fauteuils.

Les choses ne semblaient pas avoir beaucoup changé. Le panneau, au-dessus du pare-brise, spécifiait El Paso. El Paso, c'est loin de Miami. Le panneau aurait aussi bien pu annoncer Alpha du Centaure. Cela dit, pensa Cedric en regardant débarquer huit ou dix passagers, cette étoile est à moins de cinq années-lumière de Miami. Alors que… El Paso ? De Miami à El Paso, ça fait une sacrée tirée. La Tirée en solo de No Amigo. Délectation du guerrier, gloussements au long d'innombrables éternités…

Se taper la Tirée de No Amigo
Coiffé d'un chapeau troué d'El Paso
Fait de la peau d'aucun de mes amis.

Vas-y mouuuuu
Fais pas le fouuuuu
Tes vieilles diastoles ramonent la bouillasse
Du fond du Trou bleu du Temps qui passe...

Par moments, les vieux airs nous restent dans la tête, et on est obligé de les tourner en ridicule pour les en déloger. Bienveillants rouge-gorges mortificateurs extirpant des vers cérébraux du riche humus des sillons du corpus coliseum. Ahaha...

Des noms pour des choses qui n'en ont pas. Peurs, appréhension, lieux jamais relevés par le théodolite de l'homme, tout le tremblement. Une des spécialités de l'humanité, ça : nommer les choses. Et les foutre en l'air : une autre. Panégyrique cousu main numéro un : Ceux qui n'ont pas d'imagination sont voués à commettre l'inimaginable.

Précision au dos : En d'autres termes, ceux qui ont de l'imagination sont voués à ce que l'inimaginable soit commis à leur encontre — exemple-type de proposition contraposée de merde.

Merci. C'est gentil à vous de le dire. Je peux m'en aller maintenant ? Bien sûr. Prenez donc le bus.

Je suis d'humeur pléonastique ce soir. Ça, ou alors j'ai la dura mater en feu. Effet Doppler crépitant au long des siècles fumants, cha cha, chachacha, kof, kof, kofkofkof...

*Merdre aleurs**, se dit Cedric. Je n'ai pas eu pareils fantasmes de vengeance à l'égard des slogans publicitaires depuis que j'ai quitté les États-Unis pour Alpha du Centaure, voilà combien de cycles ovulaires ? Sans même parler d'en mettre un à exécution. Fantasme de vengeance ? Cycle ovulaire. Oviposons le contrevenant. Le ver adulte de quatre-vingt-dix centimètres sort en transperçant la peau et dissémine des œufs comme des bulles de savon sur Telegraph Avenue vers 1970. Retenez-le. Ah ha, ah ha ha, ahhhhahahaha...

Le chauffeur était un gentleman noir en bras de chemise, casquette à visière repoussée sur un front transpirant surmonté de mèches grises clairsemées, poches d'insomniaque sous blanc de l'œil en carte routière. Cedric salua d'un hochement de tête en montant et reçut en retour l'ordre de présenter son billet. Il obtempéra : trajet complet jusqu'à El Paso, deux jours, trois changements, trente-six arrêts, 134 dollars. Le chauffeur avait l'air d'un prolongement parfaitement naturel de son siège. S'il existe des tests antidopage aléatoires pour chauffeurs, se dit Cedric, « aléatoires », sans protocole particulier, ni but ou objectif, alors ça devait être ce genre de tests-là que pratiquait la compagnie de bus, car quelque chose maintenait les yeux de ce type grands ouverts. La conscience existentielle, peut-être ?

« Belle soirée », consentit Cedric, tandis que le chauffeur lui rendait son billet.

Le chauffeur baissa la tête pour jeter un coup d'œil au gros cadran d'horloge scellé dans le mur au-dessus de la porte d'un des bâtiments, et consulta sa montre pour vérifier. « Onze minutes. »

Cedric avait toujours du mal à laisser son bateau. Il aimait prendre du bon temps. Il appréciait les ports accueillants. Mais *Tunacity* était son foyer. C'était un environnement entièrement constitué de choses qu'il comprenait. Il s'y sentait bien. Tous les soirs, il s'endormait, bercé par ce rafiot. À terre, c'était une autre histoire. Une fois à quai, il lui fallait toujours un bon bout de temps pour vraiment débarquer, trouver un bar, prendre un taxi pour aller en ville, trouver un autre bar. Et les échanges sociaux en cours ne faisaient que souligner l'isolement de Cedric au sein du vaste monde fourmillant.

Du tableau de bord vert au signe Occupé allumé au-dessus de la porte des toilettes, tout au fond, le fuselage entier n'était qu'une impénétrable obscurité imprégnée de l'odeur d'un véhicule qui n'avait pas cessé de faire des allers-retours entre la section des Alcooliques anonymes de Miami et son équivalent d'El Paso depuis la première guerre du Golfe, en acheminant accessoirement des chargements de varech jusqu'à une usine de traitement au psoralène, toutes vitres fermées pour piéger les insectes comestibles nutritifs à mesure qu'ils se reproduisaient. Par exemple, les mouches du vinaigre (*drosophila melanogaster*).

D'un autre côté, personne, à part Cedric, n'avait attendu ce bus au terminal. Et personne ne lui avait demandé de pièce d'identité, n'avait passé ses chaussures au détecteur de métaux manuel, ni frotté son sac de marin à la recherche de traces d'explosifs. Personne ne lui avait rien demandé de plus que le montant du billet.

Sûr que c'est un vide dans la Sécurité intérieure, se dit Cedric, mais c'est un chouette vide. Nostalgique, presque bucolique. Favorable à la relaxation. Il trébucha sur des chevilles et des lanières de bagages dans la travée plongée dans le noir, sans que ses aimables excuses suscitent ne serait-ce qu'un grognement de protestation. Aux deux tiers de la longueur du bus, il trouva deux sièges vides à bâbord, juste devant la rangée complète située sur les passages de roues, donc sans la moindre place pour les jambes, qui avait de grandes chances de rester inoccupée pendant tout le trajet. D'un coup de poing, il ménagea un creux à un bout de son sac de marin, le cala en travers contre le dossier du siège côté vitre en guise de soutien lombaire, et accapara les deux sièges. La vitre fonctionnait et il l'ouvrit, laissant entrer les couinements de freins, ruminations incompréhensibles des annonces de haut-parleurs, fumées de combustion de gasoil, et un amnios moite d'humidité tropicale que ses narines happèrent avidement. Un halo de quatre ou cinq personnes regardait quelqu'un entasser des bagages dans la soute et en extraire, juste devant le passage de roue situé du côté où se trouvait Cedric, pile sous sa vitre. Tous, sans exception, ces gens avaient l'air vidé. Ils suivaient le déchargement des bagages comme s'il s'agissait d'encore une télé de salle d'attente, comme si, n'ayant absolument rien de mieux à faire, ils se soumettaient à sa prétendue supériorité technologique, démontrée en tant que maniabilité décidée, en l'occurrence sous la forme de gonds pneumatiques.

La parano imprègne la montagne
La gnose planctonne l'océan
Si les nutriments jaillissaient des fontaines
les gonds supporteraient sans couiner
le poids du karma
le poids de la doxa
mais jamais l'espièglerie de l'allégorie !

La première personne qui vit son bagage posé sur le bitume s'en empara et l'étreignit précautionneusement, jetant de petits coups d'œil çà et là, la bouche entrouverte, la mine exprimant une vulnérabilité craintive. Visiblement, cette toute jeune femme n'avait nulle part où aller. Elle ne savait peut-être même pas qu'elle était à Miami. Les traits du grand Noir debout à côté d'elle s'étaient presque entièrement défaits dans un combat entre rage et épuisement. Quand sa grosse valise en plastique apparut, un poignet de chemise en flanelle dépassant à demi de la charnière comme un signet hors d'un volumineux recueil d'élucubrations traitant du désespoir, il manifesta un peu d'hésitation, comme partagé entre l'envie d'étendre le bagagiste d'un coup de poing et de se faire coffrer, et celle de se glisser à l'intérieur de la soute — aspirant, dans les deux cas, à une bonne nuit de sommeil. En dernier lieu, venait un couple cubain avec un bébé endormi dans une couverture nouée à l'épaule de la mère. Une résignation glaciale se lisait sur le visage des deux parents. Elle était de nouveau enceinte. Le travail, saisonnier. Surgirent un, deux, trois bagages, tous plus élimés les uns que les autres. L'homme réussit à s'emparer des trois, un dans chaque main et le troisième sous le bras, et ils s'éloignèrent. *Bien providencia.*

À la lueur bleu-gris de l'éclairage du terminal qui filtrait par la vitre, Cedric reprit le chapitre des *Sept Cités de Cibola* intitulé : « Frère du serpent[1] ».

« — Il y a ici quelque chose que je n'aime pas, dit-il.

L'Indien n'était visible nulle part. Le cliquetis avait cessé. Nous pressâmes le pas et, au bout d'une demi-heure, j'éprouvai un inexplicable frisson lorsque Jorge s'arrêta brusquement et que je me heurtai à lui.

– Préparez-vous à retourner sur vos pas, dit-il après quelque hésitation et d'une voix très calme. Il y a ici un serpent.

Pour je ne sais quelle raison, j'eus un soupir de soulagement.

– Contournons-le, suggérai-je, nous ne pouvons perdre ce Campa.

– Non, ne bougez pas ! Je ne puis voir, mais je sais que le serpent est tout proche… je viens de l'entendre siffler.

Ne sachant si la tête du serpent était suspendue dans l'obscurité autour de nos têtes ou frétillait vers nous au-dessus du sol, sans doute restâmes-nous immobiles pendant cinq bonnes minutes sans oser remuer un orteil ni bouger un cil. Les moustiques étaient abominables. Je commençais à transpirer, tandis que les muscles de mes jambes se crispaient et que ma figure se contractait chaque fois qu'un insecte la touchait. Soudain, à un mètre à notre droite,

1. L'extrait donné est tiré de la traduction de Leo Lack (1959). (*N.d.T.*)

le bruit le plus inimaginable se fit entendre : le faible couin-couin d'un canard. Ce cri de détresse, qui devait être celui d'un animal perdu, était pathétique.

Jorge bondit aussitôt en avant, criant : "Hâtons-nous !"...

Très fatigués après une heure de marche pénible, nous nous reposâmes sur le tronc d'un arbre tombé, et notre guide restait debout comme une ombre, à quelques mètres de là. Il y avait maintenant, tout alentour, un assourdissant concert de grenouilles, d'insectes, d'animaux, d'oiseaux nocturnes. D'après les rugissements, les *cochas* devaient, de tous côtés, foisonner de crocodiles. Je fis observer à Jorge qu'il n'avait jamais autant transpiré, même par une nuit brûlante. Sa chemise de peau était à tordre.

– Ce serpent, là-bas, répondit-il, était un *shushupe*.

Comme je ne manifestais aucune réaction, le Péruvien expliqua qu'il s'agissait d'un reptile marron de 3,70 mètres de long, extrêmement rusé, qui attirait à lui d'ignorantes victimes. Il attaque l'homme et, en l'espace de cinq à huit minutes, le venin paralysant cause la mort par choc.

– Nous perdons trois ou quatre *caucheros* par an aux environs de La Merced.

– Je suppose que ce serpent s'en prenait à ce canard, suggérai-je, ajoutant : Heureusement pour nous.

– Non, il produit ce bruit lui-même : c'est un leurre. Pour frapper avec efficacité, le *shushupe* doit être enroulé comme un ressort. Par conséquent, il attire sa victime près de lui, puis il frappe. »

Les paupières de Cedric se firent plus lourdes. Le livre tomba contre le rebord de la vitre. Une conversation étouffée s'amorçait quelques sièges en amont. En diagonale de l'autre côté de la travée, des grésillements d'insectes métallurgiques s'élevaient d'une invisible paire d'écouteurs. Ses cils papillotèrent, ses paupières s'abaissèrent. Il n'arrivait pas à déterminer en quelle langue la conversation se tenait. Il n'arrivait pas à entendre de quel genre de musique il s'agissait. C'était très bien. Ses yeux se fermèrent. Derrière, sous les toilettes, le gros diesel se mit en route. Une première bouffée de fumée noire tourbillonna le long de la vitre ouverte. Il posa la tempe contre le cadre métallique de la vitre. Les vibrations, transmises par les os de son crâne à son cerveau, étaient curieusement réconfortantes. On aurait dit que la pièce glissée dans la fente du lit vibrant d'une chambre de motel antique, avec cœurs transpercés de flèches et initiales gravés sous l'étagère, au-dessus de la tête de lit, fonctionnait vraiment. Les yeux clos, Cedric entendit couiner les gonds du hayon de la soute, sous sa vitre. C'est tout bon, pensa-t-il, et il s'humecta doucement les lèvres. Même si c'est juste provisoire. Je vais peut-être arriver à passer endormi les dix-sept étapes jusqu'au premier sandwich mortadelle. Bien qu'il soit difficile de résister à la fascination morbide des arrêts dans des petits bleds tropicaux brumeux à l'éclairage spectral…

Quelqu'un marchait sur le sol carrelé de la gare routière, éveillant un écho sonore sous des talons ferrés. Il y avait bien longtemps que Cedric n'avait pas croisé quelqu'un qui équipât de croissants métalliques les talons, et parfois le bout de ses chaussures, sous prétexte de les protéger. Un tas de gens, sous les tropiques, en particulier les marins, ne portaient pas de chaussures du tout, raison pour laquelle, en dépit du « progrès », la majeure partie des tropiques n'est toujours pas goudronnée. Les fers ne servent pas à grand-chose sur les chaussées de sable ou de débris de coquillages. Mais ici, à Miami, le moindre pas tintait comme de la céramique ou du métal. Catac-a-tac catac-tac. Cedric se demanda vaguement si ça produisait des étincelles. Il supposa que ça lui aurait plu. La porte de la soute claqua. Avec une puissance inattendue, le boum se réverbéra d'un bout à l'autre du terminal. Cedric ouvrit les yeux.

Le bagagiste s'éloignait de l'arrière du bus, traversant la gare en diagonale. Au-delà de sa silhouette, un homme mince comme un fil portant un pantalon de toile noir très ajusté et une chemise fleurie à manches longues, teint cireux, visage barré d'une fine moustache, un panama noir à bord étroit et ruban jaune posé sur une abondante chevelure noire huilée, se dirigeait vers le bus d'un pas traînant. Plus exactement, il modulait sur ce carrelage comme une longue onde sinusoïdale à courte période. Une cigarette était calée sur son oreille droite, bout filtre en avant. Pour le petit goût d'huile capillaire, se dit Cedric engourdi de sommeil, bien que cette pensée démentît la promptitude de sa vigilance. Chacun des pas cliquetait, deux fois pour certains, et les informations s'engrangeaient au même rythme sur la carte mère de Cedric.

Tiens, tiens, tiens, Cedric cilla, si ce n'est pas Felix Timbalón que voilà.

L'homme à la chemise fleurie portait une petite sacoche à outils marron et noir avec des poches extérieures, du genre de celle que pourrait avoir un installateur de télé câblée qui n'aurait guère besoin de plus qu'une paire de pinces, une cintreuse manuelle et un carnet de factures. De multiples poches et sangles à outils étaient cousues sur le pourtour du sac, mais aucune ne contenait quoi que ce soit, certes pas un outil, et encore moins un peigne ou une brosse à dents. Un exemplaire du quotidien le *Nuevo Herald*, l'équivalent en espagnol du *Miami Herald*, dépassait du rabat.

L'homme à la sacoche disparut derrière la calandre du bus juste au moment où le chauffeur fermait la porte. Cedric avait presque refermé les yeux quand il entendit la porte se rouvrir et les souliers ferrés gravir les marches en tôle larmée. Il y eut un bref échange étouffé. La porte se referma avec un chuintement. Le pignon de l'arbre de transmission situé sous les toilettes, à l'arrière du bus, gémit et craqua avant de s'enclencher avec un bruit sec dans l'engrenage du premier rapport. Le chauffeur fit monter les tours du diesel, lâcha l'embrayage, et le Greyhound s'ébranla.

Cedric sentit pratiquement les lumières du terminal l'effleurer tandis qu'elles glissaient le long du flanc du bus et sur son visage. Il discernait les diverses respirations de ses compagnons de voyage à l'intérieur du véhicule faiblement peuplé qui n'était pas sans évoquer une tanière d'ours en hibernation.

La moquette pourtant usée, réduite à une maigre molécularité par des décennies de godillots impitoyables, devait étouffer le cliquetis des fers. Les pas s'engagèrent prudemment vers l'arrière dans la travée obscure, s'arrêtant ici et là comme pour jauger le potentiel de confort maximal et compagnie minimale de tel ou tel siège.

Les pas finirent par arriver devant la rangée de Cedric, où ils s'arrêtèrent de nouveau. En dépit du fait que le bus oscillait et se dandinait de biais en franchissant le caniveau démarquant la sortie de la gare routière, Cedric faisait mine de dormir.

La silhouette se dressa au-dessus des fauteuils de Cedric, fit deux pas de plus vers l'arrière du bus, et s'arrêta derechef.

Assez longtemps, se dit Cedric dont les pupilles, sous les paupières fermées, s'efforçaient de discerner dans le noir la silhouette debout moins d'un mètre plus loin dans la travée, bien assez longtemps pour remarquer le bombement de tôle moquettée qui recouvrait le passage de roue.

L'homme se glissa pourtant sur le siège. Jusqu'à la place située contre la vitre, juste derrière Cedric.

Quelle coïncidence, se dit ce dernier, justement dans ce bus entre tous les bus pourris de Floride du Sud. Sans même s'étonner du degré de masochisme nécessaire pour faire quelque vingt-cinq kilomètres, si ce n'est pas vingt-cinq mille, assis dans un bus presque vide, les genoux au niveau des oreilles, pareils aux lunes du planétoïde insignifiant et douteusement habité qu'est le crâne de l'individu, le coccyx en feu, des hématomes aux chevilles... et pourquoi ça ? Parce que son papa le battait pour le punir de faire pipi au lit ?

Quelles chances y a-t-il ?

C'est à vous que je le demande.

Non, non, à moi. Merci. Faibles, voire nulles, voilà la réponse. Très faibles, voire absolument nulles.

Chez les auto-stoppeurs, l'Alligator Alley de Floride, récemment rebaptisée Autoroute des Everglades, est légendaire. Elle s'étire sur quelque cent soixante kilomètres en travers de la pointe sud de la Floride, de Miami à East Naples, en plein milieu du marigot de Big Cypress et des Everglades. Il y a une clôture de chaque côté, maintenant, et à plusieurs endroits c'est une quatre voies. Mais il n'y a pas si longtemps, l'Alligator Alley était une deux voies en macadam au sommet d'une levée de terre de moins d'un mètre de haut qui coupait en deux vingt-cinq mille kilomètres carrés de marigot ininterrompu sans la moindre clôture en vue. Et à ce jour, l'Alligator Alley compte exactement une sortie goudronnée, à peu près à mi-course de la péninsule, qui, aussitôt après avoir mené à une station-service et sa boutique, se mue en piste de terre et disparaît au nord, dans la réserve des Séminoles.

Sur quatre-vingts kilomètres dans les deux sens, il n'y a ni aire d'autoroute ni éclairage, et aucune échappatoire à la faune du marigot. Laquelle inclut les alligators, bien sûr, car le surnom de l'autoroute n'a rien de fantaisiste, mais aussi des mocassins d'eau et des moustiques, ces derniers en telle profusion qu'ils sont capables d'envelopper n'importe quel être humain d'un fourreau aussi irrespirable que les bandelettes d'une momie de 50 avant J-C. Mais même depuis la mise en place de la clôture, ce n'est pas le genre d'autoroute où il fait bon se trouver en rade après la tombée de la nuit. Avant la mise en place de la clôture, certains habitants de la région s'amusaient, au coucher du soleil, à prendre à Coral Gables, disons, le stoppeur naïf partant pour l'Ouest et à lui faire faire une grosse trentaine de kilomètres sur l'Alligator Alley avant de brusquement se rappeler qu'ils avaient laissé le poêle en marche dans la caravane. Ils lâchaient alors le stoppeur, crédule et souvent reconnaissant, au beau milieu du marigot, faisaient lentement demi-tour en ricanant, et regagnaient la côte Est en s'esclaffant tout le long du chemin au-dessus de leurs cannettes de bière.

La seule façon de s'accommoder de la faune consistait à marcher toute la nuit. Mais face aux animaux prédateurs invisibles qui obéissent aux exigences de la nature en traversant pour gagner tel ou tel côté de la route, le cheminement le plus précautionneux se révélait inefficace. Qui plus est, des blattes américaines géantes — parentes surdimensionnées des cafards — affluent constamment pour mieux se faire écraser à l'aveuglette sous la semelle. Le bruit est exactement le même que lorsqu'on marche sur une boîte détrempée d'allumettes de ménage, et se révèle foncièrement inquiétant. Hormis ce genre de preuves glaireuses de leur passage, bien des stoppeurs partis par l'Alligator Alley n'ont fait que disparaître sans autre forme de procès. L'automobiliste en panne disparaît, lui aussi, laissant le soleil ricocher sur le jerrycan rouge de cinq litres qui danse, vide et orphelin, dans l'eau noire du fossé, à deux ou trois kilomètres du véhicule abandonné.

En plus de ça, elles savent voler, ces blattes américaines.

Et les descriptions écrites disent qu'elles ne mesurent que trois centimètres de long ?

Hah ! Si on inclut les antennes, on peut multiplier par deux, et par quatre avec les pattes.

Un endroit romantique.

Cedric ne savait ni pourquoi ni comment Felix Timbalón se retrouvait à bord de ce bus précis, mais il savait quelle était la spécialité de Felix et, compte tenu de la spécialité en question, la proximité n'est pas sans importance.

Tandis que les lumières de la civilisation se raréfiaient sur la trajectoire du bus en route vers l'ouest, Cedric calculait les intentions de Timbalón. Après les avoir mises à exécution, le plus tôt possible, Felix souhaiterait sans doute descendre ; que ce soit pour rejoindre une voiture, attraper le prochain bus à destination de l'est ou autre, Felix voudrait quitter ce bus.

L'unique arrêt entre Miami, sur la côte Est, et Naples, sur la côte Ouest, serait Ochopee. Cedric s'y était rendu une fois et en gardait le souvenir d'un endroit plutôt rustique. Une enfilade de cabanes en bois brut pour chauffeurs de poids lourds, équipées chacune d'un climatiseur vrombissant, de deux tables à pique-nique abritées d'un auvent et disposées sur une terrasse en contreplaqué à côté de deux cabanons, le tout se partageant une unique lanterne anti-insectes montée sur un piquet de deux mètres cinquante, une pompe à essence et une à gasoil, et derrière la boutique, un parking en terre battue sillonné d'ornières et bondé de cinq essieux en stationnement. La boutique vendait des frites, de la bière, des bonbons, des CD de musique country, et tout l'attirail nécessaire aux poids lourds comme les bavettes à silhouette féminine chromée et les désodorisants de cabine au pin forestier, en plus de pseudo-articles d'artisanat séminole — tomahawks à tête caoutchouc, pochettes en plumes de poulets ornées d'une étiquette « Médecine indienne » et chemises en jean à la poche de poitrine brodée d'une gueule de serpent ouverte sur des crochets de belle taille surmontant l'inscription « Moccasin Power ». Pour l'homme assis derrière Cedric, l'endroit ne pouvait avoir qu'un seul véritable attrait : la possibilité de trouver un véhicule qui le reconduise à Miami.

Une voiture allait-elle l'attendre sur place ?

Cedric réfléchit. Au bout d'un moment, il décida que non. Pas de voiture, il devait s'agir d'une opération en solo. Ce serait plus sûr, et moins onéreux, car Felix avait sans doute besoin de réserver l'argent à sa vorace addiction à l'héroïne. Ce n'était pas pour rien que Felix Timbalón portait des manches longues sous les tropiques.

Tandis que la densité des lampadaires s'amenuisait jusqu'au noir complet de part et d'autre de l'autoroute, Cedric ne perdit guère de temps à réfléchir à la valeur de sa propre tête ou à la raison de sa mise à prix. Il se poserait des questions plus tard.

Ç'allait être délicat, mais il était en mesure de prédire comment il faudrait procéder. Il y avait des paramètres à prendre en considération, mais Felix était un spécialiste. Il serait préférable d'éviter un esclandre à bord du bus, de ne pas se faire remarquer. Pas de coups de feu, pour donner un exemple évident. Ni la lutte et les râles qu'entraîne la strangulation. Cedric comprit, en dépliant sans bruit les deux lames de son nouveau couteau, qu'il pourrait être impératif de ne pas en faire une histoire, et dans ce domaine, Felix en savait un rayon.

Par la vitre ouverte, montait le relent composite fade et caractéristique des reptiles et de la boue. De jour, on aurait pu voir un nombre indéterminé d'alligators alignés le long de la clôture grillagée, côté marigot, des alligators noirs de trois voire quatre mètres de long et plus, disposés côte à côte à l'instar des grumes d'un train de flottage déposés là comme par la marée ou l'Office du tourisme. Voir des automobilistes en tee-shirts Walt Disney, bermudas et tongs jouer les scouts et s'aventurer dans la marisque pour prendre des photos le long de la clôture, côté autoroute. De temps à autre, un des reptiles bâillerait et tousserait, son affreux dont les vrais habitants des marigots veillent prudemment à ne pas négliger la provenance. Cedric tomba alors dans une rêverie à propos de la première fois qu'il avait affronté l'Alligator Alley, bien avant qu'il existe une clôture, à une époque où, de nuit, il n'y avait aucune circulation sur ces cent soixante kilomètres, où même l'unique sortie d'Ochopee ne proposait aucun service, pas même un simple lampadaire assez puissant pour permettre au quidam de donner libre cours à son plain-chant grégorien intérieur.

Le Seigneur est mon berger, je devrais sans doute bêler
Le Seigneur récolte ceux qui se mettent en rang à gauche
Le Seigneur ajoute, le Seigneur retranche
Car la Vie fait preuve de qualités combinatoires
Car Dieu a ainsi branché le Monde
Googueule oublié des siècles écoulés...

Il avait vu un mocassin d'eau dans un bas-fond, le long de cette route, un serpent aussi gros qu'une aussière de péniche... Le passager du siège, derrière lui, ouvrit une fermeture à glissière.

Cedric simula un sommeil agité jusqu'au moment où, quarante-deux minutes après le départ, il sentit juste avant de l'entendre une pression ténue contre le dossier de son siège, au niveau de sa nuque. Puis un léger plop se fit entendre, si étouffé qu'il en était presque inaudible, pas plus sonore que la chute d'une goutte de pluie sur un arum.

Ah, bon. Voilà la méthode et son cheminement dévoilés.

« Ouh ma puce... » murmura Cedric, sur quoi il remua et se réinstalla de façon à glisser *Les sept cités de Cibola* entre sa nuque et le dossier, s'humecta deux fois les lèvres, puis trois, et poussa un soupir satisfait.

Le sillage chaud et humide du bus lancé à cent dix kilomètres-heure affluait par bouffées le long de la vitre ouverte.

La pression constante reprit. Cedric sentit son front se glacer. Une goutte de sueur roula sur sa gorge, passant de sa pomme d'Adam au creux en dessous où elle s'immobilisa, comme la bulle d'une boussole. Une main se plaqua sur son nez et sa bouche. Elle puait la cigarette, la pisse et la *ropa vieja.*

Le volume des *Sept cités de Cibola* fait deux centimètres neuf d'épaisseur. Le pic à glace s'enfonça jusqu'à deux centimètres sept.

Cedric cracha dix centilitres cubes de salive dans la main et frissonna comme une jeune mariée.

Le pic à glace s'extirpa et revint de plus belle, perforant à nouveau le livre jusqu'à une profondeur de trois centimètres deux. À côté d'un grain de beauté qui démangeait toujours sans prévenir, dans la fossette juste à droite du haut de la colonne vertébrale de Cedric, et le sang affleura sous la pointe d'acier.

Cedric laissa un unique frisson spasmodique lui parcourir tout le corps.

D'une saccade, le pic à glace se retira des épaisseurs combinées du livre et du dossier. La paume resta plaquée sur la bouche de Cedric, puis le pouce et l'index lui pincèrent les narines. Cedric ne respirait pas, mais il avait les yeux ouverts et le poinçon à l'affût, prêt à clouer le poignet au plafond. La main relâcha sa pression mais resta plaquée sur sa bouche. Cedric ne respirait toujours pas.

La main s'écarta de son visage.

Cedric s'affaissa lentement contre la vitre avec un soupir bulleux. *Les sept cités de Cibola* dégringolèrent sur le sac de marin, de là sur le siège vide, puis le sol moquetté.

Le passager installé derrière Cedric s'avança dans la travée, se racla la gorge et expédia un glaviot luisant de mucus jaune moutarde sous l'oreille droite de Cedric. Le passager regarda scintiller son crachat en défroissant sa chemise. Il ôta son petit chapeau et en remodela machinalement la forme, sans cesser d'examiner la silhouette inerte avachie dans le noir, sous la vitre, au-delà du sac de marin.

Le passager se lissa les cheveux d'une main et, de l'autre, remit son chapeau. Puis il ramassa sa petite sacoche à outils, en referma la glissière et se dirigea vers l'avant du bus en oscillant au gré des cahots.

Moins d'une minute plus tard, le Greyhound, dont le panneau de destination indiquait El Paso, ralentit et décrivit un arc de cercle pour quitter l'autoroute, tourna sur l'aire de la station-service d'Ochopee, devant les pompes à carburants, et s'arrêta face à l'ouest avec un chuintement pneumatique. Le moteur diesel adopta un ralenti irrégulier. La porte s'ouvrit avec un bruit sourd. Un seul passager descendit. Personne ne sortit de la boutique pour accueillir le bus.

Le voyageur qui venait de débarquer n'entra pas dans la boutique vivement éclairée dont la moindre source lumineuse extérieure était prise d'assaut par les insectes et les chauves-souris. Derrière le bâtiment, les clapets anti-pluie crépitaient au sommet des sorties latérales de poids lourds tournant au ralenti dans un brouillard de monoxyde de carbone et d'humidité. Dans le marigot sombre, audelà, trépidait la phylogenèse des amphibiens au grand complet.

Marchant d'un pas décidé, catac-tac, sans se presser, catacatac, le voyageur mince laissa tomber un journal plié dans une poubelle en passant entre les deux pompes à essence, avant de s'évanouir dans l'ombre au détour de l'angle le plus éloigné de la boutique. Un instant plus tard, il reparut sur l'allée de ciment brun qui serpentait devant deux toilettes extérieures non éclairées dont les portes entrouvertes lâchaient leur puanteur dans la nuit, et il disparut finalement parmi les feux de position aux couleurs vives de tracteurs et de remorques.

La porte se referma et les freins à air comprimé toussèrent. Pesamment, le bus décrivit une ample strophoïde droite, puis regagna l'asphalte de l'Alligator Alley et accéléra dans la nuit, enchaînant ses six rapports.

11

Au dire d'Arnauld, il n'y avait pas une seule clé en croix Torx sur la totalité de l'île. La technologie Torx n'y avait pas encore fait son apparition. Il était grand temps. Arnauld s'en est fabriqué une en tronçonnant l'extrémité d'un tournevis et en creusant à la meuleuse six cannelures parallèles dans la tige ainsi obtenue. Après quoi il a refermé sur le manche deux pinces-étau, en position perpendiculaire, et voilà — une clé Torx possédant le couple voulu. Elle fonctionnait à merveille. Arnauld a plongé encore deux fois sous la coque, puis nous avons bu du thé frappé allongé de rhum dans des quarts en fer-blanc. Il m'a demandé l'air de rien si j'étais récemment passé par Boca Chica — c'est tout ce que j'avais besoin d'entendre —, sur quoi il a pris congé. À entendre pétarader le moteur de son petit rafiot, on croirait un cours de mambo donné sur l'eau.*

La cargaison en sécurité, le prochain mouillage est Albert Town, à Long Cay, une promenade de bout en bout. Si bien qu'après avoir consacré une paire d'heures au tracé de la route, j'ai passé le restant de l'après-midi dans un hamac tendu entre le mât et l'étai — ne jamais mettre en doute la bonne tenue du nœud de bois à barbouquet ! — en sirotant du thé et en lisant L'Histoire d'une vie *de Constantin Paoustovski. Tu as lu ça ? Sinon, je te le recommande. Il s'agit d'un livre magnifique évoquant la Russie du tournant du siècle dernier, un époustouflant mélange de mélancolie, d'aventure, d'horreur... décrivant un monde depuis longtemps révolu. Ça m'accroche énormément. Je t'en recopie un bout. (Soit dit en passant, comme si tu ne le savais pas, c'est en recopiant des passages préférés ou en les lisant à voix haute que j'ai appris à écrire, si tant est que je sache écrire.)*

Volodia était le frère du capitaine Roumiantsev, le meilleur ami de mon oncle, à l'arsenal de Briansk.

Il était un peu dur d'oreille. Il y avait toujours des brins de foin dans sa barbe rousse, car Volodia dormait dans la grange. Il faisait fi de toutes les commodités de la vie. Sa veste d'étudiant roulée en boule lui tenait lieu d'oreiller. Il marchait les pointes des pieds un peu en dedans et parlait en mangeant ses mots. Sous sa veste, il portait une chemise à la russe, d'un bleu délavé, serrée à la taille par un cordon de soie noire à glands.

[...] Il nous communiquait son amour de la province russe. Il la connaissait parfaitement : il en connaissait les foires, les monastères, les domaines historiques, les traditions. Il connaissait Tarkhany, la ville natale de Lermontov, la propriété d'un autre poète, Alexandre Fet, près de Koursk, la foire aux chevaux de Lébédian, l'île Valaame, le champ de bataille de Koulikovo.

Dans chaque lieu, il cultivait l'amitié de quelques petites vieilles, anciennes institutrices ou fonctionnaires en retraite, qui l'hébergeaient et le nourrissaient de soupe aux choux et de tourtes au poisson. Volodia leur témoignait sa reconnaissance en apprenant à leurs serins chéris à siffler des polkas ou bien en leur offrant du superphosphate pour leurs pots de géranium. À l'étonnement des voisins, d'énormes fleurs se mettaient alors à pousser.

Jamais il ne prenait part aux discussions sur les destinées de la Russie, mais il intervenait dès qu'il s'agissait de jambon de Tambov, de pommes congelées de Riazan ou d'esturgeons de la Volga. Sur ces sujets, personne ne pouvait lui tenir tête. L'oncle Nicolas affirmait que seul Volodia Roumiantsev était au courant du prix d'une paire de chaussons en écorce de bouleau à Kinéchma ou d'une livre de duvet de poule à Kaliazine.

Une fois, Volodia se rendit à Orel et il nous en rapporta une triste nouvelle.

Nous étions en train de jouer au croquet devant notre datcha. Notre passion pour ce jeu était unanime. Les parties se poursuivaient souvent jusqu'à la nuit tombée. Nous apportions alors des lampes sur le terrain.

Jamais il n'y avait autant de disputes qu'au cours de ces parties, en particulier avec mon frère Boria. Il était très fort, et devenait très vite un « corsaire ». Alors, croquant nos boules, il les envoyait si loin qu'il nous arrivait de ne plus les retrouver. Nous ragions et à l'instant où Boria visait, nous marmottions : « Le diable sous ta main, le crapaud dans ta bouche ! » — formule magique qui agissait parfois. Boria ne réussissait pas toujours à croquer notre boule.

Avec Gleb aussi, il y avait des disputes. Lorsqu'il jouait contre Sacha, il ratait ses coups et perdait exprès pour faire plaisir à cette gamine. Tandis que dans l'équipe de Sacha, il faisait preuve d'une adresse miraculeuse et d'un toupet monstre. Il gagnait chaque fois. D'habitude, tous les estivants se réunissaient autour du terrain de jeu. Même les deux chiens de l'oncle Nicolas, Mordant et Tchetvertak, accouraient pour suivre les péripéties de la partie. Mais, prudents, ils se couchaient derrière les troncs d'arbre, préférant ne pas se trouver dans la trajectoire des boules.

Ce matin-là, il y avait comme d'habitude beaucoup d'animation sur le terrain. À un moment donné, nous entendîmes un bruit de roues. Une voiture s'arrêta devant la datcha de l'oncle Nicolas. Quelqu'un cria : « C'est Volodia qui rentre ! » Personne n'y prêta attention, nous étions habitués à ses départs et retours fréquents.

Un instant plus tard, le voyageur apparaissait. Il venait vers nous, encore vêtu de son surtout poussiéreux et de ses bottes. Les traits crispés, comme s'il avait été sur le point de pleurer. Il tenait un journal à la main.

– Que vous arrive-t-il ? — lui demanda l'oncle Nicolas d'une voix effrayée.

– Tchékhov est mort.

Volodia pivota sur lui-même et repartit vers la datcha.

Nous courûmes à sa suite. L'oncle Nicolas lui prit le journal des mains, y jeta un coup d'œil, le lança sur la table et s'enferma dans sa chambre. Inquiète, tante Maroussia le suivit. Pavlia ôta son pince-nez et le frotta longuement avec son mouchoir.

– Kostik — me dit maman —, veux-tu aller jusqu'à la rivière et dire à papa de venir ? Il pourrait tout de même bien laisser sa pêche à la ligne à un moment pareil.

Elle disait cela comme si mon père pouvait avoir déjà appris la mort de Tchékhov, mais qu'insouciant il n'y attachât pas la moindre importance.

J'en fus vexé pour lui, néanmoins j'allai le chercher. Gleb m'accompagna. Il était devenu soudain très grave.

– Eh oui, tu vois, Kostik… — me dit-il en cours de route, en poussant un gros soupir.

Je fis part à mon père de la mort de Tchékhov. D'un seul coup, ses traits se creusèrent et son dos se voûta.

– Mais voyons… ce n'est pas possible ? — bredouilla-t-il désemparé. Je n'aurais jamais cru que Tchékhov puisse mourir avant moi…

En revenant, nous dépassâmes le terrain de croquet. Des boules et des maillets abandonnés y traînaient encore. Les oiseaux s'en donnaient à cœur joie, le soleil qui tombait à travers le feuillage formait sur l'herbe des taches d'un vert vif.

J'avais déjà lu Tchékhov et j'aimais ce qu'il écrivait. Tout en marchant, je me disais qu'un homme comme lui n'aurait jamais dû mourir.

Deux jours plus tard, Volodia Roumiantsev partait pour Moscou. Il allait assister aux obsèques de Tchékhov. Nous l'accompagnâmes jusqu'à la gare de Sinézerki. Il emportait dans un panier une brassée de fleurs pour les déposer sur la tombe de l'écrivain. Ce n'étaient que de simples fleurs des champs. Nous les avions cueillies dans les prés et la forêt. Maman les disposa soigneusement, intercala de la mousse humide entre les tiges et recouvrit le tout d'une toile mouillée. Nous avions cherché à ramasser le plus possible de fleurs sauvages, persuadés que lui aussi les aimait. Beaucoup d'œillets du poète, de la petite centaurée, de grandes marguerites des prés et du sceau de Salomon. Tante Maroussia tint à y joindre un peu de jasmin coupé dans le parc.

Le train pour Moscou ne partait que le soir. Nous fîmes le chemin de retour à pied et n'atteignîmes Revni qu'au point du jour. La lune à son premier quartier luisait dans le ciel au-dessus de la forêt et sa douce clarté se reflétait dans les flaques d'eau de pluie. Il venait juste de pleuvoir. Cela sentait l'herbe mouillée. Un coucou attardé chantait dans le parc. Puis la lune se coucha, les étoiles brillèrent plus fort, mais peu après, la brume du petit jour les voila. Elle froufrouta longuement dans les buissons, tombant en rosée, jusqu'à ce qu'un soleil calme apparût et réchauffât la terre[1].

Mises à part les pérégrinations de Volodia, ainsi que les miennes, tu pourrais penser que l'Ukraine du 2 juillet 1904 est bien éloignée des Bahamas d'un siècle plus tard, et tu aurais raison. Et après ? Comme

---

1. Extrait de *L'Histoire d'une vie*, ouvrage traduit du russe par Lydia Delt et Paule Martin, Gallimard, 1966. (*N.d.T.*)

le disait Louis Armstrong : Si vous n'entendez pas la musique, je ne peux pas vous l'expliquer.

Mais toi, sœurette, je suis certain que tu l'entends, la musique.

Tu verras que ce livre est difficile à trouver, car épuisé, en anglais tout au moins, depuis quelque chose comme une trentaine d'années. Mon exemplaire d'occasion m'a coûté quatre dollars à Key West. Cela pourrait-il être plus cher sur la côte Ouest ? Je n'en avais jamais entendu parler. Un jour que je survolais une caisse de bouquins aux dos défraîchis, ce volume m'a tout bonnement sauté dans la main. Le premier chapitre de L'Histoire d'une vie *est fameux à juste titre. En quelques lignes, j'étais accroché.*

Quand je dis fameux... Depuis que je l'ai découvert, je n'ai rencontré personne qui en ait entendu parler, sans parler de l'avoir lu.

Mais tu es à San Francisco, dieu de dieu. Tu pourras sûrement y dénicher un exemplaire, tu ne crois pas ?

Trente ans ! Je l'ai déjà dit ? Eh bien, je le redis. Des injustices sans nombre se produisent chaque jour, et peut-être sont-elles toutes infiniment plus graves que celle qui consiste à laisser ces mémoires tomber dans l'oubli. Eh bien, qu'elles le soient, plus graves. Comment l'esprit peut-il appréhender une soi-disant civilisation qui laisse quotidiennement passer de telles pépites ou, pour le dire autrement, qui engendre pareils philistinismes. Qui engendre ? Hah ! Qui les produit en masse, plutôt, et les écoule avec une forte marge. Dans le gosier, avec un entonnoir. Si le foie gras manquait autant de goût et de pouvoir nutritionnel, le gavage des oies ne serait même pas un sujet de controverse.

Il existe une longue liste de ces atrocités culturelles. Je ne vais pas m'y étendre. Cela gâcherait le vif plaisir que j'ai pris à recopier ce passage, nonobstant ma calligraphie difficile.

Cela me rappelle un autre livre. Histoire de Pi, *de Petr Beckmann. Il regorge de choses passionnantes pour peu que l'on s'intéresse à certain nombre transcendant. Entre autres, Beckmann évalue la réussite d'une civilisation donnée en fonction du développement de sa connaissance de π. Selon ce critère, l'Empire romain, malgré sa puissance, son pouvoir, son ambition et sa longévité, n'est pas allé bien loin. Non seulement il ne promut pas d'un iota la connaissance de π au sein de l'humanité, mais encore se rendit-il responsable, lors de sa conquête de Carthage, de la mort d'Archimède, qui fut sans doute, entre autres nombreux mérites, l'un des plus grands exégètes — exposants ? Ah, enfin un jeu de mots à la noix — de π.*

Vu sous cet angle, la civilisation américaine, de façon sporadique, a accompli bien des choses. Mais le fait de s'être attachée à préserver le legs culturel d'un membre de sa vaste population immigrée, à savoir la traduction de L'Histoire d'une vie, *n'étoffe-t-il pas grandement son bilan ? Et les historiens futurs ne rangeront-ils pas le subséquent oubli de ce livre parmi les plus profonds reculs de notre culture ?*

Ah, je radote. Peut-être que s'il me reste un peu de blé après ce coup, je republierai moi-même le livre de Paoustovski. Que penses-tu de cette idée, sœurette ? Après tous les milles que je me suis enfilés, la manière dont j'ai mené ma barque, les atolls inhabités sur lesquels j'ai bivouaqué, les poissons que j'ai pris, les récifs sur lesquels j'ai plongé, les livres que j'ai lus, l'argent que j'ai claqué, les drogues que j'ai consommées, les femmes que je n'ai jamais épousées et le redressement que j'ai subi entre les mains de l'administration, peut-être qu'en définitive on se souviendra de moi, en tout et pour tout, pour la réédition d'un unique et obscur ouvrage de littérature.

Mais il s'agit d'un projet chimérique parmi beaucoup d'autres. Si je connais le nom du traducteur ou celui de l'éditeur de L'Histoire d'une vie, *c'est uniquement parce que j'ai pris la peine de jeter un œil à la page de titre. Le nom du directeur de collection qui décida de le faire traduire et publier n'est pas mentionné.*

Sans parler du fait que l'argent manque toujours. Saleté de fric.

Le bateau à flot, oublié le charpentier. Et c'est peut-être dans l'ordre des choses. Le livre de Paoustovski demeure, au moins dans ma tête. Et quand je mourrai et que ce livre sera toujours épuisé, qu'adviendra-t-il de l'impression qu'il m'a faite ? Peut-être une feuille tremblera-t-elle au-dessus de ma tombe. Peut-être que, par une chaude journée, un visiteur cherchant l'ombrage du bosquet contigu au cimetière trouvera une boule de croquet égarée. Hah ! À damiers décolorés, marquée des petites perforations causées par les vrillettes, à demi enfouie sous les épines de sapin.

Hémisphère oublié. Microscopique Ozymandias[1].

D'un autre côté, si ce dernier coup se passe bien, qu'il est vraiment juteux, qu'il ne comporte ni frais de justice ni contrecoups, je nous trouverai peut-être un havre douillet, à moi et à ce satané bateau, où je lirai et lirai et lirai.

Un peu comme je le fais maintenant, avec plus ou moins de nervosité épuisée.

Quand j'ai commencé de naviguer, j'étais habité par l'idée qu'il n'y aurait jamais un moment d'ennui. Il allait y avoir du danger, du whisky, des tempêtes, des femmes, de grands navires à phares carrés, des cultures inconnues, des pirates. Ma foi, j'ai eu droit à tout cela et plus encore. Il y a certaines cartes que j'ai depuis si longtemps qu'elles tombent en morceaux. J'ai perdu la moitié du petit doigt de la main gauche dans la

1. Ozymandias : autre nom de Ramsès II, personnage évoqué dans le poème éponyme de Shelley (1818). (*N.d.T.*)

coque que faisait une écoute de foc — je ne te l'avais peut-être jamais dit ? J'ai vu, sur un bateau de course océanique, un membre de l'équipage passer par-dessus bord et se faire choper par un requin alors qu'il était toujours relié au navire par le câble de son harnais. J'ai vu une femme enceinte se faire poignarder dans un bar. Je sais épisser un œil sur une double tresse, confectionner une pomme de tire-veille, faire le nœud de chaise comme pas un. Régler un haubanage et même me concilier un moteur diesel. J'ai été hissé par mer forte en tête d'un mât de vingt-cinq mètres sur une chaise de calfat. J'ai vu un ouragan projeter ce même bateau contre une jetée et le réduire en miettes — une perte d'un million de dollars, techniquement parlant ; la perte d'un navire unique, en réalité. Le premier soir de mon premier embarquement, j'ai mis K-O le second, qui était soûl et se jetait sur moi. Je me suis fait un rail de pure coke péruvienne rose sur la fesse d'une fille de dix-neuf ans et l'ai fait descendre avec un rhum du même âge. La première et le troisième provenaient de la réserve personnelle d'un gouverneur de province. Par la suite, le personnage s'est fait égorger. La fille, elle, a épousé un chirurgien suisse. J'ai tiré une peine de prison. Je ne me suis jamais fait tatouer. Au moins ne suis-je pas végétarien. Sandy et moi avons vécu à bord, à Key West, pendant près de trois ans. Je m'accommodais de sa scientologie. J'ai accepté un embarquement sur un yacht de luxe afin de joindre les deux bouts. Quand je suis rentré trois mois plus tard, elle s'était envolée. Le bateau était toujours là, c'est vrai, et dûment fermé ; mais tout l'intérieur se trouvait irrémédiablement moisi. Le billet qu'elle avait laissé sur la couchette s'était décomposé au point que je n'ai pu le déchiffrer. J'ai beau avoir la figure aussi plissée qu'une vieille voile, je n'ai pas fait de mélanome — du moins pas encore. J'ai aidé l'un des meilleurs charpentiers des Caraïbes à construire une coque du début à la fin. Je n'ai jamais tué personne. J'ai transporté beaucoup de came pour de sacrés durs à cuire. Je me suis fait choper. Je suis reparti de zéro. J'ai dilapidé de l'argent, de l'énergie, ma santé, les années. Je me suis éclaté, ou disons que j'ai vécu ce qui passe pour l'éclate. Bien souvent, je ne me suis pas marré du tout. J'ai apporté ma pierre à l'éphémère. J'ai passé beaucoup de temps en mer. C'est comme ça qu'on se refait une santé. Et qu'on retrouve le temps. Et l'espace. Une salubrité spatiotemporelle — concept dont je t'offre la primeur. Je me suis attribué tout seul une part considérable de spatiotemporalité. Je ne suis pas trop sûr de ce que cela veut dire.

Une chose dont je suis certain, c'est que le prix de la liberté était — est toujours — plus élevé que je ne le croyais.

12

« Ce Charley, soupira Tipsy. Tu crois que les cloches sonneront dans toute l'Amérique le jour où, mettons... Philip Roth mourra ? »

Quentin fronça les sourcils. « Non. Mais peut-être qu'en hommage, un branleur du New Jersey prolongera son extase d'un ou deux coups de poignet.

– Oh, très chic !

– Considère ce genre de remarque comme une prérogative de vieil homme », répondit Quentin avec modestie.

Tipsy secoua la tête. « Certains jours, à côté de toi, j'ai vraiment l'impression de ne pas être un individu complètement abouti. N'empêche (elle replia la lettre), c'est gentil de la part de Charley de me croire capable de lire je ne sais quels mémoires russes. »

Quentin ne répondit pas.

« Sans parler de Philip Roth. »

Quentin émit un bruit de gorge délicat.

« Tu vois ce que je veux dire ? »

Quentin tourna une page de son journal.

« Prends Sarsaparilla Candy, par exemple, qu'elle-même écrit Saspirilla. Qui galérait dans l'industrie du porno, s'en sortait grâce à son physique et un certain talent naturel. Elle se dit : “Quel avenir il y a là-dedans ? Encore à quatre pattes au jour de mes cinquante ans ?”

– C'est à peu près l'âge où on commence à se dire que si on ne se lance pas quand l'action se présente, on n'en aura peut-être plus jamais l'occasion, fit remarquer Quentin sans lever le nez de son journal.

– Et donc, poursuivit Tipsy, ayant constaté depuis longtemps un besoin en produits de beauté ne dégoulinant pas pendant la mêlée, Saspirilla se lance et crée sa propre société de cosmétiques, qu'elle appelle Gentilia. Entreprise individuelle. Elle démarche un peu, trouve une société coréenne qui a le savoir-faire, fonde une marque, distribue gratuitement ses produits à ses amis et collègues du porno, travaille nuit et jour, prend de l'ampleur, ouvre son capital aux particuliers… et voilà* : cinq ans plus tard, elle est millionnaire. Cinq ans !

– Un million de dollars, commenta Quentin. Le but et la raison d'être d'une vie. »

Il connaissait l'histoire de Saspirilla Candy. Tipsy travaillait pour Gentilia, par intermittence, dès le lancement ou presque.

« Pour la sixième fois depuis 1995, lut Quentin à haute voix, la Chambre des représentants a adopté un projet de loi qui préconise une modification de la Constitution interdisant la profanation du drapeau américain.

– Et la liberté d'expression, qu'est-ce qu'elle devient ? » demanda Tipsy.

Quentin parcourut quelques lignes de plus. « Elle n'est pas mentionnée.

– Après tout, comment pourraient-ils en parler ?

– Le projet de loi dit, in extenso : "Le Congrès aura le pouvoir d'interdire la profanation physique du drapeau des États-Unis."

– C'est tout à fait en accord avec le fait de jeter les gens en prison et de les torturer sous prétexte que — je cite — "ils détestent nos libertés".

– En fait, j'irais même plus loin sur ce point-là. (Quentin plia son journal.) Ça cadre totalement avec le fait d'arrêter des gens sous prétexte qu'ils utilisent des photos de George Bush II en guise de cibles quand ils s'entraînent au tir.

– La photo de qui devraient-ils mettre ?

– Celle d'Oussama Ben Laden… pardi.

– Pourquoi pas celle de Thurgood Marshall[1] ?

– Te voilà en train de cogiter. Fais tout de même attention que ton cerveau ne produise pas un champ trop puissant. Ils ont les moyens de détecter tes pensées.

– Et alors ?

1. Premier Noir à avoir siégé à la Cour suprême des États-Unis. (*N.d.T.*)

– D'abord, il te déshabéasseront le corpus. Ensuite, ils laisseront un laps de temps indéfini s'écouler avant le début de ton procès. Et pendant que tu sautilleras sur le gril pour ne pas te cramer les pieds, ils balaieront un demi-siècle de réformes en faveur de la protection de l'environnement et installeront une plateforme pétrolière tous les six kilomètres sur toute la longueur de la côte californienne, de San Diego à Crescent City.

– Mais (Tipsy leva le doigt), pendant qu'*ils* dépouillent le monde de son héritage naturel, la Chine, après avoir racheté Unocal pour ensuite en faire un groupe de forage en haute mer non soumis à l'imposition, va s'attaquer à Chevron, comme elle l'a déjà fait avec Shell, British Petroleum, le Nigeria et le Venezuela.

– Hé, fit Quentin, mais c'est que le capitalisme a besoin d'une marge de manœuvre.

– C'est sans doute une fluctuation que certains éminents partisans de l'économie de marché ne demandent qu'à prohiber. Ou en tout cas retarder. Ce n'était pas Marx qui avait prédit qu'en se mondialisant, le capitalisme s'autodétruirait ? Au Congrès, tout le monde sait son Marx sur le bout des doigts... non ?

– D'après toi, mon amie, répondit Quentin, un peu de savoir autorise une opinion dangereuse.

– Non, en fait. Je m'en contrefiche, de Karl Marx.

– Comment pourrait-il en être autrement ? rétorqua froidement Quentin. C'est à peine si tu sais qui il était.

– C'est pourtant une idée intéressante », riposta Tipsy.

Quentin déplia son journal. « Tu tiens vraiment à discuter de Marx juste pour prouver que tu es un individu abouti ?

– Oui, répondit-elle énergiquement.

– Mais tu prêches un converti. Je sais qu'on vit dans un monde de merde. Va convaincre quelqu'un qui s'imagine que tout va bien. »

Tipsy s'agita. « Le seul fait d'imaginer une telle conversation me donne des boutons.

– Fais appel à Gentilia, pas à moi.

– Je ne parlais pas de cette peau-là... »

Plus tard, tout en déambulant à pied dans Potrero Hill, Quentin comprit que, si exécrables qu'elles soient, les situations nationale et internationale n'avaient rien ou pas grand-chose à voir avec l'urticaire de Tipsy. Il n'était même pas vraiment sûr que l'état de nerfs de son amie avait le moindre rapport avec le fait que son frère reprenait le collier, en fait. Ça devait pourtant être le cas. Le trafic de drogue avait peut-être eu un attrait romanesque pour des gens comme Charley, autrefois, quand il s'agissait de transporter de la marijuana et pas encore de la cocaïne, ou du haschich et pas encore de l'héroïne, quand c'était les hippies contre les ringards et non les narco-terroristes contre les services fédéraux de lutte anti-drogue, avant que tout ce cirque soit orchestré et régi par un vague projet fumeux de la CIA prévoyant d'acheter de la dope aux radicaux pour mieux payer des armes aux extrémistes — entre autres scénarios incongrus au service d'une politique étrangère inextricablement mensongère, et cetera, et cetera —, mais il y a bien longtemps que l'âge d'or est fini. Depuis deux générations. Voire trois. Charley Powell faisant un dernier convoyage à cinquante-quatre ans en prévision d'une retraite anticipée était un tableau qui ne donnait guère d'attrait aux analyses statistiques.

Pourquoi les gens comme Charley, se demanda Quentin en se baissant pour ramasser une pointe de couvreur dans un passage pour piétons, ne commettent-ils pas des actes désespérés par amour plutôt que pour l'argent ? Il jeta la pointe dans le conteneur d'un arbre en espérant qu'un brin de rouille fasse un peu de bien, nutritivement parlant, au rince-bouteilles qui poussait dedans. Charley serait trop timoré ou esquinté pour s'accommoder de sa réalité émotionnelle ? Tout bien réfléchi, cette pointe était galvanisée, recouverte d'une couche de zinc destinée à prévenir la rouille. Ma foi, pensa Quentin en tournant la tête par-dessus son épaule pour regarder l'arbre au bout de la rue, les gens prennent du zinc pour se soigner, non ? Pour donner un coup de fouet à leurs défenses immunitaires. Et se flinguer la prostate. La peste ou le choléra. Arbres et gens ont-ils quelque chose en commun ? Le Parti républicain ? Mais bien sûr ! Il est là pour les liquider, les uns comme les autres !

Il fit demi-tour. Mais si quelqu'un décidait, admettons, de pulvériser la stratégie républicaine de protection de l'environnement et d'en saupoudrer le pied des arbres en conteneur de toute la ville, leur croissance serait sûrement améliorée ?

Suis-je en état d'arrestation ? De telles réflexions sont-elles métaphoriquement en accord avec l'utilisation du visage d'un ex-président américain comme cible de tir ?

La cohérence, on court après…

Quentin, se réprimanda-t-il, on pourrait penser qu'un mourant a de meilleurs motifs de récriminations.

Bien au contraire, se dit-il. On tient beaucoup aux détails, aux *petites broutilles* de la vie.

La pointe ricocha hors du conteneur et tomba entre deux Krugerrands brunâtres de déjections canines parfaitement moulées. Quentin hésita. Cette pointe va probablement rester là, intouchée, et cet arbre sera frappé par la foudre, dans une ville où les éclairs sont chose rare, bien avant que le chien d'un promeneur marche dessus. Cette dernière pensée le chagrina, mais il devait prendre garde. Son système immunitaire diminué le rendait largement vulnérable aux infections opportunistes, à toutes les formes de rhumes, virus, et même maladies végétales.

Quentin sortit son stylo-plume d'une poche intérieure. Il prit le temps de le regarder avec émotion. Combien de conventions hypothécaires... Il tenta de réexpédier la pointe à l'intérieur du conteneur. Mais elle heurta le tronc de l'arbre, rebondit sur le trottoir et, de là, tomba sur la chaussée où, aussitôt, le pneu avant droit d'un Ford Excursion (vert olive, PTAV 3 487 kg, 18 l./100 en ville, 15 l./100 sur autoroute) le ramassa comme un fait exprès. Véhicule passé, pointe disparue. Quand le gros 4 x 4 utilitaire ralentit avant de griller le stop du bout de la rue, Quentin remarqua que l'arrière était orné d'un autocollant BUSH/CHENEY 2004. Un sac en latex bleu marine, contenant une fausse paire de testicules surdimensionnés, pendait sous la boule d'attelage.

« Pourtant, affirma tout haut Quentin, je ne crois toujours pas au karma. »

Il se consola en se disant que cette profession de foi autocollante précise n'était pas répandue à San Francisco, quoique pas tout à fait rare ; il la percevait comme un reflet fidèle de l'« évolution » de la municipalité.

L'on admire la démocratie américaine, se dit Quentin en paraphrasant Stendhal, mais l'ennui c'est qu'on est obligé d'en débattre avec le Républicain du coin.

Beaucoup plus répandue à San Francisco pendant la campagne de 2004 : la vision de 4 x 4 utilitaires 18 l./100 arborant un autocollant JOHN KERRY PRÉSIDENT sur la gauche du pare-chocs et un mièvre NON À LA GUERRE POUR LE PÉTROLE sur la droite. Comment le piger, celui-là ? Et pourquoi pas : Dans ce pays, il n'y a pas de Gauche. En effet, ne dit pas tout haut Quentin, c'est d'ailleurs pour ça que je marche tout seul, et que je parle tout seul.

... On pourrait penser qu'un homme mortellement malade a mieux à penser. On serait déçu. La Mercedes est de nouveau chez le mécano, et ça c'est vraiment trop bête pour qu'un malade y pense. Cette bagnole est une rave du même acabit ou presque que le Ford Excursion. Et l'a toujours été.

À quoi un malade est-il censé penser, de toute façon ? Faut-il qu'il relise *La mort d'Ivan Ilitch* ? Non. *La Montagne magique* ? Pitié. *Journal d'un vieux fou* ? Peut-être.

Arrivé devant sa maison, sur De Haro Street, Quentin remarqua, alors qu'il empoignait la rampe et montait la première des soixante-neuf marches en séquoia qui gravissaient la colline jusqu'à son aire, qu'à l'ombre de son autre épave, une Datsun 510 de 1968 garée depuis maintenant six mois sur l'emplacement bétonné situé à mi-pente, s'était accumulée une belle quantité de détritus et feuilles d'eucalyptus. Noire à l'origine, mais cloquée par le sel et le soleil, la voiture affichait plus de six cent mille kilomètres au compteur, car elle datait d'une époque où le Japon fabriquait des voitures peu coûteuses et assez robustes pour conquérir le monde — et avec ses 9 litres aux cent en ville, en avance de plusieurs décennies sur son époque. Pour l'heure, la 510 avait besoin d'un nouvel embrayage — le quatrième — et China, à qui Quentin avait donné la voiture, ne voulait pas payer la réparation. Ou ne pouvait pas. Donc, ce qui illustre bien la façon dont fonctionne *son* intellect, China se prétendait gêné d'être vu au volant d'un véhicule aussi antique. Quentin se disait que ça avait plus à voir avec la boîte manuelle, dont China ne savait pas se servir non plus. Quoi qu'il en soit, les collines de San Francisco bouffent embrayage et freins : c'est une loi de la nature. Quentin avait payé la voiture 400 dollars en 1977, et il n'avait jamais rien refait d'autre que l'embrayage et les freins. D'accord, d'accord, dans les années 90 il avait changé la courroie de caoutchouc qui transmet la rotation du vilbrequin à l'arbre à cames, à l'époque révolue où cette ville abritait encore des mécanos homosexuels aux garages pourvus de salles d'attente immaculées avec fauteuils confortables, bouquets de fleurs, télé diffusant le dernier épisode de *La Force du destin*, et portant des noms du genre Gay Motors, Pédale Douce, ou La Grosse Manivelle.

C'était peut-être les années 80. Le tout début des années 80.

Après trois arrêts pour reprendre son souffle, il arriva en haut de l'escalier où il marqua une courte pause, le temps de laisser s'évaporer même partiellement la transpiration, puis entra dans le cottage sans réussir à éviter un petit boniment intérieur qu'il s'était pourtant déjà seriné cent fois. Pas de doute, dans une ville qui regorgeait de constructions pittoresques, celle-ci devait être l'une des plus pittoresques. Elle ne devait pas atteindre les cent quarante mètres carrés — cent vingt-cinq, en fait, il se trouvait qu'il le savait —, en comptant la salle de bains, qui se trouvait au rez-de-chaussée, sous la cuisine. Cela dit, depuis que Quentin et China faisaient chambre à part, l'exiguïté de la maison n'était que trop évidente.

Avant que les gares de triage installées dans les marécages de Mission Bay soient transformées en complexe biotechnologique, avec même un « Passage Cellule-souche », le Bay Bridge était visible depuis la fenêtre de la cuisine. Une moitié de cette merveille à meneaux de bois mesurant deux bons mètres de large sur un mètre vingt de haut, avec deux châssis composés chacun de seize carreaux de vingt centimètres sur trente, coulissait derrière l'autre moitié, pour livrer à qui faisait la vaisselle une rafale toujours stupéfiante de chants d'oiseaux portée par une brume froide fleurant l'eucalyptus.

Quentin était propriétaire de cette maison depuis quarante ans, bien avant que China n'entre en scène, peut-être même avant qu'il soit né, si jamais femme porta ce petit Caliban. Une rente de plus versée à la réalité.

China se contrefichait éperdument de la vue alors qu'il veillait avec un soin jaloux à entretenir le mystère sur son âge. Quand et s'il était à la maison, il fumait de l'herbe en regardant son téléviseur à écran plat de 36 pouces, qu'à l'issue d'interminables vitupérations, il avait exigé d'accrocher juste au-dessus de la vue sur De Haro Street qu'offrait au premier étage la grande fenêtre du mur est contiguë à la porte d'entrée, d'où l'on apercevait les portiques et l'éclairage spectral des bassins de radoub au bout de la 18e Rue, à trois kilomètres de là, pour ne donner qu'un exemple. Sans parler des levers de soleil. Et des levers de lune ! Quentin avait réussi à fermer les rideaux avant que China installe son truc. Sans quoi on n'aurait vu de la rue que des câbles, des grilles de ventilation, et un châssis d'une couleur que Quentin aimait appeler gris char d'assaut. Les rideaux damassés, entre le téléviseur et la vitre, étaient beaucoup plus agréables à l'œil, mais il n'en restait pas moins que le dispositif rendait inutiles les fenêtres spectaculaires. China se fichait aussi de pas mal d'autres trucs. Il faisait tout un plat, en revanche, des résultats constatables qu'il obtenait à son club de gym grâce à un nouvel entraîneur, des bidons cadeaux de compléments alimentaires, et du cristal de quartz en forme de navet qu'il se collait entre les fesses lorsque ces dernières n'étaient pas employées à autre chose, dans le but de réharmoniser sa prostate ravagée.

En échange de réductions sur le prix des inscriptions au club, les vitamines et la ré-énergisation du cristal, China se tapait l'entraîneur. On ne pouvait pas dire que Quentin s'en souciait. « Hé ! » entendait-il China répondre en haussant les épaules, pour peu que l'idée idiote lui vienne d'aborder le sujet. « Mais toutes les starlettes font ça. »

Nul, nul, nul.

Quentin avait toujours réprimé sa tendance bisexuelle, merci beaucoup mais ça ne vous regarde pas, et c'était dans les moments comme ceux-là que les femmes du genre de Tipsy commençaient à lui sembler attirantes. Il savait alors qu'il filait un mauvais coton. Tipsy était son amie la plus proche, elle était intelligente, jolie aussi, mais c'était une pocharde, et à ce stade-là, il ne restait pas grand-chose d'autre en jeu. Les affaires personnelles comme l'amour et la sexualité venaient loin derrière, au quatrième ou cinquième rang des préoccupations de Tipsy. Même la politique passait avant. Non seulement ça, mais Tipsy entretenait depuis longtemps un brunch-champagne sur grasse matinée à l'hôtel une fois par mois avec un médecin marié. Un jour, Quentin avait fait l'erreur de l'interroger sur ce type. « Eh bien », confia aussitôt Tipsy, après avoir donné le pourboire et refusé le service en chambre, juste avant de faire sauter le bouchon du champagne, « il branche son bipeur sur "vibreur".

– Pas un mot de plus ! » avait déclaré Quentin en levant vers Tipsy la paume de ses deux mains. Le sujet ne devait plus être abordé.

L'un dans l'autre, Quentin dormait depuis maintenant six mois sur le canapé de l'étage, tassé contre le mur ouest du salon, entre des piles de livres et la fenêtre grande ouverte qui donnait sur la vue merveilleuse des toits sub-graphiques du complexe biotechnologique, et endurait la bande-son de vieux films, les rires préenregistrés de sitcoms et les exhortations des chaînes de télé-achat qui s'élevaient de l'étage inférieur quand et si China était à la maison. Mais à la maison, il n'y était guère, ces derniers temps, et quand cela lui arrivait, il était bourré et agressif, ou en proie à la gueule de bois et d'humeur morose, avec le coma profond comme unique intermédiaire. China se cramponnait obstinément à un boulot qui consistait à balader de pleins chariots de courrier interne entre les innombrables étages d'un grand cabinet juridique du centre-ville, emploi qu'il conservait depuis environ quatre ans sans viser la moindre amélioration ou promotion. Sa conversation oiseuse consistait presque entièrement en ragots de bureau, dont il détenait une surabondance détaillée et dont Quentin, du seul fait de la proximité, et malgré une aptitude mûrie à décrocher des bavardages de son coloc, avait lui-même une connaissance bien trop étendue.

Ce bon à rien ne savait même pas cuisiner.

Alors à quoi rime cette histoire ? se demanda une fois de plus Quentin en contemplant la vaisselle dans l'évier. En bas, le lit pas fait de China, des monceaux de vêtements, son sac de sport béant, son poster du gouverneur Arnold Schwarzenegger — « Les hommes mariés adorent ce que je suis capable de faire pour eux (China invoquait la photo avec nostalgie, tous les soirs et tous les matins, quand il se retirait dans ses quartiers), et c'est un plus garanti pour le contrat nuptial. Arnie (il envoyait un baiser), appelle-moi. » L'écran plat, les étuis d'allumettes barrés de numéros de téléphone griffonnés à la hâte, les demi-pintes de cognac à moitié vides, le cachet de speed ou de triazolam égaré entre les coussins — tout cela composait un monde pour lequel Quentin n'avait jamais réussi à se prendre d'intérêt. Oui, il s'était toujours bercé d'illusions à propos de China. Et ce n'était pas faute de connaître la liste variée et aussi complète que concise des défauts de China ; mais peut-être toutes ces banalités combinées finissaient-elles par constituer l'homme dans son entièreté, ce qui, bien que triste, ne représentait pas grand-chose de substantiel, et valait à Quentin son humeur acerbe et son ennui. Et le sexe ? Oh, voyons, chéri. Quentin rougit presque. Mais sa mine se fit goguenarde alors même que le rouge lui montait aux joues. Il connaissait des tas de vieilles folles septuagénaires qui couraient après les jeunes gens, allaient à leurs clubs de gym et prenaient des poppers avec eux, sniffaient même de la métamphétamine pour faire face aux exigences d'une vie sexuelle trépidante. En fait, il suffisait d'en connaître une. Homo ou hétéro, il fallait être un type hors du commun pour tirer son épingle du jeu. Les autres, le reste du lot, avaient l'air idiot.

Il se remémora un quatrain de Thom Gunn. Comment ne pas se le rappeler ?

Puis l'aube s'avança dans la pièce, mais vieille.
… Je me dis (une effervescence absolue
Plantant ses griffes) : « J'ai renoncé au sommeil pour ça ? »
Des feuilles mortes remplaçaient la vie secrète de l'or[1].

Quelle différence y a-t-il entre un vieux cochon de soixante-dix ans et un de cinquante ?

Vingt ans de feuilles mortes.

Il gloussa.

Et peut-être deux ou trois dents.

Son sourire s'évanouit.

Sueurs nocturnes.

L'Homme aux sueurs nocturnes[2]… un titre de Thom Gunn.

Le vieux cochon édenté aux sueurs nocturnes… un titre de Quentin Asche.

La vie est parfois tellement… circulaire.

Le plateau droit de la balance s'est écrasé sur le bureau.

Il est temps de s'en aller.

Quentin passa en revue le premier étage. Il se composait d'une seule pièce. Même la fenêtre ouverte, l'odeur musquée de la vaisselle sale dans l'évier s'attardait toujours au niveau de l'extrémité du canapé. Il y avait là plusieurs cartons de livres, qu'il allait vendre, ne serait-ce que pour empêcher China de le faire. Le modeste choix de vêtements qu'il achetait à mesure que sa silhouette fondait tiendrait dans un mince ensemble de trois valises dont deux qu'il pourrait provisoirement enfermer dans le coffre de la Datsun. Il caressa l'idée de ne pas toucher à la vaisselle, ce qui conduirait peut-être China à se rendre compte de son absence.

« À quoi ça rime ? » demanda Quentin, indigné, à la pièce. « C'est moi, oui, moi, qui vais me rendre compte de mon absence. » Il jeta un coup d'œil à la pendule au-dessus de l'évier. Il disposait d'au minimum quatre heures avant la première apparition possible de China. D'ici là, il serait sans doute parti.

Après avoir empaqueté le nécessaire, il fit quand même la vaisselle. Puis il descendit ses bagages jusqu'à la Datsun. Quelqu'un

1. Traduction littérale, ce poème (*Nights with the Speed Bros*) n'ayant pas à ce jour de version française publiée. (*N.d.T.*)
2. Traduction littérale du titre : *The Man with Night Sweats* (recueil non traduit à ce jour). (*N.d.T.*)

avait écrit LA NATURE A LE DERNIER MOT au doigt dans la crasse du pare-brise arrière. Au bout de quatre voyages supplémentaires, de tout en bas de l'escalier jusqu'en haut et retour, chaque fois chargé de deux cartons de livres, avec quatre pauses et plus, et une perte de poids due à la transpiration, Quentin avala une poignée de cachets avec un litre entier d'eau, puis appela un taxi. Un ultime carton de livres sur l'épaule, et une valise dans l'autre main pour équilibrer, il sortit.

Cliquetis de serrure, fin de chapitre. Quarante années le traversèrent comme une brise dans un canyon, les deux dernières pareilles à un simple tourbillon de poussière tout au bout. Perché sur un fil au-dessus de la rue, un oiseau moqueur proclamait à tue-tête sa liberté. On aurait juré une alarme de voiture.

L'escalier s'achevait en atteignant le trottoir ouest de De Haro Street. Quentin s'assit sur la troisième marche en attendant le taxi. Loin au-dessus du toit de l'ancienne savonnerie Pioneer, deux rues plus loin, aujourd'hui reconvertie en espaces résidentiels/professionnels — tous sens de ces trois mots galvaudés depuis bien longtemps, et sommes-nous hystériques pour autant ? —, des mèches de brouillard flirtaient avec l'extrémité sud de Yerba Buena Island. L'étage inférieur du Bay Bridge envahi par la circulation du soir, balle existentielle au ralenti qu'il avait réussi à esquiver durant toute sa vie active. À graver sur la niche du vieux cochon édenté, au colombarium : JAMAIS NE TRANSHUMA DE SON DOMICILE AU TRAVAIL. Une prouesse, ça.

Quant à la vue actuelle, les constructions qui gagnaient ne tarderaient pas à l'anéantir. Quentin s'autorisa un sourire lugubre. Il avait savouré cette vue, dont le souvenir et la réalité risquaient bien de mourir avec le reste de sa personne. Quelque part, sur ce front de mer, sans doute au Quai 35, un bateau de croisière donna un long coup de sirène, avertissement aux passagers qu'il ne leur restait plus qu'une demi-heure d'emplettes avant le départ. Trois corbeaux cancanants passèrent en flèche au-dessus de la colline, à l'aplomb du cottage.

Le chauffeur jaugea tout de suite son client. Il insista pour charger le coffre et la banquette arrière pendant que Quentin attendait, assis devant, dans le siège passager. Quand le chauffeur le rejoignit, Quentin lui donna comme destination la librairie Green Apple.

« À la jonction de Clement Street et de la Sixième Avenue », confirma le chauffeur.

Le carton de livres contenait des titres prestigieux de poésie, de fiction, d'histoire. La plupart des ouvrages contemporains étaient signés de leur auteur. Les titres de Thom Gunn, par exemple. *Jack Straw's Castle*. *Boss Cupid*. Disparu de longue date, Thom Gunn. Les exemplaires signés auraient sans doute une certaine valeur. Sa poésie en avait. Il se trouva que le chauffeur du taxi lisait des ouvrages d'histoire. Quentin lui fit cadeau de la trilogie de Shelby Foote sur la guerre de Sécession, en coffret.

Signés ou pas, les livres restants étaient tous en bon état, ils allaient trouver de bons acquéreurs. La transaction précéderait un délicieux dîner dans un excellent restaurant birman de California Street, non loin de la librairie, suivi d'une bonne nuit de sommeil dans une chambre qui pouvait être louée à la nuit, à la semaine, ou au mois. Avec peut-être, pensa Quentin, une lueur pétillante dans l'œil, un peu de compagnie rémunérée. Service gastronomique en chambre ou salle de bains au fond du couloir, qu'est-ce que ça changeait ?

Les instants à venir, il allait les prendre comme ils se présentaient, s'ils se présentaient.

13

Tipsy quitta le bar à peu près une heure après Quentin, à bord de sa BM déglinguée. Extérieur vert, intérieur noir, pas de banquette arrière, un sac plein de clubs de golf oublié dans le coffre depuis la dernière fois qu'elle avait essuyé une crevaison, l'engin démarra et la ramena chez elle. Qu'ils aillent se faire foutre avec leur reconstitution de permis. Et elle était légalement bourrée, en plus. Qu'ils aillent doublement se faire foutre.

Elle avait proposé le sac de clubs au beau gosse de l'Association Américaine des Automobilistes venu réparer cette crevaison voilà peut-être cinq ans. Six ? Sept ? Il n'en voulut pas. Vous ne jouez pas au golf ? lui avait-elle demandé même pas sérieusement. En guise de réponse sérieuse, cependant, le gars avait cité quelques mots tirés de la traduction de *L'Odyssée*.

C'est l'Homme aux mille tours, Muse,
Qu'il faut me dire[1]...

Nom d'un chien, s'était alors dit Tipsy, il n'y a donc plus personne dans cette ville qui lise encore de la daube ?

Pendant que la clé pneumatique retirait cinq écrous à la roue arrière de la BM, les strophes affluaient.

1. Traduction de Victor Bérard, Armand Colin, 1931. (*N.d.T.*)

… celui qui tant erra quand, de Troade, il eut pillé la ville sainte…

En déposant le pneu, le garçon expliqua : « Il y a vingt-quatre chants dans *L'Odyssée* d'Homère. J'en sais dix par cœur. (Il fit rouler la roue de secours jusqu'à l'emplacement vide et présenta les trous de la jante en face des tiges filetées.) J'ai pas une minute pour jouer au golf. (Il souleva la roue et l'inséra dans son logement.) Le Chant Onze s'appelle « L'Invocation des Morts ». (Tout en commençant à revisser à la main les écrous, il récita :)

Héraclès rentra aux maisons de l'Hadès. Et moi je restais là, attendant la venue de quelqu'un des héros qui sont morts avant nous. J'aurais bien voulu voir les héros des vieux âges, Thésée, Pirithoos, nobles enfants des dieux. Mais avant eux…

Levant la main pour prévenir une interruption, Darren, comme l'indiquait le prénom brodé sur sa chemise, plus mignon de minute en minute, posa le front contre le flanc du pneu réinstallé de frais, et ferma les yeux. Avec un étrange plaisir anticipé, Tipsy regarda ses lèvres remuer en silence. Finalement, le jeune homme hocha la tête.

… mais avant eux, voici qu'avec des cris d'enfer, s'assemblaient les tribus innombrables des morts. Je me sentis verdir de crainte à la pensée que, du fond de l'Hadès, la noble Perséphone pourrait nous envoyer la tête de Gorgo, de ce monstre terrible. Sans tarder, je retourne au vaisseau ; je m'embarque et commande à mes gens d'embarquer à leur tour, puis de larguer l'amarre. Mes gens sautent à bord et vont s'asseoir aux bancs et, descendant le cours du fleuve Okéanos, notre vaisseau s'éloigne, à la rame d'abord, puis au gré de la brise.

Il acheva de serrer les écrous à la clé à chocs. « C'est la dernière strophe du Chant Onze, dit-il entre les écrous un et quatre. Il y a encore treize autres chants. (Il leva la tête, regarda Tipsy et sourit. Dents éblouissantes, peau pas encore marquée par les soucis ou l'âge. Il plissa les paupières face au soleil et ajouta :) J'ai pas une putain de minute pour jouer au golf », sur quoi ils s'esclaffèrent l'un et l'autre.

Il trouva pourtant un peu de temps pour Tipsy. L'épave du garçon passa deux ou trois week-ends garée devant la maison de la jeune femme, une vieille édition en loques de *L'Odyssée,* maintenue à l'aide d'un élastique, traînant sur le tableau de bord. En fait, c'était un exemplaire foutu parmi d'autres, Darren se séparant rarement de son *Odyssée*. De fil en aiguille, ils en vinrent à mieux se connaître l'un l'autre et, au bout de quelques semaines, Darren cessa de venir.

Il plaisait à Tipsy de se dire qu'elle l'avait inspiré.

Il était possible aussi qu'il soit parti parce qu'elle buvait trop et avait des goûts littéraires foireux.

Bien entendu, l'idée lui vint que si elle avait emmené Darren chez elle — au bout de l'allée —, c'était, en partie du moins, parce que l'amour du garçon pour les bons livres lui rappelait son frère. La même idée vint aussi à Quentin.

« Ouais, bon, dit-elle à ce dernier, c'est propre et net et psyconnardement valide. »

Elle n'avait pas connu de crevaison depuis, mais ses lectures s'étaient passagèrement améliorées. Elle laissa tomber quelque temps les polars bon chic bon genre, thrillers, romans à suspense, mémoires politiques et révélations sur la Maison-Blanche, pour se lancer dans la lecture de *L'Odyssée*. Bien que les lectures plus soutenues empiètent sur la boisson, compte tenu de l'attention qu'elles exigeaient de sa part, Tipsy continua de boire. Et au bout du compte, la bonne littérature finit par perdre du terrain.

La carte professionnelle de Darren resurgissait de temps à autre de la boîte à gants d'où, tout récemment, elle avait dû extraire carte grise et attestation d'assurance avant d'être menottée et traînée en cellule de dégrisement pour y passer les quatre heures préconisées par les lois en vigueur sanctionnant la conduite en état d'ivresse. Raison pour laquelle Tipsy pensait à Darren, à cette heure…

Pardi, ma belle. Bien sûr.

Son domicile et l'allée se trouvaient dans la portion de Quintara Street située en face d'un grand espace vert, au fin fond du Sunset District, entre les Quarantième et Quarante et unième Avenues, à un petit kilomètre de la plage d'Ocean Beach. Un salon de beauté en rez-de-chaussée transformé en un modeste studio dont l'atout majeur était une porte-fenêtre voilée et écaillée ouvrant au sud sur un jardin en friche à l'arrière du bâtiment. Ce luxe abritait un unique figuier dont Tipsy n'avait jamais goûté le moindre fruit, bien qu'elle eût passé quasiment au pied de l'arbre les douze années écoulées depuis que le *Dhow Jones* avait sombré pour de bon. Un fauteuil de jardin en cèdre, patiné mais jamais peint, calé dans le recoin entre la maison et la clôture, dans le quart nord-ouest de la cour, faisait face au figuier. Devant, était disposé un cageot en bois agrémenté d'un coussin de canapé, tabouret que Tipsy avait appelé son *antimacassar* jusqu'au jour où elle chercha le mot dans le dictionnaire.

Garniture textile servant à protéger le dossier d'un fauteuil ou d'un divan, fixée à l'endroit où l'on appuie la tête [étymologie : anti- + Macassar, du nom d'une marque d'huile capillaire].

Depuis, elle appelait la chose un tabouret.

Elle lisait souvent dans le fauteuil, emmitouflée d'une couverture et munie d'un grog brûlant pour chasser la fraîcheur des brouillards d'été. Elle conservait aussi là son dictionnaire Webster du Nouveau-Monde (2 000 pages), logé sous le fauteuil dans une caisse à vin destinée à contenir quatre bouteilles et pourvue d'un couvercle rabattable. Elle avait payé ce dictionnaire deux dollars dans un vide-grenier. Chaque fois qu'elle achetait un paquet de chips, elle en gardait le sachet de dessiccatif pour la caisse du dictionnaire. Ainsi l'ouvrage ne moisissait-il que lentement, et restait-il en outre capable de cracher l'étymologie de mots tels qu'antimacassar aussi bien que d'hiberner patiemment dans sa caisse en bois pendant que sa maîtresse parcourait en toute insouciance des centaines de pages d'une prose très abordable.

À propos, voici la recette de grog de Tipsy.

DANS une tasse de 25 cl
VERSER 15 cl d'eau bouillante
INCORPORER 1 cuill. à café de miel de montagne
AJOUTER le jus d'un quart de citron
(JETER la peau… ou la CONSERVER pour le ZESTE)
AGRÉMENTER de 3 ou 4 cl de rhum, cognac ou bourbon

Ne manquera pas d'entretenir votre chaleur interne pendant que, par douze degrés ambiants, vous vous adonnez à la lecture basses calories à l'abri d'une clôture en planches brutes grinçant sous les rafales d'un vent d'ouest soufflant à une cinquantaine de kilomètres à l'heure.

C'était justement ce qui se produisait quand la BM ramena Tipsy à son domicile. Le figuier se tordait littéralement sous la bourrasque dans la cour jonchée de figues fraîches et pourries. Comme ni Tipsy ni la propriétaire — qui vivait dans son autre maison de Napa et se montrait rarement, mais gardait l'appartement du premier et le garage pour son propre usage — ne récoltaient les fruits, leur décomposition alimentait un foisonnement orange et vert de capucines à la floraison virulente qui avait quasiment envahi le jardin et la majeure partie de la clôture, à l'exception d'un sentier en rondelles de séquoia rarement emprunté qui serpentait à partir du battant gauche usité de la porte-fenêtre jusqu'au pied du figuier, avec une bifurcation fort piétinée en direction du fauteuil.

Tipsy avait aussi un fauteuil au pied de son lit, destiné aux nombreux jours où il faisait trop humide ou trop froid pour lire dehors. De part et d'autre du fauteuil, jusqu'à hauteur des deux accoudoirs, se dressait une pile de livres de poche dont les tranches détaillaient les tendances des lectures de Tipsy. Les thrillers de Ross Macdonald, Agatha Christie, Sherlock Holmes, Dashiell Hammett, Raymond Chandler, beaucoup, beaucoup de Simenon, et même les romans policiers de Faulkner et Gore Vidal, ainsi qu'Eric Ambler, Wilkie Collins, Ruth Rendell, Dick Francis, Robert Parker…, tout le début et le milieu de carrière de Françoise Sagan, de *Bonjour tristesse* jusqu'au *Lit défait*, et une fois que Tipsy eut découvert que Sagan avait emprunté son pseudonyme à un personnage de Proust, la *Recherche du temps perdu*, cadeau de Quentin, eut bientôt droit à son propre tabouret. Quentin, qui avait déjà lu Proust deux fois, n'en prédit pas moins à Tipsy qu'elle ne le lirait jamais. De fait, entre ses deux piles d'ouvrages, le petit fauteuil trop rembourré n'était pas sans évoquer un nid de mitrailleuse de liberty-ship enchâssé dans le béton. Les livres débordaient dans la salle de bains, le coin cuisine (livre de recettes de Nero Wolfe), et l'entrée (Dorothy Sayers, Amanda Cross, le juge Ti, Josephine Tey), si bien que Tipsy avait improvisé une méthode unique de stockage, qui consistait simplement à dresser les ouvrages côte à côte puis les laisser courir le long d'une paroi, franchir les portes, entrer dans la pièce suivante puis en ressortir, quelle qu'elle soit. Une bonne chose qu'elle dispose de deux pièces — trois en comptant la salle de bains. Une fois de temps en temps, Quentin et elle faisaient le trajet jusque chez Green Apple avec chacun plusieurs cartons des livres de l'autre, qu'ils vendaient. Les acheteurs de la librairie glanaient toujours des Derek Raymond, Jean-Patrick Manchette, Iris Murdoch ou Wilkie Collins dans ses cartons, mais Quentin récoltait chaque fois des sommes plus élevées pour un nombre inférieur de livres.

L'unique événement domestique qui manquait presque de faire honte à Tipsy était l'excursion hebdomadaire au conteneur à bouteilles. N'importe quand ou comment qu'elle s'y prenne, la chose faisait toujours un bruit infernal. Et une bouteille à la fois, soigneusement posée sur la précédente dans le bac de recyclage, cela prenait une éternité.

« Les alcooliques n'ont pas droit à une minute de répit », se dit Tipsy en allant jeter les bouteilles vides de la semaine. De toute façon, on se fout de ce que pensent les voisins. D'ailleurs, qu'est-ce qu'ils peuvent bien penser, en fait ? Que je suis une belle femme fanée qui vit de bibine et de littérature à trois ronds ? Un point pour la perspicacité voisinale. « On pourrait quand même espérer, se dit-elle en imitant Quentin, qu'après avoir sangloté sur Édith Piaf à deux heures du matin en dansant nue devant le miroir en pied fixé derrière la porte de la salle de bains, on serait tout excusée des quelques décibels qu'on cause avec le verre à recycler. »

Ouaïe. Laisse tomber, va. Les filles ont leurs secrets. Croient-elles.

Quand le boulot pour Gentilia s'était tari, pour ainsi dire, Tipsy avait essayé de se sentir concernée. Mais elle avait travaillé dans cette boîte pendant plus de quatre ans, l'heure de passer à autre chose était venue depuis longtemps. Au fin fond de ses pensées — et quelquefois moins loin que ça — se terrait le spectre du suicide ou, sans doute plus précisément, le leurre du suicide. En tout cas, c'était un acte qu'elle considérait plutôt inévitable qu'irréfléchi. En guise de dépôt de garantie, elle avait fait l'acquisition d'un pistolet automatique de calibre 7,65 chez un prêteur sur gages de Reno (« C'est un beau petit spécimen d'arme de sac à main que vous venez d'acheter, ma petite dame »), accompagné de deux boîtes de cartouches, et passa un après-midi dans le désert, à l'est du lac Mono, à s'entraîner pour apprendre à tirer. Depuis, le pistolet et les cartouches restantes attendaient patiemment le Grand Jour dans le tiroir de la table de chevet. Sa couverture santé, comme elle les appelait. Elle n'en avait pas d'autre.

Non qu'elle fût prête à consommer cette inévitabilité-là, du moins pas encore. Pas même bientôt. Il y avait, dans son rituel de lecture et d'imbibition, beaucoup de choses qu'elle appréciait véritablement, à commencer par sa simplicité et sa solitude. Un après-midi confortablement passé à siroter un verre avec Quentin lui suffisait en guise de vie sociale. Elle ne nourrissait aucune illusion sur ce que cela recouvrait. Elle savait qu'il ne passait du temps avec elle que pour lui faire plaisir. S'il annulait un rendez-vous, ce n'était pas parce qu'il n'appréciait pas sa compagnie, mais parce qu'il n'arrivait pas à suffisamment se blinder, si l'on peut dire, pour passer un après-midi de plus à la regarder boire. « La qualité de la vie, expliquait-il au téléphone, est en perte de vitesse. »

Tipsy, pour sa part, n'éprouvait aucun intérêt pour une quelconque autre activité. Elle avait découvert qu'elle pouvait lire des thrillers d'enfer les uns à la suite des autres sans aucun effet indésirable. Boire jusqu'à tomber endormie tous les soirs s'était révélé tout aussi fiable.

Le vrai problème, c'était le fric.

Une fois licenciée, elle eut droit à six mois d'allocations chômage, avec la possibilité de prolonger pendant encore neuf mois. Saspirilla l'avait aidée à se faire verser par l'État un petit chèque d'invalidité pour un syndrome du canal carpien contracté à force de taper des factures pour des pinces à tétons et autres articles du même genre. On aurait pu penser qu'ils se fendraient d'un autre chèque pour la dédommager de son étonnement face aux commandes de types de l'Iowa réclamant des anneaux péniens gros comme son poignet… mais non.

Ça datait maintenant de quatorze mois.

Encore deux.

Bien que le boulot n'attendît qu'elle, Tipsy avait remis à plus tard toute réflexion sur l'inévitabilité d'un retour chez Gentilia. Après tout, elle était maintenant une femme d'un certain âge. Elle avait déjà beaucoup travaillé et ça ne lui avait pas rapporté grand-chose. À quoi bon persister ? Elle avait appris à pratiquer toutes sortes de petites économies. Elle n'avait pas d'animal de compagnie, donc pas d'aliments pour animaux à acheter. Elle avait appris à vivre dans le froid. Sa propriétaire déduisait 250 dollars du loyer mensuel, en échange de quoi Tipsy balayait le trottoir devant la maison, sortait les poubelles et les bacs à recycler le jour du ramassage et les rentrait ensuite, faisait les carreaux des deux appartements. Moyennant 100 dollars de mieux, Tipsy autorisait deux petits vieux couples de venir chercher chez elle le paquet de cannabis thérapeutique que laissait chaque mois pour eux cette même propriétaire qui y avait droit et le revendait. Ces tâches mises bout à bout ne l'occupaient pas deux jours pleins par mois. Ces 350 dollars déduits, il en restait à peine cent à régler pour le loyer. Les allocations de chômage et d'invalidité couvraient cette somme et laissaient 950 dollars par mois pour tout le reste. Bibine. Vitamine C. Thrillers d'occasion. Marge serrée, mais ce n'était pas mal. Et quand il était dans les parages, Quentin ne la laissait jamais payer quoi que ce soit. Elle s'était souvent demandé ce que les gens trouvaient aux romans de Stendhal, Elizabeth Taylor, Dostoïevski, Marguerite Duras, Tolstoï, Mary Renault, Faulkner ou, Dieu l'en préserve, Doris Lessing. *Le Carnet d'or* était, selon Tipsy, un bel exemple de ces romans modernes qui dégoûtaient à tout jamais les gens de lire et les précipitaient tout crus dans le gosier insatiable de la télévision. Rien de ce que Quentin put dire ne la persuada de retenter le coup.

À en croire Tipsy, les retournements et coups de théâtre inattendus, le crime effroyable et la juste sanction, le sens du devoir, cette bonne vieille sensation que, allez c'est reparti, expliquaient les choses comme la littérature ne savait pas le faire. Ou, en tout cas, aucun des ouvrages de littérature qu'elle ait jamais pris la peine de lire. C'est vrai quoi, des mémoires rédigés en 1917 ? En russe ? Je t'en prie, Charley. Soyons sérieux.

Charley. Voilà un type qui, en mer, avait pris la vie par les cornes, combattu ses dix rounds, ramassé une pilée, s'était retapé et relevé pour mieux retourner dans la tourmente.

Ils étaient nés et avaient grandi dans une ferme laitière du Wisconsin. Charley tenta deux ou trois fugues avant de vraiment s'enfuir, et pourtant il n'avait que seize ans quand il s'en alla pour de bon. Un an plus tard, ses deux premières cartes postales firent leur apparition dans la boîte à lettres, à une semaine d'intervalle. Elles venaient d'Égypte et sur la seconde, qui arriva la première, figuraient du sable brûlant, un chameau, un homme en djellaba, paupières plissées, qui tenait la bride du chameau, et une pyramide battue par les vents à l'arrière-plan. Elle était affranchie d'un timbre triangulaire à bords dentelés, et adressée à Tipsy aux bons soins de leurs parents. De même que la première, qui arriva deuxième, sur laquelle figurait un dessin du dix-neuvième siècle représentant l'entrée d'une tombe dans la Vallée des Rois. Une fois réunies, elles disaient :

Salut, sœurette. Ai embarqué à Philadelphie. Dès le premier soir en mer, je me suis battu avec le second, qui voulait « me dérouiller comme il faut ». Il était bourré, j'ai pris peur et j'ai cogné. Il est allé au tapis. Un seul gnon ! Par la suite, on s'est rabibochés parce que, m'a-t-il dit, j'avais fait face. Les autres m'avaient à la bonne, vu que cela faisait un moment, d'après eux, qu'il le cherchait. J'ai planté tout ce monde à Marseille. Baguenaudé à droite à gauche en stop. Fait les vendanges dans les Cévennes. Appris assez de français pour tomber amoureux... ||... Après quoi elle est partie ! J'ai fait de même. Dégoté un boulot de matelot sur un yacht au cap d'Antibes. Me débrouille pas mal en français, à présent, ce qui va m'être utile dans une bonne partie de l'Afrique du Nord. On a touché Alexandrie. Aujourd'hui, je suis au Caire. Pour l'espagnol, cela attendra que j'arrive en Argentine. Plus tard cette année ? Ensuite, ce sera le Chili par voie de terre. La Patagonie ! Chaque jour, je suis content de n'être pas là où tu es. Tout ce que je peux dire, c'est que j'espère que tu t'en sortiras toi aussi. Je suis désolé d'avoir dû t'abandonner. *La place commence à manquer. Le nom du type sur le chameau au dos de l'autre carte postale est Akhmed. Je t'embrasse fort. Charley.*

Vingt-six ans plus tard, Tipsy avait encore ces cartes. Et Charley sa culpabilité. Car il l'avait effectivement abandonnée. Vingt-six ans plus tard, elle restait convaincue que, si elle devait se réveiller en enfer un beau matin, le Diable l'affecterait immédiatement à la traite d'une rangée sans fin de vaches ayant toutes la courante, et que le tas infini de fumier, tout au bout de l'interminable écurie, serait si solidement gelé qu'on pourrait marcher dessus.

Tipsy s'en alla aussi, mais elle y mit le temps. Contrairement à son frère, elle aimait savoir ce qu'il y avait au pied de la falaise avant de sauter. Et de quelle hauteur elle sautait. Et quel temps il faisait. Et qui allait la rattraper.

Elle quitta donc le Wisconsin avec un type. Il la conduisit jusqu'à San Francisco en voiture sans rien lui demander en échange que de coucher avec lui, ce qui était les deux choses qu'elle souhaitait à l'âge de dix-sept ans. Quand ils furent arrivés, son chauffeur se trouva très vite un boulot au sein d'une équipe qui rénovait une maison victorienne. Au bout de quelques mois, il demanda à Tipsy de l'épouser et de lui faire des enfants. Deux mois plus tard, Tipsy sortit avec un dealer de coke rencontré dans un bar. Peu après, elle s'introduisit dans le petit appartement du charpentier pendant les heures de travail, rassembla ses quelques affaires et partit pour de bon. Elle ne devait jamais le revoir. Cette ville ne fait pas plus de difficultés que ça. Une légère modification du chemin qu'on suit normalement, et tout change, y compris les gens.

En fait, « jamais » n'était pas vraiment le mot. Des années plus tard, alors qu'elle traversait l'aéroport de San Francisco en rentrant de Hawaï, elle repéra son ex qui attendait devant la porte des Arrivées internationales. Un petit garçon et une encore plus petite fille, tous deux blonds, attendaient avec lui. Il avait perdu presque tous ses cheveux et pris du poids.

Ç'avait été agaçant, quinze ans plus tôt, de le voir à l'aéroport, et c'était agaçant d'y repenser maintenant. À chaud, elle avait pu mettre leur incompatibilité sur le compte d'une simple divergence astrologique, en toute désinvolture. Plus tard, elle en était venue à penser que ce type ne savait pas vraiment ce qu'il voulait, et qu'elle lui avait donné la liberté d'en entreprendre la réalisation.

Étant elle-même une jeune fille qui n'avait jamais déterminé ce qu'elle voulait en dehors d'un certain degré de confort associé à un moindre degré de responsabilité, Tipsy ne comprenait jamais comment les gens pouvaient faire jouer l'ambition dans ce genre de décisions. Et là, dans cet aéroport, tout juste rentrée d'un mois de sybaritisme tropical dénué de toute responsabilité, bronzée et juste un poil sous-alimentée, elle se surprit à s'étonner de n'avoir jamais éprouvé la moindre bribe de curiosité à l'égard des pulsions qui peuvent animer un homme comme son charpentier. Mais il y avait bien longtemps qu'il n'était plus à elle. Une femme telle que l'avait été Tipsy — plutôt séduisante, mais aussi agitée, mentalement parlant, que terrifiée par la vie domestique, une tendance renforçant l'autre — penserait toujours à un ancien soupirant comme étant le sien, ne serait-ce qu'en partie. Puis, à l'aéroport, elle comprit qu'en s'attardant assez longtemps, elle parviendrait peut-être à glaner quelque connaissance de la femme que son charpentier avait choisie pour la remplacer. Pensée qui, bien entendu, contredisait le fait que c'était Tipsy qui avait quitté cet homme, et non l'inverse, et faisait fi de toutes les souffrances de cœur ou de conscience que le pauvre garçon avait pu endurer durant la première année, disons, de sa disparition.

Finalement, Tipsy se rendit compte qu'elle se fichait éperdument de la femme sur laquelle s'étaient reportés les sentiments immuables de son ex, et se fichait bien de son allure, de son physique ou des marques d'attachement qu'elle était susceptible de dispenser aux enfants et au père. Elle franchit la porte, prit un taxi pour regagner l'appartement qu'elle partageait avec le dernier en date de la succession d'hommes qu'elle avait connus depuis son arrivée en Californie, et ne repensa plus jamais au charpentier ou à sa femme.

Jusqu'à cet après-midi, sans qu'elle sache pourquoi ; au cours d'un bref inventaire de sa vie affective restreinte, elle se heurta à ce dernier souvenir de son charpentier.

Le dealer de coke avait été retrouvé à l'intérieur d'un bidon de deux cents litres soudé, dans un marécage situé loin à l'intérieur du delta du fleuve San Joaquin, à peu près un an après qu'il eut inexplicablement disparu, obligeant Tipsy à déménager de l'appartement dont elle n'avait pas les moyens de payer le loyer.

Le type avec lequel elle vivait depuis huit ou dix mois au moment où elle avait avisé son ex à l'aéroport ne revint jamais de Hawaï. En vendant les meubles qu'il avait achetés, elle trouva 10 000 dollars en espèces, cachés dans le dossier d'un canapé en cuir. Et ce fut ainsi qu'elle put aligner les 2 000 dollars nécessaires à l'achat d'un house-boat, le *Dhow Jones*, et vivre un an à bord sans travailler.

Elle n'avait pas connu d'attachement crédible depuis.

Sauf si on comptait Charley.

Elle rangea la lettre en provenance de Rum Cay dans le petit coffret gravé à la main en Thaïlande contenant vingt-six ans de cartes postales et lettres.

Elle comptait Charley.

III

Caravane fantôme

14

Il n'eut guère de mal à dormir pendant le reste du trajet — si l'on considère comme dormir le fait de rester recroquevillé dans un siège de bus pendant cent quarante-quatre heures. Perdre conscience serait sans doute une formulation plus appropriée, mais elle serait inexacte aussi ; mieux vaut considérer ça comme un genre d'option. On est épuisé, on est dans les vapes, on est réveillé par une bouffée de méthane singulièrement percutante en provenance du siège de devant. Indépendamment de l'inconfort, plusieurs facteurs maintenaient Cedric éveillé. Le premier était le balancement marin résiduel tel que le pont d'un bateau le communique à l'oreille interne. Cedric était capable de faire tout ce qu'il y avait à faire sur le pont d'un bateau, ce qui lui valait de ne quasiment plus pouvoir marcher droit à terre. Il lui fallait habituellement une semaine et plus pour perdre l'impression que le monde était parcouru de montagnes russes tandis qu'il lisait un journal ou se tenait au comptoir d'un bar. Son gyroscope interne continuait à compenser un tangage qui n'existait plus. La seule solution consistait à garder les genoux pliés, comme si, d'un moment à l'autre, le substrat allait se soulever pour tenter de le désarçonner.

Pendant cette alternance de veille et sommes entrecoupés, le souvenir de certaine fantaisie sexuelle qu'affectionnait une petite amie de son lointain passé fit resurgir le bruit caractéristique d'une tronçonneuse entaillant le revêtement le long d'une ligne blanche dans la rue ; la mélodie de *Just Walk Away Renee*, une chanson populaire sortie sept ans après la naissance de Cedric mais jamais retirée du juke-box d'un certain bar de Key West où on l'entendait souvent ; les succulents sandwiches louisianais aux huîtres et crevettes confectionnés dans ce même bar par un immense Noir originaire de Saint-Thomas, Tracy de son prénom, adepte du « culturisme religieux » en tant que pratiquant assidu, spécialiste à la retraite des hymnes homériques, qui opinait inlassablement depuis le tabouret planté à l'angle du bar ; Tracy avait les index gros comme les concombres au vinaigre qu'il tranchait chaque matin en prévision de l'arrivée des fans de ses sandwiches louisianais, qui étaient légion ; Tracy ne voyait aucun intérêt à la propriété du bar ; tout ce qu'il prenait, et tout ce qu'il lui fallait, c'était ce que rapportait la vente des sandwiches ; Tracy vivait confortablement dans un house-boat ; sa vocation consistait à tenter sans relâche de rassembler tous les enregistrements connus du ténor Beniamino Gigli ; son préféré entre toutes ces plages musicales était le duo de Gigli avec Giuseppe DeLuca sur « Del tiempo al limitar », extrait des *Pêcheurs de perles* de Bizet, qui figurait dans le juke-box ; « Nietzsche, disait Tracy en tartinant de mayonnaise la mie d'une boule au levain, trouvait Bizet meilleur même que Wagner » ; Tracy avait en permanence un cure-dents à la bouche, ne transpirait jamais, portait toujours des tenues soignées qui n'évoquaient pas le moins du monde leur milieu ambiant de salade émincée et de vinaigre ; un vrai boui-boui avec sciure par terre, épluchures de cacahuètes et coquilles d'huîtres jonchant le sol de planches affaissées, un caniveau carrelé où courait un vrai ruisseau, sous la barre repose-pieds, destiné aux mégots et aux crachats, bien qu'on se fît jeter à la porte si on venait à pisser dedans ; des bocaux de quatre litres pièce de concombres au vinaïgre, œufs durs et pieds de cochon ; de nombreux panonceaux et autocollants recouvraient les murs puants, parmi lesquels, notamment : « Pas de meilleur aphrodisiaque que l'intelligence », « Adlai Stevenson/Harold Stassen/ Mon président c'est personne », « Qui a léché l'enveloppe terrestre ? » « Mangez de l'opossum », « Aujourd'hui, soirée square-dance », « OVNI GAY », « Votez ! » et « Besoin d'un petit coup de queue ? Jouez donc au billard » ; l'urinoir était un bac en porcelaine irrigué par des filets d'eau coulant de trous de trois millimètres percés à intervalles irréguliers tout le long des deux mètres de tuyau galvanisé de douze millimètres ; au-dessus, une plaque en bronze verdissante indiquait : « Veuillez tirer deux fois la chasse d'eau, la route est longue jusqu'à la Maison-Blanche » ; aucune femme ayant sa fierté n'utilisait les toilettes pour dames, ce qui ne voulait pas dire qu'elles ne servaient pas ; pas de climatisation ; les briques elles-mêmes suaient ; curieusement, la femme que Cedric rencontra dans ce bar s'appelait Traci, avec un *i* au lieu d'un *y* ; alors c'était peut-être vrai, comme l'affirmait l'un des habitués, qu'en laissant là les restes du sandwich louisianais de son déjeuner pour filer à fond sur sa 750 Norton avec side-car et roue de secours, Freud avait manqué un rapport ; Traci maniait une tronçonneuse à béton pour le compte de la municipalité ; quelque chose, chez elle, poussait les hommes à se battre entre eux, mais l'autre truc qu'elle cultivait, c'était la monogamie en série ; un seul mec pour Traci, Traci pour un seul mec ; elle fréquentait le bar depuis peu quand Cedric remit les pieds en ville ; ses phéromones indiquaient qu'elle était entre deux périodes de monogamie en série ; de fil en aiguille et cetera, il fut bientôt question d'un type nommé Jedediah, qui n'apprécia pas l'intérêt que Traci manifestait à Cedric ; Jedediah convia Cedric à sortir ; Tracy, le beau Noir, n'interrompit pas la fabrication de ses sandwiches louisianais ; Cedric et Jed passèrent à l'extérieur ; seul Cedric en revint ; ce fut la fin du début ; Traci raccompagna Cedric dans son camion à plateau dont la portière côté chauffeur était frappée du logo de la municipalité, avec à l'arrière l'énorme tronçonneuse industrielle arrimée à l'aide de chaînes entre une lame de rechange d'un mètre de diamètre, cent cinquante mètres de tuyau, divers réducteurs de pression, des buses à pistolet, des cônes orange ; si bien que *Just Walk Away Renee*, le bruit d'une tronçonneuse, l'odeur âcre du vinaigre, Bessie Smith réclamant des pieds de cochon et une bouteille de bière (ou sans doute Bizet, quoique ça ne soit pas encore arrivé) ; les miasmes en décomposition de levure pourrie, des cafards stupéfiés par une telle *largesse**, tout le temps de se retrouver à court d'autres choses à penser, comme par exemple une traversée du pays en bus Greyhound, toutes choses suffisant individuellement et collectivement à susciter dans l'esprit de Cedric des rediffusions futiles de certaines des heures qu'il avait passées à graviter autour de Traci ; pendant cette permission précise ; à cette période précise à Key West, la République des Conches.

L'autre obstacle à chaque fois surmonter, à terre, était la mauvaise grâce à quitter le foyer qu'un bon bateau et un bon équipage devenaient toujours, ou bien un bon bateau avec lui seul à bord et pas d'équipage du tout. Il aimait ça. Le temps passé à terre brisait sa routine. Il rechignait donc à quitter le bateau, inventait divers prétextes comme quoi il pourrait acheter de la mousse à raser dans le prochain port, il y avait largement de quoi boire à bord, il buvait moitié moins en mer qu'à terre, et cetera. Le loup de mer de base.

Mais à présent, cent quarante-quatre heures après avoir quitté Miami, Cedric en avait assez des crampes et de la nostalgie. Il était fatigué de penser à Traci, fatigué des scies obsédantes qu'étaient les mélodies populaires, fatigué d'égrener un passé qui n'avait aucun sens… tout simplement fatigué, et affamé avec ça. Passé le sandwich sous vide initial, cinq jours plus tôt, il avait cessé de manger.

Il descendit donc à Las Vegas.

À la porte du bus, il posa une question au chauffeur : « Si je descends de votre bus et que je remonte dans le suivant, ou le deuxième, ou même le troisième, le ticket est encore bon ? »

Le chauffeur bâilla. « C'est ce qui se dit. (Il lorgna Cedric.) Vous êtes chinois ?

– Je pourrais l'être.

– Ça se fait en Chine ? »

Cedric bâilla à son tour. « Comment ça ?

– On laisse les gens descendre d'un bus et reprendre le trajet quand ça leur chante ?

– En fait, répondit Cedric, ça paraît une bonne idée.

– Eh ben c'est pas comme ça qu'on fait ici.

– Et comment on fait, ici ?

– Quand on descend d'un bus et qu'on remonte dans un autre, il faut avoir un billet spécial. Un Ticket To Ride, ça s'appelle.

– Qu'est-ce qui vous dit que ce n'est pas justement le billet que j'ai pris ?

– Vous êtes chinois. Comment est-ce qu'un Chinois saurait qu'il faut prendre un billet spécial ?

– Je suis peut-être un Chinois qui est déjà venu ici ? »

Le chauffeur secoua la tête. « Alors, vous sauriez sans avoir à me poser la question. »

Cedric regarda de l'autre côté du pare-brise. Des tas de gens prenaient des bus pour venir à Las Vegas, et des tas de gens en prenaient d'autres pour repartir. Ceux qui arrivaient avaient l'air plus optimistes que ceux qui repartaient. Il poussa un grand soupir. Il n'avait pas pris un vrai repas depuis six jours, idem pour un bain ou une heure de sommeil ininterrompu, et il ne s'était pas rasé non plus. Il avait envie de s'installer sur un tabouret de bar, de s'étirer de tout son long, voire de demander à une masseuse de lui marcher pieds nus sur le dos, ou de chercher dans les pages jaunes celle du tronçonnage de béton. « Mon vieux, dit-il en se tournant pour descendre les marches, voyager dans ce bus, c'est comme faire des insomnies pour gagner sa vie.

– Vous devriez essayer d'en conduire un pour gagner votre vie, répliqua le chauffeur. Quand on oublie d'être un peu fêlé (il posa l'index sur sa tempe), on pète les plombs. »

L'air de Las Vegas était chaud et sec. Tous les lieux dans lesquelles il entra étaient climatisés, pourvus de téléviseurs et de machines à sous. Le hall du motel minuscule qu'il dénicha dans une petite rue n'était pas moins bien loti. Deux machines à sous électroniques se dressaient près du comptoir de la réception. On aurait dit deux robots identiques. Elles émettaient des bruits de machines à sous, que quelqu'un joue ou pas. « On paie le gagnant ! » disait l'une avant de faire entendre le cliquetis numérique d'une cascade de dollars-argent. « On paie mieux que tous les casinos indiens du Nevaaaadadadada », se vanta l'autre machine, avant d'imiter l'algorithme numérique d'une rafale de coups de feu et les jappements d'Indiens de cinéma.

La femme de la réception, qui avait de très longs ongles à incrustations bleus, blancs et rouges, fit attendre Cedric pendant qu'elle s'affairait avec son clavier d'ordinateur. Tout ce que Cedric voulait, c'était une chambre où dormir à l'horizontale, mais il ne put se taire. « Je vois que vous êtes patriote jusqu'au bout des ongles », lança-t-il tout haut. La technique de frappe de la réceptionniste lui évoquait un orchestre de gamelan, et s'il ne prenait pas très vite un bain chaud et un peu de repos, tout allait se mettre à lui évoquer autre chose, à cette unique restriction près qu'il aurait oublié de quoi il s'agissait initialement. En tout cas, cette femme ne lui rappelait pas Traci.

Seigneur Jésus, se dit-il mentalement. Dix ans, voire plus, et absolument aucune raison de penser à cette femme, si ce n'est pour me rappeler qu'elle faisait preuve d'une générosité d'esprit qui m'avait touché à l'époque et reste à ce jour l'un des échanges les plus marquants d'une vie qui en manque singulièrement. Cette source permanente de comparaisons : l'orchestre de gamelan, par exemple. Debussy et la musique de gamelan. Et aussi la tronçonneuse à béton. Il faut que je dorme un peu.

« On paie le gagnant, déclara une des machines à sous. Ding ding, ding ding ding. »

L'autre machine imita une sirène de police : « Paoh paoh, paoh paoh paoh. »

« Vous écoutez ces trucs-là toute la journée ? » demanda-il d'un ton vague.

La femme finit de taper avant de lever la tête. « Quels trucs ? »

Cedric désigna les deux machines à sous.

« Seulement pendant huit heures », dit-elle en tendant une griffe vers le reçu de Cedric qui émergeait peu à peu d'une imprimante.

« Cette imprimante, dit Cedric en la montrant du doigt, ne fait pas ding ding ding. »

La femme fronça les sourcils. « Il y a un jeu de mots ?

– Je suis sûr que c'est une bénédiction, poursuivit Cedric.

– Les jeux de mots ?

– Les seize heures de répit.

– Tu parles. (Elle emprisonna une souris entre les ongles de sa main libre et la déplaça sur un amas de papiers.) Il n'y a aucun moyen de fuir ces engins dans cette ville. Où qu'on aille. »

Cedric feignit un léger affolement. « Vous voulez dire que je dois m'attendre à en trouver un ou deux dans ma chambre ? »

Elle hocha négativement la tête. « Impossible.

– Pourquoi ça ?

– Vous pourriez les fracturer.

– Les fracturer ? Je pourrais les assassiner.

– On se calme, jeune homme. On est à Vegas, ici, et vous parlez de choses réprimées par la loi. Vous pourriez vous retrouver en prison juste pour avoir pensé des choses pareilles. Bon sang. Tout ce que j'aurais à faire, c'est vous dénoncer et… (du bout d'un ergot, elle tambourina un rythme patriotique sur la coque de la souris) Guantanamo, mon coco.

– Gagné ! Ding ding, ding ding ding.

– Nom d'un chien, dit Cedric.

– En enfer, et pour toujours, dit la femme. Saisi al Dante.

– Comme le poète ? »

Elle fronça les sourcils. « Comme les spaghettis.

– Dites (Cedric s'éclaira), quelqu'un servirait de bons spaghettis dans le coin ? Une bonne salade ? Un bon rouge ?

– Bien sûr, dit-elle. Au Majesto. Là. (Elle sortit une petite brochure contenant un plan de Las Vegas, prit un stylo et, l'empoignant comme le manche d'une baratte, grava un cercle sur le quadrillage des rues.) À peine trois rues d'ici. Dites au methdôtel que vous venez de la part du Silver Peso. Vous aurez droit à un seau de jetons gratuits.

– Gagné. (La machine à sous émit un bruit de sirène de police.) Ding ding ding ding.

– Qu'est-ce que j'en fais, des jetons gratuits ?

– Vous les jouez. Comme tout le monde.

– Où ça ?

– N'importe où. À votre table de restaurant si ça vous chante. En mangeant.

– Donc le Majesto est un casino ? »

Elle le regarda. « Vous débarquez de Chine ou quoi ?

– Pourquoi ça ? »

Elle tapota le plan du bout du stylo. « Ici, c'est Las Vegas. C'est le jeu qui a fait cette ville. Et la construction continue. Je doute que ça s'arrête un jour. Le jeu, c'est ce qui se fait, ici. Le jeu finance tout. Cette ville est tellement en ébullition que la compagnie de téléphone est obligée de réimprimer les pages jaunes quatre fois par an. Vous arrivez de l'aéroport ? »

Cedric secoua la tête.

« En tout cas, si vous repartez par là, vous y verrez une grande pyramide.

– Une pyramide ? Comme en Égypte ? »

Elle fronça les sourcils. « Elle est sur les billets, mon vieux, et dans cette ville, tout le monde ne croit qu'à l'argent. Et à l'Amérique, bien sûr. Ici, tout le monde croit à l'Amérique. (Elle plissa les paupières.) Ils ont des dollars, en Égypte ? »

Cedric répondit qu'il n'en savait rien, mais qu'il poserait la question à son ami Charley. Charley était allé en Égypte. « Sauf que, se rappela-t-il tout haut, je ne peux pas lui poser la question.

– Comment ça se fait ? demanda la dame.

– Charley est mort, répondit Cedric.

– Je suis peinée de l'apprendre. (Elle lui tendit le reçu imprimé.) Deuxième étage, à droite en sortant de l'ascenseur. »

Dans un bar. Il ne savait pas vraiment quand, où ni comment il était arrivé là.

Un autre type s'y trouvait déjà, déjà soûl.

Cedric en tenait une bonne, lui aussi. Il manquait une télé, dans ce bar, et il y faisait plutôt sombre. On aurait dit que le son de toutes les machines à poker avait été coupé, bien qu'elles clignotent de tous leurs néons pendant que Frank et Nancy Sinatra chantaient *Something Stupid* ensemble.

Le petit somme avait fait du bien, mais au réveil, des échos de téléviseurs lui parvinrent de toutes les chambres qui entouraient la sienne — au-dessus, en dessous, et une de chaque côté. Si bien qu'il quitta le motel.

Les spaghettis furent spongieux, les boulettes insipides, la salade César surgelée, et le vin était du vinaigre... un déjeuner al Dante, en effet. Il ne vit pas la couleur des jetons de poker gratuits, sans doute parce qu'après avoir goûté chaque plat, il posait sa fourchette et attendait le suivant, pour finalement se retrouver en train de renouveler le scénario. Ce qui prolongea le repas au-delà de la demi-heure, ce furent les bourbons-glace qu'il savoura entre chaque prestation décevante de la cuisine.

Il avait une heure à tuer avant le prochain bus.

Le juke-box se tut. Cedric laissa tomber son sac de marin au pied d'un tabouret et commanda un whisky irlandais, du tout-venant, avec glace. La serveuse portait une chemise de bûcheron, un jean noir, des chaussettes de sport et des pantoufles. Elle avait les cheveux remontés en vrac sur le sommet de la tête et maintenus par deux baguettes noires émaillées le long desquelles couraient des idéogrammes souhaitant sans aucun doute une bonne année à tout le monde.

« Ça m'a tout l'air d'un double, constata Cedric.

– Laissez-moi deviner, dit la femme. Vous n'arrivez pas à vous maîtriser, alors vous voulez que je vous le serve au goutte à goutte. »

Cedric sourit et leva son verre. « Santé.

– Qu'est-ce que vous espérez ? lança l'homme assis à l'angle du bar.

– Qui ? (Cedric regarda autour de lui.) Moi ?

– Oui, vous, dit l'homme. Je vous offre votre consommation, alors je veux savoir ce que vous espérez. »

Cedric haussa les épaules. « Arriver à San Francisco. »

L'homme battit des paupières. « C'est tout ?

– Si vous n'aimez pas la réponse, ne payez pas la consommation », conseilla Cedric.

L'homme secoua la tête. « Vous me faites penser à un de ces immigrés qui posent la moquette dans les suites pour flambeurs. Ça, ou alors vous allez à San Francisco parce que vous êtes pédé. (Il plissa les paupières.) Lequel des deux ? »

Sur le sous-bock posé devant Cedric, le mot « Gagné ! » était imprimé en arc rouge à la façon des avis de recherche, au-dessus d'un cercle en mylar de cinq centimètres de diamètre dans lequel, sous un angle correct et un éclairage suffisant, le buveur pouvait voir le reflet de son visage.

Cedric regarda à nouveau l'individu au bout du bar. L'homme avait un visage rose rasé de très près sous une péninsule de cheveux fins encadrée de golfes clairs. Bien qu'il pesât probablement une centaine de kilos, il avait l'air d'être plutôt en bonne forme, malgré ses pommettes fleuries de couperose et le réseau de veines fractales qui lui empourprait le nez. Des poches pendaient sous ses yeux, distension qui ne faisait que rendre triste sa malveillance. Sa respiration laborieuse renforçait la banalité des drivers de golf brodés en X par-dessus les mots « Desert Golf » sur la poitrine de son polo dont l'encolure ouverte laissait déborder une touffe de poils parmi lesquels était enfouie une chaîne aux maillons minuscules, d'où pendait une gouttelette d'or ressemblant à un moulage de spermatozoïde.

Cedric remarquait toujours les mains, or en l'occurrence l'homme portait au majeur de la main droite une bague sertie d'un gros grenat hémisphérique. Un coup bien assené de ce caillou devait pouvoir fracasser un orbite humain aussi facilement qu'une masse écraserait une ampoule.

Cedric posa un coude sur le bar, se pinça le nez et la lèvre supérieure entre pouce et index, et répondit d'un ton las : « La moquette, les flambeurs et l'homosexualité, j'y connais que dalle… Pourtant, ajouta-t-il pensivement, je suis marin. (Il tourna la tête et se gratta une oreille, puis regarda l'homme à nouveau et ajouta :) Mais même si je m'y connaissais, je vois mal pourquoi je devrais envisager d'en discuter avec un péquenaud comme vous. »

Six jours d'ennui, c'est déjà bien assez.

« De quoi vous m'avez traité ? » répondit l'autre après un silence interloqué.

La serveuse s'était éloignée jusqu'au bout du bar pour feuilleter un numéro de la revue *People*. Elle releva alors la tête.

L'ennui mis à part, Cedric n'aurait pas su dire au juste ce qui le poussait à réagir ainsi face à un parfait inconnu. Peut-être l'inconnu en question ne lui semblait-il pas parfait ? Ou avait-il le mal de terre ? Peut-être le bourbon faisait-il vraiment de l'effet ? « Dites voir, dit-il d'un ton raisonnable, on est dans un dialogue dix-neuvième siècle en plein vingt et unième, ou quoi ?

– Non, répondit tranquillement l'homme, on est dans le Nevada. » La menace qui sifflait dans sa voix était assez outrancière pour paraître légèrement moins invraisemblable que flagrante.

Cedric se tourna vers la serveuse. « C'est des manières de laisser vos clients s'exprimer, ça ?

– Quelles manières ? » lui demanda la femme, les yeux écarquillés.

D'un revers du pouce, Cedric désigna l'homme qui trônait au coin du bar. « Ses manières à lui.

– Monsieur, dit-elle, Talcott est un habitué de la maison, et vous, je ne vous connais ni de Jackie ni de Charley Chan.

– Charley Chan. (Talcott partit d'un gros rire sarcastique.) Connard de pédé. »

Cedric cilla, soupira, et posa son verre. « Qu'est-ce que je dois pour ma consommation ?

– Je te l'ai dit, l'immigré, dit Talcott sans laisser à la serveuse le temps de répondre, c'est moi qui te l'offre, ton putain de verre. »

Cedric regarda Talcott. « Je n'accepte pas de boire aux frais des péquenauds racistes. »

La serveuse en eut le souffle coupé.

Talcott déploya un sourire de profonde satisfaction. « De quoi tu m'as traité ?

– Qu'est-ce que je vous dois ? répéta Cedric à la serveuse.

– Je te parle, dit Talcott.

– Ce n'est sûrement pas la première fois qu'on vous traite de raciste. (Le regard de Cedric passa de la serveuse à Talcott.) À moins qu'il n'y ait que des poules mouillées dans cette ville. »

Les lèvres de Talcott esquissèrent un sourire sournois et il se redressa sur son tabouret.

Allons bon, se dit mentalement Cedric, le cadavre se relève au soleil. Et il est grand, en plus.

« Jamais de la vie on ne m'a manqué de respect comme ça. (L'expression de Talcott se mua en mine sincèrement peinée.) Je ne suis pas sûr d'apprécier.

– Un des inconvénients qu'il y a à se laisser infantiliser par l'alcool, lui dit Cedric, c'est qu'il faut se faire à l'idée qu'on sera de moins en moins bien nourri alors qu'on bouffe de plus en plus de vache enragée. Le bon côté de la chose, c'est que d'entrée de jeu, tout a le même goût. »

Talcott se renfrogna, et repoussa son tabouret en arrière.

Disons cent quinze, cent vingt kilos, se dit Cedric, et quelque chose comme un mètre quatre-vingt-dix.

« Double mise ! lança soudain une des bornes de poker posées sur le bar. Paoh paoh, paoh paoh paoh ! »

Cedric se leva et laissa tomber un billet de dix dollars sur le zinc. « J'espère de tout cœur qu'il y a assez pour un pourboire, dit-il à la femme sans la regarder. J'ai un bus à prendre. Au fait, je tiens à vous remercier de m'avoir servi un verre correct. (Il fit tournoyer les glaçons dans le verre vide et se les expédia dans la bouche.) Ce qui me chagrine, par contre, reprit-il en posant le verre vide sur le zinc, ce sont vos goûts en matière de clients. »

Talcott s'avança au détour du bar, frottant sa chevalière au creux de la paume de sa main gauche et l'astiquant avec une impatience pré-coïtale.

Cedric mâchonna ses glaçons et tendit le doigt vers la porte, qui se trouvait maintenant dans le dos de Talcott. « Ça ne serait vraiment pas compliqué de vous ôter de ma trajectoire jusqu'à la porte. Et pas bête non plus. »

Talcott secoua la tête. « Je suis le tapis rouge qui mène à ton avenir, pisseux d'immigré.

– Bon, dit Cedric avec une fausse résignation tandis que Talcott approchait, je suppose qu'on va bientôt savoir qui est le plus grand sociopathe de ce boui-boui. (Il fourra ses billets dans une des poches arrière de son jean.) Ou le plus bouché », ajouta-t-il.

Une infime étincelle de prémonition s'éleva de la partie gauche du cerveau de Talcott pour gagner la droite, s'inscrivant en image miroir dans son regard, mais elle ne suscita guère plus de compréhension que le fantôme d'un homme ayant passé quarante-deux ans à animer un jeu télévisé pour finalement tomber raide mort dans le parking du studio, terrassé par un infarctus massif.

« Bon sang, péquenaud, lança Cedric d'une voix lasse, tu es en plein milieu de mon chemin. »

Les deux poings serrés, Talcott avança d'un pas. Il aurait peut-être eu quelques atouts à abattre, mis à part le coup de poing bagué, mais Cedric, qui aimait bien ses orbites tels qu'ils étaient, n'attendit pas de les découvrir. Avant que Talcott puisse décocher sa bague, Cedric lui expédia une gauche dans le nez. Talcott dévia maladroitement à l'aide de ses avant-bras croisés, exposant complètement son torse, et tout partit en vrille. La droite de Cedric percuta deux fois la base du sternum de Talcott. Le coup aurait fait des dégâts de toute façon, sans même être doublé, mais Cedric avait pris la précaution de frapper en serrant au creux du poing le manche de son nouveau couteau de bord. Le couteau n'était pas ouvert, bien sûr, mais il accrut grandement l'impact des deux coups. Talcott expulsa son souffle avec tant de puissance que ses lèvres en trépidèrent, couvrant de postillons le dos de ses propres mains. Cedric lui expédia un troisième coup dans l'abdomen, juste au-dessus de la bite — si Talcott en avait une. Alors ses genoux s'entrechoquèrent, ses sphincters le lâchèrent, et son anatomie tout entière se transmuta en pulpe primitive.

Le reste importait peu. Cedric recula d'un pas. Talcott tituba, s'affaissa, agrippa à deux mains la zone touchée, puis s'effondra en une génuflexion si pitoyable qu'il dut se fracasser les deux rotules. Bien placé pour la mise à mort, au cas où Cedric aurait opté pour l'homicide, Talcott leva les yeux vers son nouveau maître dont la tête lui semblait culminer tout près du plafond. Une pâleur singulière diffusait la perplexité sur ses traits figés tandis qu'il attendait. Mais le coup ne vint pas. Ce ne fut pas nécessaire. Talcott tomba en avant comme un tronc de séquoia et embrassa le sol en une horrible succion qui lui sectionna les deux incisives supérieures. Il ne fit pas un geste pour amortir sa chute. Le bruit fut le même que si quelqu'un avait frappé le parquet à l'aide d'une chaussette emplie de petite monnaie. Talcott n'eut pas à constater son ignominie, toutefois, car dans sa chute, sa tempe droite heurta la boule de cinq centimètres en laiton qui coiffait un support de la barre repose-pieds, si bien qu'à l'heure où une marée d'infirmiers, pompiers et policiers inonda le bar, la date de péremption de Talcott avait expiré.

Le propriétaire fit son apparition aussi, un type âgé au front surmonté d'un épi en broussaille, qui sortait visiblement d'une sieste au fin fond de la maison. « Merci, inconnu, dit-il en serrant énergiquement la main de Cedric. Ce connard de Talcott était le fléau de notre établissement. Avant que vous débarquiez en ville, personne n'osait se dresser contre cette ordure irlandaise. Bon débarras. (Il désigna la serveuse qui se recoiffa d'un geste plein de modestie.) Pour vous remercier, je tiens à vous donner ma fille en mariage. Un jour (le propriétaire eut un grand geste du bras), tout ça sera à vous. »

La femme, derrière le bar, sourit. Cedric n'avait pas remarqué l'interstice qu'elle avait entre les incisives. Ni les taches de rousseur dans son décolleté de flanelle. L'ensemble était plutôt alléchant.

« Je suis profondément touché, dit Cedric, mais je crois qu'il faudrait d'abord qu'on couche. »

Cette réponse surprit le propriétaire. « Dites donc, dit-il en plissant les paupières, vous ne seriez pas de San Francisco ?

– Pas vous et moi, précisa précipitamment Cedric. Votre fille et moi.

– Ah, bon. (Le vieil homme s'illumina.) Ça change tout. »

La fille sourit aussi, et posa son numéro de *People*.

Cedric se réveilla.

Le bus sortait en mugissant d'un étroit passage foré à travers le flanc d'une butte aride, puis l'autoroute descendait dans une longue vallée écrasée de soleil. Un panneau, d'un vert autrefois billard délavé en kaki sans éclat, surgit, large, au-delà du pare-brise :

Voie droite	Route 68
KINGMAN	2,8 KM
BULLHEAD CITY	64 KM

puis disparut dans les fumées d'échappement à l'arrière du Greyhound.

En se frottant les yeux pour atténuer l'éblouissement, Cedric se rendit compte qu'il avait le poing droit serré sur le couteau épissoir. Nom d'un chien, se dit-il en regardant l'objet dont la lame était repliée, si je ne freine pas sur la bibine, ces étourdissements vont me rendre chèvre.

Le Greyhound prit la sortie sans ralentir.

15

Avec tout ça, j'ai le temps et l'humeur nécessaires pour cette dernière rumination. Il y a aujourd'hui plusieurs types qui pêchent dans le secteur à bord de petits canots. Nul doute que, pour quelques dollars, l'un d'entre eux se chargera de porter ma lettre au cap Landrail, d'où elle finira bien par atterrir au bureau de poste de Colonel Hill. Par rapport à ici, ce patelin se trouve pile de l'autre côté de Crooked Island, à quelque quinze milles à vol de poisson, et beaucoup plus à pattes. Sans compter que le bateau qui assure le ravitaillement ne passe là-bas qu'une fois par semaine. Cette bafouille va sans doute mettre un bout de temps à te parvenir. Un bon bout de temps.

Dans les débuts de sa carrière, Red subtilisa deux kilos de cocaïne au nez et à la barbe de la mule qui était en train de les passer. À bord du ferry assurant la liaison entre Port Angeles et Victoria — c'est-à-dire entre les US et le Canada —, la mule en question fit la connaissance d'une jolie Canadienne française et passa la traversée à la baratiner au salon. Apparemment, la barrière de la langue n'était pas un problème, car elle riait à tout ce qu'il lui sortait. Elle travaillait pour Red, évidemment. Ce dernier avait attendu l'occasion favorable, et cette traversée en ferry était idéale.

Ironie de la chose, il se pouvait, si les autorités en venaient à interpeller le gus, que Red lui eût finalement rendu service. Si elle devait frapper de façon à ne pas laisser l'organisation commanditaire penser qu'elle était infiltrée, une fouille douanière à la frontière permettrait d'opérer sans vagues. Inutile de préciser ce que l'organisation en question allait sans doute faire au pauvre diable pour avoir foiré, indépendamment de la raison de son échec.

Mais Red n'entrait pas dans ces considérations. Pour ce qui le concernait, si le gars avait assuré, lui, Red, n'aurait rien pu faire ; il en déduisait que l'autre était responsable de ce qui allait lui arriver. Ou, comme il le formula lui-même : « Lui jactait, moi j'actais. »

Une fois à bord du ferry, la mule attendit que tout le monde ait gagné le snack-bar sur les ponts supérieurs. Puis il prit la cargaison dans sa voiture, deux paquets d'un kilo, chacun équipé d'un puissant aimant, qu'il colla à l'intérieur du pare-chocs arrière d'un grand camping-car suréquipé immatriculé dans l'Arizona. Tu vois le genre. Scooter sur son berceau à l'avant, extensions coulissantes avec auvent et bay-window de chaque côté, Jeep sur une barre de remorquage derrière, un équipage de treize mètres de long, qui requiert trois ou quatre hommes pour le placer à bord. Ça se passait au printemps, à l'époque où les migrateurs remontent en Colombie-Britannique. Le couple de retraités auquel appartenait le véhicule n'y verrait que du feu, et les douaniers canadiens lui feraient signe d'y aller. Un choix absolument excellent.

Après quoi notre homme se rendit au bar. Pour Red, ce fut un jeu d'enfant : il posa les deux paquets sur le pare-chocs d'un autre camping-car.

Une fois débarqué, la mule suivit le premier, cependant que Red suivait le second. Tout ce que l'un et l'autre avaient à faire consistait, le temps d'une journée, à filer dans Victoria de candides touristes. Tout vacancier qui se respecte s'alimente, boit quelques verres, va aux toilettes, visite un musée. Red allait saisir sa chance à un moment ou à un autre.

Pendant ce temps, le long du littoral de la Colombie-Britannique, au cours des deux jours suivants, la mule appliquerait la même tactique et ferait une découverte navrante.

À Vancouver — l'endroit idéal en raison d'une population importante où se fondre, sans parler d'une forte demande en produit —, Red compterait sur quelque chose comme 1,7 dollar canadien l'once, multiplié par 16 onces à la livre, multiplié par 4,4 livres, soit 119 680 dollars canadiens, selon la façon dont il écoulerait la camelote, moins la commission de la fille. (Il se trouve qu'il s'agissait de sa copine de l'époque, une dénommée Darla. C'était donc du fifty-fifty. Une sacrée nana. Et futée comme pas deux. Elle contrefaisait l'accent québécois.) Quoi d'autre ? Deux places sur le ferry ? Un plein d'essence ? Une chambre d'hôtel ? Deux billets d'avion pour rentrer en Floride ? Tout bénef et très peu de risques. Tout ce qu'il y fallait, c'était du cran.

Si je te raconte tout ça, c'est histoire de te rassurer. Il y a d'autres gens qui gagnent leur vie comme le fait Red ; mais si je bosse pour lui, c'est parce qu'il est le meilleur.

Vellela Vellela *et moi avons fait une traversée sans histoires de Port Nelson à Albert Town. Soixante-sept milles en droite ligne sitôt franchie la passe de Crooked Island, avec jamais moins de dix-huit cents mètres d'eau bleue sous la quille. Excellente et magnifique navigation hauturière dans des conditions idéales : au grand largue par un alizé de dix à quinze nœuds, des ciels d'un bleu limpide excepté de volumineux cumulus en balles de coton courant du sud-est au nord-ouest, couronnés çà et là d'un cumulonimbus. Un baromètre stable. Un grain modéré au milieu de l'après-midi, quinze minutes d'une pluie drue et, peu après, l'embellie.*

Pas un navire en vue. Sauf, aux alentours de onze heures, vers l'est, la cheminée d'un paquebot sur l'horizon. Il paraissait suivre une route presque parallèle. Avant qu'il disparaisse, je me suis amusé à calculer la distance à laquelle il pouvait se trouver. Estimant que cette moitié de cheminée, sa partie inférieure étant masquée par la rotondité du globe, se trouvait à peut-être trente mètres de haut, et mon œil à moi qui me tenais assis dans le cockpit, à peut-être un mètre quatre-vingts au-dessus de la surface (presque exact : j'ai mesuré), ce navire était à quelque 25 milles nautiques de distance.

Ça, soeurette, c'est ce que j'appelle avoir de la place pour se retourner.

Il se pourrait que ç'ait été la plus plaisante journée de toute la croisière. Le seul problème étant l'absence de problème. La drisse de grand-voile présentait un point d'usure. Or j'ai appris un bon truc il y a longtemps dans un des livres de Bernard Moitessier, qui consiste, quand on grée une drisse neuve, à la couper plus long que nécessaire, disons un surplus d'un mètre cinquante. Toute drisse s'use là où elle rague sur le réa de la poulie de tête de mât. Avant qu'elle cède, on en raccourcit le courant d'une trentaine de centimètres, on refait une épissure et le tour est joué — une drisse comme neuve.

Moitessier écrit que, quand il faisait le tour du monde ou une longue traversée, il rénovait ainsi chaque semaine l'ensemble de ses drisses. Je n'ai pas à faire ça, bien évidemment. Son gréement courant était presque certainement en chanvre. Mais cela fait trois ans que je navigue de façon plus ou moins continue. Aussi l'usure liée aux manœuvres est-elle un problème à surveiller.

Il en va d'ailleurs de même des voiles. Les miennes pendent comme un complet bon marché. Si je touche San Francisco, j'ai espoir de pouvoir m'en commander un nouveau jeu.

Oui, cela veut dire que j'y séjournerai un petit moment.

Tipsy. À quand remonte la fois où on s'est vus en Thaïlande, où je t'ai offert le coffret en cèdre ? Tu l'as toujours ? Je n'arrive pas à me rappeler en quelle année c'était. J'ai du mal à imaginer que tu aies changé autant que moi. Ainsi, je n'ai plus un cheveu sur le caillou. Tu n'es pas devenue chauve, au moins ? Il me semble bien que je ne te l'avais jamais dit. Ça se dit pelón *en espagnol, qui signifie aussi « fauché ». Je suis donc* pelonito doble, *deux fois fauché, le petit mec chauve et sans un, et ce depuis des années. Et maigre. Plus maigre que jamais. Il me manque deux ou trois dents ainsi que la moitié d'un petit doigt. J'ai laissé ces deux phalanges dans une coque que formait l'écoute d'un immense spinnaker lors d'une course de grands bateaux allant d'Antigua à St John's. Emportées net et sans bavure ; et, de ce jour, je n'ai plus vu que l'amer moignon de cet auriculaire, son dormant. Je l'ai sous les yeux en ce moment. Leur absence aide la plume à courir avec plus d'aisance sur le papier. Un type qui était aux manivelles avec moi emmaillota le moignon dans des morceaux de son propre tee-shirt, et nous avons poursuivi la course. L'idée était que plus vite on ferait avancer le bateau, plus tôt mon doigt serait vu par un toubib. Et tu sais quoi ? On a fini troisièmes, seconds au temps compensé. Un médecin qui faisait partie du comité de course m'a recousu sur le quai, au-dessus d'un évier habituellement utilisé pour le rinçage du poisson. J'étais au bar, le doigt plongé dans un verre d'eau glacée et un gobelet de rhum dans l'autre main avant que soit servie la seconde tournée commandée par le skipper. Ce moignon n'est pas si moche, tout compte fait. Après toutes ces années, il est rare que j'y pense, mis à part cette tentative maladroite visant à atténuer ton coup au cœur quand tu le verras.*

Bon, alors voilà. Cela fait une journée que je suis en mer, et deux que je traîne cette épine dans le pied. Je me demande comment aborder le sujet et je ne trouve aucun moyen de l'éviter. Allez, je me lance.

Je fais peut-être une connerie en te disant que je vais me pointer à San Francisco dans quelques mois. Ou peut-être pas. Tout dépend. Ce que j'attends de toi, c'est une discrétion totale. S'il te plaît et grand merci d'avance, ne parle à personne — à personne — de ma destination. Primo, de nombreux milles nautiques séparent l'idée de la chose. Deuzio, écoute, je n'ai sûrement pas besoin de te faire un dessin, et nous pourrons discuter de la bêtise de tout ce cirque quand je serai arrivé, si j'arrive un jour. Je ne te ferai pas savoir que je suis en ville avant que l'affaire soit bouclée. Entre-temps, je prendrai un bain et me raserai, après quoi nous pourrons aller dîner ensemble. À mes frais. Et j'imagine qu'on parlera toute la nuit.

D'ici là, motus et bouche cousue. Je peux compter sur toi ?

N'était le fait qu'on ne s'est pas vus depuis si longtemps, j'aurais peut-être attendu d'être sur place pour te faire signe. Pour tout te dire, en dehors de la perspective de pouvoir me payer du même coup la traversée jusqu'à SF, je n'aurais peut-être pas accepté ce boulot. L'argent, toujours l'argent. Mais je suis tellement impatient à l'idée de te revoir après tant d'années qu'il m'a fallu te le dire. Toutefois, je le répète, il est également possible que je ne vienne pas...

Faulkner longea l'extrémité du bar où trônait Tipsy, plongée dans sa lecture. « Je t'en ressers un ? »

Elle acquiesça.

« Comment va le frère unique ? »

Tipsy replia la lettre tachée d'eau de mer. « Complètement largué, comme d'habitude. »

Armé d'un verre givré, Faulkner piocha dans un évier empli de glace. « Quand est-ce qu'il arrive ? »

Tipsy leva la tête. « Hein ? Oh. Euh, maintenant il semblerait que... il ne vienne pas.

– Il va bien ?

– Il a l'air en forme.

– Et toi, tu vas bien ? »

Elle feignit l'égarement. Sans grand effort.

Faulkner soupesa la nouvelle. « Je croyais que c'étaient de grandes retrouvailles qui allaient se dérouler ici.

– Comme je viens de te le dire, répondit-elle avec irritation, au départ ça se faisait, maintenant ça ne se fait plus.

– Très bien, conclut en douceur Faulkner. Une année de plus, qu'est-ce que c'est, au bout de vingt-cinq ? (Il lui tapota la main.) Ne te laisse pas engloutir par ces conneries familiales. »

Agacée, Tipsy retira sa main. « Parce qu'il arrive que ça se passe autrement, avec les conneries familiales ? »

Faulkner fit la moue.

Tipsy roula entre pouce et index une cigarette pas encore allumée. Un grand nombre de fumeurs suivaient le stage de reconstitution de permis, si bien qu'elle s'y était mise par ennui. « Je peux avoir des allumettes ? »

À l'autre extrémité du bar, une porte donnait sur une petite terrasse au-dessus de l'eau. Une fois dehors, Tipsy craqua deux allumettes au creux de ses paumes pour abriter la flamme du vent d'ouest d'après-midi. Bien que le bar fît écran entre Tipsy et le versant est de Potrero Hill, la flamme vacillait terriblement. Sa cigarette allumée, elle appela un numéro pré-enregistré sur son téléphone.

Au bout d'une sonnerie, une boîte vocale l'informa que le numéro qu'elle avait composé, que la voix récita avec une amabilité robotique, n'était plus en service, suggéra obligeamment qu'elle consulte l'annuaire des abonnés, puis raccrocha. Tipsy referma sèchement son téléphone et le posa sur la pochette d'allumettes qui frémissait dans le vent comme si elle avait l'intention de décoller du bastaing de 50 x 200 brut patiné par les intempéries qui couronnait la rambarde. Le vent fumait sa cigarette plus vite qu'elle n'y parvenait. Elle n'aimait pas le goût, de toute façon. Elle rectifia l'orientation de l'un des trois tabourets déglingués qui se trouvaient là et se jucha dessus.

Cela faisait cinq semaines qu'elle n'avait pas vu Quentin. Son téléphone n'était plus en service depuis trois semaines. C'était une ligne fixe. Après s'être débarrassé de son entreprise immobilière de haut vol, à peu près deux ans plus tôt, Quentin avait résilié son abonnement de portable. Tipsy était passée devant le cottage qu'il partageait avec China — China Jones, qui se prenait pour un artiste en représentation, pensait-elle chaque fois —, mais il n'y avait aucune trace ni de l'un ni de l'autre. La Datsun était garée sur le petit emplacement bétonné, à mi-hauteur de l'escalier, parmi des tas de feuilles accumulées par le vent, mais ça ne voulait rien dire. Elle était garée là depuis près d'un an, en attendant des réparations dont China ne la gratifierait jamais. Aucune trace de la Mercedes.

Tipsy avait peine à croire que Quentin Asche, qui disposait de tout l'argent dont un individu peut raisonnablement avoir besoin, en soit désormais réduit à laisser couper sa ligne téléphonique. Ça ressemblait plus à un symptôme d'auto-exclusion qu'à une dégringolade dans l'indigence. Ce n'était pas de l'indigence. Elle était sûre de ça. Mais ne se rendait-il pas compte qu'en une semaine, et à plus forte raison cinq, une femme pouvait passer complètement à côté de la vie ?

Mais si, songea-t-elle. Bien sûr qu'il s'en rendait compte.

L'idée lui vint que Quentin était peut-être mort. Elle la chassa sans ménagement.

Tipsy avait toujours apprécié Quentin comme compagnon de beuverie, même après que sa santé l'eut contraint à s'arrêter, mais à présent, elle avait vraiment besoin de lui parler. La mise en garde était claire, dans la lettre de son frère. N'en parle à personne. Ça ressemblait à un défi. Comment peut-on raisonnablement demander à une bavarde invétérée comme elle, pour ne rien dire de Quentin

Asche, de ne parler de rien à personne, et surtout pas de la perspective d'une deuxième rencontre en vingt ans avec son unique parent en vie ? Sans oublier la possibilité, à peine suggérée dans cette lettre toute récente, qu'il en vienne à complètement se dégonfler ?

Oh, bon sang, s'avoua-t-elle subitement, il faut que je parle de ça à quelqu'un.

Le vent avait fumé sa cigarette jusqu'au filtre. Elle jeta le mégot dans la baie et envisageait d'en partager une autre avec les éléments quand Faulkner l'appela.

Elle se retourna pour regarder. Derrière le bar, Faulkner brandissait le combiné de la ligne intérieure.

Elle regarda son propre téléphone. Puis son cœur bondit dans sa poitrine. D'une main tremblante, elle tira la lettre de Charley de sous le téléphone et en examina le cachet bahaméen : vieux de presque trois mois. Elle rassembla ses affaires et se précipita à l'intérieur.

« Allô ?

– Tipsy... »

Elle retint son souffle. « Quentin ! Tu vas bien ?

– Je vais bien.

– Ah. Je... Ah.

– Essaie de ne pas avoir l'air déçue. »

Au bout d'un moment, elle retrouva sa voix. « Mais où étais-tu, bon sang ? demanda-t-elle d'un ton sévère. Ta ligne téléphonique est coupée. Je suis passée devant chez toi, tu n'es pas venu boire un verre, ni... me tenir compagnie... qu'est-ce qui se passe ? Les médocs ne font plus effet ?

– Alors comme ça, il n'a même pas pu conserver la ligne, dit pensivement Quentin.

– Qui ça ? Tu parles de China ?

– J'ai quitté China, déclara catégoriquement Quentin. Quitté pour de bon. Si le téléphone ne marche plus, c'est parce qu'il n'a pas payé la facture. Et peut-être qu'il est parti, en plus. »

Tipsy se réjouissait de ce changement ; en tant qu'amie compréhensive, toutefois, elle était tenue de réagir de façon appropriée sans mentir.

« Enfin, bon Dieu ! » dit-elle franchement.

Quentin ne releva pas. « Ça fait un mois. Le jour où on s'est vus pour la dernière fois, toi et moi.

– Ça fait cinq semaines, ça.

– D'accord, cinq semaines. Je suis rentré chez moi et j'ai fait le point. Ç'a été vite vu. J'ai fait le tri de mes biens matériels et je suis parti. (Il marqua un temps d'arrêt, puis ajouta :) J'ai vendu tous mes livres, et la maison est en vente aussi. »

Tipsy souffla un grand coup. Ça, tout ça, ce n'était pas rien pour Quentin. Il avait laissé ce gamin le torturer depuis le premier jour, et il s'en était écoulé quelque sept cent cinquante autres entre-temps. L'un des nombreux tourments que China infligeait à Quentin consistait à vendre ses livres six par six derrière son dos. Ainsi donc, en deux coups habiles, Quentin avait privé China de ses revenus supplémentaires et de son logis gratuit. Bien vu. Froid et bien vu.

« Il était temps.

– Oh, Tipsy, fit Quentin avec amertume, tu sais toujours quoi dire.

– Qu'est-ce que tu veux que je dise ? Que je ne t'ai jamais connu si heureux ? Ou alors : Oh, Quentin, qu'est-ce qui a pu mal tourner ? Le cul ? Tu n'étais jamais heureux, tout se passait mal, et d'ailleurs quel cul ?

– Ouais, lâcha un type en se tournant vers elle pour répéter : Quel cul ?

– Attends une seconde. (Tipsy brandit une extrémité du combiné vers le type et lança :) Occupez-vous de vos oignons ou je fourre ce truc dans le vôtre tellement profond que vous arriverez à entendre les deux bouts de la conversation. »

Le type ouvrit de grands yeux, puis plissa les paupières.

Un homme, derrière, lui posa la main sur l'épaule. « Arrête. »

Faulkner surgit, tapant le fond d'une bouteille de bière à long goulot contre la paume de son autre main. « Je remets la tournée, messieurs ?

– Bien sûr, répondit le deuxième homme. (D'un revers du pouce, il désigna Tipsy.) Et une pour la dame.

– Très civilisé, commenta Faulkner en jetant la bouteille vide dans une poubelle.

– Tequila, annonça Tipsy au premier type.

– De la meilleure », renchérit aussitôt l'autre. Il laissa s'écouler un instant, puis donna un coup de coude à son ami.

« Ouais, confirma l'autre d'un ton maussade. De la meilleure.

– Excuse-moi, dit Tipsy dans le combiné.

– Est-ce que… par hasard… China t'aurait appelée ? Pour te demander où j'étais, je veux dire ?

– Ce petit connard de radin sait qu'il n'a pas intérêt à m'appeler. Il sait ce que je pense de lui. Il sait ce que tous tes amis pensent de lui. Cette amourette interminable t'a coûté presque tous tes proches. »

Quentin fit mine de ne pas entendre. « Pour… dis-moi… China ne m'a pas cherché ? Il ne s'inquiète pas ? »

Tipsy leva les yeux au ciel. « Ce petit branleur, je ne lui adresserais même pas la parole, dit-elle froidement. Surtout pas pour lui dire où tu es. Je ne décrocherais même pas le téléphone. (Elle s'interrompit.) D'ailleurs, où es-tu ? Parce que moi, oui moi, je t'ai cherché.

– Oh, allez, Tipsy. Ce gamin n'a pas si mauvais fond que ça. Il…

– Écoute-moi bien, Quentin Thomas Asche. China Jones, si c'est effectivement son vrai nom, n'est pas digne d'essorer les lacets de tes chaussures quand il pleut.

– Tipsy.

– Oui ?

– Je porte des mocassins. »

Elle rit. « Évidemment. » Quentin était un connaisseur en matière d'expressions familières désignant l'homosexualité, or « léger dans ses mocassins » était l'une de ses préférées. « Oui, bien sûr. (Mais :) Il n'a rien fait d'autre, je répète, strictement rien d'autre que t'empoisonner la vie, insista Tipsy. Je m'y connais en empoisonnements, et je sais exactement ce qu'il t'a fait. Tout additionné, le total se situe bien en dessous de zéro. Il ne t'a apporté que des ennuis. Non seulement ça, mais tu lui as laissé toute une année, voire plus, pour peaufiner cette magnifique soustraction. Tu n'as pas le moindre recul là-dessus. Avant, tu te marrais. Tu faisais de l'esprit. Tu n'étais jamais obsédé par la politique. J'ai entendu parler de torture à petit feu, mais ce China…

– Oh, protesta faiblement Quentin, tu n'as seulement jamais pris la peine de faire sa connaissance. Aucun de mes amis ne l'a fait.

– Tu veux bien ouvrir un peu les yeux ? Qu'est-ce qu'il y a à connaître ? » s'écria Tipsy, si fort que Faulkner et les deux clients se retournèrent pour la regarder. « Dis voir, reprit-elle en baissant le ton, pourquoi tu ne m'appelles pas sur le portable ?

– Je… (Quentin hésita, puis se résigna à lâcher un petit bout de la vérité.) Je comptais te laisser un message, pour te faire savoir que je vais bien. (Il marqua un temps d'arrêt, puis ajouta :) Tu es au bar de bonne heure. »

Tipsy jeta un bref regard à la cascade des brasseries Olympia, derrière le bar. Elle scintillait en bleu et or et donnait aussi l'heure, survivance d'une autre ère de consommation de la bière : 2 heures de l'après-midi, quelle que soit l'ère que Tipsy et cette cascade partageaient. « Je suis ici depuis à peu près une heure, c'est vrai. Faulkner a appelé pour me dire qu'une lettre de Charley était arrivée. J'ai aussitôt rappliqué.

– Ah, fit Quentin sans grande conviction. Bon.

– En plus, je prends le bus pour aller à mon stage de reconstitution de permis. Ça fait une trotte.

– Ah. Je… j'avais oublié ton stage.

– Ce soir, c'est la dernière séance.

– C'est… formidable. »

Un bref silence s'ensuivit.

« C'est bon, Quentin, lança Tipsy, tu as beaucoup de…

– Tipsy, coupa Quentin. Je me sens extrêmement seul.

– Écoute, répondit Tipsy au bout d'un petit instant, rappelle-moi sur le portable. (Pas de réponse.) Quentin ? Tu m'entends ?

– Je t'entends.

– Écoute. Je… suis plantée devant le zinc avec pas mal de monde autour qui entend ce que je dis dans ce téléphone. Je peux aller sur la terrasse avec mon portable. Il y fait aussi froid que dans le manchon prostatique en titane de Dick Cheney, mais j'aurai toute la place pour moi toute seule. Et j'ai un gros pull. Rappelle-moi et on parlera aussi longtemps que tu veux. Ça sera plus tranquille. Je pourrai en fumer une pendant que tu me raconteras tes ennuis.

– Fumer ? releva Quentin, affolé. Tu sais à quel point la vieille fumée de cigarette peut puer sur un pull ? »

Tipsy marqua un silence. « Ensuite je te raconterai peut-être mes ennuis à moi.

– Ah », fit Quentin au bout d'un moment, de son ton le plus neutre. « Échanger des cigarettes contre des chicaneries. Ça se présente divinement bien.

– Je n'ai pas dit que ça serait divin, rétorqua Tipsy. Mais ça pourrait être thérapeutique.

– Tu crois ? » demanda Quentin, sans réel espoir.

« Raccroche et rappelle-moi, Quentin. Tout de suite. Promis ? »

Silence.

« Où es-tu, Quentin ? »

Au bout d'un moment, il répondit : « Dans un… hôtel. »

Tipsy plissa les paupières. « Il est où, cet hôtel ?

– Eddy Street, à la hauteur de Taylor Street. »

Tipsy balada son GPS mental dans la ville et finit par visualiser un espace vert avec clôture grillagée à l'angle nord-ouest, parking clôturé de même au sud-est, et cinéma porno au nord-est. Le Pussycat, c'était ça ?

« Tu es au-dessus de la soupe populaire de Saint Anthony, ou de la salle de jeux pornos ?

– De la salle de jeux. Du quatrième étage, on sent encore le désinfectant. Pas moyen non plus d'échapper à la puanteur du produit en bombe anti-cafards et puces. »

Tipsy gonfla les joues et souffla, exaspérée. « Salle de bains au bout du couloir ?

– Oui. Mais je ne vais pas rester assez longtemps pour m'en servir. D'ailleurs, il y a vraiment trop de poils dans la bonde.

– Le téléphone aussi ? Au bout du couloir, je veux dire.

– Oui.

– Un téléphone à pièces, donc.

– Exactement.

– Je peux t'appeler, alors ?

– "Ce téléphone n'accepte plus les appels entrants", lut tout haut Quentin. C'est un panneau rédigé à la main.

– Ils essaient de ramener le trafic de drogue en dessous de quarante pour cent du produit intérieur brut.

– Ah ? Depuis quand est-ce que le chiffre est si bas ?

– Chouette hôtel. Dis voir, tu as une autre pièce de cinquante cents ?

– J'ai ça, figure-toi.

– Rappelle-moi sur mon portable. Tout de suite.

– D'accord.

– Promis ?

– Promis. »

Il raccrocha. Tipsy tendit le combiné à Faulkner. Puis elle prit sa nouvelle Casaderos, salua les deux bravos qui lui rendirent son geste, et se dirigea vers l'aire des fumeurs.

« Il va bien ? lança Faulkner tandis qu'elle s'éloignait.

– Il va bien », répondit-elle en poussant la porte avec son dos. Elle réussit à partager avec le vent une autre cigarette au goût infect et à descendre la moitié de sa tequila tout en réfléchissant avant que son téléphone ne se mette à sonner. L'affichage indiquait : HÔTEL VERLAINE.

« Excuse-moi. Un type devait passer un coup de fil.

– Tu peux parler ?

– Pas longtemps. Il est parti faire de la monnaie et il y en a un autre qui attend.

– C'est bon. Écoute. Avant qu'on passe à China et toi, il faut que je t'explique une chose.

– Vas-y, répondit Quentin d'un ton qui n'avait rien de patient.

– Je t'ai parlé d'une lettre de Charley.

– Quand est-ce qu'il vient ?

– C'est ça. C'est précisément ça, oui. Sauf que bon, non, il ne vient pas. Enfin, il veut que personne ne le sache. Je n'aurais pas dû te le dire. Tu en as parlé à quelqu'un ? »

Quentin ne répondit pas.

« Il a formulé ça comme si on savait ce qu'il fait, alors qu'on ne devrait peut-être pas être au courant. Du moins, toi, tu ne devrais pas l'être. Tu as parlé à quelqu'un de ce qu'il fait ? Tu as dit à quelqu'un que Charley venait ? À San Francisco, je veux dire ? »

Vaguement déconcerté, Quentin répondit : « À qui veux-tu que je parle de la venue de ton frère ?

– C'est une bonne question, commenta Tipsy d'un ton qui évoquait celui d'un procureur. À qui ?

– Enfin bon, poursuivit Quentin, comme agacé, je ne connais pas ton frère. Je ne connais personne qui connaisse ton frère… mis à part toi. D'ailleurs à l'heure qu'il est, au bout de vingt-cinq ans, tu ne le connais probablement plus, toi non plus. Tu ne te souviens sans doute même pas de son visage.

– À l'heure qu'il est, il ressemble probablement à notre grand-père maternel. Petite bedaine, calvitie, cheveux grisonnants et clairsemés, verrues dans les pattes d'oie, nez de boxeur, chauve bien sûr… la totale.

– J'étais tellement content pour toi. Tu vas… tu allais enfin voir l'unique membre encore vivant de ta famille. Tous ceux de ma famille à moi, jusqu'au dernier, sont partis sans m'avoir reparlé. Il a suffi qu'ils apprennent que j'étais… que je suis…

– Léger dans tes mocassins.

– C'est ça.

– Je sais.

– J'étais content pour toi, Tipsy. Mais à qui d'autre veux-tu que je le dise ?

– Je n'en sais rien, Quentin, insista Tipsy. Et je ne vois pas non plus pourquoi tu le dirais. Mais la question n'est pas là. La question c'est : est-ce que oui ou non tu as dit à quelqu'un que Charley va venir à San Francisco ? »

Silence.

Tipsy avala la moitié du reste de sa tequila.

Quentin reprit : « Tu te fiches de moi et de mes problèmes comme de la dernière paire de tongs de ta grand-mère, Tipsy.

– Il n'y a que toi qui comptes, c'est ça. »

Tipsy immobilisa le verre à mi-distance de la rambarde et sourit.

Puis elle cessa de sourire.

« Tu fais une sacrée amie », ajouta Quentin.

Tipsy perçut des larmes dans sa voix. Elle posa le verre. « Quentin… »

Il raccrocha.

16

China Jones chaloupait nonchalamment dans Geary Street, vêtu d'un pantalon trompette en feutre couleur chamois qui lui moulait les fesses, un étroit ceinturon navajo glissé dans les passants. Les vingt-cinq centimètres de ceinture excédentaire s'achevaient par un embout chromé qui pendait au-dessus de son panier comme la tête d'un serpent à la dent creuse susceptible de cracher un suc d'étincelles venimeuses pour peu qu'on le taquine. Au-dessus du ceinturon, un tee-shirt ajusté à rayures horizontales bleues et blanches, un paquet de clopes glissé dans le revers d'une des manches, dévoilait son ventre. L'ourlet du tee-shirt était assez haut et le ceinturon assez bas pour que le monde entier puisse constater que China avait un nombril saillant qui ressemblait à une oreille de Judas, percé d'un clou chromé qu'il frottait régulièrement. Il portait une eau de toilette féminine du nom de *Fumarole*, et tellement de gel dans les cheveux que Tipsy Powell avait un jour parlé de son crâne comme du Manitoba, et de la personne vivant sous cette coiffure comme de l'authentique Dauphinette de la Branlocratie manitobaine — nombre d'habitants : 1. En insistant sur le suffixe féminin *-ette*. L'intéressé n'avait plus jamais adressé la parole à la poivrote.

Le pantalon était si collant que même un simple demi-gramme de métamphète en déformait la poche arrière d'une bosse pareille à un clou sous une couche de peinture. China arborait aussi un sac disco — en satin noir rebrodé de paillettes chromées, porté au niveau de la taille au bout d'une chaînette en argent — contenant deux poppers, un autre demi-gramme de métamphétamine, un permis de conduire indiquant qu'il avait vingt-huit ans (il en avait trente-huit), trois billets de vingt dollars, la clé du cottage de De Haro Street, et une carte l'identifiant en tant que membre de Vit Fitness, un club de gym de Folsom Street titulaire de cinquante ou soixante trophées d'haltérophilie exposés dans une vitrine encadrant sur trois côtés la porte coupée devant laquelle les membres faisaient la queue pour obtenir serviettes, suppléments vitaminés, anabolisants, hormones de croissance, pipes en verre, et préservatifs.

Il n'était pas retourné chez lui depuis que l'évier de la cuisine s'était bouché. Il ne savait pas combien de temps cela faisait au juste, mais il savait, pour avoir compté, que c'était arrivé un mois jour pour jour après que Quentin avait mis les bouts. Quentin s'était éclipsé avec tous ses livres et aussi ses vêtements, et n'avait pas pris la peine d'envoyer ne serait-ce qu'un texto pour dire où qui quand comment pourquoi, laissant China comprendre qu'il venait de se faire plaquer comme une vulgaire crêpe ratée.

Cela dit, China avait toujours considéré Quentin comme le froussard émotionnel qu'il était. Dès le départ, il avait vu clair en lui.

Marrant, remâcha la minuscule zone de son cerveau la moins soucieuse de son apparence et de la dope qu'il s'envoyait depuis un jour et demi, comme une pièce sans livres peut avoir l'air vide. C'est peut-être ça l'idée ? China n'avait pas vraiment réfléchi à l'aspect pratique des livres mais, en tant que décor, ça en jetait presque autant que des revues. L'étage de Quentin, en dépit de la télé, du chargeur de portable et des quelques vêtements que China y avait montés dès qu'il eut comprit que Quentin était parti pour de bon, semblait étrangement dépouillé, quasi arctique, sans les livres. Le fait que le brouillard ait décidé de revenir s'installer sur la ville pendant trois semaines d'affilée ne servait qu'à renforcer l'impression de lugubre désuétude. Ça, et l'avis d'expulsion. Ça, et le panneau « À Vendre ».

Pendant un temps, China avait essayé d'égayer la pièce. Il déracina un tournesol dans le jardin d'une maison en rentrant du boulot, un soir, et le mit dans une bouteille de saké avec un peu d'eau et une aspirine écrasée. Mais dans cette bouteille transparente, l'installation avait l'air un peu crade, et la fleur ne tarda pas à piquer du nez. China pensait pourtant que l'aspirine soignait la gueule de bois. Hahaha. Et l'unique endroit où le tournesol semblait vraiment à sa place, c'était sur la petite table de la salle à manger, sous la fenêtre. Mais là, il masquait l'écran plat, si bien que China ne savait vraiment plus où mettre ce tournesol. Finalement, il l'installa au fond des toilettes, où il mourut bientôt et languissait encore, moribond, la moitié de son eau évaporée et l'autre moitié réduite à une louchée croupie et floculeuse.

Quentin avait mentionné une fois que les graines de tournesol sont rangées en une sorte de spirale particulière, mais China n'y avait pas prêté plus d'attention qu'aux autres remarques de cette tapette hyper cultivée. Quentin était une tronche. Il était capable de disserter des heures et des heures sur l'immobilier à San Francisco, les tendances économiques, la poésie, l'histoire, la politique étrangère américaine — la « soi-disant politique étrangère », comme il le précisait toujours —, sans parler de la disposition en spirale des graines dans la tête d'un tournesol, mais Quentin ne savait pratiquement rien de la musique contemporaine, la télévision, les cosmétiques, le sado-masochisme, le placard homo de Hollywood, les stimulants pharmaceutiques, pour ne citer que quelques-uns des exemples les plus incroyables. Quentin ne s'intéressait même pas aux Giants, bon sang, et ne cherchait pas du tout à s'informer sur les Forty-niners. Il ne fallait donc pas s'étonner qu'il soit tout juste capable de tenir une conversation pendant un dîner intime. Mais dans ce domaine, au moins, Quentin n'était pas le seul.

En arrivant au carrefour où Taylor Street franchissait Bush Street, China, légèrement essoufflé, s'arrêta pour relever ses lunettes (volées) à monture d'écaille anthracite mouchetée de caramel et verres à peine teintés ocre, le temps de scruter la toute petite montre de femme (idem), dont le cadran incrusté de pierres masquait à peine le pouls rapide qui battait à l'intérieur de son poignet gauche. Une heure et quart. Il n'était levé que depuis douze heures. Il lui restait encore quarante-cinq minutes sur la pause déjeuner. Il ne déjeunait jamais et n'allait plus au travail, mais il marquait toujours sa pause et tuait le temps, généralement en prenant un ou deux grogs accompagnés d'un rail de speed dans un des nombreux soi-disant bars de poche qu'on trouvait aux abords du Financial District. Ces bars se ressemblaient tous — petits, sombres, pas trop bruyants, alcools forts à des prix modérés —, et ils étaient fréquentés par des habitués qui laissaient le nouveau venu tranquille pour peu qu'il dégage des vibrations dans ce sens, tout en se marrant avec tous ceux qui voulaient bien discuter avec eux. Les clients y étaient rarement catalogués comme homos ou hétéros, jeunes ou vieux, travestis ou transsexuels, comme ils pouvaient l'être dans d'autres quartiers de la ville, et n'avaient généralement pas d'autre point commun que celui d'avoir soif et d'être seuls, avec un emploi ou pas, ou — le gros lot — seuls et accessoirement riches. Il y avait des tas d'hôtels dans le quartier, en plus, ce qui, pour les gros lots solitaires, pouvait se révéler pratique.

Comme si la rue même venait de lire dans sa pensée, elle présenta à China une porte ouverte engageante qu'il n'avait encore jamais remarquée. Modeste boui-boui pas plus grand qu'un salon, l'endroit s'appelait Chez Patsy.

L'intérieur de Chez Patsy était confortable, sombre, frais, et il n'y avait qu'un client. Des objets à la gloire des Giants et des Forty-niners tapissaient les murs aux côtés des habituelles mises en garde contre l'alcool, entre les photos des deux tremblements de terre de 1906 et 1989. Le juke-box était un engin semi-moderne, une petite console pleine de disques compacts, accrochée au mur à côté des toilettes, le genre de truc que le Quietus machin-truc de Quentin pouvait faire taire. Quoique, aux yeux de China, le seul talent de ce Quietus machin-chose était d'arriver à lui faire honte. Dans cette machine, toutefois, Frank Sinatra chantait *You Make Me Feel So Young*, avec Nelson Riddle, à un volume acceptable.

You make me feel so young
You make me feel spring has sprung.
Every time I see you grin
I'm such a happy in-di-vi-du-al…

China n'avait jamais entendu parler de Nelson Riddle, mais encouragé malgré tout par l'illusion de la jeunesse, il prit un tabouret à mi-longueur du bar et commanda un cognac et un verre d'eau gazeuse. La serveuse, qui était peut-être bien Patsy en personne, emplit de glaçons un verre à whisky, lâcha dans l'évier situé sous le bar un jet destiné à purger le siphon, puis immergea les glaçons dans l'eau gazeuse. « Citron ? » demanda-t-elle. China aquiesça. Elle en accrocha un quartier au bord du verre. « Un cognac en particulier ? » Elle posa deux sous-verres en papier sur le bar devant China et plaça l'eau gazeuse sur le premier.

« Quelle marque le tout-venant ? »

Patsy se pencha pour inspecter le comptoir, sous le zinc. « Du Crocker Golden Spyke. »

China fronça les sourcils. « Jamais entendu parler.

– Il vaudrait peut-être mieux ne pas commencer », lança une nouvelle voix.

China tourna la tête et se retrouva face à un client portant d'impénétrables lunettes noires, assis sur un tabouret à l'angle du comptoir, dos à la porte principale.

« Ce n'est pas une attitude que je trouve particulièrement fructueuse, dit China avec une certaine retenue. (Il regarda la serveuse et ajouta :) Du moins, pas quand elle s'applique aux expériences fructueuses qu'on peut souvent tenter en s'aventurant dans l'inconnu.

– Expériences fructueuses ? S'aventurer ? L'inconnu ? Tenter ? grogna le client. Vous ne tenez pas compte des divinités à la con et autres poissons-clowns frelatés. »

La serveuse prit appui sur le bar, bras écartés, agrippant une longueur d'égouttoir dans chaque main de son côté du zinc, et attendit.

« Expériences fructueuses, répéta l'homme, incrédule.

– On va tenter le tout-venant, dit tranquillement China. Sec.

– C'était marée haute hier soir ou quoi ? demanda le client à la salle en général. On dirait qu'il y a plein de détritus au pied des collines ce matin. »

China consulta l'intérieur de son poignet gauche. « Il est deux heures moins le quart, monsieur.

– Tâchez de ne pas sécher, grommela le client. Vous allez vous mettre à puer. »

Ce type me prend pour une petite fiotte, flaira China. Quand il est en face d'un beau brutal, il ne sait pas le reconnaître. À moins, se dit-il finement, qu'il sache exactement ce qu'il fait ?

Ce genre de réflexion était alimenté par l'une des généralités que China s'imaginait avoir découvertes à propos de la vie, à savoir qu'en tout hétéro se niche une petite étincelle d'homo, et bien plus que ça dans la plupart des cas.

La serveuse posa un gobelet à whisky sur l'autre sous-verre et le remplit à moitié d'un alcool ambré. China prit le verre et salua son compagnon bourru. « Exactement. (Il descendit une bonne lampée, faillit s'étouffer et mentit :) Eh, parvint-il à lancer, pas mal.

– Trois dollars la gorgée, fit remarquer la serveuse. Mais il faut savoir qu'ici, c'est le genre de troquet où la direction serait capable d'offrir aux jeunes une consommation sur deux ou trois.

– Comportement en voie de disparition », commenta l'ivrogne avec satisfaction.

China finit son verre. Y a-t-il au monde une sensation comparable à celle que procurent six centilitres d'alcool éthylique noyant cent milliards de neurones dans un cœur qui n'a pas pris de repos de la nuit ?

« D'un autre côté, ajouta le client, les goûts ça ne s'explique pas. »

La serveuse s'essuya la main droite dans le torchon et la tendit à China. « Vous êtes quelqu'un de courageux. Je m'appelle Patsy.

– Merci », coassa faiblement China en serrant la main tendue. Il reposa le verre vide. La serveuse le remplit.

Tout à coup, China eut une vision. Je pourrais repartir de zéro, se dit-il en son for intérieur. Je pourrais me refaire une virginité. Passer le test d'aptitude d'entrée au lycée. Travailler à mi-temps dans ce bar. Patsy pourrait faire comme si elle était ma mère. Je boirais avec modération, ou pas du tout. Je ne coucherais qu'avec des gens de mon âge ou plus jeunes, et pas pour de l'argent ni des rétributions en nature. Je pourrais peut-être pousser jusqu'à la grande mascarade — femme, gosses, carrière — et limiter mes aventures à des politiciens, des hommes d'Église, cet ivrogne, là. Il fait tout de même un peu minable. Qu'est-ce que ça change, de toute façon ? Je pourrais peut-être mettre des tenues un peu plus classiques. Bien que ça ne s'annonce pas très folichon. J'avais une couverture sociale au cabinet juridique. Je ferais mieux de reprendre cet emploi-là et de donner un coup de main chez Patsy après le boulot. M'arrêter au Cala Foods en rentrant, à l'angle des rues Hyde et California, pour acheter des citrons verts, des jaunes, et des olives. Chouette train-train. Une vie simple. Rien qu'arrêter les anabolisants et le speed, ça me pousserait sans doute à la modération, une fois que l'abstinence aurait accordé à ma personnalité une période réfractaire... China balaya lentement des yeux le bar, la main toujours fermement serrée dans celle de Patsy. Patsy avait vu son lot de sales types et d'alcooliques ravagés, sans parler de tous les cyber-entrepreneurs carbonisés et de leurs descendants, des économistes et des agents placeurs, sans parler — China évalua d'un regard lent et prudent la femme debout de l'autre côté du bar — des hippies, des punks, et du personnel militaire d'époques révolues. Des hommes, pour la plupart. Patsy avait une allure de grand-mère qui cache une matraque sous le bar. Voilà, se dit-il pensivement, je pourrais réduire mes trente-huit ans de mensonges, faux-fuyants et conneries irresponsables à l'une des propositions d'une dichotomie morale toute simple : donne-moi ton fric et je te donnerai à boire.

« Excusez-moi, dit une voix à côté de lui. Cette place est prise ?

– Euh… (China émergea brusquement de sa rêverie.) Non.

– Je peux ?

– Mais bien sûr, répondit gracieusement China. Plus on est de fous, plus on rit. »

Patsy lui relâcha la main et, après lui avoir tapoté le bras d'un geste rassurant, elle rangea la bouteille de Crocker Golden Spyke sous le comptoir, toqua deux fois du doigt sur le zinc, et se tourna vers son nouveau client.

China l'examina, lui aussi, et fut aussitôt impressionné. Cheveux blonds bien taillés légèrement grisonnants aux tempes. Bronzé et musclé. La cinquantaine. Costume bien coupé d'un bleu si foncé qu'il paraissait noir, à rayures tennis micrométriques d'un bleu lavande élégamment discret. Socquettes bleues du même ton que la chemise tilleul, cravate bleu lavande assortie aux rayures. Chaussure chocolat, sans doute faites sur mesure. Eau de toilette diffusant un effluve modéré, quoique immanquable, de cuir et de fric. China identifia le sillage : *Justine.*

À la faveur de la claque monumentale quoique infime entre diastole speedée et systole gorgée d'alcool, toutes les bonnes résolutions de China concernant l'organisation à venir de sa personnalité se dissipèrent.

« Je reviens tout de suite. » China quitta son tabouret et posa un sous-bock sur son cognac.

Dans les toilettes pour hommes, il fit tomber un petit monticule de cristaux de métamphète dans le creux entre son pouce et son index, s'envoya une quantité équivalente dans chaque narine, puis s'abîma dans une contemplation intime du visage qui le regardait dans le miroir au-dessus du lavabo. Miraculeusement dépourvu de rides, ce visage. En plus de ça, son torse était dans une forme magnifique, et sa tenue créait un indéniable gouffre de caste entre lui et, disons, les beaux gosses musclés qui conduisent des camions de livraison pour gagner leur vie. Le véritable portrait de China, en bref, traînant encore dans le grenier de son âme. Le speed lui brûlait les sinus maxillaires comme s'il y avait inséré un tison chauffé à blanc. Quelqu'un frappa à la porte.

« Cinq minutes », lança-t-il par-dessus son épaule en harponnant la lunette des toilettes du bout de la chaussure pour la faire retomber avec bruit.

« Excusez-moi », dit une voix d'homme, et après un bref silence, la porte des toilettes pour femmes, à côté, s'ouvrit et se referma.

Autant liquider le total, se dit China, et il inspira la même quantité que précédemment. Les larmes lui montèrent aux yeux. Tout en rangeant ses affaires la tête renversée en arrière pour s'assurer qu'aucune traînée suspecte n'adhérait à l'ouverture bien récurée de ses deux narines soigneusement épilées, et en essuyant les larmes avec du papier-toilette, il tira la chasse d'eau, se tourna vers la porte, adressa au miroir vérolé un « Bonne chance » muet doublé d'un clin d'œil tout en jetant le papier par-dessus son épaule, puis, lissant et relissant son pantalon sur ses fesses du plat des deux mains, il fit sa sortie.

De retour au bar, il se retrouva seul.

« Où est mon fan club ? demanda-t-il à Patsy.

– L'homophobe, là-bas (Patsy désigna le haut bout du zinc), fait sa séance picole du matin. Quelle que soit la dispute qu'il a déclenchée, il rentre chez lui à deux heures de l'après-midi. Réglé comme du papier à musique. L'autre type (elle montra le tabouret devant lequel une consommation attendait) revient tout de suite. »

Comme de bien entendu, le bel homme au coûteux costume reparut, s'accouda négligemment au bar et regarda China droit dans les yeux.

« Santé ! » China sourit. Le speed avait réveillé les acouphènes qu'il causait toujours. Aucune importance. Qu'y avait-il à entendre ? Les nouvelles ? Plus d'une fois, China en avait pris une telle quantité que cela avait provoqué une distorsion des fréquences audio pareille à celle qu'on entend en réglant une radio à ondes courtes. Il connaissait ses limites — il esquissa sans raison apparente un rictus qui n'était destiné à personne — et ne les avait pas encore atteintes. Il le savait parce que, pour l'instant, les acouphènes se limitaient à une fréquence discrète de cinq mille Hertz, et la seule chose que concurrencent vingt décibels à cinq mille Hertz, c'est le sifflement d'une bouilloire.

Le bel inconnu retourna le sourire et prit son verre. « Vous auriez dû me laisser entrer, dit-il à mi-voix. J'avais quelque chose pour vous. »

China aurait pu continuer ce badinage pendant une heure et plus, en l'agrémentant de déclarations du genre : j'arrive juste de Boise, dans l'Idaho, par le bus et je ne suis pas sûr de comprendre ce que vous dites ; ou : il y a des choses qu'une jeune fille ne partage pas avec les inconnus, et les toilettes en font partie ; mais il jaugea son homme et décida d'entrer dans le vif du sujet.

« Vous auriez pu glisser un mot sous la porte. »

L'homme sourit. « Je n'avais pas de stylo. »

China tendit la main à plat, la paume vers le sol. « China. »

L'autre répondit de même, paume tournée vers le ciel. « Holden. Mais tu peux m'appeler Miou Miou.

– On pourrait y retourner plus tard, suggéra China. Ou n'importe quand, d'ailleurs. (Il esquissa une petite grimace.) Ce sont juste des toilettes, après tout. À moins que… ?

– Le thé (l'homme secoua la tête d'un geste plein de retenue), ce n'est pas mon truc.

– Ni le mien, se dépêcha d'affirmer China. Simplement, quand on ne connaît pas, on fait comme tout le monde…

– Compris, acquiesça l'homme. Et ça va comme ça, les chuchotements. Tu reprendrais un verre ?

– Sans problème », répondit China.

Holden pointa l'index : « C'est du cognac ?

– C'en était », répondit China en vidant son verre d'une lampée. Grâce au speed, il sentait à peine le goût du cognac de mauvaise qualité. Il montra à Holden le verre vide et déploya une nouvelle fois son rictus. Ses dents ressemblaient aux dalles usées d'une allée de garage.

« Mademoiselle, appela Holden.

– Elle s'appelle Patsy. » China n'était pas du genre à laisser passer une occasion de se comporter en habitué.

« Yo. » Patsy leva les yeux du *New York Times* étalé à plat au bout du zinc entre elle et le tabouret de l'extrémité, maintenant inoccupé, à l'endroit où la lumière venant de la porte ouverte sur la rue facilitait la lecture.

« Quelle est la marque de votre meilleur cognac ? »

Patsy ôta et replia une paire de lunettes demi-lunes tout en longeant le bar pour examiner l'étagère du haut. « Apparemment, c'est cette daube, là : *Amygdales d'or* », dit-elle en prononçant : *amigdalès*.

Holden sourit. « Ça a l'air irlandais. »

China haussa les épaules.

« Je ne crois pas, dit Patsy d'un ton dubitatif.

– Voyons ça », lui dit Holden.

Patsy sortit une caisse de lait et monta dessus pour atteindre la bouteille sur laquelle elle eut la courtoisie de souffler pour en chasser la poussière, avant de la poser sur le bar.

Holden sortit sa propre paire de lunettes, très élégante, avec de fines branches en or et une chaînette dorée à minuscules maillons, puis détailla la bouteille. « Mon Dieu, lâcha-t-il enfin, c'est un calvados. (Il releva la tête.) Il n'a jamais été goûté.

– À cinquante dollars le petit verre, dit Patsy, toujours perchée sur sa caisse, ça m'étonne déjà que quelqu'un l'ait acheté, sans parler de le goûter. »

Pour une fois, China avoua spontanément la vérité. « Je n'en ai jamais entendu parler », dit-il en faisant allusion au genre du breuvage.

« Moi non plus », répondit franchement Holden en parlant de l'espèce. « Ma curiosité est piquée. Patsy ?

– Oui ? »

Holden toqua la bouteille du coin de sa paire de lunettes. « C'est absolument charmant. »

Patsy haussa les épaules. « Il était là quand j'ai acheté le bar en 1991. »

Scrutant au travers des verres de ses lunettes repliées, Holden parcourut l'étiquette. « Donc, il a au moins dix-huit ans d'âge, dit-il, émerveillé. Justement ici, à San Francisco. »

China porta la main à son torse et rougit de façon très convaincante. « Quelle coïncidence. Le même âge que moi ! »

Holden regarda China. « Sans blague.

– Je suis à moitié mort, avança China d'un ton morose.

– Fermez-la, bon Dieu, tança Patsy. Vous êtes à moitié vivant.

– Alors que vous… vous… » China déglutit avec une exagération mélodramatique.

« Oui, mentit Patsy, moi, je vais sur les quarante ans.

– On ne vous en donnerait pas plus de trente, contra suavement Holden.

– C'est ça ! (Patsy s'esclaffa.) Et la guerre en Irak a été une aubaine pour l'économie.

– Voilà qui clôt le chapitre. » Holden reposa la bouteille sur le zinc et fourra ses lunettes à l'intérieur de sa veste, dans la poche de poitrine où — comme China l'avait déjà remarqué — se trouvait aussi un portefeuille en cuir d'autruche, d'iguane, ou d'alligator.

Holden ne venant ni du Texas ni d'Australie, à en juger par son accent, China misa sur l'alligator.

La main de Holden s'attarda dans la poche. Patsy descendit de la caisse de lait. Le souffle de China s'accéléra — est-ce que ça pourrait être du rhinocéros ? De l'éléphant ? Holden inclina son impeccable coupe de cheveux vers la bouteille. « On va en prendre un verre chacun. »

Patsy toqua trois fois le zinc avec le majeur.

Patsy, se dit China en son for intérieur, quelle grossièreté décevante ! Quel manque de confiance. Ne vois-tu pas à quoi on a affaire ?

« Ah », fit Holden qui venait de piger. Il sortit son portefeuille et, le tenant à bout de bras, en presbyte, en tira un billet de cent qu'il posa sur le zinc, avant de le barrer d'un billet de vingt. « Pour vous », déclara-t-il aimablement à Patsy, en rangeant son portefeuille. N'empêche, se dit China, envieux, les affaires sont les affaires.

« Magnifique, dit Patsy sans toucher les billets. Maintenant, mon petit-fils va pouvoir finir ses études à l'université. »

Holden se ravisa et ressortit à demi le portefeuille. « Mais vous aimeriez peut-être vous joindre à nous ? »

Patsy hocha négativement la tête. « Trop tôt pour moi, déclina-t-elle. Mais c'est très gentil de votre part.

– Une autre fois, alors. » Le portefeuille regagna son nid.

Sans se retourner, Patsy donna dans la cagette un coup de pied qui la réexpédia sous l'évier. « Ça vous ennuie si je prends la peine de le servir convenablement ? » Elle débarrassa le verre de cognac de China, passa un coup d'éponge sur le zinc devant ses deux clients, puis leur distribua un sous-verre propre à chacun. « J'ai tellement peu l'occasion. »

Holden haussa un sourcil. « Patsy, lança-t-il, c'est une attention tout à fait inattendue. (Il tourna la tête vers China.) Tu ne trouves pas ça adorable, que quelqu'un voue un culte aux traditions profanes ? » China accueillit cette question avec une mine totalement impassible. Holden dit à Patsy : « Je vous parie que la chaleur va conduire cet alcool à divulguer les secrets les plus divins. (Il tourna à nouveau la tête.) China ? »

En entendant ces mots, China eut à peine une hésitation. Si, d'un côté, il voulait toujours paraître plus raffiné que les gens de son entourage, de l'autre il avait appris que c'était rarement le cas.

Surtout avec les hommes plus âgés, plus expérimentés que lui, et surtout avec le genre d'hommes auxquels China avait tendance à s'intéresser le plus, les hommes plus âgés et riches, dont une majorité, en outre, prenaient un curieux plaisir à enseigner aux plus jeunes les divers plaisirs de la vie. « Je n'ai aucune idée de ce que ça veut dire », reconnut-il avec simplicité.

Holden posa une main rassurante sur l'avant-bras de China. Lequel rougit aussitôt, un truc appris en cours de comédie. Ce type-là est plus rapide que moi, se dit-il, il facilite les choses.

« On va bien sûr suivre vos indications », dit Holden à Patsy, sans retirer sa main.

Sur chacun des deux sous-verres qu'elle avait posés devant ses clients, Patsy installa bientôt un modeste ballon à cognac à demi empli d'eau portée presque à ébullition à l'aide de la buse à vapeur de la machine à espresso, sur lequel elle posa un deuxième verre dont elle cala le flanc ventru dans l'ouverture du premier, en l'inclinant de telle sorte que son contenu de calvados ne se renverse pas.

China, pour sa part, appréciait particulièrement ce protocole original, car entre-temps un glaviot au speed de taille phénoménale lui avait englué l'épiglotte, si bien qu'il craignait de devoir sous peu se racler la gorge à grand bruit et expédier le résultat par la porte donnant sur la rue, ou s'étouffer. Mais, juste à temps, Holden cueillit son ballon et, tout en le tenant bien droit, l'élixir réchauffé présentant la couleur mordorée d'un poulain de un million de dollars et un bouquet presque semblable à celui de billets anciens, salua Patsy, puis China. Pressé de continuer sur cette lancée, ce dernier vida son verre d'une lampée.

On eût dit que quelqu'un avait ouvert une issue de secours à bord d'un vol transcontinental à l'aplomb du Pôle — en première classe, bien entendu ! Le glaviot disparut sans laisser de trace.

Patsy dévisageait China, mais si la gaucherie du jeune homme avait déconcerté Holden, elle l'avait aussi amusé, et ce fut la seule chose qu'il laissa transparaître. « À une soirée fructueuse », dit-il en souriant avant de laisser une infime gorgée de calvados franchir sa lèvre inférieure. Pendant un long moment, un sourire béat de connaisseur flotta sur ses traits. Puis il ferma les yeux. « In… (il les rouvrit)… croyable. (Avec le fond de son verre, il effleura le bord de celui, maintenant vide, de China.) Patsy ? dit-il en regardant China. Un autre, s'il vous plaît. »

Patsy n'attendit pas qu'il sorte les cinquante dollars.

« Aux délices de l'inconnu, lança Holden en guise de toast, et aux délices inconnues. (Il s'interrompit le temps de contempler la lumière qui semblait transpercer lentement le magistère, dans son verre levé.) Voilà qui est très prometteur », déclara-t-il, avec la confiance propre à l'homme qui peut appuyer son billet de cent dollars fraîchement prodigué d'un second. De nouveau, il trempa les lèvres. Et cette fois, China ne siphonna qu'un quart de son calvados, comme pour le savourer, en faisant preuve, de fait, d'une étonnante retenue.

Holden lui adressa un large sourire. « Très prometteur, vraiment. »

China était on ne peut plus d'accord. « Merci, Holden.

– Miou Miou, dit Holden avec un doux sourire. Appelle-moi Miou Miou. »

17

Quentin raccrocha le combiné. À l'autre bout du couloir, un homme et une femme s'engueulaient à mi-voix. « Je te préviens, sale nègre… » dit la femme. « Va te faire foutre, connasse », répliqua l'homme. « C'est qui que tu traites de connasse, sale nègre ? »

« Je lis deux titres de presse chaque jour d'un bout à l'autre de l'année et c'est tout ce que ça me rapporte ? » se demanda tout haut Quentin.

Les deux individus, au fond du couloir, s'échangèrent de l'argent et de la drogue. « C'est mes deux derniers dollars, dit l'une.

– Alors je me tire d'ici, répondit l'autre. J'ai pas de temps à perdre avec des fauchés, moi. »

Quentin reprit le fil de ses pensées en regagnant sa chambre. « Je suppose que les deux premières années de fascination à l'égard d'un nullard impliquent la faute du séducteur ; mais sans doute les cinquante et quelque qui suivent nécessitent-elles la complicité du séduit ? » En ouvrant la porte de la petite pièce, il vit la plaque chauffante sur laquelle fumaient les restes de deux tasses de café instantané. Un cafard traînait sur la tablette, à côté, les antennes dressées avec curiosité vers la vapeur. « Tel est le logis alloué aux individus à qui ce monde dispense encore le loisir de réfléchir aux propositions les plus pesantes de l'existence. Une couverture aussi rêche que possible, une fenêtre tapissée de papier aluminium, un tumulte permanent à la faveur duquel les fonctions humaines les plus fondamentales, de même que toutes les chaînes de télévision, sont conduites au domaine de la contemplation par la vertu de trois minces cloisons, un plancher et un plafond, le tout agrémenté de l'odeur de cigarettes fumées des décennies plus tôt, moquette moisie et souris mortes, et le relent de désinfectant acheminé par le courant d'air montant dans le puits de lumière, quand l'unique fenêtre n'en est pas fermée et clouée. Et quid de l'auréole brune de nicotine, au plafond, au-dessus du lit ? Même les cafards ont une odeur particulière, lorsqu'ils sont assez nombreux, sans oublier le sillage tenace du beau brutal qu'on vient de payer puis de renvoyer… »

En tout cas, soupira-t-il, à partir d'aujourd'hui, le cul c'est enfin terminé.

Mis à part cette résolution, répudiation ou renonciation, ça suffit comme ça, l'ascétisme.

Au-delà de la porte d'entrée de l'hôtel Verlaine, l'air était fétide, mais cette propriété n'était pas spécifique à Eddy Street. Il n'était pas tombé une goutte d'eau sur le nord de la Californie depuis trois mois. Avec un peu de chance, il ne s'écoulerait que trois mois de plus avant le retour des pluies. Six mois entre deux averses et même les immeubles les plus propres de Pacific Heights dégageraient une odeur infecte. Mais dans le quartier du Tenderloin, la rémission ne durait pas deux semaines.

Pourtant, la liberté de Quentin, tout juste retrouvée après l'oppression du régime passif-agressif instauré par China, lui prodiguait tous les parfums qu'il aurait pu souhaiter. Il était seul, bien sûr. Sa liaison avec China lui avait coûté la plupart de ses amis, qui ne pouvaient supporter le jeune homme. Seule Tipsy continuait à le fréquenter. Mais de toute évidence, elle avait pour l'heure de plus gros saumons à pocher.

Ou peut-être s'était-il reposé sur elle une fois de trop ? Quentin se fouilla les méninges à la recherche d'une équation d'interdépendance affective entre lui et l'unique amie qu'il eût encore. Il s'accommodait de son alcoolisme, pour citer un exemple. Discuter livres avec elle, autre exemple, présentait encore moins d'intérêt. Et pourtant, il tenait bon. N'était-ce pas ça, l'amitié ?

Un café sommaire, à l'angle des rues Jones et Bush, lui servit un cappuccino et un « croissant au chocolat » pour 6,50 dollars. Le tarif, se dit Quentin tandis que le serveur déposait trois dollars et cinquante cents en pièces sur le comptoir, me permet de gratifier ce jeune homme d'un généreux pourboire de un dollar, en me souvenant que je fus jadis *barista*, moi aussi, quoique à l'époque on ait appelé ça « artiste de zinc ». Un de mes habitués, qui buvait du vin blanc sur glace matin, midi et soir, était fou d'amour pour moi. Il était aussi professeur d'italien classique. Il s'asseyait au fond, à l'endroit où l'étagère à verres touchait l'affiche de corrida, et me regardait travailler. Quand j'approchais, il chuchotait :

Ogne pense vole...

en battant des cils.

Quentin s'était-il montré grossier envers ce vieil homme ? Il espérait que non. Ce genre de maladresse est capable de revenir hanter les rêveries gériatriques.

« Vous savez, lança Quentin au moment où le jeune homme posait la viennoiserie à côté d'une tasse de café et de lait mousseux, ceci est en fait un *pain au chocolat* et non un *croissant au chocolat*, comme vous l'appelez. Un croissant a la forme d'un croissant de lune. Comme ce *croissant aux amandes*, là, dans le présentoir. Vous voyez, il a une forme en croissant. Alors que ce *pain au chocolat* n'a rien d'un croissant. On dirait un portefeuille. Vous feriez mieux d'appeler ça un *portefeuille au chocolat*. »

Le regard du serveur alla du *pain au chocolat* au *croissant aux amandes* et retour. Ni en croissant ni en portefeuille, ses yeux étaient deux fentes. Ils lui donnaient l'air d'avoir passé une nuit blanche, à fumer du kif et jouer de la flûte nasale. Ils regardèrent Quentin, puis battirent languissamment des paupières.

« Pour moi, dit le serveur, la viennoiserie française est un puissant symbole du joug du colonialisme. (Il regarda par-dessus l'épaule de Quentin.) Client suivant, s'il vous plaît. »

À la porte, un présentoir proposait le *Chronicle* et le *New York Times*. LE PRÉSIDENT DÉFEND LA POLITIQUE ÉTRANGÈRE, titrait l'un, LE PRÉSIDENT DÉJOUE LES CRITIQUES, titrait l'autre.

Pas aujourd'hui, se dit Quentin en s'éloignant résolument du présentoir, aujourd'hui je suis en congé.

Sur le trottoir, la porte du café était encadrée de deux tables dont une abritée du vent par une volumineuse jardinière. Alors, qui est le béotien, dans l'histoire, grommela Quentin en laissant tomber son sac de voyage à côté d'une chaise en treillis métallique qu'il orienta dos à la jardinière et au vent de brume qui soufflait à dix bons nœuds dans Bush Street. Croissant au chocolat, pardi. Il sortit ses cachets du matin de son sac. Cette prétendue culture à la noix pique ce qu'elle veut au reste du monde, rebaptise le tout histoire de se l'approprier, et largue le reste. Si je ne me faisais pas vieux et que j'en aie les moyens, je créerais une nouvelle planète. Qu'est-ce que je suis censé faire, fulmina-t-il, rester ici à manger cette merde sans lire le journal ? Je vais devenir fou. Et juste au moment où il formulait cette réflexion, un exemplaire plié du *Wall Street Journal* tomba sur la table, devant lui. « Je peux me joindre à vous, Mr Asche ? »

L'homme qui s'adressait à Quentin d'un ton familier, quoique poli, portait un costume assorti à son accent russe. En partant du trottoir, Quentin examina des chaussures noires bien cirées, un pantalon noir au pli nettement marqué, un pardessus Chesterfield sans la moindre peluche sur une veste coordonnée au pantalon, et une chemise en soie, le tout de couleur noire. Un foulard de soie blanche, un borsalino et un parapluie noir replié complétaient l'ensemble.

« Le consulat russe », dit Quentin en plissant les paupières, ébloui par le soleil diffus sur lequel le visage de l'homme se découpait à contre-jour, « est à l'angle de Scott Street et Pacific Avenue, à une quarantaine de rues dans cette direction. (Il tendit le bras dans le vent.) Il est équipé de deux caméras de surveillance jumelles au-dessus de chaque porte, et d'une antenne radio cruciforme de six mètres de haut sur le toit. Vous ne pouvez pas le manquer.

– C'est exact, dit l'homme en souriant aimablement. Bien que je n'y sois pas allé depuis la célébration de l'accord Pepsi-Stolichnaya. »

Quentin fronça les sourcils. « C'était dans les années soixante-dix du siècle dernier.

– J'étais jeune, mais pour autant que je m'en souvienne (l'homme repoussa son chapeau du bout de l'index), c'était une fête du tonnerre. (Il esquissa un pâle sourire.) Sans parler du fait que ç'a été le fleuron de la *perestroïka.* »

Quentin secoua la tête. « Si on m'avait dit qu'un jour Richard Nixon me manquerait… (Il soupira.) Comment connaissez-vous mon nom ? Nous nous sommes déjà rencontrés ?

– Bonne question, pour la première, et non pour la deuxième. Mais si ça ne vous dérange pas, votre cappuccino et votre *pain au chocolat* sont très appétissants. (Il accrocha le parapluie au dos de la chaise inoccupée.) Si vous jetiez un coup d'œil au journal pendant que je vais me chercher une modeste collation ? Ensuite, nous bavarderons. (Il redressa son chapeau et inclina légèrement la tête.) Seulement si vous avez envie de bavarder. »

Quentin avança la main vers le journal. LE MINISTRE DE LA DÉFENSE APPROUVE LE RENFORCEMENT DES EFFECTIFS, annonçait le titre. L'HONNEUR NE VA PAS SANS SACRIFICES, poursuivait le sous-titre. « Je ne suis pas du genre à juger quelqu'un sur ses lectures mais… tout de même… le *Wall Street Journal* ? »

Le Russe hocha négativement la tête. « Mais bien sûr que vous jugez les gens sur ce qu'ils lisent, Mr Asche. Quant à moi (l'homme haussa les épaules en souriant), j'essaie simplement de rester dans la course.

– Vous devriez peut-être vous installer dans mon hôtel », suggéra Quentin d'un ton plutôt revêche, pensant que l'homme faisait allusion à la finance. Il ajouta : « Je m'étais juré de prendre une journée de congé sans m'occuper de ces inepties », alors même que ses yeux commençaient à survoler les divers articles lisibles au-dessus de la pliure du journal.

« À juste titre, dit l'inconnu. Vous feriez sans doute mieux de vous informer par le biais de la poésie.

– Dites donc, s'exclama Quentin, indigné sans raison, voilà une recommandation tout ce qu'il y a d'assommant. »

Un sourire aux lèvres, l'homme franchit la porte du café. « Vous êtes naïf, ce matin. »

Se rappelant pourquoi il était assis là, en pleine vue, Quentin mordit dans son croissant au chocolat et avala ses cachets à l'aide de petites gorgées semi-délicates de son cappuccino déjà à moitié refroidi. Des miettes tombèrent sur le journal. Il avait très faim, et venait d'engloutir ses cachets du matin avec le reste du croissant et du café quand le Russe reparut.

Il était suivi du serveur dogmatique qui ramassa la tasse vide et la soucoupe de Quentin, et les remplaça par un nouveau cappuccino assorti d'une viennoiserie.

« Deuxième service, dit l'inconnu en désignant la tasse. C'est moi qui régale. Vous semblez un peu maigre. » Il ôta son chapeau et le posa sur la table, à côté de son propre café accompagné d'un portefeuille au chocolat.

« C'est ma conception homo de l'esthétique, répondit Quentin d'un ton soupçonneux. Cela dit, je vous remercie. (Il se jeta sur la deuxième viennoiserie.) En fait, j'ai faim », reconnut-il en rattrapant une miette tombée de ses lèvres, qu'il y porta de nouveau. « Mais je ne suis pas certain de l'apport nutritionnel que représente l'ingestion de plusieurs portefeuilles au chocolat.

– En effet, dit l'homme en s'asseyant. Si vous en mangiez de vrais, peut-être. » Il déchira deux sachets de sucre et en versa le contenu en pluie dans son café noir. Puis il prit une cuiller et remua le café en regardant Quentin manger. L'homme avait un regard intelligent, circonspect, froid comme l'acier.

« Et donc, reprit Quentin quand il eut presque terminé son deuxième petit déjeuner, vous vous apprêtiez à me dire comment vous connaissez mon nom.

– Mais non, rétorqua l'homme assez aimablement. Quoique, si vous y tenez, je le ferai.

– J'y tiens.

– Charley Powell », dit l'homme.

Quentin fronça les sourcils. « Eh bien quoi, Charley Powell ? »

L'homme haussa les épaules. « Charley a dit que c'est vous qui apporteriez la réponse à cette question. »

L'invite à garder bouche cousue, que Tipsy avait lancée au téléphone il n'y avait pas deux heures et qui semblait alors pure superstition, paraissait maintenant prémonitoire.

« C'est intéressant, dit Quentin d'un ton détaché, ne serait-ce que parce que je n'ai jamais rencontré Charley Powell.

– Mais sa sœur fait partie de vos amis proches », lui rappela l'homme.

Quentin dévia : « Vous savez quoi, vieux ? Si vous me disiez que vous êtes Charley Powell en personne, je n'aurais pas plus de raisons de vous croire que de ne pas vous croire. C'est dire à quel point je connais Charley Powell.

– Oh, dit doucement l'homme, mais vous en savez un peu plus que ça, Mr Asche.

– Asche, dit Quentin, c'est bien ça. (Il tendit la main.) Et à qui ai-je le plaisir de m'adresser ? »

L'homme regarda la main tendue. « Vassily, répondit-il tranquillement. (Il prit la main, non pas paume contre paume comme dans une poignée de main, mais en liant le pouce à celui de son interlocuteur, et esquissa un pâle sourire.) Novgorodovich.

– Comme la ville, dit Quentin.

– Oui.

– Fils de la ville de Novgorod.

– Oui, confirma Vassily en regardant Quentin d'un air intrigué. Vous parlez russe ?

– À peine assez pour prononcer les noms dans les grands romans russes, comme, disons, *L'Histoire d'une vie.* »

Aucun changement dans l'expression du fils de Novgorod. Qui maintint le pouce de Quentin. Ce qui, en retour, empêcha ce dernier de sortir de son sac son exemplaire du livre, qu'il avait échangé contre un bon d'achat à la librairie d'occasion.

« Constantin Paoustovski ? clarifia Quentin.

– Jamais entendu parler », répondit l'autre.

Peut-être Vassily ne connaissait-il pas Charley Powell, tout compte fait, conclut Quentin. Alors à quoi servirait de lui montrer l'ouvrage ?

« Son nom a l'air juif », supposa le Russe.

Quentin n'y avait jamais pensé. Il n'en avait aucune idée. Mais… « Et donc ?

– On ne devrait pas autoriser les Juifs à écrire des romans », dit Vassily.

Quentin lui rit au nez.

Le Russe rit aussi.

Chacun riait comme s'il savait quelque chose que l'autre ignorait.

« Ravi de faire votre connaissance. Et merci pour le café. (Quentin laissa passer un instant.) Et maintenant ? On fait un doigt de fer ?

– Bien sûr. (Vassily retroussa la lèvre.) Pourquoi pas ? »

Quentin fit mine de secouer la main pour l'extraire de cette poigne. L'autre tenait bon. « Parce que je ne suis pas un dingue de muscu, voilà. »

Vassily relâcha son emprise. « Tout juste. (Son sourit se durcit.) Je le sais. »

Quentin ouvrit et referma la main plusieurs fois de suite. « Vous avez l'air de savoir un tas de choses. Vous voulez bien m'expliquer cette science ? Sans quoi, puisque je ne fais pas dans l'affrontement musclé, on pourrait peut-être se dire à bientôt ?

– Oh, dit Vassily, il est trop tôt pour ça. (Il trempa les lèvres dans son café et reposa la tasse sur la soucoupe.) Bien trop tôt.

– Écoutez. » Une rafale emporta les miettes qui jonchaient le *Wall Street Journal*. Le journal faillit s'envoler aussi, mais Quentin le rabattit du plat de la main sur la table. QUE S'OUVRE LA SESSION PARLEMENTAIRE, annonçait un autre titre. ÉCHEC DE LA POLITIQUE D'OBSTRUCTION DES LIBÉRAUX, précisait le sous-titre. « Puisque vous en savez tant que ça, vous n'ignorez sans doute pas que je suis malade, sans domicile, et seul. Laquelle de ces trois particularités, au juste, trouvez-vous si attirante ?

– Charley Powell », répéta Vassily.

Quentin leva les yeux au ciel puis les abaissa pour fixer Vassily. « Je ne reconnaîtrais pas Charley Powell s'il dégringolait de cet auvent (il pointa l'index vers le haut) sur cette table (il le pointa vers le bas). Vous ne comprenez pas ?

– Sa sœur, dit Vassily.

– Sa sœur, enchaîna platement Quentin, est une poivrote qui n'a pas vraiment les idées claires la plupart du temps. »

Vassily hocha la tête, comme s'il confirmait.

« Surtout après la tombée de la nuit, ajouta Quentin d'un ton morose.

– Mais il l'adore, rétorqua Vassily. Ou croit l'adorer. En tout cas, il n'a qu'elle. Et elle l'adore. (Vassily ouvrit la main et en examina la paume.) Ou croit l'adorer. »

Quentin s'empara de sa cuiller à café et, pour passer le temps, écarta la mousse sur le reste de son cappuccino, puis reposa la cuiller. « Pourquoi prenez-vous la peine d'apprendre ce genre de détails concernant deux personnes que vous ne connaissez pas ?

– Quelles deux personnes ?

– Quelles deux personnes ? Ma foi… Charley et Tipsy… Teresa… Powell.

– Il est vrai que je ne connais pas Teresa, dit Vassily. Mais Charley, si. »

Quentin regarda Vassily. « Vous connaissez Charley ? »

Vassily montra à Quentin le dos de sa main gauche. « Petit doigt : coupé. » Avec une adresse étonnante, il recourba le doigt pour le soustraire à la vue. De l'autre main, il retira son borsalino, révélant un crâne chauve sur lequel il passa la main supposément amputée. « Chauve… comme moi. (Il remit le chapeau et montra du doigt son avant-bras gauche.) Pas de tatouages. (Il eut un sourire sans joie.) Contrairement à moi.

– Eh bien, dit lentement Quentin, vous en savez sans aucun doute plus que moi sur lui. Apparemment, vous en savez même plus que sa sœur. »

Vassily renfonça son chapeau et se pencha au-dessus de la table. « Charley va venir à San Francisco », dit-il d'un air détaché.

Quentin ne répondit pas, mais il était convaincu que Vassily lisait la vérité dans son regard. Il ne prit pas la peine de nier. « J'ai ouï dire que sa visite est ajournée ou annulée. Mais de toute façon, quelle importance ? »

Vassily se renversa contre le dossier de sa chaise. « Charley est mon ami. Il m'a rendu un grand service, un jour. En Floride.

– Ah oui ? De quoi s'agissait-il ?

– C'est sans importance.

– Ah bon ? Vous avez fait tout le trajet depuis la Floride pour une chose sans importance ? »

Vassily haussa les épaules. « Tout le monde cherche un prétexte pour visiter San Francisco.

– Dois-je supposer que vous avez séjourné en prison avec lui ? »

Vassily ne répondit pas.

« Alors qu'êtes-vous en train de me dire ? Que vous êtes venu en Californie pour lui renvoyer l'ascenseur ?

– Exactement, dit Vassily. Pour lui renvoyer l'ascenseur.

– Et qu'est-ce que j'ai à voir là-dedans ? »

Vassily inclina la tête de côté, examina Quentin, puis l'inclina de l'autre côté et examina encore un peu son vis-à-vis. Finalement, il répondit : « Pas grand-chose, on l'espère. »

Cette réponse mit Quentin mal à l'aise.

Le Russe se leva. « Sincèrement. » Il tira un porte-passeport en cuir noir de la poche intérieure de son Chesterfield, puis, sans chercher à dissimuler les nombreux billets qu'il contenait, en sélectionna un de vingt et une carte de visite qu'il laissa tomber sur la table. « J'ai été serveur pendant quelque temps, dit-il en glissant la soucoupe sur le billet. À Brighton Beach, quand je suis arrivé dans ce pays. Si vous voulez bien veiller à ce que le jeune homme réceptionne ceci avant votre départ ? J'ai apprécié notre petit déjeuner, Mr Asche. Si vous avez des nouvelles de Charley, transmettez-lui ma carte s'il vous plaît. Ou, si vous préférez, appelez-moi vous-même. D'ailleurs, si vous preniez la peine de m'appeler sans lui en parler, je pourrais lui faire la surprise. Ce serait amusant pour nous deux. »

Je me demande, se dit Quentin, ce que Novgorodovich considère comme amusant.

« Je serais trop heureux de pouvoir vous obliger. »

Ce fut seulement alors, tandis que le Russe rangeait son porte-passeport dans son pardessus, que Quentin remarqua le tatouage. C'était une larme, tracée à l'encre noire dans le repli de peau entre le pouce et l'index de la main droite du Russe.

Donc, se dit Quentin en son for intérieur, si j'avais eu le même tatouage, nos larmes se seraient embrassées, pour ainsi dire, à la faveur de cette curieuse poignée de main.

Le Russe reprit son parapluie. Quentin ramassa la carte de visite.

Vassily Novgorodovich
PetroPozhirat, LLC
Moscou, Londres, La Havane
Beverly Hills, Guandong, Caracas
(+33) 01 46 09 88 88

C'est presque certainement un numéro de téléphone de Paris, se dit Quentin, pourtant la ville n'est pas nommée. « Comment, lança-t-il tout haut à la carte, pas d'e-mail ? »

Vassily sourit. « Trop risqué. »

Quentin fit ployer la carte entre son pouce et son index. « Reconnaissant à quel point ? » demanda-t-il brusquement.

Vassily cilla.

« Vous m'avez entendu ?

– Je vous ai entendu.

– Alors ? Charley fait son apparition. Je vous appelle. Qu'est-ce que ça vaut ? »

Sans un mot de plus, Vassily accrocha la poignée de son parapluie à son bras gauche et sortit son portefeuille. Son pouce fit défiler le coin des billets sur la pulpe des autres doigts avec une rapidité experte, après quoi, son décompte achevé, le Russe remit le portefeuille dans les profondeurs du Chesterfield d'une main pendant que l'autre glissait le coin d'une épaisseur de billets dans la petite spirale chromée qui maintenait le menu plastifié et la liste des vins du café, sur la table, contre le coude de Quentin. Le bord libre des billets palpitait au vent.

« Une avance, Mr Asche. » Vassily décrocha le parapluie de son coude gauche.

« Et après l'appel ?

– Je doublerai.

– Et s'il ne se montre pas ? Après tout, il y a des années que sa sœur et lui ne se sont pas vus. Que se passera-t-il s'il se rappelle qu'ils préfèrent sans doute l'un et l'autre que rien ne change ?

– Il se peut que ce soit sa dernière chance de la voir, dit Vassily.

– Comment ça, au juste ?

– La prison l'a mis à rude épreuve. (Vassily émit un petit clappement de langue plein de compassion.) Sa vie tout entière l'a mis à rude épreuve. Sa santé s'en ressent. Il a le foie abîmé. »

Quentin garda le silence.

« Le choc de revoir son vieil ami Novgorodovich lui sera bénéfique. Et quand Charley verra ce qui l'attend en retour de ce qu'il a fait pour moi autrefois, eh bien… (Vassily écarta les mains en souriant.) ça lui fera sûrement deux fois plus de bien. Il n'aura peut-être plus besoin de travailler autant. Il pourra peut-être rester à San Francisco pour prendre soin de sa sœur. » Vassily sourit.

« Et changer d'existence, vous voulez dire ?

– Changer leurs deux existences. À tout jamais. (Vassily désigna la carte de visite d'un hochement de tête.) Ce numéro de téléphone est joignable partout dans le monde. Sauf en Patagonie.

– En Patagonie…, répéta pensivement Quentin.

– Un excellent opérateur. (Vassily brandit le parapluie.) Malheureusement, il n'est pas commercialisé auprès du public. (Comme par magie, un taxi se rangea le long du trottoir. Le Russe effleura le bord de son chapeau.) Au plaisir d'avoir de vos nouvelles, Mr Asche. »

Il ouvrit la portière droite. Nettement affiché en LED rouge vif, le montant du taximètre s'élevait à cent vingt dollars.

Voilà un taxi qui ne chôme pas, se dit Quentin.

La portière se referma. Le taxi s'éloigna dans la descente et tourna à gauche dans Taylor Street.

Quentin compta les billets de cent dollars. Ils étaient lisses, et il y en avait vingt.

Il venait de vendre le frère de Tipsy à un parfait inconnu pour deux mille dollars.

Il n'avait même pas besoin de cet argent.

Il plia les billets par le milieu et commença à en tourner et retourner l'épaisse liasse entre le pouce, l'index et le plateau de la table.

Finalement, quand son regard se détacha de la lointaine architrave d'un troisième étage, il s'aperçut que le Russe avait oublié son journal.

Non, se dit-il en laissant tomber l'argent et la carte de visite du Russe dans la poche de sa veste, aujourd'hui, je ne lis pas un seul bon sang de journal.

18

En regagnant le cottage de De Haro Street à 3 h 30 du matin (heure d'hiver du Pacifique), China Jones passa sans la regarder devant la pancarte À VENDRE plantée au pied des soixante-neuf marches en bois.

À vrai dire, il faisait noir.

Une fois en haut des marches, pourtant, il ne pouvait manquer l'avis d'expulsion sur ordre du shérif de la ville et du comté de San Francisco. Il aurait cependant mieux fait. Il planta l'extrémité de sa clé dans le coin inférieur droit de l'avis, et la glissa dans la serrure.

Il faut pas mal de verres de calvados pour supplanter trois grammes de speed, et surtout de bon speed. Heureusement, l'élégante tapette au Chesterfield en cachemire s'était montrée toute disposée à régaler China de tout le calvados qu'il voulait, à cinquante dollars la dose, du moment qu'il rentrait ensuite avec lui et n'avait pas le métabolisme trop dérangé pour rester éveillé le temps que l'autre fasse son affaire en posant toutes sortes de questions incongrues et en piaillant comme s'il était lui-même un vrai sniffeur de poudre, au point que China, qui s'était envoyé plus que son compte des trois grammes de coke vétérinaire, put à peine placer un mot — il claqua des doigts —, or lui, China, contrôlait carrément à peu près tout, et le client, de son côté, veilla à entretenir cet état de fait en achetant le reste de la bouteille. À cinq cents dollars, Patsy lui avait fait un prix. China remarqua que son claquement de doigts n'émettait pas de vrai claquement — en fait, le bruit était inaudible. Il n'avait rien senti, non plus. Pourtant, il ne s'en étonna pas plus que de tout le reste ou presque dans sa vie. Il avait ses priorités. Et ç'avait été une belle maison en plus, tout en haut de Nob Hill, avec une rangée de fenêtres surplombant le toit de la cathédrale Grace, sans parler d'une pièce insonorisée pleine de joujoux qu'aucun individu de moins de vingt et un ans ne devrait connaître, et encore moins regarder. Dix-huit ans, disons. Allez, rectifia China, parlant en ex-enfant prodige, seize. Pas l'entrée de la cathédrale, quand même, mais le toit. Gargouilles, flèches et tuiles, couleur visage humain vampirisé sous un mauvais éclairage, autrement dit d'aspect plombé à tendance cendreuse. Il claqua des doigts une nouvelle fois. Pourquoi aucun bruit ? Était-il niqué à ce point ? N'exagérons pas. Ne demandez rien, ne dites rien, le masque tient, portez-vous bien. Assumez la responsabilité de vos excès. Il lui était souvent arrivé d'être défoncé au point de distordre la coordination auditive entre un son donné et la perception consciente qu'il en avait, mais jamais au point de ne plus rien percevoir du tout. Eh bien, il ne faut jamais perdre espoir. Mais peut-être que si ? Il fronça les sourcils. Les acouphènes dus à la coke couvrent-ils tous les bruits extérieurs jusqu'à un certain volume ? Ou simplement une partie ? Il n'arrivait pas à se rappeler. Peut-être qu'il n'avait jamais su. Il percevait l'acouphène, 5 000 Hertz et peut-être 40 décibels… assez fort. Plus diverses autres fréquences, dont aucune n'était harmonieuse. Puissantes au point d'exclure la susurration nocturne du brouillard parmi les feuilles d'eucalyptus, une clé tournant dans une serrure, le claquement d'un pouce et d'un majeur. Il cassa le poignet et appliqua un doigt contre son pouce. Alors, si ? C'était ça ? Ou plus exactement, il l'était ? Passagèrement sourd, c'est ça ? C'est ça, c'est ça, c'est ça ? Il examina le dispositif. Les cuticules étaient livides. Tenait-il vraiment à savoir ? Il ouvrit la main. Il ne valait mieux pas. Il redressa le poignet. Les clés tombèrent sur le sol. Un toit tout de même. Il abaissa la main et regarda les clés. Impact silencieux. Un pas sur la Lune. Clés fantômes. Cléfantômes. Il les contourna avec précaution. Un toit tout de même. Il jeta un coup d'œil par-dessus son épaule. Ramasser plus tard ces saletés qui scintillent dans le noir. En s'en allant. En S'en Allant.

C'est spécial quand même un micheton qui ne se soucie pas du fric, même s'il y a d'autres détails, genre absence totale de remords post-fellation, par exemple ; genre tiens voilà cent de plus pour le faire sans capote ; genre tiens voilà cinq cents pour que tu te laisses attacher ; genre ne t'inquiète pas pour le fouet, c'est un petit ; Miou Miou l'Inquisiteur, China l'inquisité ; genre j'ai dû m'évanouir vu que la première chose que je me rappelle ensuite, c'est du genre fais gaffe en partant, que la porte ne claque pas ton beau petit cul, mon Tout-Miel. Autre genre de miel. Le même mot en espagnol : *miel* ; et adios se dit *adiós*.

« Oh, Chéri, se souvint d'avoir proposé China, tu n'as pas envie que je reste ? (Il désigna la fenêtre.) On pourrait aller à la messe du matin. » Ce qu'il pensait, en fait, c'était que jamais il ne trouverait de taxi à cette heure. Mais ce qu'il dit, ce fut : « Tu ne trouves pas ça génial quand l'archevêque pose l'hostie fraîche sur ta langue chaude ? »

Miou Miou — qui avait troqué son beau complet bien coupé contre un kimono et un foulard sous lesquels il arborait un short bavarois en PVC rose fuchsia à fermetures éclair adaptées, un porte-jarretelles en nylon bleu brodé de petites ancres blanches agrémentées de cordages, un collier de chien chromé, et une pique à bétail dans un fourreau de ceinture — se mit à rire et ne put s'arrêter. Son visage vira au rouge, et il se mit à tousser, sans parvenir pour autant à se calmer. Finalement, il avait exhalé en direction du plafond un panache de fumée de tabac turc, super odorant car coupé au goudron, cessé de sourire et demandé à China ce qu'il ne comprenait pas dans *adiós*. Ça veut dire *au revoir, tu sors d'ici, vas à Dieu, choisis ta divinité, et considère ça, bel éphèbe*, à nouveau des rires, *comme une fête de promo*, rires méprisants, *une fête de promo à l'école des beaux brutaux.*

China consulta son hologramme mental de l'appartement. Fauteuils profonds, deux divans recouverts de soie rayée, bar bien approvisionné, les tubes les plus feulés de Dalida sur la hi-fi, tentures de velours rubis encadrant deux portes-fenêtres s'étirant du sol au plafond, c'était une pièce d'angle, tapis d'une splendeur à mourir, le nez dedans éventuellement, bibelots en verre soufflé dans des vitrines en verre biseauté, un quatrième mur tapissé de livres, parmi lesquels deux mètres de volumes reliés cuir des *Œuvres* du marquis de Sade agrémentées d'illustrations licencieuses. China n'avait que la plus vague idée de qui était l'auteur, mais les images cochonnes il comprenait. L'édition était impressionnante. Il aurait parié que toutes ces vieilles reliures sentaient bon, en plus de ça, mais pour l'heure son odorat s'était complètement fait la malle. En dépit de trois quarts d'heure de sexe méthodique, pas un cheveu de la coûteuse coupe du client ne semblait avoir bougé. Ce n'était pourtant pas une moumoute, China s'en était assuré par palpation. De quelle marque de gel pouvait-il s'agir ?

Je pourrais étrangler ce type au beau milieu d'une baise torride, s'était dit China, et vivre ici un mois jusqu'à ce que quelqu'un s'en aperçoive. Mais, il soupira, ce serait un meurtre. Et dans quel but ? Simplement un luxe qui dépasse la simple imagination du simple mortel ?

Et en plus, pour peu que la mère du client soit encore vivante, elle devait appeler tous les jours.

Le client avait poussé China vers la porte d'entrée d'un geste de la main qui tenait sa cigarette, paume tournée vers le plafond. La mimique parut très gracieuse et, soudain, China se retrouva dans le hall, la porte de l'appartement fermée derrière lui. L'immeuble était si calme, les lambris si cossus, la moquette si épaisse qu'il entendit à peine ses propres pas tandis que, sans parvenir à marcher droit, il avançait dans le couloir jusqu'à l'ascenseur. Même l'acouphène semblait étouffé. C'étaient de vieux boutons de céramique disposés en deux rangées verticales sur une plaque en cuivre. Pourquoi pas moi ? se demanda-t-il pour la forme en appuyant sur celui commandant la descente. Pendant que la cabine montait à sa rencontre en chuintant et claquant dans la cage, China remarqua un œilleton de surveillance, une demi-sphère noire d'environ dix centimètres de diamètre. Qui lui jeta une lueur mauvaise par-dessus la grille dorée derrière laquelle la flèche bien astiquée, à l'abri d'un arc de cercle, indiquait la progression de l'ascenseur : RDC, Garage 1, Garage 2, 2, 3, 4, 5, 6, 7, 8, Terrasse — nous. Les portes de la cabine s'écartèrent, sans plus de bruit qu'un bivalve. China adressa un petit geste de salut à la caméra de sécurité, entra dans la cabine, et une fois seulement que les portes se furent refermées, constata qu'il était tellement défoncé que ses deux oreilles tintaient, et non une seule, sur diverses fréquences en plus, et qu'il avait assez de buvard sur la langue pour assécher une forêt vierge. Il tâta la couture de sa poche arrière, puis jeta un regard prudent par-dessous ses arcades sourcilières à l'un puis l'autre angle de l'ascenseur, à l'endroit où les parois en rejoignaient le plafond. Il ne vit pas de caméra, mais ça ne signifiait pas que l'ascenseur en était dépourvu, ni que le service de sécurité n'allait pas de toute façon l'attendre en bas. Il appuya son cul contre la paroi. Et le sentit.

Le sachet de speed était encore là. Il avait réussi à se sortir d'une nuit avec un client sans partager sa provision personnelle. Ils avaient épuisé ensemble celle du client, le mec en redemandait, et merde, il avait le fric, il pouvait bien s'en acheter lui-même. Mais si China voulait dormir avant midi, il allait lui falloir un peu de bibine ou de tranquillisants.

À mi-chemin des neuf étages, mû par une impulsion, il appuya sur la touche Terrasse. Un client satisfait pouvait-il lui refuser le fond d'une connerie de bouteille de calvados ? L'engin ne réagit pas. Et se contenta de le déposer au rez-de-chaussée, où sa porte s'ouvrit sur le hall d'entrée art déco exigu à l'éclairage implacable. China se trouva face à son reflet dans un miroir allant du sol au plafond installé pile en face de l'ascenseur, de l'autre côté du hall. Pas particulièrement flatteur. Il enfonça de plus belle la touche Terrasse. Là encore, rien ne se produisit. Il essaya le bouton de fermeture des portes. Rien. Le bouton du parking. Pas de réaction. Cet ascenseur, comprit-il, n'obéissait pas aux lubies de n'importe quel passager, mais à un code ou une touche secrète. Que c'était perspicace ! Et discret ! Et sûr ! Et sélect ! Et sélectif ! Qu'elle était solitaire, la solitude du sniffeur de poudre noctambule.

Le hall d'entrée était désert. Les deux autres portes visibles, desservant un bar-restaurant et un local de gardien, étaient fermées à clé. Les portes de l'ascenseur restaient ouvertes. Seule la porte donnant sur la rue céda sous la poussée de China. Il la franchit. Un groom en laiton la referma sur ses talons avec une prompte et silencieuse dignité, enfermant le beau brutal dans la nuit.

Il restait planté sur le seuil du cottage, incapable de se rappeler comment il était arrivé là. Il aimait se dire que cet endroit était son foyer, même s'il n'y venait plus guère, et que c'était de moins en moins habitable, et de fait, il s'observait en train de s'observer, de même qu'il refusait qu'une partie de sa personne refuse de donner tout son sens à la signification de l'avis du shérif.

Quentin était parti depuis plus d'un mois sans donner signe de vie. Ça faisait peut-être deux mois. À vrai dire, China n'avait pas cherché à le contacter. La ligne téléphonique était coupée. Des avis menaçants étaient arrivés concernant le téléphone et l'eau, les ordures, le gaz, l'électricité, les enveloppes intactes proprement repoussées contre la plinthe par le bas de la porte d'entrée. Le débattement possède une certaine inéluctabilité. China les ignora de la même façon qu'il avait ignoré la jauge à essence, la température de l'eau, le voyant d'huile, le renouvellement d'assurance, les appels de cotisation, les contraventions de stationnement, et les bruits inhabituels avant que la Datsun tombe complètement en panne. Et ensuite, il avait découvert que Quentin avait modifié la propriété du véhicule pour lui en faire don à lui, China ! Il allait maintenant devoir régulariser tout un tas de trucs avec le ministère des Transports avant de pouvoir redevenir le propriétaire légal d'un autre véhicule. Ça, ou alors se forger une nouvelle identité. Et alors ? China avait déjà connu tous ces brise-vitesses par le passé. Il aimait bien cette expression. Les brise-vitesses à l'autre bout de la branche de vie.

La seule chose qu'il faisait tout de même quand il était à la maison, c'était prendre un bain et regarder la télévision. Les administrations d'eau et d'électricité allaient sans aucun doute avoir leur mot à dire dans l'histoire. Rien à faire. Il fallut leurs cent coups de brosse à ses cheveux avant qu'il aille se coucher. Il se gratifia d'une séance méticuleuse de fil dentaire. Il aurait une manucure et une pédicure à se faire, car il n'avait plus les moyens de se payer des soins professionnels. Un appareil connecté à la télé lui permettait de rester à jour vis-à-vis d'un ou deux feuilletons et d'une émission de téléréalité qu'il ne supportait pas de manquer, à propos d'un tapineur homo qui essayait de s'en sortir après le passage de l'ouragan Katrina, ainsi que les derniers films diffusés par-ci, par-là. Mais après quelques relances que China n'avait jamais ouvertes, le service du câble avait coupé aussi.

Est-ce qu'il avait dit à Quentin qu'il s'était fait virer ? Qu'il avait dépensé le maigre montant de son indemnité de licenciement pour s'acheter de la cocaïne ? Jusqu'à ce qu'il ne reste plus que quelques billets de dix et de vingt, avec lesquels il acheta du speed vu qu'on en a plus pour le même prix ?

Quelle importance ? Le chômage avait fini par tomber, il avait donc treize mois devant lui, et comme personne ne pouvait se payer un loyer à San Francisco en pratiquant ce genre de petits boulots, les emplois d'homme à tout faire au sein d'une boîte se trouvaient par treize à la douzaine. China esquissa son sourire d'après-baise. Payer un loyer à San Francisco, ce n'était pas son problème. Il plissa le front. Quoique ?

Il passait toujours beaucoup de temps à examiner son visage dans le miroir de la salle de bains, se raser avec soin, faire des grimaces, s'épiler les sourcils et les narines, traquer une ou deux rides, surtout celles qu'on appelle les pattes d'oie, qui se déploient à l'angle externe des yeux comme deux minuscules branches de corail. En peu de temps, il avait épuisé tous les produits de beauté et cosmétiques de Quentin, et même les siens. La poubelle de la salle de bains débordait de tubes, fioles et flacons de crème. Mais à quoi bon la sortir puisque les conteneurs débordaient, au pied des soixante-neuf marches, le ramassage ne prenant plus les ordures ? China avait remplacé depuis longtemps la petite poubelle de la salle de bains par la grande jusque-là installée sous l'évier de la cuisine.

Puis il était tombé à court de papier-toilette. Quentin avait emporté tous les livres. Restaient les revues. Qui allaient finir par boucher la canalisation. Qu'est-ce que ça peut bien me faire. Diamètre d'évacuation insuffisant aussi.

Les rires pré-enregistrés de la bande-son d'un feuilleton ou d'un autre crépitaient dans les pièces, nuit et jour, quand China était là. Trop fort, toujours trop fort, ce n'était pas comme quand Quentin était en haut et que ça l'agaçait, mais en fait, China était tout simplement trop défoncé pour baisser le son. Non, ce n'était pas ça. La vraie raison, c'est que China était trop déprimé pour baisser le son… exactement… trop déprimé. Ces rires de bandes-son lui tenaient compagnie. Si un jour il devait avoir un chat, il l'appellerait Bande-Son. Si le chat était idiot, il l'appellerait Bande-Con. Ah haha. Pour l'heure, il était trop déprimé ne serait-ce que pour allumer un feuilleton, quand bien même il aurait pu. Il adorait son train-train, il en avait besoin, or son train-train tombait en miettes. Et qu'est-ce que ça changeait ? Mis à part lui, il n'y avait personne sur place que ça énerve, or il aurait aimé s'en moquer d'une façon ou d'une autre. Tout lui était égal. De toute façon, il pouvait allumer et éteindre des rires pré-enregistrés dans sa tête à tout moment, comme ça. Comme s'il avait une espèce de télécommande mentale, là-haut, d'un clic il coupait le son, ou le baissait considérablement, et il pouvait réfléchir des heures, imperturbable, avec annonces publicitaires automobiles, débats, matches de foot et spécialistes ès célébrités braillards… ça ne changeait rien pour lui. Tant sa concentration était puissante. Et son esprit, focalisé sur… rien. Le Vide. Contempler le pâté d'immeubles entièrement sculpté. Visualiser le parking désert. Harmoniser ses acouphènes. Suivre la balle qui jamais ne rebondit.

Bien éveillé, il passa un quart d'heure à fouiller les deux étages de la maison pour trouver l'origine d'un bourdonnement qui lui échappait au dernier moment.

Il avait déjà lu et relu toutes les revues de luxe, cinéma, potins et célébrités que contenait le cottage, avant de les entasser par terre à côté de la cuvette des toilettes, en prévision de l'étape finale — sauf celles contenant des articles vraiment intéressants qu'il découperait quand il arriverait à se concentrer assez longtemps pour trouver les ciseaux —, et il finit par monter au premier pour piller les étagères de Quentin… qu'il trouva totalement vides. Mais minute : ça, il le savait déjà. Simple vérification. Pendant qu'il était en bas, à essayer de localiser le bourdonnement, il avait oublié que les livres avaient disparu. Les vêtements de Quentin aussi, qu'il lui empruntait à sa guise, autrefois. Les plus récents lui allaient plutôt bien. D'ailleurs, cette ceinture — il la toucha sans la regarder — avait sans doute appartenu à Quentin. Sûrement pas, bien trop chic. C'est quand même dommage, se dit-il vaguement, debout sur le seuil de la salle de bains, ces revues se ressemblent toutes. Certains articles, surtout les très fouillés à propos des familles royales, de la princesse Grace, pour citer un exemple frappant — ou le reste de ces pauvres Grimaldi, autre exemple —, sont tout de même vraiment bons. Cette vie qu'ils ont, ou qu'ils ont eue, mon Dieu. Prestige, tragédie… et pas un seul pédé dans le lot, c'était connu. Des pédés périphériques, par contre. Ça oui, les gens de la haute ont leurs pédés périphériques…

Soudain, et copieusement, son nez se mit à saigner. Il avait cru que c'était de la morve, mais le sang est plus liquide que la morve. En règle générale, se dit-il en regardant l'eau — il cilla : ils n'avaient pas coupé l'eau ? Visiblement non. Mais elle était froide. C'est vrai. Ils avaient coupé le gaz mais pas l'eau — diluer le rouge en rose.

Cette garce de Quentin était toujours sur mon cul pour que je m'enrichisse l'esprit, toujours à me recommander tel ou tel livre à lire, et maintenant que j'ai le temps, il a embarqué tous les bouquins. Quel hypocrite. Il les a sûrement vendus pour financer un besoin en drogue dont je n'ai même rien su, je ne sais quelle substance de merde qu'il prenait pour éviter de se pisser dessus. Ces vieilles tantes ont leurs petits secrets. Une vision limpide lui revint brusquement de l'homme en short bavarois. Riant, brandissant sa fameuse matraque. Comment s'appelait-il déjà… Pas moyen de se rappeler. Effacé. Ça reviendrait sûrement à 3 heures… cet après-midi. China se sentit tout à coup embrumé, idiot même. Et gelé. De quoi est-il question ? Et qu'est-ce qu'il y a de drôle ? Qu'est-ce… Tout haut, China tenta un rire, et fut surpris, à mi-séquence, de soudain l'entendre. Il s'arrêta. Toujours trop fort, le rire de China n'était jamais convenable, ni apprécié, ni contagieux, et trahissait toujours une hystérie dangereusement proche de la surface de sa personnalité superficielle, aussi effrayant qu'un hurlement de pneus juste derrière soi sur un passage pour piétons, ce rire était sans doute sa plus grande faiblesse en société… sans compter son intelligence, son niveau d'éducation, son usage de diverses drogues, sa vanité, et cetera. Sa mâchoire se contracta. De temps à autre, il laissait échapper un couinement ridicule dans un bar où on ne le connaissait pas très bien. C'était arrivé dans celui de la 18e Rue, le Bareback Mountain il s'appelait, où des tas de pédés se réunissaient pour suivre les Matches de Football du Lundi soir. Avec majuscules, c'est ça. Ça faisait un peu clique, aux yeux de China. Fan-club vigoureux, en revanche, aux yeux des gens travaillant dans le marketing. Quasi religieux, vraiment, dans le genre élévation d'hostie mais télévisuelle et braillarde, d'un bout à l'autre de la saison de football, laquelle, par les temps qui courent, dure de juillet à février. À moins que… Ça ne serait pas jusqu'en mars, maintenant ? Certaines personnes disent que je suis idiot, mais moi je dis que certaines personnes n'ont pas de vie. Des tas d'hommes d'âge mûr écument le milieu pour se trouver des sportifs : j'ai des biens immobiliers, tu as une grosse bite, associons-nous et faisons une analyse transactionnelle de la situation. De fait, il y a généralement beaucoup plus de vieilles tantes que de sportifs, là-bas, ce qui en fait des proies faciles pour quelqu'un ayant la carrure et le physique de China… Ou en faisait, en tout cas. Pourquoi il ne s'arrête pas, ce saignement… Est-ce que j'ai pris de l'aspirine, récemment ? Mais un lundi soir, China se trouvait dans ce bar, il avait sniffé un peu de speed et vidé un ou deux cognacs, et il s'était retrouvé embringué dans le match sans s'en rendre compte. Il y avait un gusse deux tabourets plus loin, visiblement un peu mal à l'aise, qui reluquait furtivement les beaux mecs de l'endroit — ceux qu'il était possible de distinguer des autres clients qui étaient, pour la plupart, des copies carbones du gusse — et copies carbones est l'expression qui convient eu égard à leur moyenne d'âge, les copies numériques étant la tournure modernisée qui convient pour décrire les cinq ou six tapineurs installés le long du bar et plus ou moins interchangeables avec China lui-même. Ce dernier avait établi depuis un moment que l'enthousiasme du gusse allait à l'équipe portant les maillots rouge et bleu, et comme lui venait cette idée à propos du carbone et, en laissant de côté la photocopie, la génération numéri-technologique, un maillot rouge et bleu intercepta une passe destinée à un vert anis et doré et… eh bien, il lui échappa, ce braiement strident évoquant un accident de voiture, et le gusse, qui jusqu'alors avait semblé quasiment disposé à payer le prochain verre que China avait déjà commandé par-dessus son épaule, blêmit, secoua la tête, s'excusa pour aller aux toilettes (deux toilettes dans ce bar, toutes les deux pour HOMMES), ne revint pas, et China dut régler lui-même sa consommation. Dix minutes plus tard, il aperçut le gusse opérant dans un autre coin de la salle, parlant et faisant de grands gestes animés. China ne s'était même pas retourné pour vérifier la cause de l'hilarité générale qui éclata dans le silence momentané au fond duquel il était englouti. Il savait que ces rires étaient dirigés contre lui, et ses joues flambaient…

Et voilà donc qu'il rentre chez lui pour tomber sur un avis d'expulsion. Foutu bon sang de nodule mémoriel, un tour complet pour revenir au même endroit. Encore un truc à ignorer, sans aucun doute, mais China n'était plus assez défoncé pour ignorer ce petit détail concret de plus qui se glissa dans sa tête et y sema la pagaille. Sans quoi il casserait net l'élan de tous les sentiments qui en découlaient, sa machine-à-justifications bien huilée entrerait en action et pondrait divers scénarios, dans lesquels par exemple il se présenterait devant un juge et lancerait : « Pas ce soir, chéri, j'ai la migraine vu que je suis à court d'Oxycontin », ou « Parce que ce shérif adjoint, là, m'a confisqué ma réserve », et cetera. Bof, bof, bof. Ce qui le mettrait alors en rogne, évidemment, mais, bien conditionné, en un instant il oublierait complètement ce qui l'avait mis en rogne. Se mettre en rogne est une bonne politique, mais de temps à autre quelqu'un ne manque pas de demander pourquoi on est en rogne. On peut toujours dire que ça ne regarde personne, mais que faire si l'individu en question est dans l'immobilier ? Il n'y a pourtant guère de biens immobiliers capables de compenser ce vague pressentiment en suspens quelque part au fond de son cerveau, dans une partie désaffectée, c'est-à-dire la majeure partie de son cerveau, par conséquent vaste et certainement apte à contenir des caravanes entières de pressentiments fantômes, névroses flottantes, angoisses polyvalentes, et un tas de noirceur désinhibée de reste, le tout accompagné d'un insatiable appétit pour les drogues, aussi inépuisable que celui d'un pays émergent pour le pétrole.

En ce qui concernait le dessus de son cerveau, le saignement s'était arrêté. Bon sang, ça avait mis le temps. Il se rinça les mains et ferma l'eau perpétuellement froide. Étonnant qu'il me reste une goutte de sang. Je n'étais pas censé faire quelque chose ? Ciseaux ? Pécul ? Princesse Diana ? Bourdonnement sans cause ? Il leva les yeux. Disparu. Il battit des paupières. Boulot, peut-être ? Ah oui, le boulot, peut-être. D'ailleurs, à propos, il fallait s'y pointer au boulot, à neuf heures. Pourtant il était tellement au point là-bas qu'il pouvait y aller pour dix heures et à onze, il aurait fait tout ce qu'il y avait à faire avant la pause déjeuner... Le problème, c'était d'y arriver à l'heure de la pause déjeuner. Mais minute, minute... il s'était fait virer ! Un *frisson** de panique pas si léger que ça se propagea du fin fond au tout dessus de son cerveau. Tout foiré et nulle part où aller... de nouveau ! Est-ce que je peux trouver le moyen de mettre ça sur le compte du 11-Septembre ? C'est peut-être ça, le bourdonnement. Un petit rappel. Quelque chose dans le genre : vire-moi tous ces bon sang de dinosaures en plastique de ton placard au centre de tri et rends-leur ton badge de sécurité. Il fronça les sourcils en regardant la fenêtre de la cuisine. Quelque chose, dans le visage qui s'y reflétait, le poussa à rejeter ce qu'il tâchait de se rappeler en tant que détail sans importance dans le vaste schéma global. Il comprenait qu'il apercevait les lumières de la ville comme au travers de son propre visage, mais fallait-il pour autant que cette image ait une mine aussi effroyable ? Ça vient des cheveux ? Il tourna prudemment la tête de côté.

Mais il n'avait pas envie de jouer les durs. Pas tout de suite. Pas pour l'instant. Il s'abstint donc.

Son amie Nikko le travelo qui stylisait les perruques que lui envoient, oh c'est dingue le nombre de célébrités et de gens du spectacle qui lui en envoient... Nikko ne démarrait jamais avant dix ou onze heures. Bien entendu, Nikko dirige sa propre affaire et a toujours le temps de regarder la télévision en journée, par-dessus les perruques. Les filles sont bien obligées de se tenir au courant. *Exactement.* La télévision en journée, c'est uniquement une histoire de perruques. *Totalement vrai.* Difficile d'imaginer qu'il y soit question d'autre chose. *C'est la perruque qui mène la danse, ma chérie...*

Alors il se pourrait qu'après quelques verres, China se sniffe deux suuuuuper longs rails et, disons, qu'il se pourrait, disons, qu'il se pourrait qu'il saccage la maison de Quentin. Voilà. Par pure rage. Il ne dirige jamais ça que sur des objets, les objets des autres, comprenons-nous bien. Jamais sur les siens, et jamais sur les gens eux-mêmes. Enfin bon, c'est vrai, les insultes volent : alors, vieille tante, tu vas bander oui ou non ? J'attends ! Gonfle-moi ça ! Et voilà le soleil qui se lève ! Ton lifting est toujours affreux quelle que soit l'heure. Comment tu expliques ça ? Mais pas de coups. Jamais. China a cette considération-là. Et il ne faut pas perdre de vue que sa liaison avec Quentin — car ils ont vraiment eu une liaison, qu'on ne s'y trompe pas : Quentin était la seule personne que China ait rencontrée depuis longtemps qui soit disposée à le prendre au sérieux… comme un individu, déclara China en regardant bien en face la fenêtre, qui semblait l'observer. On pourrait considérer que China a délibérément torpillé les moindres intentions de Quentin afin de bien s'assurer de faire mal, non pas à Quentin, mais à lui-même, China. S'autodétruire. Le contraire de l'effet recherché. Passif-agressif, pourrait-on dire, à son propre égard. Un cas pitoyable. Effrayant, vraiment. C'est parce que je n'ai jamais eu assez de fric pour aller voir un psy. Non, mon chéri, attends une minute. Tu recommences, là. C'est parce que tu n'as jamais pris ton propre fric pour aller le dépenser chez un psy. Quentin lui-même, il n'y a pas deux ans de ça, à l'époque où il était encore un gros bonnet de l'immobilier, ne t'avait-il pas versé une rente en te proposant d'en consacrer une centaine de dollars par semaine, ou va savoir combien ça coûte, à une heure de consultation chez un bon psy de ton choix, option facultative dont il te laissait l'initiative, qu'il te confiait le soin de prendre, de façon à t'encourager à endosser un peu la responsabilité de ta propre personne ?

Eh bien, oui, en effet, c'était à l'époque où Quentin était un gros bonnet de l'immobilier, mais c'était aussi à l'époque où il pensait que j'en valais la peine.

Je sais où me procurer deux grammes, deux grammes et demi, pour cent dollars, dit China à la fenêtre sans remuer les lèvres. Il me faut un tabouret de bar, ici, pensa-t-il, pour pouvoir m'asseoir et regarder le miroir je veux dire la fenêtre et me pencher pour sniffer de la poudre et me verser à boire au lieu de devoir rester debout tout le temps. Il essaya de se rappeler la dernière fois qu'il était rentré à la maison. Sans doute jeudi soir. Il s'était pointé au boulot vendredi matin, s'était fait virer, et maintenant on était lundi, le mois suivant. Ou c'était peut-être le vendredi suivant. Toujours aucun plan pour un nouvel appart, quelqu'un qui ait besoin d'un coloc, d'un partenaire de baise, d'un concubin, d'un épileur de narines. Hé, mais bien sûr que si tu me procures un toit, je t'épilerai les poils du nez, et comment. Avec joie. Sans problème. Tente le coup. Nikko a fait comme si elle n'avait même pas entendu la question. China avait trop de jugeote pour essayer de se trouver un boulot de livreur de dope. Ou, en tout cas, le croyait. Risqué sans bagnole. De toute façon, le seul moyen qu'il connaisse vraiment d'acheminer de la dope à destination, c'était la paille à soda, ou la moitié inférieure d'un tube de stylo-bille, ou une antenne de voiture arrachée, ou un billet de cent dollars roulé, bien que la dernière fois qu'il avait eu en main un de ces accessoires assez longtemps pour s'en servir remonte à la vraie jeunesse d'une vieille tante. Un seul de ces accessoires, plus précisément. Un billet de cent dollars, pensa-t-il, songeur... Les vieilles tantes vivent vraiment si longtemps que ça ? Attends une minute.

Attends une minute. À quoi je pense, moi, bordel ? Il plongea deux doigts dans la poche gousset de son jean de marque déniché dans une friperie caritative de Market Street et... *voilà** ! Un billet de cent ! Et un petit bout de sachet juste derrière ! Dieu est grand ! Le client lui avait glissé un pourboire avant de lui indiquer la sortie ! Comment pouvait-il avoir oublié ça ? Et pardi, ils donnaient toujours un pourboire, et d'une. S'il y a une chose que le gars China sait faire, c'est toucher un pourboire. Ça marche à tous les coups. Il y a un point précis sur chaque circoncision ! Mais ce n'est pas souvent que ça se finit par un billet de cent. Avec un large sourire de satisfaction, il roula le billet dans le sens de la largeur pour en faire un fin petit tube d'authentique papier-monnaie. Quelle vie. Si quelqu'un se débrouillait pour faire disparaître les rapports sexuels occasionnels entre adultes consentants, les petits pédés comme moi et ce client de Nob Hill les réinventeraient en moins de temps qu'il n'en faut pour dire week-end prolongé. China s'envoya deux rails énormes, déroula le billet et lécha ce qu'il y restait de poudre. Centilingus, avait dit Quentin d'un ton dédaigneux. China lui avait fait épeler le mot. Les gens riaient quand il le répétait. Plus tard, Quentin avait sorti « centillation », qu'il avait ensuite abrégé en « C-llation ». China le lui avait fait écrire. Les gens riaient quand il le répétait. Tu devrais écrire pour la télévision, dit-il à Quentin. Ça me permettrait sûrement, avait demandé Quentin d'un ton supérieur, de m'épanouir dans la vie ? Garce sur le retour. China avait entendu quelque part que soixante pour cent des billets de cent dollars en circulation aux États-Unis portent des traces décelables de cocaïne. Les connards de fédéraux ne font sans doute pas la différence entre cocaïne et métamphétamine. Ou ça explique peut-être les quarante pour cent restants, et ils tempèrent les statistiques. On la fait pourtant en sniffant, la différence, pas de doute. Peut-être que les fédéraux lui fileront un boulot. Détecteur de Shit Fédéral. On en vient à se dire que si les fédéraux trouvaient un moyen de faire disparaître la cocaïne en une nuit, les gens comme China Jones la réinventeraient en moins de temps qu'il n'en faut pour dire *In God We Trust*. Ma poule, se dit China tandis que son laryngopharynx vibrait comme l'anche d'un saxophone basse, ça serait quelque chose. Un vrai exploit. Une contribution à l'histoire de l'humanité, comme celles de Lindbergh, disons, ou Pasteur, ou George W. Bush. Un succulent raisin sec dans le pain sans levain de la vie. Un ressort d'intrigue dans — soyons lucide — l'absence inobservée d'intrigue de mon propre récit postmoderne. Un fil à linge tendu entre des appartements d'immeubles, croulant sous les ressorts d'intrigue étendus là pour y sécher. *Sniffeur invétéré*, on pourrait lire sur ma tombe. Ou tout simplement *Homo Sniffeurectus*. *Recouillescat in pace*, *Centilinguiste*. Gravé sur un cénotaphe en marbre, tombe du billet de cent dollars disparu, d'un blanc aussi pur que de la coke vétérinaire, sculpté de façon à représenter autant de briques de cocaïne entassées dans une armoire fédérale. Ça c'est de l'épanouissement sur le tard !

Tard ? Il jeta un coup d'œil par-dessus son épaule au radio-réveil à piles, à côté du canapé-lit. Tard ? Des chiffres d'un rouge aussi vif qu'un saignement de nez, je retiens deux… Il ne s'est pas écoulé une seule seconde.

Bientôt, pourtant, il sera six heures, dit China au radio-réveil, mais s'adressant à lui sans parler à voix haute ou du moins sans s'entendre parler au portrait diaphanéisant de la fenêtre sombre, après avoir tourné la tête pour lui faire face dans le miroir, la fenêtre, il voulait dire fenêtre. La mâchoire inférieure du visage avait disparu, lui donnant l'air, se dit China bien qu'il ne connaisse pas le mot, d'un calvarium, un crâne sans mandibule, le genre de chose qu'on garde tout près de ses travaux d'élucubration, comme candélabre. Il porta deux doigts à la boursouflure visible sous son œil gauche mais ne sentit rien. Cette image vient-elle du grenier ? Il regarda ses doigts. Le billet de cent dollars avait disparu. Il regarda son autre main. Rien non plus. Marrant, gloussa-t-il, il n'avait pas remarqué de ficelle. Il regarda la fenêtre. Du sang dégoulinait sur le visage qui s'y reflétait. Il regarda ses mains. Pourquoi n'avait-il pas remarqué la ficelle attachée au billet de cent ? Une ficelle qui remontait jusqu'au loft en terrasse. Et le sachet aussi ? Du fil nylon, peut-être ? Il sortit la langue pour lécher le sang au coin de sa bouche. Houla. La langue du reflet était fourchue. Ça ne peut pas… Attends. Ne réessaie pas.

Une demi-heure. Encore une demi-heure et il sera six heures, les boutiques d'alcool ouvriront, même si c'est dimanche. Dieu bénisse la Californie.

Mais les fantômes n'ont pas besoin d'alcool. Et pas besoin d'argent, non plus. Agenouille-toi devant le distributeur, en espérant que ce soit possible. Le bruit court, pourtant, et ça date de *L'Odyssée*, qu'en revanche les fantômes ont besoin de sang.

C'est bon, restons calmes, alors maintenant China a besoin de sang. Mais bon, voyez, il en a, du sang. Du sang qui dégouline sur son reflet. Du sang tant qu'on en veut. Bien que la pression diminue, que le pouls devienne écoulement puis suintement.

Le sachet était pourtant encore là. Il avait déjà vérifié. Ne va pas attirer la poisse en vérifiant une nouvelle fois. Il descendrait en enfer avec. Speed en enfer : redondant, non ? Si les choses se précisaient trop, il l'échangerait contre du sang.

19

L'énergie, dans la salle, était aussi palpable qu'audible.

L'agent Few avait déjà les nerfs carrément en vrac. Il était tombé inopinément sur une nouvelle barrière de sécurité à l'entrée des employés. Normalement, il aurait dû être informé. Normalement, il aurait très bien pu manier le détecteur de métaux ou la poêle à frire lui-même, au lieu d'écumer la salle de conférences en uniforme de vigile avec Mace, une paire de menottes, sa montre 3G, et Tipsy Powell, son invitée en uniforme depuis peu.

On ne l'avait jamais affecté au sein d'une équipe de fouille corporelle. Pas encore, en tout cas. Il réprima le fantasme merdique dans lequel Tipsy et lui étaient nommés chacun dans une équipe de fouille corporelle.

Tout ça, c'était l'idée de Protone, cet enfoiré. En quoi ça le défrisait ? Pendant que Few et Tipsy jouaient avec le feu dans un champ de ronces archisec, Protone était vautré sur le canapé dans son garage de location, une bière dans une main et sa bite dans l'autre.

Au cas où, Few avait glissé un stylo 3G de huit gigas parmi les divers instruments destinés à écrire qui garnissaient la poche de poitrine de son uniforme. Mais si on le chopait avec l'un ou l'autre de ces joujoux, ça ferait du vilain, et les gars d'au-dessus ne voudraient rien savoir.

Effet dissuasif, on appelle ça. La simple vue d'un type en uniforme dans les parages suffisait à discipliner les gens dans les files d'attente, surtout ces gens-là, sauf s'ils picolaient. Quand ils picolaient, les nantis étaient pires que les membres de ces gangs étudiants qu'on appelle confréries, et bien pires que des *bikers*.

Le marteau s'abattit sur la tribune.

« Oscar, chuchota Tipsy, qui est ce gusse bizarre, là-bas ?

– Si quelqu'un vous regarde dans les yeux, souffla Few, vous baissez le regard tout de suite, genre vous êtes totalement sûre qu'il n'a pas les couilles de déclencher une bagarre.

– Une bagarre ? releva Tipsy sur le même ton. Ces gens ne...

– On vous a déjà dit à quel point l'uniforme vous va bien ?

– Ah bon ? Vous trouvez...

– Oh, Frank ! lança soudain Few à un type en costard bon marché qui surgissait de la foule. Tout se passe bien ? »

Frank tendit le doigt. « Qu'est-ce qui s'est passé, tu as mis ton oreillette ?

– Euh, non », répondit Few. Il fouilla dans sa poche de poitrine, chose à laquelle il répugnait. Quand lui-même ou quelqu'un d'autre écouterait l'enregistrement — si ça devait se faire un jour —, le son serait décapé, comme de bien entendu. « Je suis un peu en retard, là. C'est ce nouveau poste de contrôle...

– Ouais, renchérit Frank. Je leur ai dit de vous prévenir par texto, vous autres.

– O.K., dit Few. Ça doit être ça. Je suis en train de changer de fournisseur. »

Comme Few insérait la petite oreillette dans son oreille gauche, Frank changea habilement de sujet : « C'est qui, la beauté ? »

Voyant le teint de Tipsy s'empourprer, Few plaça : « L'agent Powell, de Park Station, une copine de lycée. Son gosse a un problème, elle a besoin de faire des heures sup.

– Désolé pour le gosse », mentit suavement Frank.

Si une mouche se posait sur le visage de ce mec, pensa Tipsy, elle glisserait aussitôt et tomberait.

« Ouais, renchérit Few.

– Votre bonhomme ne peut pas vous couvrir tous les trois ? » demanda Frank comme pour contester la virilité d'un homme en s'en prenant à sa femme.

« Euh », répondit Tipsy, détournant son mouvement d'humeur en un bref regard à Oscar, « il est sur deux postes dans les services de police de Petaluma, en fait, et il a eu de la chance d'obtenir la nomination. Ils ont des problèmes de budget, eux aussi...

– Mm », acquiesça Frank.

Oscar arborait un sourire rayonnant.

« … On a deux autres enfants, l'assurance fait des difficultés pour couvrir celui qui est malade.

– Pas possible que vous ayez fait trois gosses, dit Frank.

– Le numéro un est d'un premier mariage de Dan. Alors on a pris une deuxième assurance sur la maison… »

Oscar haussa un sourcil inquiet.

« Sclérose en plaques, développa Tipsy, imperturbable. Ils disent qu'on devait le savoir quand on a étendu la couverture. »

Le marteau s'abattit plus près du micro.

« C'est dur, mentit Frank.

– Ouais, renchérit Oscar.

– Du coup, poursuivit Tipsy, Oscar me dépanne.

– Oscar est un brave gars », dit Frank en tapotant l'épaule de Few. Ce qui revenait à dire : Continue, Oscar, tu te la feras, va. Très mauvais pour l'enregistrement, pensait Oscar. Je devrais lui fourrer son oreillette dans l'urètre à cet abruti, se disait Tipsy.

« Silence dans la salle. Silence… »

Oscar avait mis en marche le stylo et la montre avant d'entrer dans la salle, avant de franchir la sécurité, de façon à ce que personne ne le voie bidouiller des boutons. Il remonta pourtant sa manche. Huit heures une. « Ils aiment commencer à l'heure, dit-il.

– D'ailleurs… » dit Frank, sur quoi il prit soudain congé.

« C'est… ? s'enquit Tipsy.

– Notre chef », dit Oscar.

L'éclairage se fit tamisé.

« Super, dit Tipsy.

– Ouaip, convint Oscar. Surtout s'il ne vérifie pas auprès des Effectifs.

– Le sujet de ce soir : le cycle de désacralisation. »

Pas croyable, pensa Few.

Le quoi ? pensa Tipsy.

L'orateur était une femme coiffée d'un grand chapeau piqué d'un dahlia. « La nature, commença-t-elle, fut tout d'abord considérée comme sacrée par l'homme du paléolithique. Voyez les merveilleuses peintures rupestres de Lascaux. »

Succession de diapositives stockées et présentées sur ordinateur.

« La nature imposait et apportait tout : nourriture, étonnement, peur, tonnerre, eau, feu, plaisir et terreur, vie et lumière, mort et obscurité. Elle était vénérée et défiée, incarnée et spiritualisée par l'humanité. »

Succession de diapositives. Une coulée de lave, une lune pleine, des dunes de sable ondoyantes, les mandibules d'une araignée.

Few, le Rudy Van Gelder[1] de l'enregistrement clandestin, s'adossa à un mur, les mains croisées devant lui, en position de repos, immobile, car mieux valait éviter les froufrous de jupons.

« La religion sacralisa d'abord la nature, elle aussi. »

C'est vrai, se dit Tipsy, tandis que Frank passait dans l'autre sens avec un clin d'œil.

Diapositives des bois d'un renne, de plumes d'aigle, d'un veau d'or, d'une chasse au mastodonte.

« Au bout de centaines de milliers d'années, poursuivit l'oratrice, on en arriva à la désacralisation de la nature, due à l'auto-affirmation de son principal thuriféraire, la religion. Le thuriféraire détourna le sacré pour son propre usage, et devint à son tour sacré. »

Dolmens irlandais, Stonehenge, basilique Saint-Pierre.

« Détail curieux, Stonehenge, site de célébrations qu'on suppose vieux d'au moins cinq mille ans, présente également un grand intérêt astronomique. Indépendamment des outils servant à la chasse et à la récolte, nous voyons ici un premier exemple intéressant d'une nouvelle sacralisation, celle de la technologie. »

Plusieurs diapositives de Stonehenge en regard de levers de soleil au solstice, de couchers à l'équinoxe, et des phases de la lune.

« De même les pyramides, dont les entrepreneurs utilisèrent un vaste nombre d'employés, si l'on peut dire, et une technologie tout aussi vaste, en grande partie oubliée de nos jours. »

Diapositives de Chéops et de la Vallée des Rois.

Ouaouh, se dit Tipsy. C'est exactement la vue d'une entrée de tombe que Charley m'a envoyée sur carte postale il y a une chiée d'années…

Sarcophages, hiéroglyphes. « Les ingénieurs accédèrent à une stature légendaire, mythique, divine. Pourquoi ? Parce qu'ils mettent en œuvre et accroissent la technologie. » Pyramide à degrés de Saqqarah. « En voici un bel exemple. Nous trouvons Imhotep — qui conçut cet édifice pour le roi Netjerikhet — au début du vingt-sixième siècle avant Jésus-Christ. Il est considéré par beaucoup comme le premier architecte… et ceux d'entre vous qui croient que

---

1. Ingénieur du son américain qui a enregistré des musiciens de jazz légendaires, tels Thelonious Monk, Miles Davis, John Coltrane… (*N.d.T.*)

Frank Lloyd Wright fut le premier de la profession à acquérir le statut de divinité se trompent : le premier, c'était Imhotep. »

Rires.

« ... À ce jour, son culte reste important. Pourquoi cela ? » La flèche d'un pointeur laser esquissa un triangle autour de la pyramide. « L'œuvre. Son œuvre reste, et l'esprit de l'homme est sacralisé par cette puissante relique. »

Je n'avais jamais vu ça sous cet angle, se dit Tipsy.

« Hé ! » souffla une voix. Tipsy se retourna pour se retrouver nez à nez avec Frank dans le noir. « Qu'est-ce qui se passe ? »

Par-dessus l'épaule de son vis-à-vis, Tipsy distinguait la silhouette d'Oscar Few dans l'obscurité, qui ne les lâchait pas des yeux.

« C'est vraiment intéressant, risqua Tipsy.

« ... Les reliques ont toujours eu leur place au cours de l'histoire, comme nous l'avons vu. La coiffe de plumes d'aigle et le collier de griffes d'ours ou de lion, la défense du narval, l'os du poignet d'un martyr...

– Je ne parle pas de ça », répondit Frank d'une voix rauque. Son haleine empestait le cigarillo et le salami.

« ... La pyramide représente un changement de par le fait qu'elle naquit de l'homme, et non de la nature...

– De quoi parlez-vous ? » demanda tout fort Tipsy. Deux ou trois personnes, devant eux, leur adressèrent un bref regard par-dessus l'épaule.

« Baissez le ton, dit Frank tout aussi fort.

– ... Et nous retraçons ainsi l'origine de la sacralisation, en premier lieu de celui qui conçoit la technologie, le scientifique, l'ingénieur... »

Frank posa la main sur l'épaule de Tipsy.

« ... Et initialement, bien sûr, tous les travaux de ces concepteurs sont voués à la sacralisation de la nature, puis de la religion de la nature, puis des défenseurs de ces religions. Des individus de rang royal, en d'autres termes, qui étaient divinisés, souvent après leur mort mais de plus en plus souvent de leur vivant, et finalement du simple fait de leur naissance au sein d'une lignée convenablement encensée — ou sacralisée. »

Tipsy ne se souciait guère du fameux Frank. Après tout, se rappela-t-elle pour se rassurer, elle avait une matraque à la ceinture, et elle savait où étaient logées ses roubignolles. Mais un esclandre était précisément la chose dont personne — ni Frank, ni Tipsy, ni Oscar Few — ne voulait.

« … Cet état de fait engendra des hommes possédant un grand ascendant sur leurs semblables, or ce pouvoir s'étendait aussi à leurs hommes de main. La caste des guerriers, celle des généraux et des stratèges, fournit évidemment des personnages de pouvoir, directs et craints. Mais ces hommes œuvraient habituellement au nom d'un intérêt supérieur, lequel intérêt était dicté par un roi, s'il s'agissait d'un personnage fort, ou par les conseillers du roi qui, jusqu'à une date très récente de notre histoire, étaient habituellement des personnages religieux… »

« Alors ? » demanda Frank en serrant l'épaule de Tipsy.

Les diapositives se muèrent en portraits.

Tipsy grimaça sous cette poigne. « Bon allez, murmura-t-elle, ça suffit comme ça. Mon homme s'en est sorti sans rien prendre après avoir descendu le dernier type qui a posé la main sur moi, et il y a pris goût. »

« … le cardinal de Richelieu, 1585-1642, constitue un excellent exemple. Haut dignitaire ecclésiastique et homme d'État quasiment sans égal ni au sein ni hors des sphères de la religion et de la monarchie, il gouverna la France, théoriquement pour son roi, Louis XIII, pendant quarante ans… »

Tipsy approcha ses lèvres de l'oreille de Frank et murmura : « Et moi aussi », sur quoi elle lui décocha un coup de coude tout en bas des côtes, juste en dessous du bras importun. La main se retira aussitôt.

Oscar s'avança entre eux. « Qu'est-ce qu'il y a ?

– Il me faut des bonnes femmes pour une fouille corporelle, dit Frank d'une voix râpeuse.

– Il faut être volontaire pour ça, Frank.

– Ça, Frank ne me l'a pas dit », dit Tipsy en toisant le chef d'un regard meurtrier.

Oscar la regarda. « Ah bon, Frank ? dit-il à ce dernier.

– Ça va, dit Frank. J'ai oublié. »

Tipsy hocha la tête. « Je refuse.

– Donc on n'en parle plus, dit Oscar.

– Ouais, dit Frank. On n'en parle plus. » Il avait la voix tendue.

« Tu trouveras bien quelqu'un », assura Few.

Frank se fondit dans la foule sans un mot.

« Super », dit Few.

« … Richelieu conserve lui aussi son culte. Mais en tant que politicien et prélat, il laissa derrière lui fort peu de choses que l'on ait plaisir à se rappeler, hormis le savoir. Et quand bien même ce savoir est assez authentique, et très gratifiant, Richelieu ne laissa aucune pyramide, aucune relique. Et donc, en tant que personnage susceptible d'être sacralisé, ses états de service devront suffire. Au fil des décennies, son nom s'efface des mémoires, et son culte devient plus difficile à entretenir, par conséquent de moins en moins… utile, dirons-nous ?… »

« Ça va ?

– Bien. (Tipsy acquiesça.) Qui a mis cette raclure aux commandes ?

– Il ne nous commande pas. Il assure la coordination des services pour les organisateurs. La sécurité n'en est qu'un. Mais il ira sans doute jeter un coup d'œil à vos qualifications.

– Qu'il sera bien en peine de trouver.

– Ce n'est pas faux.

– Super. J'ai le temps d'écouter ça ? »

Few haussa les épaules. « C'est pour ça qu'on est venus. »

« … L'amoralisme de Richelieu est une tactique qui ne manquera pas d'être remarquée… par cette assemblée, à tout le moins. Car c'est dans l'évolution de la pensée de Richelieu que nous voyons clairement les besoins de l'État s'élever au-dessus de ceux de la religion, en quoi nous percevons le changement qui mit la religion au service d'un État qui, en fin de compte — il fallut encore trois cents ans —, devint l'une des principales démocraties occidentales dans lesquelles la religion jouait un rôle de moins en moins actif. »

Nouvelles diapositives. « Celles-ci viennent de Rapa Nui. On appelle ces effigies des moaïs. » Pour pouvoir s'attarder, l'oratrice ralentit la cadence de projection. « Je les aime bien. Les statues de l'île de Pâques ont toutes une tête qui représente les trois cinquièmes du corps entier. Très belles. »

Rangées de moaïs. Elle accéléra de nouveau la cadence.

« Mais qu'est-ce que l'État sinon l'usage le plus rationnel de ses entités constituantes ? Religion, travail, industrie, technologie, force militaire… ? Nous pourrions maintenant discuter des trois ou quatre États fascistes qui ont réellement compté au vingtième siècle : le Japon, l'Italie, l'Allemagne. Mais n'oublions pas l'Espagne de Franco, le Chili de Pinochet, le Zimbabwe de Mugabe… »

Tipsy jeta un coup d'œil par-dessus son épaule. Oscar s'était fondu dans la foule pour prendre quelques photos infrarouges. Est-ce que j'ai bien entendu ? se demanda-t-elle en se retournant vers l'écran.

« … Et n'oublions pas leurs erreurs. Au Japon, l'empereur était encore considéré comme une divinité. Dans les États européens, en revanche, cette notion ne survécut pratiquement pas au dix-huitième siècle. C'est assurément vrai pour la France, malgré la présence bien réelle de royalistes à ce jour encore, sans parler de la déification mi-figue, mi-raisin de Napoléon. »

Il faut que je m'accroche, là, se dit Tipsy. Je cours le risque de me faire estomaquer.

« Alors qu'un vrai fasciste, voyez-vous, déifie l'État, parce qu'il — ou elle — l'incarne. Sous ce jour, le rythme de sacralisation et désacralisation des concepts d'une soi-disant réalité ou une autre s'est accru. Et on note que, si les religions vont et viennent, seule la nature perdure. La Nature a le dernier mot, comme le disent les autocollants. Mais ce slogan, comme tant d'autres, pourrait n'être finalement rien de plus qu'un prêche religieux. »

Estomaquée et idiote…

« Le technologie, en un mot, est ce à quoi nous sommes confrontés. Or, confrontés à une technologie écrasante, que recherchent les gens ?

– Un Messie », répondit un chœur de quatre-vingts voix.

L'oratrice lâcha un petit rire. « Ou un homme, à tout le moins. Un homme qui se dresse à l'encontre de l'agression. Comme Jacques Ellul l'a commenté toute sa vie durant, au milieu du vingtième siècle la technologie avait déjà éliminé tous les environnements précédents : nature, religion, et même l'État. Dans la mesure où leurs rendements respectifs contribuent au progrès de la technologie, tant mieux pour eux. Dans la mesure où ils freinent ou entravent le rendement de la nouvelle réalité sacrée, tant pis pour eux. »

Soit on est en phase avec l'élan de l'histoire, soit on n'y est pas, conclut Tipsy en son for intérieur.

« … C'est aussi simple que ça. Il y a deux règles : (1) Ne jamais s'écarter du message, dont la logique, dans le même temps, est constamment variable. Et (2) Ne jamais cesser de décrier, mépriser, calomnier, discréditer et diffamer quiconque parle ou agit à l'encontre du message. »

Or tous les messages se résument à un seul, pensa Tipsy, qui est le suivant : puisque la technologie représente l'espoir plutôt que la monstruosité, adhérez au programme ou succombez.

« … Ou succombez », conclut l'oratrice.

Murmures, murmures, murmures, répondit le public.

Diapositive d'une façade de banque, avec colonnes en marbre, panneaux de verre vitrail, vaste double porte au faîte de quelques marches en granit s'élevant du trottoir.

« La démocratie, comme l'a souligné Marx, pave la route qui mène au socialisme.

– Aux chiottes, Marx ! cria quelqu'un dans la foule.

– Oui, oui, je sais. (L'oratrice tourna la paume des mains vers la foule.) On se dit que nous pourrions citer quelqu'un d'autre ayant souligné la même chose. »

Oh, bon sang, se dit Tipsy, où donc est Quentin quand j'ai besoin de lui ? Marx a-t-il vraiment dit ça ?

« … Néanmoins, les plus jeunes qui se trouvent ici parmi nous vivront presque certainement assez longtemps pour être témoins de la privatisation complète du capital public, et de la nationalisation de toute responsabilité portant sur une dette privée excédant seulement un million d'euros.

– De dollars ! cria quelqu'un.

– Ouais, renchérit un autre. Pourquoi pas des dollars !

– Peu importe. (L'oratrice secoua la tête.) Croyez-moi, les enfants de nos enfants vivront assez longtemps pour assister à la privatisation sans appel d'offres de toutes les administrations et institutions publiques.

« Nous avons obtenu de gérer nos établissements scolaires. En submergeant le cerveau des étudiants d'informations qu'ils n'assimilent pas, destinées uniquement à les faire contribuer au rendement technologique sans avoir le temps de rien faire d'autre, on éradique simultanément la rébellion en se contentant simplement de prédisposer les rebelles à la paupérisation. Formez un technicien et vous engendrerez l'innovation. L'individu en question — le mot *individu* est ici employé au sens strict d'entité biologique — se sentira attiré par la sensation de réussite qu'il ou elle aura appris à anticiper, et persuadé par la douceur d'oublier jusqu'à l'idée que ce qu'il est peut-être en train de faire concourt à rien moins que l'élimination de tout instinct susceptible de dévier des cent pour cent de participation effective à l'asservissement des besoins sporadiques de l'humanité aux conditions spécifiques de la technologie. »

Me revoilà estomaquée, se dit Tipsy.

« Mais, quand même, cria quelqu'un, est-ce qu'au fond, on ne reste pas humains ? »

Rires.

« Est-ce qu'on ne reconnaît pas l'appétit de l'esprit humain en chaque sein humain ? »

Rires redoublés.

« Est-ce qu'on n'est pas tous, encore, malgré diverses anomalies artificielles, humains sous nos apparences indéchirables ? »

Hilarité générale.

Autres commentaires. Puis… « Oui, dit l'oratrice rayonnante, c'est exactement l'idée. Et c'est pour cela que nous devons mettre un visage humain sur la réalité. C'est pour cette raison que nous poursuivons notre but à court terme, lequel consiste à créer et introduire une relique accessible uniquement aux heureux élus qui en auront mérité le droit, pareille à un fanal destiné à guider la navigation de l'âme. »

Applaudissements frénétiques.

« Rappelez-vous, *relique* vient du mot latin signifiant *les restes*, lequel nous vient lui-même de *relinquere*, laisser. Cette relique aura été, de même… »

Rires entendus, quoique incertains.

« … laissée afin de nous guider, nous rassurer, nous rappeler de voir notre avenir tel que promis par notre passé et garanti par notre présent… »

Je commence à avoir la tête qui tourne, se dit Tipsy.

« … Pour le vrai croyant, il y aura la vénération. Pour le sceptique, il y aura la preuve par l'ADN. Osons-nous imaginer une divinité parmi nous ? Frère Imhotep… »

Un projecteur localisa un homme dans le public. Courte pause, puis rires ravis. Tipsy ne voyait rien. Elle regarda par-dessus son épaule. Dans l'obscurité derrière elle, Oscar Few avait baissé la tête et la secouait lentement. Comme Tipsy se tournait pour regarder alentour, l'écran de projection s'anima et une image s'afficha. L'homme capté par le projecteur semblait déguisé de la tête aux pieds en Égyptien d'il y a trois mille cinq cents ans, tout en bleu azur et fond de teint cuivré. Compas maçonnique dans une main, équerre de charpentier dans l'autre, hiéroglyphes glissant en ombres chinoises sur la totalité de sa carapace. Applaudissements sporadiques. L'acteur inclina le buste. L'accueil est tiède. Les gens parlent d'autre chose.

« … Il y aura des bancs assez confortables pour encourager la méditation mais pas le sommeil… »

Rires amusés.

« … Des cierges en vente, une bibliothèque spécifique, une galerie de portraits, une visite audio, des hologrammes pédagogiques, différents niveaux d'adhésion en stricte relation avec la générosité, et cetera. »

Gémissements, rires, remarques moqueuses. « Si on la fermait et qu'on envoie tous ceux qui sont ici vendre un de leurs Hummers ! »

« Ouais ! Hummer tu meurs ! »

« On bouge son Hummer au lieu de causer ! »

Privatisation des fonds publics, se dit Tipsy. Et comme si la foule avait lu dans ses pensées, une litanie contagieuse s'en éleva : « Un deux trois, quatre cinq six, combien de privatisés aujourd'hui ? Un deux trois…

– Bien qu'il me répugne de le citer, insista l'oratrice, c'est Goebbels qui a dit : "On ne parle pas pour dire quelque chose, mais pour obtenir un certain effet." En d'autres termes, ce qui compte ce n'est pas ce qu'on dit, mais la façon dont on le dit. C'est exactement ce que fera notre reliquaire. Des documents écrits seront mis à disposition, ne serait-ce que parce que certains cavaliers du Tsunami d'Argent s'en tiennent à la parole imprimée. Ainsi que des vidéos, bien sûr, de la musique inspirante, et des conférences pieuses. Soyez certains que l'expérience, en soi et par soi, ne manquera pas d'être inspirante… »

Murmures entendus d'assentiment.

« Mesdames et messieurs (l'oratrice inclina le buste), je vous remercie de m'avoir accordé votre temps et votre attention. (Elle consulta sa montre.) Je vous retrouve au bar sans hostie. »

Les lumières s'allument, sur fond d'applaudissements clairsemés.

Une heure avant le spectacle, Tipsy était passée prendre Few devant le poulailler de Bryant Street.

« Euh, dites, lança-t-elle une fois qu'il fut monté à bord de la BM. Puisque c'est notre première sortie, et vu que vous êtes flic, tout ça : aveux complets. Je n'ai toujours pas le permis de conduire.

– Pas mon domaine », annonça Few. Il lui montra l'uniforme qu'elle allait porter pour la soirée. « Ça vous plaît ? »

Quelques heures plus tard, huit ou dix rues après qu'ils eurent quitté la salle de conférences, Tipsy arrêta la BM à un feu rouge, et Few lâcha sur le ton de la confidence : « Complètement fou ce truc, hein. »

Tipsy regardait passer le flot transversal de véhicules. « Fou ? releva-t-elle au bout d'un moment. Dans le genre incontrôlable, vous voulez dire ?

– Non, dit Few. Je veux dire fou. Dingue. *Loco*. Maboule. »

Le feu passa au vert et quand ils eurent franchi le croisement, Tipsy lui répondit : « Moi, j'étais *hypnotisée*. »

Few entrouvrit la bouche, tourna légèrement la tête vers elle, puis son regard revint fixer le pare-brise. Mon père m'a toujours dit, se rappela-t-il, que celui qui doit passer sa vie à faire le flic, il la passera avec des fous.

D'une voix où filtrait l'épuisement, il lança tout haut : « Déposez-moi à Bryant Street. »

En temps normal, Few aurait sans doute enregistré son rapport sur une clé USB, en y joignant photos prises au portable de visages extatiques et plaques d'immatriculation, ainsi que bribes aléatoires de communications interceptées, le cas échéant, enregistrement audio des événements réalisé grâce à son stylo, sa montre ou les deux, le tout accompagné de toutes les notes qu'il pourrait estimer appropriées. Les trucs de surveillance habituels.

Il fit tout ce qu'il était censé faire, bien sûr ; il remit ses données et dressa un rapport. Mais le temps normal, lui semblait-il, n'existait plus depuis un moment. Et donc, deux semaines plus tard, au cours de sa randonnée mensuelle dans les Marin Headlands, Oscar Few déposa les enregistrements sur cassettes première génération de l'intégralité de ses documents bruts dans la boîte à pique-nique décorée de vignettes militaires commémorant la doctrine de domination rapide Shock & Awe, qu'il avait dissimulée dans un terrier de gauphre, au pied d'un agave oublié par des squatters repartis depuis longtemps, six mètres au-dessus de la trace laissée par la marée haute dans un endroit perdu appelé Pirates Cove. Few ne se fiait plus à aucun autre support ni lieu de dépôt. Qui a vu un lecteur de disquettes cinq pouces récemment ? Et un disque ZIP ?

Il ne craignait guère les répercussions officielles, pas plus qu'il n'espérait progresser dans cette affaire. On lui demandait déjà de justifier les frais que lui occasionnaient les heures supplémentaires. Du genre, quatorze dollars pour une clé USB ?

N'empêche, se dit-il, un jour, quand ce parc serait en bonne voie d'être transformé en un vaste lotissement, les documents bruts de son histoire secrète fourniraient peut-être un indice sur la façon dont on permit à tout ça de se produire.

IV

Les poches des morts

20

Avant qu'elle soit vraiment installée sur le tabouret le plus proche de la terrasse fumeurs, Faulkner déposa sur le zinc un sous-bock, une Anchorage Steam pression, et une enveloppe cachetée.
L'enveloppe avait été libellée par Charley. À l'intérieur, pourtant, elle trouva un message de quelqu'un d'autre.

J'ai des nouvelles de votre frère.

Tipsy retourna le message face contre le zinc, le dissimula sous sa main et regarda alentour comme une touriste du Kansas à qui un concierge soudoyé aurait transmis des informations fallacieuses concernant ce boui-boui. Personne ne prêtait attention.
Elle trempa les lèvres dans sa bière et retourna la feuille.

Je suis itinérant par obligation. Discrétion conseillée. Mais si vous êtes intéressée par des nouvelles de Charley, j'appellerai le bar au téléphone dimanche soir, à 9 heures.

Le message n'était pas signé.
Trois hommes, l'un assis sur un tabouret, les deux autres debout, aux tenues déclinant une variation sur un même thème : chemise en coutil déchirée, salopette zébrée de peinture, maillot rayé grêlé de petites brûlures. Deux d'entre eux portaient la moustache, le troisième une barbe. Tous les trois étaient là pour la même chose que Tipsy, c'est-à-dire dissiper les restes d'une gueule de bois et

en entamer une nouvelle. L'un des hommes avait un shot de bourbon à côté de son verre de bière : l'avant-garde.

Aucun des gars ne prêtait la moindre attention à Tipsy non plus. Contrairement à elle, tout ce qu'ils avaient à faire c'était se soûler, dormir un peu, se lever, retourner au travail, et persister dans l'idée qu'en dehors du bidon de peinture, en dehors du mastodonte à tracter jusqu'à Oakland, en dehors de cette machine à café truffée de ressorts de soupapes, l'avenir n'existait pas.

« Faulkner.

– Yo. »

Elle brandit l'enveloppe.

« Elle était glissée sous la porte quand Walter a ouvert, ce matin.

– À six heures ?

– Cinq heures et demie. »

Tipsy laissa retomber l'enveloppe sur le comptoir.

« Je savais que je te trouverais ici. »

Elle leva la tête.

La mine du nouvel arrivant s'allongea. « Je ne t'ai pas manqué ?

– Si tu m'as manqué… ? Oh, mais si… Si, bien sûr que tu m'as manqué. » Elle se leva et le gratifia d'une étreinte distraite.

« Eh bien ! dit Quentin quand elle s'écarta. C'est ce que moi j'appelle des salutations sommaires. »

Elle balaya la remarque d'un geste. « Assieds-toi et bois quelque chose. Ça te réconfortera. »

Quentin ne s'assit pas et ne commanda pas de consommation. « Je dérange ?

– Pas plus que d'habitude.

– C'est bon », conclut-il d'un ton coupant.

Tipsy secoua la tête. « Ça s'emmanche mal.

– Il y a d'autres bars, fit remarquer Quentin, et d'autres pochardes solitaires dans cette ville, alors si je n'ai rien de mieux à faire que rester ici à supporter ce… ces *insultes glaciales*… »

Tipsy secoua la tête de plus belle. « Tu veux bien t'asseoir et te détendre ? (D'un geste brusque, elle approcha un tabouret libre à quelques centimètres du sien.) D'où tu sors, bon sang ?

– Stage d'initiation à la sensibilité. »

Tipsy n'accorda pas une seconde de réflexion à cette réponse. Du bout de l'ongle, elle tapota l'enveloppe. « Il faut que je te demande quelque chose.

– Mais bien sûr. (Quentin s'assit sur le tabouret.) On discutera de mes problèmes plus tard. »

Tipsy fronça les sourcils. « Où as-tu trouvé cette veste ?

– En ville. »

Elle pinça la manche entre deux doigts. « Il y a encore une friperie en ville ? »

Quentin recula le buste d'un air offusqué. « Je te demande pardon ?

– Alors elle est aussi neuve qu'elle en a l'air ?

– Elle te plaît ?

– Elle est superbe.

– Je te remercie, ma chérie. Je te dirais bien que je l'ai achetée uniquement parce que c'est pour toi que je m'habille, mais ça ne serait pas vrai, pour la simple et bonne raison que je ne te vois plus.

– Tu ne me vois plus ? La vérité, c'est que moi, nous tous… (elle désigna le reste du bar) en fait personne ne te voit plus.

– Tout ça c'est du passé, dit Quentin. Faulkner ?

– Mr Quentin Asche, lança Faulkner en arrivant de l'autre bout du zinc. Ça fait une paie qu'on ne s'est pas vus. »

Ils échangèrent une poignée de main.

« Quelle heure est-il ? Attends. J'oubliais. (D'une détente du bras, Quentin remonta la manche de sa veste et jeta un coup d'œil.) Sept heures et demie.

– Chouette montre », dit Tipsy d'un ton presque ébahi.

Faulkner fit tournoyer un sous-verre qui s'abattit sur le zinc. « Qu'est-ce que ce sera ?

– Un *whisky sour*. Sans whisky.

– Pas de boissons aux fruits.

– Alors un *old fashioned*. Sans bourbon.

– Je suis à court de cerises.

– Eau gazeuse, glaçons, peut-être un citron vert ?

– Ça je peux faire.

– Dieu merci. Je suis épuisé. »

Faulkner s'éloigna.

Quentin regarda Tipsy qui regardait la montre. « Elle te plaît ? »

Tipsy fronça les sourcils. « Qu'est-ce qui se passe, bon sang ?

– J'ai mis la maison sur le marché, servi un avis d'expulsion à China qui s'est fait rare, j'ai retiré la maison du marché, je l'ai nettoyée à mort, j'ai souscrit un deuxième emprunt, demandé à un type de me dessiner quelques plans et d'obtenir un permis de construire, embauché un entrepreneur pour les transformations, et installé mon maigre porte-documents dans le plus bel hôtel qu'on puisse s'offrir.

– Ouaouh, dit Tipsy après un long silence. Et moi qui croyais que tu t'étais peut-être bien suicidé.

– Eh bien, avoua Quentin, l'idée m'est venue à l'esprit. Mais je me suis rendu compte que je n'avais pas d'héritiers… tu comprends ? »

Tipsy secoua la tête. « Négatif.

– Si j'étais assez bête pour me faire sauter le caisson sans m'acquitter de la paperasse qui s'impose, tout ce que je laisserais derrière moi irait à la rénovation de je ne sais quel pont de Yolo County.

– Tu veux dire homologué au profit de l'État de Californie.

– Exactement. C'est l'affiche de China, celle d'*Arnold le magnifique*, qui m'y a fait repenser.

– Il ne l'a pas emportée ?

– Il ne l'a pas emportée.

– Ah. Il fallait qu'il soit drôlement tourneboulé.

– J'espère sincèrement qu'il l'était.

– Tu ne sais pas où il est allé ?

– Aucune idée.

– Pas à la maison en tout cas.

– À la maison encore moins qu'ailleurs. On en a sorti deux bennes à déchets de dix mètres cubes, on a fait sauter les cloisons, les lattis, les plâtres, l'isolation, et même la tuyauterie et l'électricité… il ne reste plus que la carcasse, c'est inhabitable. (Il toucha le bras de Tipsy.) Même la Datsun est partie à la benne. Et j'ai vendu la Mercedes à mon mécanicien pour régler ce que je lui devais. C'est son cauchemar, maintenant ; moi je prends le taxi chaque fois que je vais quelque part. »

Tipsy posa sa main sur l'avant-bras de Quentin. « Tu n'as pas sacrifié ta fameuse fenêtre de cuisine ? »

Quentin lui tapota la main en souriant. « Jamais de la vie. »

Tipsy se détendit. « Dix mètres cubes de déchets…

– Vingt.

– Ça paraît beaucoup.

– C'est beaucoup, ma chérie. Mais c'est ce qu'il fallait pour remettre la maison à nu. Apparemment, China a déglingué les sanitaires avant de s'en aller. Non mais imagine (il fit la grimace), les toilettes étaient bouchées avec des pages de revues. »

Tipsy grimaça. « Super.

– J'ai raqué presque dix mille dollars simplement pour un nettoyage de la maison qui permette ensuite de la désosser.

– Et combien pour la rénovation complète ?

– Ça dépendra des finitions, entre quatre-vingts et cent.

– Juste par curiosité, à combien tu l'avais mise en vente ? »

Quentin sourit. « Un million cent, ce qui est très raisonnable. »

Tipsy, qui portait son verre à ses lèvres, le reposa sur le zinc. « Je suis souvent estomaquée, ces derniers temps.

– Et tu n'as pas fini. La maison serait partie pour bien plus cher. D'ailleurs (Quentin brandit l'index), c'est un tas de ruines.

– Mais c'est ta maison !

– C'est peut-être pour ça que je l'ai retirée de la vente. (Quentin secoua la tête.) D'un autre côté, j'en ai tellement soupé de l'allure désuète de cette maison. Voyons plutôt ça avec l'œil d'un agent immobilier endurci.

– Comment ça ?

– Accepterais-tu de dépenser quatre-vingts ou cent mille dollars pour en gagner trois ou quatre cent mille ?

– Est-ce que la politique étrangère unilatérale me fait éternuer ?

– Bien vu. En attendant, ma chérie, c'est hôtels de première classe et déjeuners bio.

– Tu vas te charger toi-même de l'agencement et de la décoration.

– Exact. Quand le chantier sera terminé, d'ici, oh, huit à dix mois, je trouverai quoi faire de cette maison. »

Sur le téléviseur fixé en hauteur à l'autre bout du comptoir, deux femmes surgonflées aux anabolisants, vêtues de bikinis à paillettes à motifs patriotiques et de casques, se tapaient dessus avec des pugil-bâtons électroniques qui s'allumaient chaque fois qu'elles plaçaient un coup. Un message défilait au bas du tableau d'affichage : *Acte de sabotage : un pipe-line sectionné détruit 5 villages et 5 000 hectares de terre.*

« J'ai fini mon stage de reconstitution de permis.

– Félicitations. »

Tipsy scruta sa bière. « Merci. »

Au bout d'un bref instant de silence, Quentin lança : « Si tu voyais cet hôtel. Un restaurant fabuleux. On ira, tout à l'heure.

Leurs cocktails les moins chers coûtent dix-neuf dollars. (Il déversa le contenu d'une petite boîte de pilules sur un sous-verre et entreprit de trier.) Un très joli bar », ajouta-t-il à dessein, s'adressant à Tipsy mais parlant aux pilules, « où on ne rechigne pas à préparer un *whisky sour*. Et des animations, en plus. De vraies animations, je veux dire. Des musiciens qui savent jouer.

– Tu sais très bien, Quentin, que tu es le seul client ici qui arrive à se faire servir un cocktail. » Tipsy effleura le bord du verre de son ami avec la base du sien.

« Les *margaritas* et les *bloody mary* qu'on sert ici, lui rappela Quentin, sont des mélanges tout prêts. La marge bénéficiaire sur les *margaritas* premier choix avoisine les trois cents pour cent.

– Comme pour ta maison, fit-elle remarquer.

– Minute, ma chérie. (Il ferma les yeux et embraya directement en mode agent immobilier.) J'ai acheté De Haro Street en juin 1977 pour 45 000 dollars. Avec un apport de 6 750 dollars. J'ai payé pendant vingt ans et, maintenant, la maison coûte à peu près deux mille dollars par an en assurance, impôts et autres frais de propriété. Supposons en arrondissant que j'y ai investi 35 000 dollars au fil des années — réfection du toit, deux rafraîchissements des peintures, deux lave-vaisselle, placards neufs, ce genre de choses — plus les dix mille que j'ai dû raquer à cause du parasite qui y vivait. (Il posa son verre sur un sous-bock et baissa la voix.) J'ai fait une estimation basse. (Il s'expédia deux pilules dans le gosier et les chassa d'une gorgée d'eau.) Avec des enchères multiples, j'aurais probablement pu obtenir plus que le prix demandé. Vente de ma résidence principale après cinquante-cinq ans… ça me propulserait dans la catégorie des gens imposables. »

Tipsy recula. « Casse-toi, putain.

– La ligne de crédit là-dessus (Quentin baissa la voix) atteint les deux cent mille dollars, tranquille.

– Casse-toi encore plus loin, putain.

– Ils n'ont même pas voulu voir mes déclarations d'impôts. Ça aurait déclenché une guerre des enchères. (Quentin regarda Tipsy.) D'où es-tu, au Kansas ?

– De Mars.

– Tu permets que je te l'offre, ce verre. » Il posa un billet de cent dollars sur le zinc.

« Tu as vraiment refinancé ta maison désossée ?

– Un nouvel acquéreur l'aurait rasée pour construire du neuf moyennant un million de plus, et se serait retrouvé à payer quelque chose comme 37 500 dollars par an rien qu'en taxes. Plus les assurances, le service de la dette, et blablabla. (Quentin se redressa de toute sa hauteur.) J'ai eu le sentiment qu'il m'incombait, en tant que citoyen de cette communauté, d'empêcher une telle calamité de s'abattre sur les épaules de je ne sais quel malheureux Noir bon chic bon genre. »

Tipsy secoua la tête. « Une sacrée preuve d'esprit civique de ta part.

– C'est une ère nouvelle, ma chérie, lui assura Quentin. Je te le dis, moi : si je meurs à la veille de dépenser mes dix derniers *cents* (il toucha le bar du bout de l'index), je me serai tiré juste à temps.

– Espérons que tu vivras jusque-là. »

Quentin la regarda. « Je te remercie.

– Ce n'est pas tout à fait ce que je voulais dire.

– Et qu'est-ce que tu voulais dire au juste ? (Il ne prêta aucune attention à sa propre question.) J'avais vraiment mis ma maison en vente. (Une légère exaltation filtrait dans son ton.) Je vais vivre le restant de ma vie dans des hôtels intéressants. Quand j'ai laissé entendre à ma banque que j'avais besoin d'un petit peu d'argent pour me renflouer le temps que la vente se fasse, ils ont dégainé cette ligne de crédit de 200 000 dollars en moins de temps qu'il n'en faut pour dire Roy Cohen. Les temps ont changé. (Il s'approcha de Tipsy, lui donna un petit coup de coude et pencha la tête de côté.) Le monde n'est plus celui que j'ai pillé. »

Tipsy baissa les yeux, mais son regard se posa sur un rouleau de billets à demi sorti de la poche du pantalon de Quentin. Aussi épais que l'extrémité la plus large d'une batte de base-ball.

« Punaise, murmura-t-elle. À vue de nez, il y a là de quoi relancer l'économie cubaine. N'exhibe pas ce fric comme ça. Bon sang, de toute ma vie, l'argent ne m'a jamais fait un effet pareil. C'est quoi le plan ? Tu flippes quand tu n'en as pas, tu flippes quand tu en as ?

– Qui est-ce qui flippe ? » Il lâcha un gloussement sonore.

Faulkner regarda dans leur direction, à l'autre bout du comptoir. Quentin lui fit signe en agitant les doigts de sa main libre. Tipsy leva les yeux au ciel. Faulkner tourna la tête de l'autre côté.

Quentin prit son verre. « Tu as besoin de liquidités ? » murmura-t-il par-dessus le bord de son eau gazeuse.

Tipsy hocha la tête, affirmativement, puis la secoua négativement. « Non. Je n'ai pas envie de pourrir notre relation. Elle l'est déjà bien assez.

– Quelle relation ?

– N'empêche (elle noua son bras à celui de Quentin), ce que tu as pu me manquer. »

Il trempa les lèvres dans son eau. « Enfin, sache que j'ai de quoi te dépanner. »

Le regard de Tipsy tomba sur l'enveloppe. Elle esquissa une moue. « Il y a une question qu'il faut que je te pose.

– Vas-y.

– À qui as-tu parlé de Charley ? »

Quentin plissa les paupières. « Tu me fais de la peine.

– Je te l'ai déjà demandé et tu ne m'as pas répondu. »

Quentin reposa précautionneusement son verre. Après un bref silence, il dit : « D'accord. (Il joignit le bout des doigts sous son nez, le regard braqué droit devant.) Un soir, il y a trois, peut-être quatre mois, quand tu as commencé à recevoir les lettres concernant le tout dernier… le projet de… le… le fait que Charley envisageait de faire… un voyage, China m'attendait à la maison quand je suis rentré.

– China…, souffla Tipsy. Je le savais.

– Tu m'écoutes jusqu'au bout ?

– Bien sûr, opina Tipsy. Qu'est-ce que j'ai à perdre ?

– Je n'en sais rien. »

Elle se mordit la lèvre inférieure.

« Il était plutôt sobre, pour une fois. Il faisait chaud ce soir-là. China avait ouvert la grande fenêtre et il était en train de cuisiner la seule recette qu'il réussisse vraiment.

– Poulet aux olives vertes et aux piments chipotle avec riz sauvage et gombos.

– Très bien. On sentait l'odeur depuis De Haro Street. En plus de ça — et je ne sais pas où il les avait trouvées —, il avait mis au frais une bouteille de pinot gris et ouvert un Crozes-Hermitage. Juste pour le cas où l'envie me viendrait d'y goûter, tu comprends. Ce que j'ai fait. Une gorgée de chaque. Un délice.

– Lesquels de tes livres avait-il vendus pour payer ces bouteilles ? »

Quentin ferma les yeux.

Tipsy trempa les lèvres dans son verre. « De toute façon, China n'y connaît rien en vins. Il avait dû se renseigner sur Internet.

– C'était… (les yeux de Quentin s'embuèrent) tout bonnement incroyable. Les arômes du côtes-du-rhône et du poulet en train de cuire rivalisaient pour me mettre l'eau à la bouche. Tu sais depuis combien de temps je n'ai pas réellement senti le goût d'un aliment ?

– Il voulait quelque chose, lança Tipsy. Il… »

Quentin l'interrompit en levant la main. « Oh, pensai-je en mon for intérieur, ce garçon ne peut s'en empêcher. Il veut quelque chose. Je me suis donc préparé à un bon repas, peut-être même agrémenté d'un brin de conversation pétillante, suivi du genre de baise qui m'a fait basculer cul par-dessus tête, si tu me passes l'expression, dans ce bourbier. Profites-en, me disais-je ; mais bois très peu, et ne te laisse pas trop aller, parce qu'au bout de tout ça…

– Gît le venin, conclut Tipsy.

– C'est juste. Mais j'avais tort, et toi aussi. Il ne voulait rien… du moins, se hâta d'ajouter Quentin, sur le moment il n'a rien demandé. »

Tipsy attendit.

« C'était tout comme au bon vieux temps, avança Quentin en souriant. Avant qu'il se mette à fréquenter tous ces gens nocifs, à trop boire, à se droguer…

– À avoir son entraîneur personnel…

– Oui, tout ça… »

Tipsy avait ses doutes quant aux souvenirs idéalisés de Quentin, mais elle demanda : « Repas savoureux ? »

Il acquiesça. « Conversation délicieuse…

– Je t'en prie, Quentin, coupa Tipsy, agacée. Conversation acceptable.

– Non, je t'assure…, protesta Quentin.

– Au moins, vous ne vous disputiez pas, suggéra Tipsy.

– On ne se disputait pas, concéda-t-il.

– Et, pour finir, baise formidable.

– Non, rectifia aussitôt Quentin. Plutôt… chargée de sens.

– Ah, fit Tipsy en s'éclaircissant légèrement la voix. Baise chargée de sens.

– Il était exactement aussi amoureux que le China de mes souvenirs. Ferme sans être trop exigeant, pas trop strict, il prenait son temps…

– Oh, s'il te plaît, dit Tipsy. Je vais gerber.

– Personne n'a gerbé…, poursuivit Quentin d'un ton rêveur.

– D'accord, d'accord, le pressa Tipsy. Ensuite, vous êtes restés dans les bras l'un de l'autre, à parler. Juste…

– … parler », dirent-ils à l'unisson.

Tipsy fit tournoyer le fond de sa bière. « De quelque chose en particulier ?

– À un moment donné, soupira Quentin, il m'a demandé de tes nouvelles.

– Ah », fit Tipsy, pointant le doigt vers sa propre poitrine. « C'est de moi qu'il est question ? China Jones t'a parlé de moi ?

– Et je lui ai dit ta grande nouvelle, expliqua simplement Quentin. On parlait de choses auxquelles on attachait tous les deux de l'importance, ajouta-t-il sur la défensive. Après tout…

– Après tout ?

– Tu as de l'importance à mes yeux, Tipsy.

– C'est réciproque. (Elle lui tapota le bras.) Qu'est-ce que tu lui as dit au juste ?

– Simplement que Charley avait donné signe de vie après des mois de silence.

– Tu as dit à China que Charley avait du travail ?

– Eh bien, c'était une bonne nouvelle, ça aussi, non ?

– Tu as dit à China quel genre de travail ? »

Quentin leva les deux mains et les retourna, paumes vers le ciel. « Est-ce que je le sais seulement, quel genre de travail ?

– Tu as dit à China que Charley venait à San Francisco ? »

Quentin fronça les sourcils d'un air ingénu. « Charley vient à San Francisco ?

– Charley venait à San Francisco. (Elle serra le poing et martela le zinc du bout du majeur.) J'étais assise ici même et je l'ai lu tout haut. Tu étais là.

– Tu l'as sans doute fait. J'avais oublié.

– Je croyais que ma bonne nouvelle t'avait mis carrément aux cent coups ?

– Complètement, renchérit Quentin, tu n'as pas idée comme ta nouvelle m'avait ému. Ça fait longtemps que tu n'en avais plus aucune, alors j'étais content pour toi. (Il la regarda bien en face, comme s'il parlait franchement, et lui posa une main sur l'avant-bras, comme par sincérité.) Mets-toi à ma place. China faisait un effort et il avait vraiment vraiment envie de savoir ce qui se passait par ailleurs dans ma vie. J'avais hâte de lui raconter. J'étais tellement content pour toi ! »

Tipsy dégagea son bras. « Commère.

– Commère ? (Quentin se redressa et porta les deux mains à son torse, du bout des doigts.) Quel culot. Je suis le garant de tes secrets depuis je ne sais combien d'années, et c'est comme ça depuis *tu* ne sais combien d'années. »

Tipsy immobilisa le bord de son verre devant ses lèvres et haussa un sourcil. « Là-dessus, tu as raison.

– Je ne te le fais pas dire, lança Quentin d'un ton virulent.

– Ne t'énerve pas.

– Tu en as de bonnes.

– Donc China et c'est tout, hein ?

– Comment ça, China et c'est tout ? C'est pourtant toi qui me serines qu'il n'a rien d'unique.

– Loin de là. Ce que je voulais dire, c'est que China est le seul à qui tu as parlé de Charley ?

– À qui d'autre voudrais-tu que j'en parle, bon sang ? »

Tipsy tendit le message et l'enveloppe à Quentin. Quentin lut. Elle lui montra l'enveloppe. Elle n'eut pas besoin de lui dire de comparer les écritures. Il remarqua que le timbre n'était pas oblitéré. Relut le message. Lui rendit enveloppe et message. « Tu as eu des nouvelles de Charley, récemment ? »

Tipsy secoua la tête.

D'un geste du menton, Quentin désigna le message. « Tu vas rencontrer ce type ?

– Et comment. (Tipsy hocha gravement la tête.) Tu m'accompagnes ? »

21

Red Means débuta dans la vie convaincu qu'il devait se débrouiller en travaillant le moins possible.

Il fit chou blanc.

Il opta donc pour l'action. Il s'était rendu compte que dans la mesure où on ne rechigne pas à mouiller sa chemise et à se salir les mains, on trouve toujours du boulot. Or, quel est le plus sale boulot qu'on puisse faire sans trop se salir ?

Le trafic de drogue. C'est ça. Du trafic, pas du deal. Il y a une différence.

C'est le chemin de l'immigré, la voie de l'ascension sociale, c'est le raccourci piégé qui mène du désert de l'impécuniosité aux pelouses frais tondues de la stabilité financière, où l'eau de la piscine est toujours bleue et la bière toujours fraîche, et où il est illégal de démarrer un souffleur à feuilles avant 9 heures du matin.

Et encore, ce n'est que le côté riant du décor.

Quand on fait une chose illégale, et qu'on la fait bien, on touche cent, mille, dix mille fois le salaire minimum garanti. Quand on joue bien ses cartes, il n'existe pas d'autre limite que le ciel. Quand on les joue mal, tout ce qu'on obtient, quand on n'y laisse pas sa peau, c'est du temps à l'ombre. Dans un cas comme dans l'autre, ainsi que l'énonçait le principe universel de tous les trafiquants de drogue qu'il lui était arrivé de croiser, ça vaut mieux qu'un boulot réglo.

Foutaises. Pendant toutes les années qu'il avait passées dans la partie, Red Means avait joué ses cartes de façon à ne pas se faire prendre. L'argent était la seconde priorité.

En son temps, Red avait fait des tas de centaines de milliers de dollars, peut-être même un million ou deux. Il avait débuté avec une partenaire. Elle se révéla plus futée que lui, ce qui ne posa pas de problèmes tant qu'ils firent des affaires ensemble. Mais plus tard, quand le trafic de drogue commença à être beaucoup plus lourdement pénalisé que par le passé, sauf au Texas, et abominablement plus dangereux aussi, même au Texas, elle orienta son intellect supérieur vers un retrait complet des affaires, avec une somme d'argent raisonnable à la clé, mais son objectif premier était de s'en tirer indemne. Pas de peines de prison, pas de cicatrices, mais pas complètement à la rue non plus. Elle y parvint, avec assez pour s'acheter une maison. En temps voulu, elle épousa un entrepreneur en bâtiment, fit deux gosses, le mari ajouta une pièce à l'habitation, et la confiture maison de l'ancienne partenaire de Red remporta un prix à la fête du comté.

À maintenant soixante ans, Red trouvait que la vie marginale avait perdu beaucoup de son attrait. Il ne voulut jamais reconnaître que sa partenaire avait compris vingt ans plus tôt que lui une chose dont, pour sa part, il préférait toujours nier l'existence, mais en l'occurrence, au bout de ses vingt premières années en tant que criminel à plein temps, il s'estimait déjà fatigué. Qui plus est, le départ de sa partenaire le déconcertait. Il avait donc investi ses talents dans diverses arnaques.

Il monta une école de croisière. Au début, il en était l'unique instructeur. Bientôt, pourtant, plusieurs autres réprouvés, eux-mêmes lassés des affaires, songèrent à mettre leurs mains douteuses au service de quelque activité plus ou moins honnête, et se pointèrent sur le pas de sa porte pour demander du travail. Dégagé de ses obligations pédagogiques, Red appliqua son vaste savoir-faire à la falsification des registres de comptabilité. D'emblée, il apparut que ses divers vieux copains ne s'intéressaient pas plus que lui à l'enseignement. Ils préféraient compenser l'ennui qu'engendrait l'effort honnête — matelotage, manœuvre de l'homme à la mer, technique du mouillage — en se murgeant ; quoique un type, notamment, ait mis en panne en l'unique compagnie d'une jolie élève et laissé le bateau se mettre au plain pendant qu'il la violait. Il se trouva que la jeune femme était une avocate venue apprendre à naviguer pour pouvoir savourer plus de loisirs avec son petit ami avocat à bord du très grand yacht de ce dernier. Avant que les poursuites ne puissent être vraiment engagées, Red dut faire disparaître son vieux copain, lequel ne put se décider à commenter la situation autrement qu'en termes rétrogrades, à savoir : « Si elle veut pas qu'on la baise, qu'est-ce qu'elle est venue foutre sur un bateau avec un type comme moi ? »

Red lui arrangea une camisole en galets et se déclara en faillite.

Là-dessus, il se lança dans un fonds de gestion financière. Et qui étaient ses clients ? Des dealers ayant réussi à prendre leur retraite ou impatients de le faire, bien entendu. Réserve inépuisable de clients. Red commença à recevoir des menaces proposant de *lui* arranger une pèlerine des vingt mille lieues, émanant d'imbéciles qui attendaient mieux qu'un retour sur investissement légitime de dix pour cent. Il ne les prit pas au sérieux. Après que quelqu'un eut fait sauter sa voiture, cependant, cette affaire-là aussi tourna court.

Finalement, Red se tourna vers l'immobilier. L'immobilier en Floride, particulièrement, présentait beaucoup d'éléments qui faisaient défaut à ses précédentes affaires, et beaucoup en commun avec le trafic de drogue. Piraterie, coups de poignard dans le dos et gorges tranchées, pour n'en nommer que trois. Les putes opérant pour de la coke étaient remplacées par des putes opérant pour les biens immobiliers. Elles n'étaient pas difficiles à distinguer les unes des autres. Les premières vous malaxaient le genou le plus proche du miroir, les autres le genou le plus proche de la pile de biens comparables. Mais là encore, il ne rencontra que des résultats plus que médiocres. Il était cerné d'agents immobiliers des deux sexes, à cheveux méchés, chaussures confortables et Jaguar décapotables avec panonceaux OUVERT À LA VISITE entassés sur le siège arrière. Aucune commission n'était trop basse pour être encore réduite, aucune opération de vérification à l'échelle nationale des licences d'opérateur immobilier n'était rigoureuse au point de ne pas pouvoir être encore compliquée par des législateurs à la botte des lobbies de l'industrie, aucune demande farfelue de la part de retraités névrosés descendus de régions froides comme le New Jersey n'était trop dégradante pour être exaucée.

Red ne put s'y faire. Il n'était pas quelqu'un de sociable. On ne peut pas gratifier le premier crétin venu d'un pourpoint des grands fonds simplement parce qu'il n'aime pas les particules de charbon visibles dans l'albâtre qu'un spéculateur débordé avait barboté sur un autre chantier pour agrémenter le cabinet de toilette d'un appartement dont il cherchait désespérément à se débarrasser.

Finalement, sur un quai de gare routière des abords de Miami, Red se retrouva installé au bar avec à peu près deux cents dollars en poche, un verre vide devant lui, et le bordereau de rappel pour le droit d'anneau impayé du Chris-Craft, le 32 pieds non navigant pourri qui lui tenait lieu de domicile à l'époque. Miami avait changé autour de lui, il se passait trop de choses aux Keys pour qu'il y mette les pieds, il n'avait pas d'amis, la plupart de ses anciens associés étaient morts, en prison, ou définitivement à la retraite en Amérique du Sud, et comme un musicien de sa connaissance l'avait dit d'un trompettiste, si la mode féminine avait connu le moindre changement au cours des deux dernières années, Red était bien l'avant-dernier qu'il faille questionner sur le sujet ; le dernier étant le trompettiste.

Ce n'était pourtant pas que Red manquât d'expérience avec les femmes. Il avait au moins trois grands enfants éparpillés dans les parcs à mobile-homes du sud de la Floride et un autre marié à une mondaine à Newport, dans l'État de Rhode Island, si bien que le côté procréation de la vie de couple ne l'intéressait plus du tout — et, à vrai dire, ne l'avait jamais intéressé. Ce qui lui manquait de la vie aux côtés d'une femme, en revanche, c'étaient les disputes. Une bonne dispute, Red le savait d'expérience, signifiait qu'on était vivant. Après la dispute, bien sûr, il convient de se lécher mutuellement des pieds à la tête. C'est ce que préconise le *Manuel de félicité domestique du dealer de drogue*, juste après l'encadré illustré montrant comment affûter une seringue hypodermique sur une brique.

Le trafic exerçait le même genre d'attrait. L'adrénaline de la traque, les nuits furtives infestées de moustiques, le risque extrême et les récompenses en proportion… c'étaient là des indices, Red le savait d'expérience, prouvant qu'il était pleinement vivant. Les dix-sept mois qu'il avait passés dans les Everglades avec la mère de ses enfants ? Le nadir de sa vie. L'ennui à l'état pur. S'il n'avait pas dû la persuader de faire don de son rein, ce qui était illégal, il l'aurait sans doute tuée avant de se suicider. À l'époque, bien peu de choses éclipsaient la satisfaction de décrocher cette timbale — sauf, disons, le jour où il avait forcé un débiteur récalcitrant à donner son pitbull préféré en pâture à l'alligator qu'il élevait lui-même dans sa piscine. Quand c'est jour de paie, c'est jour de paie.

Red ne tenait pas particulièrement à sniffer le fruit de son labeur. Il préférait s'abstenir, afin de mieux savourer tous les détails de l'existence, sans parler de l'avantage que cela lui donnait dans la compétition. Il avait appris ça de Darla. Tout le monde, dans le milieu, savait qu'il était préférable de ne pas le gruger sur la quantité, ni de lui refiler un produit de moindre qualité. D'ailleurs, toutes ses femmes et petites amies avaient considéré que ce principe leur garantissait plus de came pour elles. Toutes ses femmes, sans exception, tout au long de sa vie, avaient toujours placé cette priorité au-dessus de toutes les autres. Un retour de bâton autodestructeur s'il en était, qu'il n'avait aucun scrupule à fuir pendant un an ou deux.

Dans un moment de faiblesse passagère, il avait retrouvé la trace de sa ci-devant partenaire et l'avait appelée.

« Darla ?

– Oui.

– Ici Red. »

Silence.

« Darla ?

– Red.

– Ça gaze, ma belle ? »

Silence.

« Allô ?

– Red.

– Darla ?

– On n'a plus rien à se dire.

– Eh ! merde quoi, je le sais, ça, ma belle.

– Alors pourquoi tu m'appelles ?

– Eh bien, je… tu me manques. Si on peut dire. »

À l'autre bout du fil, derrière Darla, une sonnerie se fit entendre et un chien aboya.

« Darla ?

– J'écoute, Red.

– On a quand même bien rigolé, non ?

– Ah bon ?

– Pardi.

– Ce n'est pas le souvenir que j'en garde.

– Ce n'est pas le souvenir que tu en gardes ? Et quel souvenir tu en gardes ?

– C'est bien simple, aucun. »

Cette réponse cloua Red sur place. Après un silence, il demanda : « C'est ta petite ?

– C'est ma petite.
– Quel âge elle a ?
– Neuf ans, bientôt dix-sept.
– C'est bien. C'est drôlement bien.
– Écoute, Red.
– Oui, Darla ?
– J'ai un colis à signer que m'apporte UPS, et il faut que je prépare vite fait quelque chose pour le dîner.
– Ah. (Silence.) Tu cuisines, maintenant ?
– Non seulement je cuisine, mais je dirige une entreprise de restauration.
– Et tu cuisines aussi chez toi ?
– Franchement, Red, je ne m'en lasse pas.
– Et ça marche bien ?
– On arrive à peine à joindre les deux bouts. Chaque fois qu'on remplit nos déclarations d'impôts, on…
– Vos déclarations d'impôts ? » Red s'esclaffa.
« Oui », dit-elle simplement.
J'avais oublié les impôts, se dit Red.
« On se demande où ça passe, poursuivit Darla.
– Ça ne suffit jamais, conclut Red.
– On dirait bien.
– Euh, dis voir…, lança-t-il.
– Ne commence pas, conseilla-t-elle.
– Tu n'as pas besoin d'un petit coup de main ?
– Non, merci. On se débrouillera.
– Tu n'as pas besoin d'un petit… apport supplémentaire ?
– Il faut que j'y aille, Red. S'il te plaît, ne me rappelle pas. »
La simplicité de cette demande, qui manquait tellement de fougue qu'elle en devenait terre à terre, le laissa sans voix sur le moment. Finalement, il répondit : « Bien sûr, Darla. Bien sûr.
– Promis ? »
Il hocha la tête sans rien dire.
« Red ?
– C'est bon », assura-t-il, insufflant à sa réponse une énergie qu'il était loin d'éprouver. « On se dit adieu.
– Merci. » Elle raccrocha.
C'était peut-être la seule décision franche sur le plan émotionnel, que n'entachait aucun désir de profit, qu'il ait prise de toute sa vie adulte.

À présent, des années plus tard, ce constat était toujours valide, et il ne savait toujours pas vraiment pourquoi il avait pris cette décision. Était-ce parce que Darla avait fait quelque chose de sa vie ? Même si c'était une chose qu'il ne pouvait respecter ? Ou bien l'honnêteté qu'elle avait manifestée l'avait-elle gêné au point de le pousser à consentir ? Incroyable. Si, là où il avait passé ces quarante dernières années, l'honnêteté était une sorte de respect parmi les bandits, elle était méprisée sous toutes ses nombreuses autres formes. Quel emprise une ménagère pouvait-elle avoir sur Red Means ?

Peut-être qu'un jour, comme il l'envisageait de temps à autre, il ferait un saut pour lui poser la question.

Son numéro de téléphone n'avait pas été trop difficile à trouver. Son adresse ne poserait guère de problème non plus. On trouve tout ça sur ce putain d'Internet.

Pourtant, au fil des années, Red ne trouva jamais le temps de tirer au clair cette... cette quoi ? Était-ce une menace ? Pas précisément. Eh bien, alors, avait-il peur de Darla ? Ce n'était pas ça, ça ne pouvait pas être ça. Mais il comprit cependant que croiser le fil de sa propre vie avec celui de Darla ne pouvait que leur être néfaste à tous les deux. Ça semblait une évidence. Qu'était-il censé faire, se pointer juste pour lui gâcher la vie ? Juste parce qu'elle lui avait demandé de s'occuper de ses oignons ?

Ces ruminations ne tenaient pas vraiment compte du fait que, s'il lui bousillait la vie, Darla le traquerait jusque dans les recoins les plus perdus de la planète et lui arrangerait un linceul pélagique, aucun doute là-dessus.

C'est ce qui lui avait toujours plu chez elle.

Pour contourner le problème, il suffirait de l'effacer ainsi que toute sa famille...

Et *ça*, c'est assez barré ? se demanda Red en souriant.

N'empêche, se dit-il tout en se familiarisant avec la console du yacht, le souvenir de Darla revenait l'asticoter de temps à autre. Elle avait fait partie des individus les plus compétents avec lesquels il ait jamais dealé. Et les plus intelligents, aussi. Devait-il admettre qu'il avait sans doute été un peu amoureux d'elle ? Qu'il s'était senti seul sans l'influence ferme que Darla exerçait même dans les plus petites décisions ?

Tout doux, bonhomme. Sans quoi ce bon vieux Diablo-djinn des nerfs-en-vrac va se payer ta tête, tapi dans le fond boueux de la chope des multiples-bières-bues...

Il jeta un coup d'œil à l'horloge analogique dont la trotteuse se déplaçait entre les graduations d'un compas… Il ne me reste qu'à me rendre à l'évidence, à savoir que cette femme que j'estime si intelligente a pris la poudre d'escampette il y a quinze ans.

Minute, minute : mettons vingt ans.

… D'accord, elle a quitté le milieu voilà vingt ans. Et alors. Et pourquoi est-ce qu'elle a quitté le milieu ? Parce qu'elle est intelligente, voilà pourquoi. Regarde ce qui est arrivé à Alice, par exemple.

Oh, je t'en prie. Alice était accro. Tu t'attendais à quoi ? C'est son vice qui l'a tuée. Pas moi.

Accro ? Avant de se mettre avec toi, Alice était jolie, intelligente, c'était une musicienne accomplie avec un groupe qui marchait et des petits amis d'une côte à l'autre du pays.

Bien sûr, concéda Red. Mais je ne l'ai tout de même pas forcée à tout foutre en l'air pour de la came.

Quoi qu'il en soit, elle a fini seule et sans amis, dans un motel de Tampa, une aiguille dans le bras.

Et entre-temps, mec, elle a fait quoi pendant trois ans et demi ? De la taule, en tout cas, et elle en est sortie changée, une autre femme.

Elle est tombée à peu près au même moment que Charley, Red s'en souvenait. À l'occasion d'un tout autre coup. Juste en montant une voiture pleine d'herbe jusqu'à New York. Elle n'avait même pas quitté la Floride, bon sang…

Tout ça parce qu'elle n'a pas voulu te balancer aux flics.

Lui non plus. Aucun des deux n'a voulu me balancer aux flics.

Tu sais, se dit Red en attrapant le téléphone portable, Charley me racontait comment il faisait parler son personnage dans sa tête quand il était au trou. Il l'appelait le Bosco.

Le Diablo-djinn des nerfs-en-vrac connaît le Bosco. Ils assistent ensemble aux mêmes conférences. Des sujets comme la Navigation astronomique, le Trouble Oppositionnel avec Provocation, les Trous bleus dans la culture de Lucaya. Des trucs sérieux.

Red sélectionna un numéro dans le répertoire de son téléphone. Parler tout seul est-il un signe de vieillissement ?

De la merde oui, se morigéna-t-il en écoutant la sonnerie du téléphone, c'est un signe de vie. Le Diablo-djinn des nerfs-en-vrac…

« Red Spot, Junior. »

… Fauteur de tous les troubles…

« Je voudrais parler à Tipsy Powell.
– Patientez. »
Brouhaha de bar.
« Allô, c'est Tipsy.
– Ici, Red Means. »
Brouhaha de bar.
« Vous avez eu mon message ? »
Brouhaha de bar.
« Allô ?
– Je l'ai ici. Je ne savais pas du tout que ça venait de vous.
– Ah bon ?
– C'est vraiment Red Means ?
– Regardez par la fenêtre. »
Brouhaha de bar.
« Je regarde.
– Vous voyez le grand yacht blanc derrière le sloop ?
– Oui.
– Je suis à bord. »
Brouhaha de bar.
« Je voudrais amener un ami. »
Red aurait dû s'en douter, mais il répondit : « Bien sûr », sans la moindre hésitation. « J'en ferais autant. »
Brouhaha de bar.
« On se met en route. »
Elle raccrocha.
Red raccrocha.
« Bien vu », dit-il au pare-brise.

22

Le ponton était mal entretenu et couinait aux moindres vaguelettes et ondulations, sans même parler d'une vraie houle et du pas titubant de deux marins d'eau douce. Quentin savait pratiquement depuis la naissance qu'il n'avait pas cette faculté d'adaptation que les loups de mer appellent le pied marin, mais il savait aussi qu'il fallait qu'un bateau en ait vu de dures, vraiment, pour que ses ponts en viennent à ruer et tanguer comme ce ponton délabré.

La Revanche de Kreutzer était un gros yacht à moteur dont, même au ralenti, les deux V8 grondaient de puissance. Point de nid-de-pie, de stabilisateurs ni de chaise à harnais, rien suggérant qu'il pouvait s'agir d'un bateau voué à la pêche. Cette unité aux lignes tendues était un lieu de détente pour VIPs conçu selon une version du confort et du dorlotement rarement exposée au regard des simples mortels. Les aménagements comprenaient de multiples cabines de luxe et salles de bains privées, la télévision par satellite, le chauffage central, un jacuzzi, un sauna, une salle à manger pour huit convives, une vedette de service plus chère qu'un Hummer, un salon qui, d'une simple pression sur un bouton, se convertissait en salle de cinéma, une cave à vin, et cetera, et cetera. Pas un livre en vue, si l'on faisait abstraction de la chambre de navigation. Mais si l'on incluait cette dernière, toutes les cartes marines figuraient sous la forme électronique, aucun document papier à bord, ce qui était stupide mais pourquoi pas, car en cas de panne électrique, aucune carte imprimée n'éviterait à ce navire la brutale transsubstantiation en un très coûteux morceau de bois flotté.

Red les accueillit au milieu du bateau, à hauteur d'une échelle en teck rutilante suspendue le long du bord.

« Tipsy.

– Red. »

Il tendit la main. « On se rencontre enfin. »

Quentin guetta une réaction de la part de Tipsy, mais aucune ne vint. L'homme qui les accueillait était un vestige costaud de ce qui avait sûrement été un jeune homme sain et vigoureux. Encadré par les mèches éparses d'une calvitie grillée de soleil jadis blond roux et désormais rouille, le visage arborait l'aspect perpétuellement ébouillanté d'un teint propre à un patrimoine génétique nordique n'ayant pas l'habitude du soleil, mais sciemment et constamment exposé pendant des années d'affilée, et des yeux intelligents surmontés de sourcils cornus diaboliques. L'homme avait le souffle laborieux de quelqu'un ayant sans doute abusé du tabac pendant des années, inhalé du gaz moutarde, encaissé un choc électrique ou trop de pipes de crack.

Tipsy prit la main tendue et grimpa à bord. « On se rencontre enfin », répéta-t-elle.

Red rayonnait. « Charley ne m'avait jamais dit que sa sœur était une beauté.

– Les oiseaux nichent dans vos sourcils ? rétorqua Tipsy.

– Rien que des pigeonneaux, répondit Red, à l'aise. Ils reviennent chaque année, pile au moment de la saison des amours. »

Tipsy se mit à rire.

Red se mit à rire.

Tipsy rit un peu plus fort. D'un rire joyeux.

Red secoua la tête. « Je veux bien être pendu. »

Ils rirent tous les deux.

Je veux bien être doublement pendu, conjectura Quentin. Si ces deux-là étaient homos et que ce bateau soit prévu pour les croisières, on ne verrait trace ni de l'un ni de l'autre jusqu'au moment d'accoster à Hawaï.

« Voici Quentin Asche », dit Tipsy, se rappelant soudain son ami.

Means tendit la main. « Bienvenue à bord. »

Quentin feignit un dédain glacial. Que t'arrive-t-il, Quentin, se morigéna-t-il. Ce n'est pourtant *pas* que tu couches avec elle.

« Attention à ne pas trébucher. (Red prit Quentin par le coude avec sollicitude.) N'allez pas boire la tasse. Mettez-vous à l'aise au salon. Il fait toujours aussi froid, à San Francisco ?

– Toujours, lui assura Tipsy.

– On préparera un grog dès qu'on sera en route. » Il referma la coupée d'accès à bord à l'aide d'un liston en teck et appuya sur un bouton. Un moteur électrique plaqua l'échelle contre le flanc du bateau.

« J'ai une excellente recette de grog, pépia Tipsy.

– En route ? » releva Quentin d'un ton incrédule. Son regard alla de Means à Tipsy et retour.

« Quentin a le mal de mer, prévint Tipsy.

– Qui a parlé d'aller en mer ? (Red ouvrit la porte du salon.) Attention à la marche.

– C'est vous qui en avez parlé.

– Nan. (Red secoua la tête.) On va juste aller faire un petit tour dans la baie. À bord d'un engin de ce tonnage, vous ne vous rendrez même pas compte qu'on a quitté le ponton. Enfin bon, rectifia-t-il, vous vous rendrez sans doute compte qu'on a quitté ce ponton-là. (Comme en réponse à ce grommellement, le ponton se souleva avec un bruit sourd.) D'ailleurs, ajouta Red, rien de tel qu'une petite balade nocturne un verre à la main pour faciliter la conversation. »

Le salon regorgeait de teck, spots dispersés et cuivres astiqués.

« *La Revanche de Kreutzer*, fit observer Quentin. Intéressant comme nom de bateau.

– Pourquoi ça ? » Red s'arrêta à la porte.

« Vous ne savez pas ?

– C'est une location, expliqua Red.

– *La Sonate à Kreutzer* est une histoire de Tolstoï. Alors qu'elle est en train de mourir, la femme de Kreutzer lui dit, je cite : "Tu es arrivé à ce que tu voulais ! Tu m'as tuée." Elle avait juste à placer cette flèche du Parthe. Mais si l'histoire était un peu plus moderne, peut-être que notre veuf, le lendemain de l'enterrement de sa femme, serait allé tout droit chez le vendeur de bateaux, aurait payé comptant cette splendeur et l'aurait baptisée *La Revanche de Kreutzer*.

– Et alors ? demanda Red. Il l'a tuée ?

– Oui. Poignardée.

– C'est une histoire étonnante, Quentin, lança Tipsy. Notre nouvel ami, que voilà, va maintenant devoir être convaincu que non, tu n'es pas lugubre.

– Hé, fit valoir Quentin. Ce n'est pas moi qui ai nommé ce foutu bateau. »

En son for intérieur, bien sûr, il se disait qu'apparemment, on tombait sur des Russes à tous les coins de rue, ces derniers temps.

« Mais pas du tout, leur dit Red. Merci, Quentin. Je n'en savais rien. Et comme vous pouvez déjà le constater, faire un tour dans l'incomparable baie de San Francisco en compagnie de gens intéressants a tendance à fortement favoriser les conversations. Sans parler des libations. Je ne crois pas que vous aurez le mal de mer, Quentin. Nous allons exclusivement circuler au moteur dans la partie calme de la baie. »

Tipsy dit à Quentin que la décision lui appartenait entièrement.

« Dieu me préserve d'être séduit par la compagnie au point d'avoir le jugement obscurci, Tipsy, ma chérie, mais nous ne connaissons même pas cet homme.

– Ce n'est pas que Quentin critique votre hospitalité, plaça précipitamment Tipsy, mais ce qu'il dit n'est pas faux.

– Alors, permettez-moi de reformuler, dit simplement Red avec un sourire onctueux. Si vous voulez avoir une conversation au sujet de votre frère, il va falloir que ça se passe loin des oreilles du reste du monde. Le meilleur moyen de garantir cette discrétion, c'est de mener cette conversation à bord du yacht que voici, au beau milieu de la baie. Alors, qu'est-ce que vous décidez ? »

Tipsy n'hésita pas. « Je suis partante.

– Euh… (Quentin regarda Tipsy, puis Red.) Vous avez de l'eau gazeuse acceptable, à bord ? C'est bien le mot ? À bord ? Et un citron vert ?

– Un homme comme je les aime ! (Red assena à Quentin une claque dans le dos, ce qui déclencha une brève quinte de toux.) Montez à la timonerie pendant que je largue les amarres. »

Seules les lumières multicolores d'un équipement électronique à cent mille dollars éclairaient la timonerie. Au-delà de deux châssis abattants, un niveau en contrebas, Red lova un bout et le frappa à l'aide d'un mousqueton sur le balcon avant, après quoi il courut s'occuper de l'aussière arrière. À quelque cinquante ou soixante mètres de distance de la proue, derrière la partie vitrée de la porte située sous le petit auvent, Faulkner, appuyé au comptoir, discutait avec un client. Cinq ou six kilomètres plus à l'ouest, par-delà le toit du bar, un brouillard dense suivait les contours de vallons assombris par la nuit et de corniches côtières, éteignant les lumières à mesure qu'il avançait, se déchirant et roulant comme une gigantesque vague au ralenti, plongeant les contreforts orientés vers l'est dans une telle obscurité qu'il n'en parvenait plus la moindre lueur jusqu'au monde extérieur.

Tipsy frissonna.

« Il y a peut-être un placard plein de pulls dans ce rafiot, plaisanta Quentin, avec *La Revanche de Kreutzer* imprimé d'un téton à l'autre. (Comme il prononçait ces mots, deux bouches d'aération encastrées dans la cloison sous la console se mirent à souffler de l'air chaud dans leur direction.) Nom d'un chien, dit Quentin. Le chauffage central. »

Perdue dans ses réflexions, Tipsy ne répondit pas. Au bout d'un moment de silence, Quentin lui demanda pourquoi elle se fiait à leur hôte.

Elle haussa les épaules. « Charley lui fait confiance.

– Non, corrigea Quentin, Charley travaille pour lui.

– Et alors ? répondit-elle d'un ton buté. S'il a des nouvelles de Charley, je veux les entendre. »

La porte du fond du salon s'ouvrit et se referma.

« Un de ces jours », dit Quentin, changeant de sujet tandis que Red gravissait l'échelle de descente, « on se fera une petite réunion entre vieux, à l'hospice, et on réexaminera tous les dialogues qu'on a pu échanger.

– Du moins, les fragments qu'on arrivera à se rappeler, renchérit Tipsy.

– Aucun problème. Tes petits-enfants se les rappelleront pour toi. Surtout les grivois.

– Les petits-enfants ?

– Les dialogues. »

Red posa une main sur la barre, l'autre sur la manette des gaz, et fixa des yeux le ponton récalcitrant. « Heureusement que ce monstre a un propulseur d'étrave.

– En tout cas, poursuivit Quentin, je parie qu'ainsi rapportée, pas une réplique d'un de nos dialogues n'aura la signification qu'on lui donnait au départ. L'ironie aura enfin rendu l'âme.

– Tu crois vraiment que quelqu'un sera capable de se rappeler quoi que ce soit, à ce moment-là ? demanda Tipsy. Ou, plus précisément, que quoi que ce soit méritera qu'on se le rappelle ?

– J'ai une bonne mémoire, leur affirma Red en enclenchant la marche arrière sur les deux moteurs. Demandez-moi ce que vous voulez.

– D'accord. (Quentin hocha la tête.) Qui était Constantin Paoustovski ? »

Tipsy décocha un regard à Quentin. Quentin observait Red.

« Un des écrivains préférés de Charley », répondit Red sans l'ombre d'une d'hésitation.

Quentin écarquilla les yeux. Il regarda Tipsy.

« Tu vois ? (Elle hocha la tête.) Les trucs importants, ça ne disparaît jamais.

– Quelle ironie, ajouta Quentin en se renfrognant légèrement.

– C'est lui le type qui a écrit sur Kreutzer ? demanda Red en poussant un peu les gaz des moteurs.

– Ça, c'était Tolstoï, dit Quentin.

– Ce truc, dit Tipsy après un bref silence, il fait autant de bruit qu'une demi-douzaine de camions.

– Et il en a à peu près la puissance », confirma Red.

Roulant légèrement en passant sur le remous de ses hélices, *La Revanche de Kreutzer* cula jusqu'à ce que son avant ait débordé l'extrémité du quai mouvant, après quoi, donnant de la barre en grand sur tribord, Red imprima une légère poussée sur bâbord. La proue se déporta vers la droite. Alors il ramena la barre à zéro, poussa les deux manettes des gaz et dégagea le bateau des divers canots rangés le long des pontons branlants qui flanquaient la cale déserte.

Le navire fit bientôt route sur Bay Bridge à la modeste et confortable vitesse de quatre nœuds. Rien d'ostentatoire, rien d'excessif, aucune tension infligée aux passagers, aucun effort demandé aux puissants V8.

À l'est, les lumières du front de mer défilaient paresseusement — le vaste complexe biotechnologique, le pont basculant Lefty O'Doul, le squelette haut comme trois étages d'une bouteille de soda en façade du stade de base-ball, la myriade de mâts de la marina de South Beach. À tribord, de l'autre côté de la baie, une brume estompait le puissant halo provenant des grues du terminal à conteneurs d'Oakland. Devant l'étrave, le reflet des cordons d'ampoules délinéant les suspensions de Bay Bridge brasillait sur l'eau noire.

Un scanner VHF muet capta soudain le tanker *Hercules Perforce* annonçant son approche, sous les ordres d'un pilote, du pont du Golden Gate. Le patron d'un remorqueur qui attendait le tanker répondit en suggérant de basculer les communications sur le canal 37, et le 16 redevint silencieux après un ultime crachotement.

Tous trois succombaient à l'envoûtement de ces eaux enténébrées. La ville et ses hauteurs glissaient, spectrales, sur leur gauche. Très haut au-dessus d'eux, sur le tablier inférieur de Bay Bridge, la circulation automobile s'écoulait vers l'est, délimitée par les feux orange et rouges éclairant le haut de semi-remorques disséminés sur cinq voies noires de véhicules. Quand *La Revanche de Kreutzer* passa sous le pont, malgré le grondement de ses deux diesels de sept litres de cylindrée, la friction de dizaines de milliers de pneus sur l'asphalte et le claquement des joints de dilatation à soixante mètres au-dessus de la surface furent nettement audibles.

Puis, passé l'aplomb de la travée, la rumeur du trafic déclina et la baie s'ouvrit devant eux. Les lumières du terminal des ferries scintillaient sur bâbord, celles de la Coit Tower en haut de Telegraph Hill un peu plus au nord, et celles de Treasure Island sur tribord.

« J'habite San Francisco depuis un paquet d'années, s'émerveilla Quentin, et pas une fois je n'étais sorti de nuit dans la baie. C'est magnifique.

– Ouais, répondit distraitement Red. Faut reconnaître. »

Tipsy était d'accord. « Pourquoi ne pas naviguer uniquement ici ?

– En dépit du fait qu'il y règne toujours un froid de canard ? Où qu'on aille, on s'aperçoit que la majorité des plaisanciers ne font pas autre chose, convint Red. Ils ne naviguent que dans le voisinage, et encore pas très souvent. D'ailleurs, comment pourrait-il en être autrement ? La plupart se tuent au boulot soixante-dix pour cent du temps pour tout juste arriver à se payer leur joujou flottant.

– Dans ce cas (Quentin s'éclaircit la gorge), comment appelez-vous ce machin ? »

Red branla du chef. « Ça, c'est un très gros joujou. Mais il appartient à un type vraiment riche. Quelqu'un qui peut se le permettre. À ne pas confondre avec le mouille-cul de l'employé moyen. »

Quentin étudia l'homme de barre, lequel ne semblait pas porter un vêtement qui ne trahisse au moins cinq ans d'usure. « Et qui est-ce, ce type vraiment riche ? interrogea-t-il d'une voix douce.

– J'en sais fichtre rien, répondit Red. Comme je l'ai dit, ce bateau est loué en charter. (Il tripota quelques boutons.) Et comme tous les charters, il comporte un truc qui ne marche pas. (Il toqua contre un écran vert monté au-dessus du tableau de commandes.) Dans le cas de celui-ci, c'est le radar.

– C'est embêtant ? » interrogea Quentin.

Un voix s'éleva sur le canal 16 — « … en provenance de… » — et se tut. Red tourna le bouton du filtre. « Non, dit-il. On va se débrouiller.

– Alors, où est-ce qu'on va ? » voulut savoir Tipsy.

Red esquissa un geste vers l'avant. « Je me suis dit qu'on allait jeter la pioche et se boire quelques verres de l'autre côté d'Angel Island. Il paraît que c'est un mouillage tranquille. » Il surveillait le cap, mais, le temps d'un instant, son regard se focalisa sur autre chose. « Et nous avons tant à dire sur Charley.

– Où est-il ? » demanda franchement Tipsy.

Red ne répondit pas.

« Allez, Red, répéta Tipsy. Si quelqu'un sait où se trouve Charley, c'est bien vous. Où est-il ? »

Red la regarda. « Bonne question.

– Qu'est-ce qui ne va pas ? » demanda Tipsy.

Red secoua la tête et concentra son attention sur le pilotage.

Tipsy et Quentin échangèrent un regard.

« Quand avez-vous vu Charley pour la dernière fois ? demanda Red au pare-brise.

– Une question en réponse à une autre, fit remarquer Quentin.

– Il y a quinze ans et quelque chose comme huit mois », répondit aussitôt Tipsy, sans prêter attention à Quentin. « On a passé deux jours à Phuket.

– Je me souviens de ce séjour, dit Red. Mais Charley n'a fait aucune allusion à la moindre sœur.

– Il cherchait peut-être à me protéger.

– Ça fait un bout de temps. (Red sourit en énonçant l'évidence.) Vous n'étiez sans doute pas majeure. »

Quentin leva les yeux au ciel.

« Quand avez-vous eu des nouvelles de lui pour la dernière fois ? demanda Red.

– J'ai reçu une lettre… quand ? » Elle regarda Quentin.

Quentin réfléchit. « La dernière que j'ai vue est arrivée il y a au moins trois mois. »

Tipsy regarda Red. « Il y en a eu une autre après. Mais ça fait un bout de temps. »

Red réfléchit. « De quoi parlait-elle ?

– Des trucs habituels, principalement de livres et de navigation. »

Red contempla le pare-brise. Au bout d'un moment, il dit : « Quand Charley était en prison, je lui envoyais un carton de livres tous les mois par l'intermédiaire de ma femme. Charley, lui, me renvoyait de longues lettres par la même voie, qui parlaient toutes des livres. J'aimais beaucoup ces lettres. Une fois sorti, il a cessé de m'écrire. (Il regarda Tipsy.) Ça remonte à quelque chose comme six ans.

– Et maintenant, il travaille de nouveau pour vous.

– C'est lui qui vous a dit ça ?

– Qui me l'a écrit. Oui. »

Red fit la moue. « C'était censé rester secret.

– Pas d'inquiétude, dit Tipsy en jetant un regard à Quentin. Qui irait en parler ? »

Red hocha la tête. « Bonne question.

– Donc, il travaille encore pour vous ? insista-t-elle. C'est ça ?

– Plus maintenant, dit Red. Charley m'a laissé tomber. »

Cette annonce décontenança Tipsy. Son regard passa de Red à Quentin et revint à Red. « Alors, si ce n'est pas pour vous, pour qui travaille-t-il ?

– Marrant, ça. (Red lui décocha un bref regard, puis se remit à scruter le pare-brise.) C'est ce que j'allais vous demander.

– À moi ? (Tipsy fronça les sourcils.) Quand avez-vous eu des nouvelles de lui pour la dernière fois ? »

Red répondit sans hésiter : « À supposer que cette lettre ait pris son temps pour arriver, environ deux mois avant que vous en ayez reçu pour la dernière fois.

– C'est ça les prétendues nouvelles que vous avez à m'annoncer ? Que vous n'avez pas entendu parler de mon frère depuis cinq mois de plus que moi ? »

Red leva deux mains vides. « Et comment est-ce que j'étais censé savoir ça ?

– Son argument est recevable, plaça Quentin.

– Merci, lança Red par-dessus son épaule.

– Ouais. (Tipsy poussa un soupir exaspéré.) Merci bien. »

Comme ils dépassaient la pointe nord-est de la ville, juste à l'est du Quai 39, les lumières ocre du Golden Gate Bridge apparurent, à trois milles sur bâbord.

Red montra du doigt un amas de lumières vives voguant dans un banc de brouillard en dessous du pont. « Un cargo.

– Ne changez pas de sujet, insista Tipsy, sans prêter attention à ce qu'il montrait.

– Je pensais qu'on essaierait de recoller les morceaux, dit simplement Red. De voir ce qu'on arriverait à comprendre. »

Tipsy le dévisagea. « Chaque fois que cet enfoiré me redonne espoir », déclara-t-elle brusquement, les dents serrées, sans précisément s'adresser à qui que ce soit, « c'est pour mieux me décevoir.

– Ça sert à ça la famille, risqua Quentin, si tu veux mon avis.

– Cette conversation ne tient pas, lança Tipsy. Qu'est-ce qu'une fille est censée faire pour qu'on lui serve un verre, ici ?

– Passez au salon et servez-vous, dit Red. Il y a de la glace dans le réfrigérateur intégré. (Il rajusta le squelch sur la VHF.) Ce bâtiment a l'air d'être un cargo, ajouta-t-il, ce qui veut dire qu'il se dirige sans doute vers Oakland. (Il passa le menton par-dessus son épaule.) Vous avez un gros terminal à conteneurs, là-bas, vous autres.

– Ah », fit Quentin.

Red effleura un écran GPS qui lui faisait face. « Donc il va sans doute couper entre l'île d'Alcatraz, là, et le front de ville. » Quentin feignit d'être intéressé. « Nous, entre-temps, on se glissera derrière Alcatraz en passant par cette étendue d'eaux libres, là, pour gagner l'arrière d'Angel Island. » Il posa la main sur la manette des gaz.

Tipsy s'arrêta à côté de la descente. « Qui d'autre ?

– Je vais attendre plus tard, répondit Red.

– Je vais prendre une eau gazeuse, dit Quentin. Avec du citron vert. »

Tipsy disparut à l'arrière.

« Qu'est-ce qu'elle va boire ? demanda Red à Quentin au bout d'un moment. Est-ce qu'elle sera en état de réfléchir d'ici une heure ?

– Ça dépend. En général, elle se contente de boire de la bière.

– De la bière, on a.

– De temps en temps, elle aime bien doubler d'une tequila en accompagnement.

– De la tequila, on a.

– En cas d'urgence, elle prend ce qui passe.

– C'est une poivrote ? »

Quentin haussa les épaules. « Elle fait partie de ces gens intelligents qui boivent trop. Si elle avait un but dans la vie, elle arrêterait et elle laisserait tout tomber.

– Elle n'a pas de but dans la vie ?
– Pas depuis qu'elle a fui sa famille.
– Ça remonte à quand, bon sang ?
– Environ vingt-cinq ans.
– Nom d'un chien.
– C'est vieux », concéda Quentin.

Le bruit d'un verre tintant contre une bouteille leur parvint de la cuisine.

« Je ferais mieux de nous amener à destination pendant que tout le monde est encore en état de réfléchir. (Red redressa la barre à roue et augmenta un peu les gaz.) On peine à croire à quelle vitesse filent ces gros navires, dit-il au bout d'un moment. Seize, dix-huit, vingt nœuds, et plus. Ils ne peuvent ni s'arrêter ni tourner, et ces chenaux sont à peine assez grands pour les contenir. Nous autres, petits machins, il faut qu'on garde nos distances.

– Vous appelez ce monstre un petit machin ?

– Hé », lança Tipsy de la cuisine, entre deux ouvertures et fermetures de tiroirs. « On a un couteau ?

– Bien sûr, répondit machinalement Red. Cherchez bien. »

L'île d'Alcatraz se trouvait maintenant exactement entre *La Revanche de Kreutzer* et le pont, qu'elle masquait. L'ancienne prison, désormais strictement réservée aux touristes, était fermée la nuit, mais restait assez éclairée pour que le plus grand de ses graffitis historiques demeure lisible.

« TERRITOIRE INDIEN, lut Red à voix haute. Imaginez un peu.

– Vous ne vous rappelez pas quand les Indiens se sont emparés d'Alcatraz ?

– Non. Quand il est question de prisons, je n'ai pas envie de savoir. »

Les deux hommes échangèrent un regard.

« J'imagine qu'il fallait s'être trouvé dans les parages, dit Quentin. C'était sacrément intéressant. »

Red regardait de nouveau droit devant lui. « On devrait voir une lumière verte clignoter toutes les cinq secondes là-bas, quelque part. (Il montra du doigt.) L'endroit s'appelle Point Blunt.

– J'ai passé toute une journée sur Angel Island, une fois. C'est un parc naturel. (Quentin cilla.) Je crois que c'était en 1978. (Il n'arrivait pas à voir la lumière verte clignotante. Comme il la cherchait des yeux, un bruit de verre cassé se fit entendre en provenance du salon.) Houla », fit Quentin.

Un hurlement déchira l'air.

« Qu'est-ce que… » commença Quentin.

Sans un mot, Red ferma une poigne musculeuse autour du bras mince de Quentin. « Laissons-la se débrouiller, suggéra-t-il doucement.

– Tipsy est en train de hurler, dit Quentin. Se débrouiller de quoi ?

– Elle dit quelque chose ?

– Non, répondit Quentin en se débattant. Elle ne fait que hurler "non", sans arrêt.

– Ce n'est pas ça qui lui fera du bien, dit Red.

– Tipsy ! cria Quentin. Tipsy… ! (Il se pencha en direction de la descente, mais il était frêle et on ne pouvait résister à la poigne de Red.) Quoi… ? Lâchez-moi ! Qu'est-ce qui se passe ? » Quentin regarda le poing de Red, qui encerclait complètement son biceps malingre. Puis il regarda Red. Red pilotait *La Revanche de Kreutzer* sans prêter attention à son passager. Juste derrière les rocs cernés d'embruns qui se dressaient à la pointe nord d'Alcatraz, la masse en mouvement du *Hercules Perforce* surgit et passa devant la proue de *La Revanche de Kreutzer*, à moins de cent mètres de distance.

« Qu'est-ce qui se passe ? » couina Quentin tandis que la vague d'étrave du monstre soulevait l'avant du yacht.

« Ce salopard est un cargo, et il fait route vers Richmond, dit calmement Red. Pas étonnant qu'on ne voie pas Point Blunt. » Il réduisit les gaz. La gigantesque coque zébrée de rouille du *Hercules Perforce* qui faisait route vers l'est, maintenant à peine distante de soixante-quinze mètres, emplit le pare-brise. Au moment où la proue du yacht plongea dans le creux, Red actionna la barre. Du verre se brisa dans la cuisine. Les gémissements de Tipsy n'étaient plus audibles.

« On s'en fout de ces conneries de bateaux, couina Quentin. Qu'est-ce qui est arrivé à Tipsy ? »

Les hanches de Red se balançaient au rythme des mouvements du pont, comme si elles étaient aimantées. « Je peux risquer une hypothèse », dit-il au pare-brise, la barre dans une main, le bras de Quentin dans l'autre.

Titubant sur le même pont, Quentin dévisagea Red comme s'il était fou. Puis lui agrippa l'épaule de sa main libre et le secoua. « Vous pouvez ? Ah oui ? Alors je vous écoute, mon vieux ! »

Imperturbable, Red hocha la tête. « Elle a trouvé la tête de son frère. »

23

Tipsy émergea de l'escalier, un couteau à désosser à la main. De l'autre, elle brandissait par le goulot une bouteille de bière pleine comme s'il s'agissait d'une massette.

Lâchant la barre, Red fit proprement rouler Quentin Asche autour de sa hanche et le balança sur Tipsy qui tourna le dos pour éviter d'embrocher le poids plume. Avant qu'elle ait pu se ressaisir, Red lui assena deux claques et la renvoya dans les marches d'un coup de pied. Elle atterrit à plat ventre dans le salon, couteau et bouteille dégringolant à sa suite les marches en teck, et sa tête se mit à carillonner comme un clocher le jour de la mort de Pouchkine.

Sur le plan de travail coiffant le placard situé contre son épaule, bâillait la trappe en teck d'un réfrigérateur se chargeant par le dessus qui contenait la tête tranchée de son frère. Tipsy avait reculé sans refermer la trappe. Elle n'avait aucune envie de se relever parce qu'elle ne voulait pas revoir ça, et elle savait que si elle se relevait, elle serait incapable de ne pas regarder à nouveau. De toute façon, elle était tellement sonnée qu'elle ne pourrait sans doute pas se lever. Mais si elle s'en abstenait, elle ne reverrait sans doute jamais son frère. Ou ce qu'il en restait. Tout à coup, elle comprit l'idée qui motivait la présentation du corps, avant des obsèques. En l'occurrence, le cercueil pourrait se résumer à un carton à chapeau. Si elle avait eu un flingue, elle aurait abattu Red. Ou se serait brûlé la cervelle. Elle se mit à pleurer.

Après avoir heurté la boule ornementale du sommet de la rampe, la tête de Quentin reposait, toujours attachée au reste de sa personne, sur le plancher de la timonerie, en sang. Il était inconscient. À moins de trois pas, Red tenait la roue cependant que *La Revanche de Kreutzer* accomplissait une deuxième rotation de trois cent soixante degrés. À cinquante mètres de là, une vue magnifique sur les lumières de Sausalito était entièrement occultée par la poupe du *Hercules Perforce*, navire de trois cents mètres de long pour trente mètres de haut, qui filait douze nœuds contre le courant de jusant à destination du chenal Southampton où il se rangerait à quai et passerait la nuit à shooter du brut dans les grosses veines de Chevron.

Cinquante mètres entre une unité culminant à six mètres à peine au-dessus de la surface et une autre au moins dix fois plus haute — autant dire qu'il s'en fallait d'un cheveu. Cinq coups de sirène frénétiques poussés par le *Hercules Perforce* — Ohé, du frêle navire, changez de cap immédiatement ou c'en est fait de vous — confirmèrent cette impression. La vision de la seule vague d'étrave du tanker, scintillant au-dessus de son bulbe, avait empli toute la largeur du pare-brise du plus petit des deux bateaux et l'avait fait rouler d'un bord sur l'autre. La bouteille de bière suivait le mouvement sur le plancher du salon, tout comme la tête de Quentin Asche là-haut sur la passerelle. Bien que recrue de chagrin, Tipsy s'accrochait au pied de la table à cartes. Red, lui, avait la barre à laquelle se tenir, et son pied marin pour rester d'aplomb.

La vague passa. Red remit *La Revanche de Kreutzer* sur sa route, cap au nord, se glissant derrière les feux de poupe d'un remorqueur occupé à gouverner le tanker à l'aide d'une remorque en fil d'acier tendue entre la bitte du premier et le guindeau du second.

Ayant largement paré l'arrière du remorqueur, Red amena le croiseur par le travers d'Alcatraz à une vitesse régulière de six nœuds. Bientôt, il releva sur bâbord, à une distance d'environ un demi-mille, le feu du cap Blunt — un éclat vert toutes les cinq secondes. Cela plaçait *La Revanche de Kreutzer* au milieu du chenal dragué, ce qui convenait parfaitement à Red. En dehors de la carte déployée sur la table, que sitôt achetée il avait passé une heure à étudier, et d'un splendide affichage GPS en couleurs, qui se réactualisait toutes les quelques secondes sur un écran plat fixé au plafond, il ne savait pas grand-chose sur le coin.

Le peu qu'il savait, il l'avait glané au cours des derniers jours en faisant la tournée des bars du bord de l'eau le long de Fisherman's Wharf, où il avait découvert l'indigence des connaissances sur la baie de San Fransisco. Le plus souvent, sans qu'il l'ait cherché, on lui avait tenu des discours sur les conditions d'hébergement dans les hôtels d'Anaheim, pour le cas où il aurait souhaité visiter Disneyland à la faveur de son séjour sur la côte Ouest. Il trouva pourtant une boutique d'accastillage où il acheta la carte et un horaire des marées. Tout le reste était voué au tourisme — sweatshirts Alcatraz, barbe à papa, marchands de hamburgers et restaurants de fruits de mer, mimes et musiciens des rues ; il y avait même un magasin de fringues western, le dernier de San Francisco. Mais en ce qui concernait les pêcheurs ? Pour ce qu'il en avait vu, le Fisherman's Wharf n'était qu'un quai ; de pêcheurs, point[1].

Les bateaux étaient certes là. Mais en tirant les vers du nez au patron de l'un de ceux-ci, qui distribuait des prospectus présentant son chalutier peint de couleurs vives comme la solution idéale pour une sortie touristique jusqu'au pont du Golden Gate et retour à 25 dollars par paire de mirettes, Red découvrit que le bonhomme n'avait pas pourchassé de poisson depuis quelques années ; au contraire, il avait converti son bateau au tourisme, à l'instigation et avec quelques subventions de la municipalité et du comté. « La couleur locale, avait-il ajouté au moment où Red lui rendait son dépliant. Il n'y a plus rien à prendre. Tout le poisson est parti. »

Ce pêcheur devenu promène-touristes dit à Red que, puisqu'il semblait désireux de louer un bateau pour vingt-quatre heures afin d'emmener sa femme et ses enfants faire un tour dans la baie, l'autre côté d'Angel Island, entre les caps Quarry au sud et Simpton au nord, offrait un mouillage charmant et bien abrité. Là-bas, il n'aurait à souffrir ni de nos brises d'ouest notoirement glaciales qui soufflent à trente nœuds, ni de nos trombes venues tant de Hawaï que de l'Alaska, et arrivant presque invariablement par le sud-ouest. De plus, le fond y est de bonne tenue, pour peu que l'on mouille à distance des câbles ainsi que d'une épave, portés sur la carte, où une ancre ne manquerait pas d'engager. Il était préférable d'oringuer de toute façon, juste en prévision. Si on laissait l'ancre au fond, la société de location en demandait deux fois son prix. En tout cas, du lundi au vendredi, on était quasiment certain d'avoir la petite crique pour soi tout seul.

1. Fisherman's Wharf : quartier touristique de San Francisco (litt. Le quai aux pêcheurs). (*N.d.T.*)

Red s'écarta pour permettre aux membres d'une famille de retour de Disneyland, à en juger par les motifs ornant leurs cinq sweat-shirts identiques, de prendre un exemplaire du prospectus de l'ancien pêcheur.

« Tout ce qu'ils veulent, c'est un truc avec San Francisco écrit dessus », se lamenta le bonhomme tandis que Red et lui regardaient les cinq touristes traverser Jefferson Street en dehors du passage pour piétons. « Et ils veulent que ça soit gratuit. »

Derrière la masse sombre d'Angel Island — parc national sans éclairage public —, tout serait confortablement tranquille. Si des cris devaient être poussés, il n'y aurait personne pour les entendre.

Red avait prévu que Tipsy se lamenterait de sa découverte ; en fait, il n'avait trouvé aucun moyen de contourner le problème. Finalement, il en vint à se dire que ce n'était pas une si mauvaise chose. Un début en fanfare, et advienne que pourra.

Jusque-là, tout allait bien.

Maintenant, on allait pouvoir se mettre au travail.

Une fois l'ancre au fond, orin balisé à l'aide d'une des grosses défenses vertes du bateau, Red coupa le moteur et éteignit toutes les lumières de la timonerie sauf celles des divers instruments et de la radio VHF. Plein nord ou presque, par-delà le davier de *La Revanche de Kreutzer*, le terminal pétrolier tout entier s'illumina brusquement quand les manœuvres nécessaires à la mise à quai et au déchargement de la cargaison de pétrole du *Hercules Perforce* commencèrent. C'était exactement le genre d'opération que Charley aurait regardée toute la nuit en guise de distraction, se dit Red.

Je vais peut-être installer sa tête là, sur le tableau de bord, le laisser savourer un spectacle ininterrompu.

Le sourire de Red révéla une dent manquante.

Il enjamba le corps inconscient de Quentin et se retourna pour s'engager dans la descente, bien que le bateau ne fût pas en route, ni agité par une mer capricieuse. En gagnant le salon, il faillit marcher sur Tipsy qui geignait, affalée sur la moquette.

Il la laissa telle quelle. Ramassa par terre le couteau, la bouteille de bière et un citron vert, et posa le tout dans l'évier. À côté, se trouvait le verre vide de Tipsy. Et à côté du verre, bâillait la trappe grande ouverte du réfrigérateur intégré. À demi sortie du réfrigérateur, la tête coupée de Charley rayonnait.

« Tu lui as foutu une sacrée trouille, Charley. J'ai failli me faire larder. (Il souleva la tête par ses cheveux clairsemés et racla une poignée de glace en dessous.) Par moments, je trouve que tu manques de subtilité. »

Il répartit la glace entre les deux verres, puis s'immobilisa comme pour examiner Charley sous divers angles de lumière. Des gouttelettes de condensation ruisselèrent tandis qu'il orientait la tête. Seule la chair déchiquetée du cou sectionné laissait voir des signes de brûlure dus au froid. Jusque-là, ça se conservait. Red examina l'étiquette à l'intérieur de la porte du réfrigérateur. Il n'avait jamais entendu parler de cette marque, mais apparemment, ça faisait l'affaire. Il reposa la tête sur le sac de glace et laissa retomber la trappe qui se ferma toute seule. Si je sors ma carcasse de ce merdier, songea Red, un de ces appareils me serait bien utile sous les tropiques, où la glace s'échange contre n'importe quoi. Absolument n'importe quoi.

« C'est bon, petite sœur. (Il empoigna Tipsy par les épaules.) Redresse-toi. On va s'envoyer un petit grog derrière la cravate. »

Submergée par l'apathie, Tipsy ne fit aucun effort pour résister.

Red l'installa sur le banc, dont le dossier matelassé n'était autre que le placard du réfrigérateur.

Il retira le bouchon d'une bouteille de rhum et huma. « Je sais que tu ne vas pas le croire. (Il emplit les deux verres jusqu'à moitié.) Du moins, pas tout de suite. (Adressa un hochement de tête à Tipsy par-dessus l'un des verres.) Mais je n'avais pas le choix, dans l'histoire. (Il vida le contenu du verre d'une lampée, ferma les yeux, paupières crispées, et se lécha les lèvres.) Putain, dit-il, c'est de la gnôle de première. (Il se resservit trois doigts de rhum et tendit l'autre verre à Tipsy.) En fait, j'aimais bien ton frère. »

Au bout d'un long moment, Tipsy accepta le verre. Elle y trempa les lèvres, s'interrompit, puis but une seconde gorgée. Après un nouveau temps d'arrêt, elle prit une plus longue lampée, ensuite de quoi le verre se trouva vide. Délicatement, comme s'il s'agissait du plus fin cristal, elle le reposa sur la table.

Red le remplit. Il lui indiqua la bouteille d'eau gazeuse. Elle secoua la tête. Il posa la main sur la poignée du réfrigérateur. « Un peu plus de glace ? »

Tipsy leva les yeux du verre qu'elle contemplait, et fixa du regard un point intermédiaire. Le compresseur du réfrigérateur se mit en route. Elle grimaça.

« Je suppose que non », conclut Red.

Tipsy ouvrit la bouche.

Red leva une main. « Avant que tu commences à chercher qui accuser, je tiens à préciser que je n'ai pas tué ton frère, tu n'as aucune idée de ce qui se passe, et il faut qu'on discute. Parce que (il eut un sourire sans joie) les choses sont encore plus bizarres que tu le penses. »

Tipsy porta le verre à ses lèvres, abaissa le regard vers le contenu, puis la table. Le bateau se balançait doucement, mais l'alcool restait immobile dans le verre sur lequel étaient gravés deux fanions croisés de yacht-club, un bleu et un rouge.

« Charley est mort, finit par dire Tipsy d'une voix sourde. De quoi est-ce qu'on peut encore discuter avec une sous-merde comme toi ?

– Puisque tu abordes le sujet (Red haussa un sourcil), tu n'as pas envie de savoir comment il est mort ? À la télé, on appelle ça conclure un épisode traumatique. »

Une ombre passa sur le visage de Tipsy. « Mon frère..., répéta-t-elle à mi-voix.

– ... était un de mes amis », dit Red.

Tipsy souffla. Son écœurement, quoique entier et impie, n'était jamais de longue durée. « C'était ton homme à tout faire. Voilà tout. Ton garçon de courses.

– Je préfère le terme d'employé contractuel. Mais au bout de quoi... seize ans ? (Red secoua la tête.)... on était amis. »

Tipsy esquissa un geste inabouti en direction du réfrigérateur. « Où est le reste de sa personne ?

– Ce sont les requins qui l'ont eu, répondit loyalement Red. Ce n'était pas beau à voir. »

Elle leva les yeux. « Tu y étais ? »

Il acquiesça.

« Il a vieilli, dit Tipsy après un instant de silence.

– La décapitation a cet effet-là sur un être humain. (Il leva une main en l'air.) De même qu'une vingtaine d'années, ajouta-t-il en guise d'aimable rectification.

– Vingt-cinq, corrigea-t-elle. Quinze ans depuis la dernière fois que je l'ai vu. (Elle poursuivit, comme si elle parlait toute seule :) Il ne m'a jamais parlé de cette boucle d'oreille.

– Il s'est fait percer l'oreille au Brésil, expliqua Red. Il y a longtemps.

– Au Brésil, répéta Tipsy d'un ton morne.

– En ce moment, c'est une mode, chez les hommes, de porter des boucles d'oreilles, lui dit Red. Il y a cent ans, les marins se faisaient percer l'oreille pour une raison précise.

– Tiens donc, dit Tipsy.

– Quand on doublait le Horn à la voile. Tout en bas, à la pointe de l'Amérique du Sud. »

Tipsy ne réagit pas.

« On se faisait percer l'oreille. Si on le franchissait d'est en ouest ? L'oreille droite. D'ouest en est ? L'oreille gauche. (Red se pinça le lobe gauche.) Je ne l'ai jamais passé. Mais ton frère, si.

– C'est vrai ? (Tipsy montra un semblant de curiosité.) Charley a doublé le cap Horn ? À la voile ?

– D'ouest en est. Il l'a fait. C'est pour ça qu'il a cette boucle à l'oreille gauche.

– Ouaouh…

– À bord d'un ketch aurique de 34 pieds. (Red trempa les lèvres dans son verre.) Ouaouh, en effet. »

Tipsy manifesta un intérêt accru. « Tout seul ?

– Avec juste un autre type, mais un skipper de grande expérience. Charley était son équipage. »

Après un long silence, Tipsy soupira de nouveau. « Qu'est-ce qui… qu'est-ce qu'il y a d'autre que… » Elle braqua le pouce par-dessus son épaule.

Red ouvrit la main gauche, la souleva et la laissa retomber à plat sur sa cuisse. « Il faut que je le prouve.

– Que tu prouves quoi ?

– Qu'il est mort.

– À moi ? »

Red haussa les épaules. « Pour commencer.

– Considère que c'est prouvé.

– Ouais. » Red hocha la tête.

« Un simple certificat de décès, ça ne va pas ? » demanda Tipsy.

Red secoua la tête. « Trop facile de faire un faux.

– Et ce n'est pas toi qui l'as tué ? »

Red secoua la tête.

« Juré ? » demanda Tipsy d'un filet de voix.

Il acquiesça.

« C'est bon. » Tipsy se ressaisit et se redressa sur le banc. Au bout d'un moment, elle poussa un profond soupir. « Alors où cette… preuve… a-t-elle été retrouvée ?

– Dans le détroit de Floride. À mi-chemin environ entre la Havane et Key West. Il était presque tiré d'affaire, bon sang. En tout cas, ajouta Red d'un ton sombre, ça en avait l'air. »

Tipsy se redressa un peu plus. « Qu'est-ce qui l'a arrêté ?

– Son bateau a heurté quelque chose. Peut-être un madrier arraché à un ponton par une tempête, ou un palmier, ou un conteneur, voire une autre épave. La malchance, pure et simple.

– Charley n'a pas eu de chance ? Ça ne se peut pas.

– Ouais, enfin bon… (Red grimaça un sourire.) Il était en train de remonter la pente. Deux ans de reprise assurés, je dirais.

– Et voilà qu'il re-signe avec toi. Génial. »

Red la dévisagea. « Qu'est-ce que tu en sais ? »

Tipsy cilla. « Tu as envoyé ton message dans une de ses enveloppes à lui.

– Comment crois-tu que je t'ai trouvée ? »

Tipsy répondit à cette question par une autre. « Mis à part sa tête et quelques enveloppes, qu'as-tu pris d'autre sur son bateau ?

– Pas grand-chose, hélas.

– Tu n'aurais pas pu le laisser tranquille ?

– Se remettre au travail, c'était son idée.

– Tu n'aurais pas pu lui dire non ? Pourquoi Charley, et pas n'importe qui d'autre ? Il n'en avait pas assez bavé ? Il n'y a pas assez d'idiots qui traînent dans tes parages avec l'idée de se faire quelques dollars vite fait ?

– Je ne l'ai pas relancé… D'ailleurs, Charley était bon. Il… (Red leva les deux mains.) Je n'ai pas envie de jouer avec toi à qui pissera le plus loin, Tipsy. Tu viens d'encaisser un sale choc. En plus de ça, tu as pris un coup à la tête.

– Deux.

– Je suis surpris que tu te souviennes de ça.

– Moi je serais encore plus surprise de l'avoir oublié.

– C'était un réflexe, se justifia Red. Comme le fait de prendre… (Il ne put réprimer un geste en direction du réfrigérateur.) À propos, il se pourrait que tu aies un traumatisme crânien. Tu ne devrais pas boire. »

Tipsy ne laissait rien passer. « Couper la tête de mon frère était un réflexe ?

– Il fallait que je le fasse, insista Red. J'ai besoin de démontrer que les choses ont… mal tourné.

– Mal tourné ? (Tipsy secoua la tête comme pour essayer de se réveiller.) Mal tourné, tu dis ? demanda-t-elle, les dents serrées. Quelles choses ont… mal tourné ?

– Je vais devoir faire tout mon possible pour me sortir de ce merdier.

– Quoi… ? Tu veux dire que ta preuve n'a pas… fonctionné ?

– Je ne l'ai pas testée. (Red se mordilla la lèvre.) Pas encore.

– Pourquoi ça ?

– Les choses ont bel et bien mal tourné, et ce n'est pas une image. Mais tout n'est peut-être pas définitivement foutu. Du moins, pas encore.

– Sauf quand on s'appelle Charley Powell.

– Mais pas quand on s'appelle Tipsy. (Red pinça les lèvres et souffla.) On peut continuer ? J'aimerais bien (et là, il sourit) ne pas être tenu pour responsable de la disparition de toute la famille. Tu m'entends ?

– Ah ? Et comment je me positionne dans ce merdier ? »

Red peaufina son sourire. « De mauvaise grâce ?

– Tu vas pouvoir répéter ça.

– Tu y es déjà, lui dit Red, jusqu'au cou.

– Qu'est-ce qui te permet de croire ça ? Je ne sais même pas de quel merdier tu parles. Il est question de came ou de têtes réduites ? Quand bien même Charley se serait fait décapiter à cause d'une cargaison de came à la con, qu'est-ce que j'en ai à foutre, d'ailleurs je répète… (elle braqua l'index en direction de Red), en dehors du fait que je n'ai plus de frère, quel rapport ça peut bien avoir avec moi ? (Elle se rembrunit.) Quelqu'un penserait que, d'une façon ou d'une autre, je suis en possession de sa cargaison de came ? C'est ça l'histoire ? (Elle le foudroya d'un regard méfiant.) Tu te figures que c'est moi qui l'ai ? »

Red posa son verre et ouvrit la trappe du réfrigérateur. Quand il empoigna la tête de Charley par les cheveux et l'en sortit, Tipsy poussa un petit cri. Tenant la tête d'une main, Red se servit de l'autre pour retirer le sac de glace qu'il laissa tomber sans cérémonie sur le plan de travail. De sa main libre, il retira alors un sachet enveloppé de plastique noir et bardé de ruban adhésif, qu'il jeta sur la table du salon.

« J'aimerais que ce soit aussi simple. (D'un geste, il désigna le plan de travail.) Un peu plus de glace ?

– Non ! »

Il lâcha le sac à l'intérieur du réfrigérateur béant, l'aplatit de deux coups de poing, posa dessus la tête coupée, et laissa retomber la trappe à grand bruit.

Puis, avec une amabilité muette, il resservit un verre à Tipsy.

Une minute s'écoula.

« Il s'agit de ce que je pense ?

– Je n'en sais rien. (Red racla quelques débris de glace sur le plan de travail et les fit tomber dans son verre.) Tu penses qu'il s'agit d'un kilo de coke pure ?

– Ça ressemble vraiment à une brique », s'étonna ingénument Tipsy. Puis elle mentit : « Je n'en avais encore jamais vu. »

Red se contenta de hausser les épaules. « Il y a des gens qui sortent moins que d'autres.

– Mais alors, qu'est-ce qui te tracasse, maintenant ? demanda Tipsy. Tu devrais être en train de faire la fête pendant que je prends des dispositions pour l'enterrement, non ? »

Red secoua solennellement la tête. « On n'a aucune raison de faire la fête, et l'enterrement va devoir attendre. »

Tipsy joua avec son verre. Finalement, juste pour entretenir la conversation, elle s'enquit de la valeur de la brique.

Red répondit avec l'air de se barber. « Telle quelle, quarante-quatre mille dollars. Détaillée aux trente grammes, quelque chose comme soixante-dix mille. Au gramme dans la rue, ça pourrait aller jusqu'à quatre-vingt-dix mille. (Il ferma les yeux et se massa les rides du front.) Les flics ordinaires exagéreraient le prix, mais les fédéraux le doubleraient pour les médias : cent-soixante-dix mille, mettons. Et si on leur reposait la question, ils arrondiraient à deux cent mille. (Il eut un pâle sourire.) Les fédéraux ont pas mal de frais généraux. »

L'expression de Tipsy se durcit. « Tu as tué Charley pour…

– Je n'ai pas tué Charley, Tipsy, redit patiemment Red. Pour des raisons que je ne comprends pas totalement, Charley s'est fourré dans le pétrin, et pour des raisons que j'en suis plus ou moins venu à accepter, il a choisi l'issue définitive.

– Qu'est-ce que c'est censé vouloir dire ? Que mon frère s'est tranché la tête tout seul ?

– C'est effectivement la vérité, affirma gravement Red. Il semble bien que ton frère soit passé à l'acte et qu'il ait mis fin à ses jours.

– Après tout ce qu'il avait traversé, répondit Tipsy, incrédule, Charley s'est suicidé ?

– Je l'ai vu de mes propres yeux.

– Je n'y crois pas. »

Red garda le silence.

« Comment ? demanda-t-elle à mi-voix.

– Il s'est enchaîné au mât de son bateau qui était en train de sombrer dans des eaux infestées de requins. »

Tipsy ouvrit la bouche. Pas un son ne vint. Elle la referma. Au bout d'un instant de plus, elle lança : « Ça fait beaucoup.

– Oui, comme tu dis.

– Je ne comprends pas. Il était malade ?

– Non.

– Sur le point de se faire prendre ? »

Red hésita, puis secoua la tête. « Pas avant que son bateau essuie cette avarie.

– Mais alors, pourquoi ?

– Sur le moment, je n'en avais aucune idée.

– De quoi ? »

Red hocha la tête d'un air sévère. « Il m'a fallu un moment pour le croire. Des semaines, en fait.

– Croire quoi ? Qu'il puisse se suicider ? »

Red serra le poing. Il ne bougeait pas mais frémissait, image même de l'impuissance à s'exprimer. La glace tinta dans son verre. Il le posa. Puis se pencha au-dessus de la table. Son ombre tomba sur Tipsy. Le visage de Red, s'empourprant comme sous l'effet d'une combustion interne, n'était qu'à quelques centimètres du sien. Elle distinguait le moindre détail de son teint brûlé de soleil : les vaisseaux pourpres dans la chair du nez, les peaux mortes sur les lèvres desséchées, le vide à l'endroit autrefois occupé par une incisive latérale, et les capillaires rosés dans le blanc qui entourait ses pupilles étonnamment bleues. L'haleine de Red l'enveloppa, intimité adoucie par le rhum. Ses cheveux et ses vêtements empestaient le poisson, le diesel et l'épuisement. La zébrure d'une cicatrice à la joue, sous son œil gauche, blêmit visiblement. Ses cheveux en bataille vibraient littéralement d'énergie. Tipsy recula, s'écarta de ce visage jusqu'à se caler fermement les épaules contre le flanc matelassé du réfrigérateur, derrière elle.

« Ton putain de frérot m'a doublé. » Red parlait d'un ton presque tendre, pourtant sa rage était à peine contenue.

Cette colère électrisa l'atmosphère, mais Tipsy se rendait compte que Red aussi était désorienté. Il était en outre stupéfait, interloqué, contrarié, et même blessé, et il avait du mal à admettre lui-même la vérité de sa propre assertion. C'était sans doute la première fois qu'il la formulait à voix haute. Son regard vrilla celui de Tipsy, quêtant, fouillant, sans succès. Inexplicablement, et à sa propre surprise, Tipsy s'aperçut qu'elle éprouvait une sorte de sympathie pour cet homme.

« Qu'est-ce que tu dis ? » demanda-t-elle doucement, comme si elle se posait la question à elle-même.

Red battit des cils blonds clairsemés qui garnissaient ses paupières translucides. « Seize ans, grommela-t-il, incrédule, et voilà que Charley décide d'opérer en solo. Pourquoi ? (Il se redressa et vida son verre.) Dans son domaine, c'était le meilleur. Et tout à coup, il se met en tête de devenir le meilleur dans le mien. Qu'est-ce qui lui a pris ? C'est comme s'il avait dit adieu au bon sens. (Red regarda le paquet noir.) Et de tous les deals dans lesquels il aurait pu me baiser, il faut qu'il me baise sur celui-là. Enfin bon (il hocha la tête), ça, je le comprends. C'est le côté pur branleur de Charley. Une programmation de parfait abruti. Le mauvais deal type au mauvais moment type. Mais qu'il l'ait seulement fait ? (Red secoua la tête.) Ça fait presque trois mois que j'y pense. Ça ne rime à rien. Toute une vie. (Il souffla.) Perdue sur un coup de tête. Ça me dépasse.

– Et la première fois ? » demanda doucement Tipsy.

Red fronça les sourcils. « Tu veux parler du coup où il est allé en taule ? (Il secoua la tête.) Ce n'était pas un faux pas. Plutôt un coup du sort. Ç'aurait pu arriver à n'importe qui. Charley le savait. D'ailleurs il a fait ce qu'il fallait. Il n'a pas balancé. Il a avalé la pilule. Il savait qu'on ne le laisserait pas tomber à la sortie. Et on ne l'a pas laissé tomber. Il a payé, c'est sûr. Mais il était au courant des risques. On est tous au courant des risques. Chacun fait ce qu'il a à faire. Tout le monde encaisse. »

Tipsy s'éclaircit la voix. « Alors qu'est-ce qu'il y avait de différent, cette fois ? »

Le regard de Red se concentra sur une image que lui seul voyait. « Cette fois, ç'a été un faux pas. C'était juste un deal ponctuel. Un deal pourri, mais un gros. Le plus gros. C'est pour ça que j'ai laissé Charley s'en occuper ! Bon sang. (Il regarda Tipsy.) J'étais content qu'il se pointe. J'étais en rade depuis un moment, et je me disais que j'allais faire une croix sur ce coup, faute d'avoir sous la main le type qu'il fallait. (Il secoua la tête.) Charley n'aurait pas dû envisager ça tout seul. C'était le mauvais plan entre tous. Il ne pouvait pas le mener à bien, seul. Et c'était le plan entre tous qui pouvait nous faire tuer tous les deux. Je dis bien tuer, pas incarcérer. C'est l'alternative à la réussite. Charley devait le savoir. Alors… pourquoi ? » Dans les yeux de Red ne se lisait ni remords ou culpabilité, ni malveillance, ni béatitude… au contraire, ils étaient aussi neutres que des billes de porcelaine dans le visage inexpressif d'un faune de calcaire. « Il se pourrait que toi aussi, Tipsy, tu meures à cause de Charley. Même toi. (Red regarda le réfrigérateur, leurs deux verres, les éclats de glace en train de fondre sur le plan de travail, le paquet noir enveloppé d'adhésif.) Il faut que tu comprennes bien ça. Toi et… (il désigna la descente)… et ce gars-là, dit-il. Ton ami pourrait mourir, lui aussi. »

Tipsy sursauta. « Quentin ! (Elle se leva.) J'avais oublié Quentin ! »

24

Tipsy se leva du banc et faillit tomber. « Qu'est-ce que tu m'as fait ? » gémit-elle en se tenant la tête d'une main tout en se cramponnant de l'autre au bord de la table à cartes.

« Pur réflexe, dit Red en la soutenant. N'oublie pas qu'en plus, tu es sur un bateau.

– Comment est-ce que je pourrais oublier ce cauchemar ? (Elle le repoussa pour se dégager.) Quentin ! »

Quentin gisait sur le dos, à l'endroit précis où Red l'avait laissé, au sommet de la descente, la tête sur le tapis en jonc de mer décoloré gorgé de sang. Au moment où ils arrivaient à côté de lui, Quentin fut pris de spasmes et se mit à vomir.

« Quentin ! (Tipsy lui agrippa les épaules.) Qu'est-ce que tu... (Elle le secoua avec violence.) Si tu t'étouffes avec ton vomi, je te tue !

– Saloperie, râla Red en essayant d'écarter Tipsy du chemin. Chaque fois que je tourne le dos, dans cette histoire, ça se met direct à merder.

– Arrête de gerber !

– Tu sais faire les massages cardiaques ? demanda Red. Si c'est non, dégage !

– Tu plaisantes ? répondit-elle en résistant à sa poussée. Je ne sais même pas nager ! »

Red l'écarta sans ménagement. « Parle-lui, appelle-le par son petit nom. » Il retourna Quentin sur le ventre, la tête légèrement en débord de la première marche de la descente. D'une poussée adroite et simultanée de part et d'autre de la colonne vertébrale, il permit à Quentin d'évacuer un amas de mucosités et de vomi par la bouche et le nez.

« Parle-lui !

– Quentin ! Réponds-moi, bon Dieu ! »

Red roula sur le dos Quentin à demi inconscient, et de l'index, lui débarrassa la bouche du mucus qui l'encombrait encore. Il lui posa une main sur le sternum, l'autre par-dessus, et appuya fortement puis relâcha à quatorze reprises, en comptant à voix haute. Puis il prit en étau les joues de Quentin de façon à lui ouvrir la bouche, se pencha, et ses lèvres n'étaient plus qu'à quelques centimètres de celles de Quentin quand Tipsy hurla : « Attends ! Arrête, arrête ! » en retenant Red par les cheveux.

« Qu'est-ce que tu fous, bordel ? (Il la repoussa à bout de bras d'un geste rageur.) J'essaie de sauver la vie de ce type ! »

La violence de l'impact secoua Tipsy, déclenchant une hyperventilation. « Il a… Il a…

– Accouche, bon sang ! »

Elle glissa à terre. « Il a le Sida, espèce de connard ! »

Red cilla. « Ce type a le Sida et c'est moi le connard ? »

Tipsy écarquilla les yeux. Puis lui décocha un coup de pied. Il n'y prêta aucune attention. Au bout d'à peine quelques secondes de réflexion, il appliqua les pouces de part et d'autre de la mâchoire de Quentin et leur imprima un mouvement ascendant. Du mucus apparut encore, mais en moindre quantité.

« Apporte-moi un linge mouillé d'eau froide. Il y a peut-être une paire de gants sous l'évier. Sinon, regarde dans le compartiment moteurs. »

Ce ne fut pas le napperon brodé du nom du yacht que Tipsy mit le plus de temps à trouver, mais la paire de gants en caoutchouc, proprement pliée derrière la poubelle, sous l'évier. Le temps qu'elle revienne, Red avait rétabli la circulation d'air dans la gorge de Quentin dont le torse et le ventre se soulevaient, quoique de façon assez spasmodique. « Plie-le et applique-le sur la plaie qu'il a à la tête. Une pression constante, pas trop ferme. Parle-lui, dis son prénom.

– Quentin… Quentin ! »

Quentin gémit.

« Excellent ! Continue !

– Quentin ! (La voix lui manqua.) Quentin, je t'en prie !

– T-Tipsy, murmura Quentin.

– C'est bien, vieux. (Red suspendit le massage.) Comment t'appelles-tu ?

– Asche, bredouilla faiblement Quentin. Comme p-peine Asche y est… »

Red haussa un sourcil. « Je crois qu'il va s'en tirer.

– Il lancerait des plaisanteries même le jour de ton enterrement », dit Tipsy en prenant la main de son ami.

Red fronça les sourcils, comme perplexe. « Quel meilleur endroit pour en faire ? »

Quentin respirait, à présent, quoique laborieusement. Ses yeux restaient clos. « Je suis épuisé, murmura-t-il. Et j'ai une migraine atroce. Qu'est-ce que vous buvez ? »

Tipsy sourit à travers ses larmes. À l'époque où il était hypocondriaque, avant d'avoir de vrais problèmes de santé, Quentin était un adepte de la gueule de bois par contagion, qu'il taxait souvent de *contamination de proximité*.

« On va le mettre au lit, suggéra Red. Quand il se sentira assez bien pour boire un peu d'eau, on essaiera de lui faire avaler une aspirine.

– Tu es sûr que c'est bien de le laisser dormir ?

– Pourquoi pas ? S'il n'y arrive pas, il va falloir qu'on lui inflige le reste.

– C'est vrai. S'il s'endort, on pourra… » Tipsy s'interrompit et fronça les sourcils. « On pourra quoi… tenir la tête de Charley à tour de rôle ? » Et tout à coup, elle se rendit compte qu'il devait y avoir un bon quart d'heure qu'elle n'avait pas pensé à se lamenter à propos de la tête de son frère. Nom d'un chien, se dit-elle aussitôt. Si ce n'est pas la preuve qu'on s'habitue à tout…

Un bras sous les épaules, l'autre sous les genoux, Red cala et souleva Quentin comme s'il ne pesait pas plus qu'un coupon de velours. Ils le fourrèrent dans une couchette de la cabine du capitaine, située derrière la timonerie. Tipsy enfila les gants bleus et essora le napperon plein de sang, puis le remit sur la plaie. L'entaille, de cinq centimètres, ne semblait pas compliquée d'une fracture du crâne. Sa vue secoua pourtant Tipsy.

« Les plaies à la tête saignent toujours sans commune mesure avec leur gravité, assura Red à Tipsy, en même temps qu'à Quentin.

– Mais en proportion des anticoagulants qu'on prend, fit remarquer Tipsy.

– Sans doute de la warfarine, supposa Red. La saloperie qu'on utilise pour tuer les rats. »

Tipsy se renfrogna. « Tu es un vrai traité de médecine ambulant, hein ?

– Maintiens la pression, dit Red. Les plaquettes mettront juste un peu plus longtemps à se rallier à la cause. »

Deux rinçages de napperon plus tard, le sang ne coulait plus qu'en un mince filet.

« Ce bateau est plus grand que ton appartement », murmura Quentin tandis que Tipsy lui bordait une couverture écossaise sous le menton. Il baissa les yeux. « Qu'est-ce que c'est que ce plaid de mauvais goût ? » Et il s'endormit.

« Il va aller très bien, dit Red quand Tipsy referma la porte de la cabine.

– Grâce à toi. »

Red la dévisagea. « Tu aurais pu ne rien dire.

– À propos du Sida ? (Elle secoua la tête.) Ne sois pas ridicule. »

Les gants étaient maculés de salive, mucus et sang. Red trouva une boîte de gants en latex dans le compartiment moteurs, et sans un mot, ils entreprirent de nettoyer le bateau. Ils retirèrent le tapis en jonc de mer, fixé au pont à l'aide de Velcro, et le mirent dans la machine à laver, avec la chemise ensanglantée de Quentin, quelques chiffons, de la lessive et de l'eau de Javel. Ils trouvèrent un faubert et un seau, du détergent, et décapèrent le pont et les marches de la descente. Quand ils eurent fini, ils regagnèrent le salon et firent un brin de toilette.

En ajoutant un bouchon d'eau de Javel à la dernière cuvette d'eau, Red demanda depuis combien de temps Quentin vivait avec le Sida.

« Ça doit faire cinq ans que ç'a été diagnostiqué. »

Red se rinça les mains. « C'est pour ça qu'il est si maigre ?

– Il a toujours été mince, mais en effet, il l'est davantage, maintenant.

– Il suit la thérapie à plusieurs médicaments ?

– Un mélange de trois. Plus l'anticoagulant, des vitamines, et je ne sais quoi encore.

– Quel est le pronostic ? »

Tipsy secoua la tête.

« La nature va suivre son cours, énonça Red. Certaines personnes survivent longtemps. Ça aide de prendre soin de soi.

– Traîner avec moi ne lui fait sans doute pas grand bien. Il injurie tous ceux qui ne sont pas d'accord avec lui, ce qui le stimule peut-être, mais puise beaucoup de son énergie. En tout cas, il ne boit plus. Ç'a été un sacré pas en avant. Le pire… (Elle baissa la voix.) Le pire c'est… c'était… sa fuite en avant en compagnie de son écervelé de petit ami qui avale toutes les drogues qui se présentent et ne crache pas non plus sur un petit sniff de poppers en passant. »

Red haussa un sourcil. « C'est mauvais pour toi ?

– C'est mauvais pour Quentin. Plus maintenant, en tout cas, j'espère. (Elle croisa les doigts.) Apparemment, Quentin a rompu avec lui.

– Il a quelqu'un d'autre ? »

Tipsy secoua la tête. « Juste moi. Les membres de sa famille ne lui parlaient plus depuis des dizaines d'années. Il leur a tous survécu, assez ironiquement.

– Pourquoi est-ce qu'ils ne lui parlaient plus ?

– Il est homo, et ils l'ont détesté pour ça.

– C'est idiot, dit Red. Mais au moins, il savait pourquoi ils le détestaient. »

Tipsy soupesa cette réponse. « Tu sais, il va falloir que je lui soumette ça, dit-elle. En tout cas, tu lui as sauvé la vie.

– J'aurais fait la même chose pour toi. »

Elle le regarda. « Le bouche-à-bouche ? »

Il la regarda. « Tu sais, quand on se battait, là ? (Il claqua des doigts.) Ça m'a presque filé la trique. »

Au temps pour le romantisme. Tipsy en resta bouche bée sans parvenir pour autant à réprimer un sourire, et elle piqua un fard.

Red la précéda jusqu'à la table à cartes et servit deux verres de rhum. Tandis qu'elle se lavait les mains, il lança à l'adresse de son verre : « J'aurais fait la même chose pour ton frère aussi, si j'étais arrivé à temps. »

Tipsy mit le torchon dans la machine à laver, une compacte italienne à chargement frontal qui allait se livrer à une quantité incroyable d'opérations audibles à mesure qu'elle lavait et séchait. Après une étude approfondie du tableau de programmation, elle réussit à la mettre en marche.

En fermant les portes coulissantes en teck qui dissimulaient le coin buanderie, Tipsy se sentit presque submergée par des sentiments qu'elle n'avait pas éprouvés depuis longtemps, voire jamais : tendre estime, gratitude, fatigue consécutive à une poussée d'adrénaline, opulence incongrue des installations qui les entouraient, colère, stupeur, tête coupée dans le réfrigérateur. Quand on s'abrutit d'alcool pour s'endormir presque chaque soir, se dit-elle, on a du mal à exprimer quelque sentiment que ce soit. Tout haut, elle lança : « Tu es prêt à me raconter ce qui est arrivé à Charley ?

– Tu es prête à l'entendre ? »

Elle acquiesça. « Oui. »

Red ne se le fit pas dire deux fois. Il monta à la passerelle, en revint avec une mallette, dégagea la table et y déploya une carte en très mauvais état. NOAA 11013, lut Tipsy dans le cartouche. *Détroits de Floride et atterrages*. Red sortit également de la mallette un compas à pointes sèches, un crayon, un jeu de règles parallèles, un rapporteur de navigation, un exemplaire fatigué de l'*Almanach marin pour les Caraïbes* de Reed et enfin un cahier d'écolier à la couverture marbrée noir et blanc sur laquelle était collée une étiquette comme on en voit sur les pots de confiture maison, blanche bordée de rouge, aux quatre coins chanfreinés. Y était écrit, de la calligraphie méticuleuse de Charley :

Livre de bord du
Vellela Vellela
Vol. XI

« Le volume onze, lut Tipsy à voix haute. Il n'a navigué que trois ans sur ce bateau…

– Charley avait tendance à se répandre dans ses livres de bord.

– Et les dix autres ?

– Coulés avec le bateau. (Red tapota l'objet du bout du doigt.) La dernière entrée remonte à la veille du naufrage. »

Tipsy regardait fixement le cahier.

« Ressers-toi un coup », lui suggéra Red.

Elle baissa les yeux sur son verre. « J'ai ma dose pour le moment. »

Red prit une gorgée du sien et le reposa de côté. « Où se trouvait Charley la dernière fois qu'il t'a donné de ses nouvelles ? »

Tipsy montra la bouteille. « Un endroit du nom de Rum Cay. Non, attends. C'était de l'escale suivante. Il m'a envoyé deux pages sans queue ni tête de son escale suivante. Je ne me rappelle plus le nom, mais c'était à une journée de mer de Rum Cay.

– Long Cay. (Red prit le compas à pointes sèches.) Ces deux endroits ne sont pas très éloignés l'un de l'autre, et les deux font un bon point de départ pour le récit de la dernière aventure de *Vellela Vellela*.

– La dernière aventure de Charley, rectifia Tipsy d'un air sombre.

– Et ta prochaine aventure. »

Elle secoua la tête. « L'aventure, c'est pas trop mon truc. »

Red sortit une paire de loupes de sa mallette. « Maintenant, si. » En homme peu habitué à porter des lunettes, il commença par une branche, puis appliqua les verres sur son nez et, enfin, mit la deuxième branche en place. Il bascula la tête en arrière pour lire à travers les demi-lunes et piqua les pointes du compas sur la carte. « Rum Cay », dit-il.

Tipsy se pencha en avant. « Ça a l'air tout petit.

– Ça l'est. (Logeant une des pointes dans une perforation déjà existante sur Rum Cay, il déploya l'autre pointe presque plein sud jusqu'à une autre île.) Et voici Long Cay. Tu vois ce symbole ? (Il avait le doigt posé sur la carte.) Il s'agit d'une épave. Plusieurs, probablement. (Il reporta l'écartement du compas sur l'échelle des latitudes, dans la marge de droite, et releva la distance.) À peu près soixante-sept milles nautiques. Rum Cay est assez grande pour qu'on y trouve un bar, un mécano, des vivres, un équipement de plongée, et c'est à peu près tout. Albert Town, en revanche, à l'extrémité sud de Long Cay, n'est plus habitée.

– Tu connais ? »

Red secoua la tête. « Jamais eu de raison d'y mettre les pieds. À Rum Cay par contre, j'ai une petite affaire de tee-shirts sérigraphiés que j'importe ensuite aux States. C'est mon ex-femme qui les dessine et son copain du moment qui se charge de l'impression. Ils vivent à Rum Cay depuis qu'elle est sortie de désintox.

– Je croyais que ta femme était morte d'un cancer.

– C'en est une autre.

– Tu en as eu combien ?

– Je me souviens de deux. Tu sais que ton frère était doué.

– Oui. Je… En fait… Tu sais, Red, je n'ai pas… (Elle glissa un regard vers le réfrigérateur, derrière elle.) Je suis surprise de l'avoir reconnu. (Elle émit une amorce de rire puis la voix lui manqua.)

– Tu vas bien ?

– Non. Je devrais ? »

Red eut un hochement de tête. « Charley était, entre autres choses, un marin accompli. Bon navigateur au sextant. Sachant manier l'épissoir. Habile charpentier. Et en plus il savait cuisiner. (Il se pencha sur la carte en balançant le compas entre index et majeur, et scruta la poussière d'îles situées à l'extrémité sud-est des Bahamas, petites taches vert pâle environnées de sondes de plusieurs milliers de mètres.) Imaginons que nous faisons escale à Rum Cay. (Il prit le Reed, en consulta l'index, l'ouvrit à la page qu'il cherchait.) "Port Nelson, Rum Cay", lut-il à voix haute. "Il est possible d'accoster temporairement au quai du Gouvernement. On y trouve moins de deux mètres d'eau." (Levant les yeux :) C'est-à-dire une brasse. (Posant un doigt sur la carte :) Ici, à l'angle nord-ouest de l'île, les sondes dépassent les deux mille brasses. Si tu voyais une représentation topographique de cet îlot, s'élevant d'un fond de plus de trois kilomètres, tu aurais probablement les chocottes. (Il la regarda par-dessus ses loupes.) *Vellela Vellela* avait un tirant d'eau d'un peu moins d'un mètre cinquante.

– Ça passait tout juste, alors. »

Red haussa les épaules. « Cette sonde correspond à une basse mer moyenne. "Mouiller à l'ouest de la ville", dit-il, reprenant sa lecture, "là où il y a suffisamment de fond. L'entrée se fait par un chenal profond entre plusieurs récifs coralliens. Le cap Cotton Field relevé au 13°V" — V pour vrai — "permet d'embouquer la passe en toute sécurité. Quand le quai de Port Nelson est au 81°V, gouverner droit dessus..." (Il tourna une page et posa le volume à plat sur la table de sorte qu'elle puisse voir.) Voici la carte de détail. (Il y appliqua les pointes du compas.) Attention, les sondes y sont données en mètres. J'ai tracé les relèvements. Ici, c'est le cap Cotton Field. Voilà comment se négocie l'entrée. Treize degrés, ça nous place sur cet axe. Les récifs sont là. Vent et courant dominants viennent du sud-est jusqu'à ce qu'on soit à l'intérieur, ensuite de quoi le vent tombe et le courant a tendance à s'infléchir dans cette direction... Tout ça est fonction de la marée, bien évidemment. Voici le relèvement sur Port Nelson. On vient sur tribord et...

– Dis donc, intervint Tipsy. L'idée, c'est que c'est pas évident ?

– Exact, et d'autant plus que ton frère entrait là à la voile, sans moteur.

– C'est vrai ? Pourquoi ça ?

– Eh bien, primo, son bateau n'était pas équipé d'un moteur. Et deuzio, il voulait que ça se passe comme ça.

– Est-ce que c'est aussi difficile qu'il y paraît ?

– Très peu des marins d'aujourd'hui possèdent les qualités requises. Savoir-faire, patience, cran — et deux ancres parées à mouiller.

– Ou une bonne dose de stupidité. Ou d'imprudence.

– Comme tu préfères. (Il prit le livre de bord.) Je vais être franc avec toi, Tipsy...

– Oh, oui », ironisa-t-elle.

Red croisa son regard. « Reste calme, lui conseilla-t-il. J'espère qu'il y a quelque part là-dedans… » Il passa la paume de la main sur la couverture du livre de bord. Tipsy remarqua une nouvelle fois qu'il avait les mains calleuses, épaissies par le travail. « … une allusion ou un indice expliquant ce que ton frère s'est fait à lui-même et, par voie de conséquence, ce qu'il est encore encore en train de nous faire à l'heure qu'il est.

– Du fond de sa sépulture marine, ajouta-t-elle avec amertume.

– Comme je l'ai déjà dit, poursuivit Red en la regardant dans les yeux, nous sommes coincés ensemble. On n'a pas le temps de se prendre la tête quant à la façon dont on s'est retrouvés dans cette situation. On doit le faire, par contre, quant à la façon de s'en sortir.

– Tu pourrais peut-être commencer par me dire en quoi consiste cette "situation". » Elle le jaugeait d'un regard direct.

Il la regarda de même. « Il n'y aura pas à tortiller, dit-il. On est dans le même bateau jusqu'à ce que le problème soit résolu. Tu me suis ? (Il secoua la tête.) On n'a pas le choix. Tu dois me faire confiance, je dois te faire confiance. Pour le moment, il faut que tu me croies sur parole et (lui tendant le livre de bord) que tu consacres toute ton attention à ce qu'il y a là-dedans. »

Elle regarda le cahier, sans le prendre. « Mais enfin, que veux-tu que… ?

– Je te promets, coupa-t-il, que tu connaîtras toute l'histoire avant qu'on quitte ce bateau, même si te l'expliquer me prend toute la nuit. Je compte obtenir quelques éclaircissements, moi aussi. D'accord ? Et ne t'en fais pas. (Il posa le livre de bord devant elle, sur la carte.) Ce à quoi nous nous heurtons va devenir d'une limpidité déprimante. »

Les pages du livre de bord, d'abord détrempées et maintenant sèches, étaient ondulées comme une houle. « Je l'ai séché à l'aide d'un pistolet à air chaud, fit remarquer Red. J'en ai un à bord pour la rétraction. (Tipsy avait l'air interdite.) C'est comme un sèche-cheveux. (Il agita le poing d'avant en arrière.) La thermorétraction ? Pour sceller des branchements électriques ? C'est un genre de gainage… » Elle secoua la tête. Il fit de même. « Laisse tomber. (Il ouvrit le cahier à une page marquée d'un trombone.) Vas-y, lis à haute voix. On va suivre sa croisière sur la carte. »

25

Date	Heure	Loch	Cap	Météo	Position
16/3	04:30	0	165°	NE 10-15	23° 39' 2" lat. N.
				1005 mb	74° 51' 6" long. W.
				Beau	(Feu du cap Cotton Field)

Observations :

Nb : Décl. mag. : 8°44 W.

Appareillé de Port Nelson avant le lever du jour. Mis le cap au 157 vrai, que nous allons conserver pendant quelque 68 milles, correction faite de la dérive due au courant, jusqu'à ce que nous reconnaissions le phare d'Albert Town (Long Cay). À cinq nœuds, cela représente à peu près treize heures et demie de route, ce qui devrait nous faire arriver là-bas en plein jour. Selon Reed, le courant est de 0,6 nœuds portant au sud-est, et donc favorable.

Date	Heure	Loch	Cap	Météo	Position
16/3	18:30	72	Au	Dégagé	22° 35" lat. N.
			mouillage	1008 mb	74° 22' 5" long. W.
			Long Cay		(Cap Windsor)

Observations :

À dire vrai, il se pourrait que nous soyons à un mille dans le NNE du cap Windsor, mais je suis crevé et je sens monter une crise d'introspection. Je ferai un point exact demain matin.

Mouillé sur un fond de sable à l'ouest d'une anse, à deux pas d'une jolie épave. Elle a bien sûr été dépouillée, sans doute dans les jours suivant son échouement ; mais quel beau spécimen de lupanar flottant ce dut être. Elle n'a dû qu'à sa coque en acier de résister aussi longtemps aux déprédations causées par les indigènes et par la mer. Un seul bon ouragan courant vers le noroît signera sa fin et l'avènement d'un danger non répertorié de plus qui grouillera de vie sous-marine — un excellent coin de pêche, ce qui ne manque pas par ici.

Un jour, Cedric et moi avons engagé notre ancre sur un récif pas très loin au nord d'ici. En plongeant pour la dégager, nous en avons trouvé deux autres, meilleures que celle que nous venions récupérer. Du coup, nous avons passé la semaine à plonger dans les criques et sur les hauts-fonds dans un rayon de trois ou quatre milles en quête d'ancres abandonnées. Nous en avons localisé une douzaine. Bien sûr, certaines étaient trop grosses. Nous avons balisé à l'aide de défenses et de bidons celles que nous pensions pouvoir remonter, puis nous sommes revenus deux semaines plus tard avec du matériel à bord du For Tuna, *le bateau de Cedric à l'époque. (Son bateau actuel s'appelle* Tunacity. *Vous voyez l'astuce*[1] *?) Ah, que n'avions-nous un chalumeau à acétylène ! Malgré cela, nous nous sommes retrouvés avec neuf pièces épatantes, aussi bien anciennes que modernes, illustrant la théorie du mouillage, et tellement de chaîne encroûtée d'anatifes que nous avons dû en laisser la majeure partie au fond. Toujours optimistes, nous sommes allés en déposer un gros paquet en haut d'une crique découvrant à marée basse, aussi loin qu'il nous fut possible de pousser à la nage l'annexe chargée à couler, dans l'idée que nous reviendrions un jour la chercher. Il y a dans un de mes livres de bord d'excellentes indications menant à ce trésor — ne pas oublier de prendre en compte quelque chose comme dix ans de variation de la déclinaison magnétique. Ce soir, depuis ce mouillage, j'aperçois l'embouchure du ruisseau en question. Chose curieuse,* Vellela *est mouillé sur l'exact contre azimut du vecteur reliant ce ruisseau au milieu de l'entrée du chenal de Man of War, soit au 277° vrai. En tout cas, que l'endroit soit envasé ou non, quiconque approchera le trésor s'en rendra compte, car tout ce fer affolera son compas. Je vois d'ici la tête que feront les chasseurs de trésors en découvrant qu'ils mettent au jour quelque chose comme cinq cent quatre-vingts kilos de chaîne galva triple B de 10 !*

Des ouragans survenus depuis, de plus pressantes considérations d'ordre économique et autres, un mal de dos et diverses autres raisons ont empêché leur repêchage — par mes soins, tout du moins. Quant à Cedric, je n'ai pas la moindre idée de l'endroit où il se trouve présentement. Il m'a fallu mettre quelques encablures entre sa toxicomanie et moi, si bien que nous avons fini par nous perdre de vue. J'ai l'intention de demander de ses nouvelles à Key West.

1. *Tuna* : thon. (*N.d.T.*)

Après avoir embarqué nos neuf ancres, nous fîmes route directe sur Man-O-War Cay, environ quatre-vingt-dix milles presque plein ouest, en laissant le chenal sur bâbord, entrée du Grand Banc des Bahamas, où la pêche est du tonnerre. Vendu toutes les pioches à D-Ray's Vintage Marine pour deux mille dollars bahaméens. Cedric en a pris deux cents pour son carburant et nous avons partagé le reste — et voilà* *une rallonge de 900 dollars dans la tirelire. Elle aime bien ça, la tirelire !*

Je sais qu'il n'est pas de mise, et bien peu marin, de noircir un livre de bord de ses divagations. D'un autre côté, qui en sait quelque chose ? Et puis je suis seul depuis si longtemps que j'ai besoin de quelqu'un à qui parler. Je n'ai pas les moyens de me payer un psy, je suis trop radin, vieux et moche pour avoir une petite amie, le Bosco est une création de mon imaginaire (tu ne l'as jamais rencontré, mais ne t'en fais pas, personne d'autre non plus) et... bon, c'est tout. Sais-tu qu'Albert Town a officiellement reçu le statut de ville fantôme ? Des loyalistes américains colonisèrent cet îlot en 1783, apportant avec eux des esclaves et de la semence de coton. La tentative se solda par un échec. Man-O-War Cay a de semblables antécédents tory. Je parie que quand le vent souffle dans le bon sens, Albert Town a une sacrée histoire à raconter. Nos chaînes ne sont pas les seules ensevelies dans le coin...

Date	Heure	Loch	Cap	Météo	Position
19/3	06:20	72	285°	Nuageux	22° 33' 55" lat. N.
				1001 mb	74° 25' 20" long. W.
					(Le feu d'Albert Town au 191°M.
					Le feu de Long Kay au 98°M.)

Observations :
décl. mag. : 8°44 W.

Bien. Noter ci-dessus la position corrigée.

Deux nuits de sommeil. Excellent. Petit déjeuner digne de ce nom pris à l'aube : vivaneau frais, pain à la bière et thé noir. Troqué bol contre carte, fourchette contre crayon, couteau contre compas à pointes sèches. Conservé tasse de thé, tracé route. Levé ancre, appareillé sans anicroche. Mis le cap au 277° vrai, droit sur le chenal Man of War, distant de quelque 85 milles, même si je n'ai nulle intention de m'y rendre.

Date	Heure	Loch	Cap	Météo	Position
19/3	07:35	76,5	231°C	Petits cumulus épars 1003 mb	22° 35' 40" lat. N. 74° 26' 20" long. W. (Le phare d'Albert Cay au 105° M — contre azimut du chenal Man of War, relevé au 285° M moins les 8° de déclinaison, soit 277° V !) (nb : données consignées ici, car la carte est quasi oblitérée par de précédents tracés, gommages, piqûres et ronds de verres de rhum.)

Observations :

223° vrai, cela donne une loxodromie qui nous fait franchir Crooked Passage, Mira por Vos Passage — comme j'aime ce nom ! — et West Channel, pas tout à fait à angles droits, mais de jour et sans traîner.

(Nb : À approx. 22° 7' N. par 74° W., nous traversons un infléchissement de la déclinaison magnétique, après quoi celle-ci se stabilisera à 8° W.)

Beaucoup *de cargos, de pêcheurs, de plaisanciers, dans ces parages, ce qui, d'un côté, est bénéfique dans la mesure où cela confère un voile d'anonymat et, de l'autre, pénible, étant donné qu'une veille sans relâche ne va laisser que peu de repos au patron et à l'équipage de* Vellela Vellela *entre aujourd'hui et Boca Chica Key, à peut-être une semaine d'ici, si le temps le permet et en touchant du bois.*

Un bon bout de temps que je n'avais navigué dans le coin, et, je vais te dire, il est magnifique. Si je ne bossais pas, je mettrais le mois pour rallier la Floride. Peut-être six mois. Peut-être même que je n'y arriverais jamais.

Quand je relèverai le feu de Santo Domingo au 312° magnétique, nous mettrons le cap au 287° vrai, ce qui devrait nous faire filer tout droit sur Old Bahama Channel. Le plus puissant phare cubain, celui de Cabo Lucrecia, a une portée de 25 milles. Nous changerons de route quand nous en serons distants de 29 milles. Si la nuit est claire comme en ce moment, nous devrions pouvoir nous baser sur son halo et sur le vecteur de Santo Domingo. Ma carte comporte toutefois l'habituel et sinistre avis aux navigateurs. « ATTENTION : il est rapporté que de nombreux feux de la côte cubaine sont éteints ou fonctionnent de façon irrégulière. » Votre embargo à l'œuvre, ô mes compatriotes yankees. Est-ce que ça ne vous fait pas chaud au cœur ? Dommage que les Cubains ne puissent vendre un peu de sucre, du rhum et quelques cigares sur le marché amé-

ricain. Cela leur rapporterait peut-être de quoi entretenir leurs moyens d'aide à la navigation, sans parler de se procurer des médicaments pour leurs enfants, des feutres pour leurs pianos, sans parler de prendre goût au capitalisme.

Quand on met le nez dans l'Almanach de Reed à la page traitant de la ravissante Bahía de Banes, dont l'entrée se trouve à une quinzaine de milles dans l'est passé un demi-cercle autour de la côte méridionale de Cabo Lucrecia, voici ce qu'on peut lire :

Cette baie très refermée voit actuellement se développer sa vocation de centre touristique. Venant des Bahamas, on y trouve une excellente relâche. L'entrée en est facile, accore et profonde. Prendre le bâtiment blanc pour amer au 115°, gouverner droit dessus jusqu'à atteindre la nouvelle marina. La majeure partie de la baie a été aménagée en parc naturel. [...] Un aquarium tout neuf est accessible avec une bonne annexe ; on trouve à proximité un hôtel de luxe de construction récente, dont le restaurant propose une très bonne carte aux plaisanciers de passage.

Excellente relâche, à condition que votre port d'attache se trouve n'importe où dans le monde sauf aux États-Unis.

Date	Heure	Loch	Cap	Météo	Position
19/3	16:30	165	281°	Lumineux	21° 33' lat. N. 75° 30' long. W. Feu de Santo Domingo Cay au 312° M. Faisceau du phare de Cabo Lucrecia entre 196° et 207° (moyenne : 201,5°). Sonde portée sur la carte : 2600 m.

Observations :

À 7 heures, mis le cap à l'ouest-nord-ouest après avoir doublé Santo Domingo Cay. Pas trop mal comme navigation à l'estime. Beaucoup de trafic. Ai descendu le réflecteur radar, lui ai donné un coup de toile émeri et l'ai renvoyé là-haut. M'attends à très peu voire pas du tout dormir jusqu'à Key West, qui se trouve à environ 450 milles. Pour une traversée en solitaire, cela ne représente pas un trop long déficit en sommeil. Pour un marin de cinquante-quatre ans, ma foi... Sans toute cette connerie de politique avec Cuba, il y aurait une douzaine de petits havres douillets où faire escale le long de la côte nord et où prendre un peu de sommeil en même temps que quelques bières et des empanadas. Mais il faut aussi dire que je ne tiens pas à ce que ce bateau soit fouillé, par qui que ce soit.

Date	Heure	Loch	Cap	Météo	Position
19/3	19:30	182	281°	Toujours lumineux	21° 36’ lat. N. 75° 47’ long. W. Feu de Santo Domingo Cay au 20° M. Faisceau du phare de Cabo Lucrecia entre 164° M et 177° M (moyenne : 170,5° M). Au sondeur 2678 m. Sur la carte, 2690 m.

Observations :

Quand on a de l’eau salée qui coule dans les veines, on trouve ça sympa. À la même heure demain, nous serons à moins de huit milles de Cuba, ce qui devrait nous permettre de voir le phare de Cayo Paredon Grande, à mi-hauteur d’Old Bahama Channel. Je crois que ce nom signifie Récif du grand mur. *Mon dictionnaire d’espagnol ne donne que* pared *— mur —, qui paraît assez proche. Huit milles, cela nous placera largement à l’intérieur de la limite des douze milles, là où les Cubains seront parfaitement fondés à monter à bord de* Vellela Vellela.

Bon sang, ce que j’aimerais aller à Cuba. Quel pays ! Je n’y ai pas mis les pieds depuis la fin des années quatre-vingt. C’est grand, tu sais, à peu près onze cents kilomètres de long. Il y a des centaines sinon des milliers d’îles, de baies, de criques et de havres. La carte montre des lignes de chemin de fer qui partent d’un endroit et s’interrompent, des baies tant grandes que petites, des îles-barrières, des bancs de sable, des récifs et des cailloux — bref, un monde en soi qui, à ma connaissance, est à peine entré dans le vingtième siècle, sans parler du vingt et unième. La navigation autour de l’île se fait probablement à l’ancienne — compas de relèvement à la main, plomb de sonde, couleur de l’eau, estime, connaissance du coin et bonne fortune. Il existe des cartouches ou des cartes GPS pour Cuba, mais toutes celles de fabrication gringo couvrent prétendument une autre zone géographique. Peut-être les Français en ont-ils une bonne. Peut-être personne n’en a-t-il — autrement dit, ce coin serait exclusivement la tasse de thé (arrosée de rhum) de Vellela Vellela, *l’endroit idéal pour un anachronisme tel que moi, qui navigue sur un bateau dépourvu de moteur.*

De toute façon, je ne peux penser à Cuba pour l’instant. C’est le moment de se conformer au Premier Postulat de Red, qui est de ne jamais enfreindre plus d’une loi à la fois. Il est gravé sur une plaque en cuivre au-dessus de la porte de sa chambre des machines. Ah, que les choses ne sont-elles aussi simples… ?

Bref, c'est à toi, cher livre de bord, que je confie la suite du programme. Nous devrions atterrir à Boca Chica dans une semaine. Nous avons, planquée à bord, une quantité non négligeable de tee-shirts made in Bahamas. Chacun d'eux arbore une caricature de ce vieil Helios avec verres fumés et dreadlocks, au-dessus de l'exhortation : N'oublie pas d'avaler la fumée, mec ! S, M, L, XL, XXL. Bien sûr, ils pourraient avoir été fabriqués n'importe où, mais ils proviennent en fait d'un petit atelier de sérigraphie situé à Rum Cay. Il s'agit d'une des opérations de blanchiment de Red. Tu piges ? Ah ha, comme ferait Cedric, ah hahahahaha... Nous disposons d'une licence pour remettre ces articles entre les mains d'un grossiste basé à Boca Chica Key, qui fournit magasins et échoppes à touristes. Une autre des opérations de blanchiment de Red.

En fin d'après-midi, j'ai aperçu en levant les yeux un très grand aileron de requin à moins de vingt-cinq mètres par le travers. Bord à bord ! Ces eaux sont aussi fameuses pour leurs requins que pour le poisson qu'on y pêche. Mais je suis toujours étonné de constater que ces créatures sont capables de repérer un petit navire comme Vellela Vellela *au-dessus de 1300 brasses de profondeur. Enfin quoi, elles chassent pourtant bien en trois dimensions, non ? Ça fait quand même beaucoup d'espace.*

C'est aussi pour ça qu'il est difficile de trouver un gilet de sauvetage à bord d'un bateau naviguant par ici. Les gens préfèrent se noyer plutôt qu'être dévorés vivants.

Tiens, à propos, profitons de ce moment de désœuvrement pour nous livrer à un petit calcul. Disons que Vellela Vellela *mesure 28 pieds (nb : Il faisait au départ un peu plus de 37 pieds hors tout, de la queue de malet au bout-dehors. Mais tu te souviens sans doute qu'il n'était qu'une épave quand j'en ai pris possession ; et quelles sont, pourrais-tu demander, les premières choses qui disparaissent sur une épave ?). Là où nous nous trouvons, on pourrait penser que 28 pieds, c'est un tout petit peu juste, question dimensions. Il faut savoir que la profondeur est par ici de 1300 brasses, soit autant de fois 1 m 83 égalent 2380 mètres. Si on considère que la longueur de* Vellela Vellela *est le diamètre d'un cylindre, la sonde portée sur la carte étant la hauteur de ce cylindre, on obtient — la formule est simple — aire de la coupe transversale (qui est un cercle) multipliée par la hauteur... voilà, c'est ça : Pi par le rayon au carré par la hauteur (la pile de la calculette a rendu l'âme il y a quelque temps, c'est pourquoi je fais ça à la main dans la marge, tout en tenant la barre, non sans consulter mon fidèle* Manuel de l'ingénieur mécanicien*) égale 134 984 mètres cubes d'eau. D'où il découle qu'un requin dispose de*

$$\frac{\pi \times r^2 \times h}{1000\ l./m^3} = \frac{134\,984\ m^3}{1000\ l./m^3} = 134\,984\,000 \text{ litres}$$

d'eau salée sous la seule quille où chercher sa pitance. Cela, s'il vient à intersecter le « cylindre de la quille ».

Waouh. C'est ce qui s'appelle un flair de requin.

Mais pas d'inquiétude, cher livre. Vellela Vellela *est fiable à la mesure du dur labeur qui lui fut consacré — labeur dont peuvent attester certains de tes précédents épisodes.*

Il n'empêche qu'on se demande, tout en voyant de temps en temps un aileron fendre les eaux, comment diable ils font pour trouver quelque chose.

Plus tôt dans la journée, j'ai vu un thon albacore poursuivre un poisson volant carrément hors de l'eau. Ce dernier volera une journée de plus.

Date	Heure	Loch	Cap	Météo	Position
20/3	00:45	213	292°V	Clair	21° 42,5° lat. N.
				1003 mb	76° 21' 6" long. W.
				Nordet 10-15	

Observations :

(À noter : position correspondant à un infléchissement, porté sur la carte, de la déclinaison magnétique ; elle est désormais de 7° W.)

Fait un léger détour afin de parer un haut-fond vaguement porté sur la carte à 21° 48' 20" de lat. N. par 76° 18' 5" de long. W. Signalé pour la dernière fois en 1978. On n'est jamais trop prudent.

Spectaculaire étoile filante. J'écris à la lampe frontale. C'est plus fort que moi. Tout ça est splendide. Non pas mes écritures, mais la nuit. Référence du pronom. Naviguer de nuit est magnifique. Quel est ce vers où Baudelaire parle d'un cœur ensemencé d'étoiles ?

Faisons route sur le phare de Cayo Confites, distant de 76 milles, qui se trouve au coin SE de l'entrée de l'Old Bahamas Channel, avec le récif de Labaderas dans le coin NE et à peine 10 milles d'eaux navigables entre les deux, avec en plus les deux rails de circulation. Les instructions nautiques donnent un nœud de courant portant au NW. Favorable, donc.

Selon les cartes, il existe, à quelque 20 milles dans le NE, un chenal navigable parallèle qui pourrait permettre à Vellela *d'éviter cet étranglement. Il est emprunté par tous les contrebandiers et pêcheurs jouissant d'un faible tirant d'eau, ainsi que par quelques rares plaisanciers. Mais la navigation n'y est pas de tout repos entre de nombreux hauts-fonds et écueils non répertoriés. De nuit en plus ? N'y pensons plus. Cedric appelait cargos et porte-conteneurs des « récifs à l'envers », avec cette complication supplémentaire que, non contents de n'être pas portés sur les cartes, ils se déplacent. Mais au moins peut-on les voir, même de nuit — la plupart du temps en tout cas. D'un autre côté, eux ne nous voient pas du tout les trois quarts du temps ; c'est sans doute pour cette raison qu'ils appliquent universellement aux petits bateaux l'appellation de « brise-vitesse ».*

Mmh. En feuilletant ce cahier je constate que j'ai péché par manque de rigueur en consignant les caps suivis. Magnétiques, compas et vrais, le tout mélangé. Il va falloir que je reprenne, histoire de mettre de l'ordre dans la maison...

Date	Heure	Loch	Cap	Météo	Position
20/3	23:00	287	318°C	NE 15	22° 6' lat. N.
				1005 mb	77° 24' long. W.
				Très clair	

Observations :

Phare de Cay Lobos relevé sur tribord à 33° M. Phare de Cayo Confites relevé à 297° M, presque droit devant. Mis le cap au 320° V. L'Old Bahamas Channel ne mesure ici que douze milles de large, entre une ligne enténébrée de hauts-fonds, d'îles, d'écueils et de bancs de corail au large de la côte nord de Cuba, et une semblable configuration le long de la bordure méridionale du Grand Banc des Bahamas. C'est le milieu de la nuit et je suis en tee-shirt. Ce qu'il fait doux ! Depuis quelques années, on peut s'attendre à rencontrer des pirates dans la plupart des goulets de la planète. Je suppose que Cuba n'en compte pas. En tout cas, je n'en ai jamais entendu parler. Beaucoup de circulation venant à contresens. Vers quelle destination ? Haïti ? Quelle activité ? Le trafic d'armes ? Le rhum ? Quantité de petits bateaux de pêche.

Date	Heure	Loch	Cap	Météo	Position
21/3	09:15	322	300°M	NE 10-15	22° 35' 30" lat. N.
				1003 mb	77° 59' long. W.
				Hallucinant	

Observations :

Conservé ce cap sur 37,5 milles. Le loch donnait 33 milles, mais l'Ombre sait ! À 03:20, élevé le phare de Cayo Paredon Grande sur bâbord, aux deux tiers de la route. Fatigué. Avalé une Dexédrine avec une tasse de thé vert bien chaud. L'estomac qui grogne, naturellement. Continué comme ça, avec le feu de Cay Lobos s'élevant puis s'abaissant par la hanche arrière, juste pour me maintenir sur la brèche, jusqu'à ce que je le relève au 118° M et Cayo Paredon Grande au 278° M.

Date	Heure	Loch	Cap	Météo	Position
21/3	11:20	340	297°M	NE 10-12	22° 35' lat. N.
				1005 mb	78° 8' long. W.
				Très clair	

Observations :

À présent, 6° de déclinaison magnétique.

Abattu au 297° M à 11:20. Beaucoup de trafic. Clapot emmerdant dès qu'il s'agit de faire des observations et des relèvements précis. Mais c'était le dernier gros changement de route pour quelque chose comme 146 milles. Cela fera plus d'une journée, dans les 29 heures. Ai tangonné le génois.

Date	Heure	Loch	Cap	Météo	Position
22/3	05:30	381	277°M	NE 15	22° 56,5' lat. N.
				1006 mb	79° 8' long. W.
				Légère brume	

Observations :

Je me trouvais à l'avant, en train de prendre un relèvement, quand un marlin a bondi hors de l'eau, à moins de cinquante mètres sur l'avant, et décrit un arc de cercle au-dessus du compas que je tenais à bout de bras. Je n'en croyais pas mes yeux. De toute beauté. Pourquoi quiconque voudrait-il tuer pareille créature, juste pour en orner le dessus de sa cheminée ?

Date	Heure	Loch	Cap	Météo	Position
22/3	20:35	452	273°M	NE 18	23° 23' lat. N.
				1001 mb	80° 19' long. W.
				Brumeux	Phare de Cayo
					Bahía de Cadiz
					Relevé au 228°M

Observations :

La vie ne peut pas être foutrement meilleure que ça. Quelle façon de faire sa sortie. Ce bateau va me manquer. Ai-je pris la bonne décision ? Trop tard à présent, mon pote ! Tu parles d'un legs...

Trois jours sans quitter la barre et je repense aux Cévennes, à Marie et à ce poème d'Apollinaire qu'elle m'a appris pour faire progresser mon français. Cela remonte à loin. Sans doute est-ce l'inverse : Le Voyageur, *ensuite Marie, ensuite les Cévennes, sans oublier le raisin coupé, le vin éclusé, le fromage mangé avec du pain et du beurre... Marie ! Et si et si et si... Ah, l'esprit vagabond de l'homme, sans parler du navire errant sur lequel il se trouve. Et tandis que la vie l'emplissait — l'esprit, j'entends —, la majeure partie de ce poème d'Apollinaire en était évincée. Mais, pour en venir au fait, ce qui m'a fait penser à ce bout de poème, c'est cette allusion à l'Euripe, ou Euripos, encore un coin où je ne suis jamais allé ! Euripe est devenu un terme générique pour désigner une passe dangereuse ; l'endroit est en effet notoirement âpre, retors et imprévisible. Cela se trouve quelque part en mer Égée. Il paraît que la vitesse du courant peut y atteindre douze nœuds — gloups — et que, non content de cela, il se renverse sept fois par jour ! Mince ! On peut dire qu'Apollinaire sait où trouver ses comparaisons.*

Ouvrez-moi cette porte où je frappe en pleurant

La vie est variable aussi bien que l'Euripe
Tu regardais... le paquebot orphelin vers les fièvres futures
Et de tous ces regrets de tous ces repentirs
Te souviens-tu[1]...

Le titre est Le Voyageur, *mais nous autres, loups de mer armant* Vellela Vellela, *préférons bien sûr* Le Navigateur.

Désolé, Guillaume, c'est tout ce qu'il m'en reste. Depuis des années, c'est tout ce que je parviens à me rappeler.

Douze nœuds ! Mince alors... !

Date	Heure	Loch	Cap	Météo	Position
22/3	19:00	559	020°T	NE 15	23° 27' lat. N.
				1001 mb	80° 19' long. W.
				Brumeux	Sur la carte, deux amers : « MON. » et « DOME » relevés au 208°M.

Observations :
La Havane ! Mira por vos !

1. Citation en français dans l'original.

26

Les pages suivantes, soit un tiers environ du cahier, étaient vierges.

« Ça s'arrête là ?

– Il est mort le lendemain. »

Tipsy observait le livre de bord avec grande attention. « On dirait qu'il manque des pages.

– Les dix dernières, acquiesça Red. J'ai compté les souches. »

Elle leva les yeux vers lui. « Qui les a arrachées ?

– Il était comme ça quand je l'ai récupéré.

– Ça veut peut-être dire quelque chose ? »

Il haussa les épaules. « Il était à court de papier. »

Tipsy referma le cahier. « Volume onze, dit-elle pensivement avant de secouer la tête. Ça semble étrange que quelqu'un d'aussi scrupuleux avec ses livres de bord y arrache des feuilles rien que pour se fournir en brouillon.

– Charley était maniaque avec ses livres de bord, reconnut Red.

– Ce n'est donc pas toi qui les aurais arrachées parce qu'elles contenaient des choses pas gentilles concernant le criminel que tu es ?

– S'inquiéter de ça serait un boulot à plein temps. Non, ces pages n'étaient plus là quand j'ai sorti ce livre de l'eau.

– Au fait, dit Tipsy après un temps, ça me fait penser…

– Tu veux un verre ?

– Non. Torx, c'est quoi ?

– Pardon ?

– Non, sans blague. J'ignore ce que c'est. »

Red tendit une jambe et glissa deux doigts dans le gousset de son jean pour en sortir un embout Torx. « Celui-ci est un n° 2, ou T2. Donne ta main. » Il le lui laissa tomber au creux de la paume. L'objet ne mesurait pas deux centimètres de long.

« Je n'en avais jamais vu. On fait des vis qui correspondent à ça ?

– La configuration en étoile à six branches offre un couple bien supérieur à ce que donne le cruciforme, sans parler du tournevis plat. Elle s'est pas mal imposée dans l'industrie de la machine-outil. De nos jours, quand on achète une visseuse ou une scie électrique, elles sont entièrement assemblées avec des vis Torx. J'ai toujours sur moi un embout pour les dimensions les plus communes, et j'en ai un jeu complet sur mon bateau.

– Ce truc n'a pas déclenché le détecteur de métaux à l'aéroport ?

– Pas autant que la tête de Charley », dit Red, pince-sans-rire.

À quoi Tipsy se rembrunit.

« J'ai décidé de voir un bout d'Amérique à travers le pare-brise d'une Mercedes à convoyer, expliqua Red. Pendant l'interminable traversée du pays, il a fallu que j'achète deux sacs de glace toutes les huit heures.

– Très drôle. Oui, bien sûr, tu n'as pas pris l'avion. (Elle lui rendit l'embout Torx.) Ça me rappelle…

– Quoi donc ?

– Ce plongeur de Rum Cay.

– Arnauld ? »

Elle montra l'objet. « Il a été obligé de se confectionner un truc comme ça.

– Comment le sais-tu ?

– Charley m'écrivait. »

Red fit la grimace. « Cet abruti m'a dit qu'il en possédait un jeu complet.

– Est-ce que ça change quelque chose ?

– Peut-être que non, dit-il en fronçant les sourcils. Peut-être que si.

– D'accord, ça se tient. Et pourquoi en avait-il besoin ? »

Red plongea la main dans sa mallette, en sortit un exemplaire de *Vingt voiliers pour vous emmener partout*, de John Vigor, et l'ouvrit à une page cornée. Il posa le livre à plat sur la table. « Voici le schéma du Bristol Channel Cutter[1]. Le bateau de ton frère — moins la queue

1. Bristol Channel Cutter (litt. Cotre du canal de Bristol) est le nom d'une série monotype de croiseurs de conception traditionnelle qui sont construits en Californie. (*N.d.T.*)

de malet, le bout-dehors et environ cent mille dollars. (Posant le doigt sur le dessin :) Il a raccourci la bôme afin de ménager un triangle arrière plus étroit, rallongé le mât d'une soixantaine de centimètres, et ainsi de suite. De toute façon, il était obligé de renouveler tout le jeu de voiles, le gréement dormant, les espars ainsi que le mât… Il s'est bien débrouillé. Ce bateau marchait très bien.

– Il s'agit vraiment de *Vellela Vellela* ?

– C'est plus ou moins lui.

– Le bateau de Charley… » Tipsy mangeait des yeux chaque détail de la carène et du plan de voilure. Puis, relevant la tête : « Pendant qu'on y est, que diable signifiait le nom de ce voilier ? Ça évoque quelque chose de douloureux, comme un voile de larmes ou je ne sais quoi.

– Là, tu interprètes à l'excès, dit Red en riant. N'empêche, c'est marrant que tu poses cette question, car il semblerait que Charley l'avait prévue. Vous étiez jumeaux ?

– Il a… il avait… deux ans et demi de plus que moi.

– En ce cas, la télépathie est exclue ?

– Tu veux savoir si je reçois des communications en provenance de la tête congelée de mon frangin ? rétorqua-t-elle d'un ton acerbe.

– Tout juste. (Il sortit une poignée de feuilles de la mallette.) Ces papiers se trouvaient dans la poche étanche avec le livre de bord. Tu vis en Californie. Avais-tu déjà entendu parler d'un livre intitulé *Entre les marées du Pacifique* de Ed Ricketts et Jack Calvin ?

– Non.

– Moi non plus. J'ai donc mené ma petite enquête. Ce livre traite exclusivement des créatures vivant sur l'estran de la côte Pacifique.

– Si tu le dis.

– C'était sans doute le premier ouvrage sur le sujet.

– Fascinant.

– C'est un classique. Cinquante ou soixante ans plus tard, il est encore utilisé au sein du système scolaire californien.

– Et si tu enchaînais ? »

Red, l'air agacé, agita en l'air deux feuilles imprimées. « Elles ont été arrachées à un exemplaire de ce livre.

– Ça veut peut-être dire quelque chose, finalement.

– Essaie de montrer un peu d'intérêt, femme. Charley aimait les bouquins. S'il lui répugnait de mutiler un livre de bord, pourquoi aurait-il saccagé un vrai livre ? Peut-être que ça veut dire quelque chose, peut-être pas, mais c'est un angle d'approche littéraire intéressant : ce Ricketts est le type dont John Steinbeck s'inspira pour le personnage de Doc dans *Rue de la Sardine*. C'est super, non ?

– Super, concéda Tipsy sans chaleur.

– Tu n'as pas lu ce roman ? »

Elle ne répondit pas.

« Tu n'as jamais rien lu de Steinbeck ? »

Elle eut un soupir acédiaque.

« Je vois. Eh bien, Steinbeck et celui qu'il appelait Doc — le dénommé Ricketts — firent ensemble le voyage dont il tira *Dans la mer de Cortez*. Plus tard, Ricketts trouva la mort en se faisant renverser par un train. »

Tipsy éternua. « J'ai la langue qui s'engourdit. (Elle éternua derechef.) Où es-tu allé pêcher cette paperasse ? »

Red déplaça les différents documents vers son côté de la table. « Il y en a d'un peu moisis. »

Tipsy éternua violemment une troisième fois puis une quatrième. Un grand foulard noir fleurit hors de la poche revolver de Red. « Mince, dit-elle en s'y mouchant. Ne laisse surtout pas une femme enceinte approcher de ces machins.

– Oh ? fit Red en feignant une déférence mêlée d'étonnement. Serais-tu… ?

– Jamais de la vie.

– Ah, je coupe à une action en justice de plus. Bien. (Il passa en revue les papiers moisis.) Puisque tu ne peux pas t'en approcher, je vais t'en lire un passage.

– Je n'ai plus de rhum. »

Il poussa la bouteille vers elle. « Pages 226 à 228. Ça ne sera pas long. »

Certaines années, au début du printemps, des nuées considérables de « barques de la Saint-Jean », des *Vellela vellela*, souvent appelées à tort « méduses voilettes », sont poussées par le vent vers notre littoral, et il arrive que de grandes quantités de ces petits flotteurs pareils à de la cellophane, avec leur petite voilure rigide en triangle, viennent s'échouer sur le rivage (Fig. 173). Souvent, le spécimen encore frais est suffisamment indemne pour qu'on puisse le placer dans un bocal d'eau afin de l'observer en détail. Sous son flotteur transparent, l'animal est de bleuâtre à violet. Contrairement à ce que professaient jadis les zoologistes, il ne s'agit pas d'une colonie d'individus spécifiques, comme la « galère portugaise », mais d'un polype hydroïde individuel fortement modifié qui naît en haute mer (Fig. 174). On peut se le représenter comme l'hydranthe inversé d'un hydroïde tel que *Polymorpha*, s'étant développé à partir d'une larve qui, au lieu de descendre au fond pour y former un pédoncule, est restée en surface et s'est, pour ainsi dire, constitué un flotteur. *Vellela* et deux ou trois autres cousins moins connus portent à juste titre l'appellation de chondrophores. [...] *Vellela* est l'un des rares exemples de vie hauturière que le promeneur peut s'attendre à rencontrer sur la grève.

« J'en ai vu », déclara Tipsy d'une voix nasale, les yeux sur l'illustration. « À Ocean Beach, pas loin de chez moi. J'ignorais comment ça s'appelait, mais je comprends qu'on puisse trouver que c'est un nom parfait pour un voilier.

– Surtout peut-être pour celui de Charley », ajouta distraitement Red, tout en parcourant le texte du regard.

« Ce n'est pas fini ? »

Il tourna la page. « Voici un diagramme montrant les caractéristiques de la vellèle, l'angle que fait la voilure avec le corps, et ainsi de suite. *Vellela vellela* est surtout un navigateur de vent portant. Tu vois ? (Elle voyait, sans rien comprendre de ce qu'elle voyait.) Ricketts émet ensuite l'idée que les spécimens des côtes orientale et occidentale du Pacifique sont des images miroirs les uns des autres pour ce qui est de leur voilure. Attendu qu'ils courent leurs bordées à environ 45° d'un vent portant, il se demande si les deux espèces ne se retrouvent pas, à dessein, au milieu de l'océan. Toutefois, quand se lèvent les forts vents du printemps, ce dessein échoue, car ils sont poussés à la côte plutôt que vers la pleine mer. Si on peut dire d'un dessein de la nature qu'il échoue. Car, tu sais (il abattit le poing sur la pile de livres et de papiers), Dieu voit le moineau tomber.

– Qu'est-ce que tu viens de dire ? demanda Tipsy d'un air incrédule.

– Je plaisantais.

– Ah bon. (Elle éternua.) Je me mets à éternuer dès qu'on aborde les grandes questions. (Elle éternua une fois encore.) Sans parler des grandes hypothèses.

– En ce cas, ne nous engageons pas sur ce terrain. (Red déposa les papiers odoriférants sur le banc à côté de lui.) Nous avons déjà suffisamment de questions en suspens, et aucune hypothèse à fonder dessus. »

Tipsy lut attentivement le texte accompagnant le dessin du bateau de son frère. « Ça vaut cher, un Bristol Channel Cutter ?

– Oui, jusqu'à ce qu'on le mette au plain sur une barrière de récifs, qu'on le dépouille de tous ses apparaux et qu'on le récupère en tant qu'épave. »

Elle éternua. « Est-ce que tu vas laisser tomber l'épistémologie ? (Nouvel éternuement.) À moins que ce soit l'ontologie ?

– Tu es chou quand tu éternues. »

Suspendant le geste de ramener le mouchoir à son nez, elle lui lança un regard.

« Mais pas complètement, s'empressa-t-il d'ajouter. Nous nous sommes écartés du sujet. (Il posa les pointes du compas sur le profil de la carène, sous la voûte.) Juste ici, sous la flottaison, se trouvait un compartiment. Il faut savoir qu'il y avait à cet endroit un passe-coque pour une prise d'eau de mer, et là, vissée au centre de la platine, une pastille de zinc, parfaitement à sa place. La platine était fixée par des vis Torx.

– C'est quoi, cette pastille de zinc ?

– Une anode sacrificielle. »

Tipsy montra quelque agacement. « Je ne vais même pas t'interroger sur la prise d'eau de mer. »

Red eut une ombre de sourire. « Huit vis Torx (il montra le paquet noir posé sur le comptoir). Le logement en question épousait cette cargaison comme un préservatif Triple-X épouse… » Il n'alla pas au bout de sa comparaison.

Tipsy ne s'y arrêta pas. « Des vis Torx. À présent, tout s'éclaire. Sans compter que j'avais complètement oublié ce paquet. C'est incroyable.

– Ce qui est incroyable, convint Red, c'est qu'un tas de gens nous auraient déjà refroidis à propos de cette opération, et beaucoup plus tôt dans la conversation.

– C'est ce qui est arrivé à Charley ?

– Je te l'ai déjà dit, déclara Red d'un ton ferme, si j'étais arrivé à temps, ce pauvre Charley aurait été arraché aux mâchoires de la mort. Je l'aurais peut-être secoué un peu pour avoir foiré le coup, mais, hein, qu'attendre d'un employeur qui a quand même fait preuve de beaucoup de patience ?

– Tu as failli rattraper le moineau qui tombait », avança Tipsy.

Red se grattait sous le menton avec le bout arrondi du compas. « Mais dans ce cas, dit-il sans sourire, je ne t'aurais peut-être pas rencontrée.

– Et donc il s'est noyé », dit-elle, revenant au sujet. « Au fait, reprit-elle avec un regard sévère, tu dis être arrivé presque à temps. Mais d'abord, que faisais-tu sur place ? (Elle plissa les paupières.) Tu dis que Charley t'avait doublé. Tu le savais déjà ? »

Il secoua la tête. « Je ne l'ai compris qu'une fois revenu à bord du *Tunacide* avec ce paquet.

– Qu'est-ce qu'il a qui cloche ?

– Tout n'y est pas.

– Un peu de cocaïne a disparu ?

– Ce qui a disparu, c'est le véritable motif de cette aventure malheureuse.

– Mais encore ? »

Red, qui tripotait toujours le compas, en posa les pointes sur le bord de son verre comme s'il entendait en diviser exactement la circonférence. « Tu ne vas pas me croire.

– Essaie toujours. »

Il ne quittait pas le compas des yeux.

« Vas-y, Red, accouche. C'est tordu à ce point-là ? »

Il haussa un sourcil et opina en direction de son verre. « Pas mal tordu.

– Vraiment ? Vas-y, je t'écoute…

– D'accord. (Il la regarda, leva la tête, se gratta le menton.) J'ai été recruté, commença-t-il à l'adresse du plafonnier, pour faire entrer clandestinement aux États-Unis un échantillon d'ADN. » Il baissa les yeux.

Tipsy battit des paupières. « Un échantillon d'ADN. (Elle ébaucha un rire.) Un échantillon d'ADN ? répéta-t-elle avec incrédulité.

– Je sais que tu n'y crois pas.

– Exact, confirma-t-elle. Je n'y crois pas. »

Il haussa les épaules. « La cocaïne est… était… un faux-semblant, une couverture.

– Mais enfin, comment ça ? Un échantillon d'ADN, ce n'est pas, disons, un peu de salive sur un coton au bout d'un bâtonnet ? Où est le problème ? Un échantillon de salive, ça peut se planquer dans un flacon de parfum, un filtre de cigarette ou une… boule à neige.

– Non. C'est bien plus compliqué que ça. »

Tipsy secouait la tête.

« Bien plus compliqué, reprit-il, et encore je ne connais pas toute l'histoire.

– Qu'est-ce que tu en connais ? »

Il fit la moue. « Tu ne vas pas me croire.

– Je ne te crois déjà pas.

– Tu vois ? Pourquoi devrais-je te raconter quoi que ce soit ?

– Hé ! si on remontait à je suis mouillée dans cette affaire, que ça me plaise ou non ?

– Pure vérité.

– Bon alors, pourquoi faire appel à toi pour un boulot dont pourrait se charger le premier jeunot venu ? »

Red se mordillait la lèvre. « On a fait appel à moi parce que je suis un professionnel et non un jeunot. J'ai conçu l'opération de façon à maximiser les chances de réussite, et il m'a semblé que, pour un maximum de crédibilité, il fallait une couverture vraiment astucieuse, à savoir que nous passions de la dope, de la vraie, mais pas en trop grande quantité, de sorte que la plupart des gens ne prennent pas la peine de mettre le nez trop avant dans notre activité. Vu que la plupart des gens en ont après de plus gros poissons.

– Il n'empêche que je ne… »

Il leva la main. « Contrairement à un banal trafic de drogue, différentes parties s'intéressent pour différentes raisons à cet échantillon d'ADN. Je ne travaillais… ne travaille… que pour l'une d'elles. Ne pas se faire repérer était donc une directive primordiale. Deuzio, une des parties pour lesquelles je ne travaille pas est le FBI, et même ça, c'est compliqué. À ce qu'on m'a dit, il y a fédéraux et fédéraux : ceux qui bossent pour Dynamo A et ceux qui bossent pour Dynamo B, des fiefs distincts au sein du gouvernement, chacun avec son propre objectif. Il se pourrait même qu'il existe des Dynamos C et D. Tertio, il semble que la police à proprement parler n'ait pas grand-chose, voire rien, à voir là-dedans. Il y a d'autres forces à l'œuvre, dont je ne sais pour ainsi dire rien ; aussi était-il important que j'aie l'air de faire des affaires comme à l'accoutumée et que je reste à l'écart de tout le reste. Quatrièmement… »

Il s'interrompit.

« Quatrièmement ? »

Il afficha un grand sourire. « Ça va t'estomaquer.

– Vas-y toujours. J'ai bossé cinq ans pour une boîte de cosmétiques érotiques. Je ne suis pas très facile à estomaquer.

– Cet ADN n'est pas l'ADN de n'importe qui.

– Ah bon ? C'est celui d'une personne d'exception ? Qui ça ? Einstein ? Edgar Poe ? Liberace ? »

Il la regarda au fond des yeux. « C'est celui d'un ancien président des États-Unis.

– Pardon ?

– Tu m'as entendu. »

Un ange passa.

« Eh bien, ne reste pas planté là comme une verrue sur un testicule ! s'écria soudain Tipsy. Quel putain d'ancien président des États-Unis ?

– Ça, c'est encore un autre sac de nœuds, dit-il. Tu as mis le doigt en plein dessus.

– Allez, Red ! Quel président ?

– À ma connaissance, dit-il en souriant jusqu'aux oreilles, personne ne sait lequel. »

Tipsy battit des paupières. « Putain ! et ça nous mène où, tout ça ? »

Il haussa un sourcil. « Alors, estomaquée ? »

27

« Espèce d'enfoiré, sers-moi du rhum.

– Mais bien sûr. (Red sourit.) Avec de la glace ?

– Oui… je veux dire, non ! Enfin bon… ne m'oblige pas à regarder. »

Red récupéra de la glace pour deux.

« On pourrait penser qu'un bateau pareil serait équipé d'une machine à glaçons, dit Tipsy entre ses dents.

– Il y en a une à bord, répondit gentiment Red, mais elle est cassée. (Il fit tournoyer la glace dans son verre et sourit.) Baille Ton Oseille. »

Tipsy passa les quelques minutes qui suivirent à grommeler « Espèce d'enfoiré », entre deux gorgées de rhum. Cela semblait carrément machinal, mais la cadence n'avait rien de régulier et, à vrai dire, la jeune femme avait le cerveau en totale ébullition.

« J'ai l'impression, finit-elle par lâcher, qu'on a clairement le choix entre faire ou ne pas faire notre devoir de patriotes.

– Comment ça ? demanda Red, ouvertement intrigué.

– Eh bien, dit Tipsy, tu ne vois pas ? Et si quelqu'un se servait de cet ADN présidentiel pour mettre au point un clone ? (Elle fronça les sourcils.) Est-ce que c'est seulement possible ?

– Je n'en ai aucune idée.

– Bon, disons que ça l'est.

– Très bien.

– Imaginons ensuite que puisque quelqu'un prend la peine de transporter clandestinement cette souche présidentielle, c'est forcément qu'elle est volée, et si elle est volée, c'est que le quelqu'un en question a l'intention de faire un clone avec.

– D'accord, dit Red, mais ça fait deux hypothèses.

– Oui, oui, je comprends bien. Mais ce que je veux dire (Tipsy se pencha au-dessus de la carte), c'est qu'est-ce qui va se passer s'il s'agit du mauvais président ?

– Le mauvais président ? releva ingénument Red.

– Tu sais bien, insista-t-elle, agacée. Un des mauvais.

– Hmm, fit-il d'un air pensif. Tu veux que je cite des noms ? »

Tipsy plissa les paupières. « Tu crois qu'on a besoin ? »

Red hocha sagement la tête. « Je constate qu'avec une fille comme toi, ça pourrait entraîner une rupture de contrat.

– Bien vu, mec.

– Voyons. Sans révéler pour qui on a voté aux dernières élections…

– Et pourquoi pas ? demanda Tipsy, glaciale. Il y a un doute là-dessus ?

– Tu es en train de suggérer que s'il s'agit de l'ADN du mauvais président, et qu'on arrive je ne sais comment à remettre la main dessus, à ce moment-là notre devoir de patriotes consisterait à faire en sorte de le reperdre ? »

Elle acquiesça. « C'est ce que je dirais.

– Et si c'est l'ADN du bon président (il esquissa doucement un geste de renvoi), il faudrait qu'on le laisse poursuivre son chemin ? »

Tipsy acquiesça gravement.

« Je vois. (Red s'éclaircit la gorge.) Là, je vais t'apporter un petit éclaircissement, Tipsy. »

Elle attendit patiemment.

Il baissa la voix. « Si on n'arrive pas à retrouver cet ADN et le livrer en temps et en heure au suivant de la chaîne, quel que soit le président auquel il appartient… (il hocha la tête) toi et moi on sera bons pour une partie d'échecs en trois dimensions avec ton frère au fond de l'océan. (Red pointa un pouce par-dessus son épaule.) Et tu peux sans doute inclure ton vieux copain dans le lot, pendant que tu y es. »

Tipsy cilla.

« Est-ce que je suis bien clair ? »

La mine de Tipsy se durcit.

Red se carra sur son banc. « En ce qui me concerne, j'ai l'intention de gagner mes quarante mille dollars et de vivre assez longtemps pour les dépenser. Quant à toi, il faut que tu limites tes aspirations politiques à l'isoloir. (Il tapota la carte.) Compris ?

– Oui, mais...

– Non. (Red secoua la tête.) On dit : "Oui chef." »

Tipsy plissa les lèvres. « Mais...

– Pas de mais.

– Oui », finit-elle par dire, avant d'ajouter « Chef », tout en ajoutant mentalement : mais...

« En conclusion, conclut Red, je suggère un lot de consolation. Charley est sorti de mon bureau avec douze mille dollars, c'est-à-dire soixante pour cent des vingt mille qu'il devait gagner en allant simplement d'un bout des Bahamas à l'autre à bord de son bateau. Quant à moi, je m'en suis bien sûr alloué quarante bien tassés pour l'organisation et le B&F.

– Le B&F ?

– Bénéfice et Frais généraux. »

Tipsy fit la grimace.

« Hé ! fit Red, une main sur le torse. Je suis un homme d'affaires. Tu veux faire ça gratis ? (Il tendit la main.) La prochaine fois, ne te gêne pas. Mais cette fois, on fait ça à ma façon. Soit dit en passant, j'ai cru que ton frère n'était pas au courant pour l'ADN. Malheureusement, il s'est trouvé que si.

– Quoi ! Comment le sais-tu ?

– J'ai cru que Charley pensait transporter une provision de poudre et que c'était aussi simple que ça. Erreur. Quelque part, à un moment donné, ce petit connard déplumé a compris de quoi il retournait et a décidé d'entuber son vieux copain Red. Et non, je ne l'ai pas digéré. Mais j'ai pris la peine d'aller voir Arnauld sur Rum Cay avant de venir en Californie, et je suis quasi convaincu que la dope et l'ADN ont été embarqués sur *Vellela Vellela* comme prévu. Ce qui fait de Charley notre escroc numéro un. Mais ce que je voulais dire, c'est qu'il n'avait que deux mille cinq cents dollars bahaméens à bord quand le bateau a sombré, que j'ai récupérés en même temps que le livre de bord et les papiers. (Red plongea la main dans la mallette et en sortit une liasse très abîmée de billets de banque.) À partir de maintenant, ces deux mille cinq cents sont à toi. (Il lui tendit l'argent.) Le jour où — et non pas si — on retrouve le reste du colis, je t'appliquerai les conditions convenues pour Charley, c'est-à-dire que je te verserai huit mille dollars. Non seulement ça, mais je te paierai en dollars américains, parce que je suis comme ça. Qu'est-ce que tu en dis ? »

Tipsy ne savait qu'en dire.

« Je vois que la gratitude te laisse sans voix. (Red esquissa un sourire crispé tout en tambourinant des doigts sur la carte.) Alors, puisque tu ne peux pas dire non, dis oui. »

Tipsy regarda la liasse.

« Tu peux laisser tomber le "chef", ajouta Red.

– Oui », finit par dire Tipsy. Elle écarta la liasse. « Allons-y.

– C'est parti, bon sang, dit Red. Allez. Si tu veux bien, commence par le premier paragraphe écrit à Rum Cay et lis jusqu'à la fin, une nouvelle fois. Si quoi que ce soit te vient à l'esprit — n'importe quoi —, fais-m'en part, s'il te plaît. J'ai examiné ça tellement souvent que je le sais par cœur. Je vais aller m'installer dans le fauteuil du capitaine avec mon verre, et contempler la baie un moment. Si tu préfères, tu peux lire à haute voix pendant que je retrace sa route. Fais ce qui te mettra le plus à l'aise. Ce qui t'aidera.

– Tu plaisantes ? "Retrace sa route." »

C'était l'écriture de Charley, aucun doute là-dessus. De petites lettres soigneusement tracées et très lisibles, les lignes bien droites en travers de la page bien qu'elles aient été écrites en mer pour la plupart. L'écriture évoquait sa voix, aussi, une voix dont Tipsy se rappelait à peine l'empreinte acoustique, mais dont elle reconnaissait le ton, celui des nombreux documents qui avaient parcouru tout le chemin de Charley jusqu'à elle, par-dessus continents, mers et années, emplis de digressions et de rêveries naïves qui démentaient presque toujours la gravité de ce que Charley mijotait en réalité.

Tipsy n'entendait rien aux données ayant trait à la navigation. Mais Red mesurait patiemment longitudes et latitudes, puis pointait les positions sur la carte, refaisant la route de Charley telle que portée dans le livre de bord. Elle comprit rapidement quelles informations étaient importantes pour le tracé et se mit à les lui annoncer au fur et à mesure en laissant le reste de côté. De temps à autre, il fronçait les sourcils et lui demandait si tel cap, tel relèvement, était « vrai », « magnétique » ou « compas », ou bien il consultait lui-même le livre de bord. En moins d'une heure, ils eurent vérifié les lignes tirées au crayon reliant Rum Cay à Albert Town, contournant la pointe sud-est du Grand Banc des Bahamas, courant ouest-nord-ouest le long de la côte de Cuba, franchissant le vieux chenal des Bahamas puis le chenal Nicholas, et s'engageant dans le détroit de Floride. Dans la dernière indication consignée dans le livre, à 21 milles nautiques au nord de La Havane, l'écriture de Charley trahissait une certaine précipitation. C'était aussi là que s'achevait le tracé. Mais le livre rendait compte du dernier changement de cap de *Vellela Vellela*, au 20° vrai, et Red avait lui-même relevé la position du naufrage par 24° 56' 30" de latitude nord et 82° 2' de longitude ouest, à 32 milles au nord du dernier changement de cap, position qu'il portait présentement sur la carte.

« Il a coulé à cinquante-trois milles au nord de La Havane et à quarante milles au sud de Key West.

– J'ignorais que La Havane et Key West étaient si proches l'une de l'autre.

– Oui, grogna-t-il. Et crois-moi qu'il s'en est passé sur ces quatre-vingt-dix milles ! »

Tipsy parcourait des yeux la carte, fascinée par ces noms qu'elle avait lus dans les lettres de Charley mais qu'elle n'avait jamais pris la peine de se représenter, sans parler de s'y intéresser de plus près. Elle rougissait d'admettre qu'elle ne s'était jamais souciée de sortir un atlas ou de se procurer une carte afin d'étudier la carrière de son frère — ou tout au moins son parcours géographique. La forme de Cuba — une île, somme toute — la charmait. Des noms exotiques, étrangers, coloniaux et fleurant la piraterie défilaient de chaque côté de sa route. Double Headed Shot Cays, Lavanderas, Hurricane Flats, Cayo Coco, Bahía, La Gloria, Larks Nest, Guantánamo… Points de route, feux, écueils, bancs de sable, îles, hauts-fonds, récifs — ces termes remarquables débordaient de variété et de détails au point de pratiquement contraindre à la curiosité. Pendant qu'elle exprimait son intérêt pour tel et tel lieux, Red passa de la carte grand angle au volume des instructions nautiques de Reed où il trouva des informations pour ainsi dire microscopiques, jusqu'à des points aussi importants que la possibilité de dénicher un bar même sur le plus élémentaire caillou ayant élevé le bout de son museau au-dessus de la surface de l'océan.

« À t'entendre, dit-elle finalement, il semblerait que la tournée des bars soit un super moyen de passer deux ou trois ans dans les Caraïbes.

– Oh ! (Red afficha une mine impassible.) Tu crois ?

– Ne te moque pas de moi. C'est ce que faisait Charley ? Il passait son temps à picoler d'un port à l'autre ?

– Non. Ton frère picole, bien sûr, enfin bon… picolait. Mais il aimait mieux naviguer par-delà l'horizon que manger ou, pire encore, dépenser de l'argent dans les bars. Sans parler de fréquenter du monde. Charley ne se liait pas. La seule et unique chose qu'il préférait à la navigation, c'était la lecture. Mais de justesse. C'est ton frère qui m'a appris le peu que je sais en matière de bouquins. (Red inclina la tête.) Tu savais qu'il écrivait ?

– Oui, bien sûr. Il m'écrivait tout le temps des lettres.

– Ce n'est pas de ça que je parlais.

– Tu veux dire qu'il écrivait comme un écrivain ? Comme un journaliste ?

– Des romans. »

Tipsy écarquilla les yeux. Encore une donnée fondamentale de sa vie que Charley n'aurait jamais pris la peine de mentionner ?

« Publiés ?

– Jamais publiés, pour autant que je sache. Bien au contraire. Une fois qu'on picolait ensemble, je l'ai vu alimenter un poêle à bois avec les pages d'un manuscrit. Il a dit que c'était un roman. Ça en avait l'épaisseur, pas de doute. Gros comme ça. » Red écarta le pouce et l'index d'à peu près quatre centimètres.

« Je n'en savais strictement rien. Il ne m'en a jamais parlé.

– Il ne t'a jamais rien envoyé ? Histoire, extrait de chapitre, résumé, étude de personnage ?

– Rien.

– Alors là, je suis comme deux ronds de flan. Non pas que, de mon côté, j'aie lu une ligne de ce qu'il écrivait, mais tout le temps que je l'ai connu, Charley ne s'est jamais séparé de sa machine à écrire. (Red brandit l'index.) Une machine mécanique.

– Pas une des lettres qu'il m'a envoyées n'était tapée à la machine. » Tipsy sourit, mais elle se sentait abattue. Comment Charley avait-il pu lui taire cette ambition ?

« Il avait toujours un carnet, en plus de ça. Même en mer, même sous les tropiques, quand il tombait des trombes d'eau et qu'il n'avait rien ou presque sur le dos, il avait toujours un stylo et du papier à portée de main. Il trouvait un lagon isolé quelque part et y mouillait pendant des semaines, à lire, taper, écrire. Il m'a dit qu'à une époque ou une autre, il avait essayé d'écrire de tout sauf des scénarios parce qu'à son avis, les scénarios, ce n'était pas vraiment de l'écriture.

– C'est tout Charley, ça. Pourquoi viser le pactole alors qu'il y a partout tant de fric à éviter de gagner ?

– Il a toujours soutenu que quel que soit le fric qu'on se fait, ou la façon dont on se le fait, tôt ou tard, on en paiera le prix.

– Qu'est-ce que tu entends par là ? Que Charley est devenu son propre parangon ?

– Pure vérité. Cela dit, son modèle précédent était un type de Miami qui a vendu son tout premier scénario pour quelque chose comme soixante mille dollars.

– Ça a tout l'air du pactole.

– Ah bon ? (Red haussa les épaules.) En tout cas, le type en question a ensuite passé deux ans à réécrire le truc, après quoi il n'en restait plus que le titre. À ce moment-là, le producteur gavé de coke qui l'avait appelé à n'importe quelle heure nuit et jour pendant vingt-quatre mois est devenu introuvable, et comme les soixante mille n'étaient plus qu'un souvenir depuis longtemps, il a vendu sa voiture neuve la moitié de ce qu'il l'avait payée et a tout claqué aux courses de lévriers, et pour finir, il s'est fait mettre à la porte par sa propre mère. Charley n'a plus jamais entendu parler de lui. En fait…

– Rien n'est jamais tout cuit.

– Même pas la peine d'y penser.

– Quentin a un peu la même philosophie, dit Tipsy avant de tendre l'oreille vers l'arrière du bateau.

– Il va bien, l'assura Red. Mais, sérieusement, reprit-il, Charley ne t'a jamais envoyé aucune fiction ?

– Pas la moindre. Il m'a envoyé cent cinquante, peut-être deux cents lettres et cartes postales. Mais pas de romans.

– Tu as compté ?

– Non, mais je les ai encore toutes.

– Comment tu t'es débrouillée ? »

Elle sourit. « Je garde ses courriers dans une boîte qui flotte, comme je l'ai découvert.

– Tu l'as passée par-dessus bord ?

– Je vivais sur un bateau. Qui a coulé.

– En mer ?

– À quai.

– Ah bon, dit Red, moins intéressé. Ça remonte à quand ?

– Oh, à peu près à l'époque où certain individu m'a envoyé cinq mille dollars.

– Ah ouais ? (Il s'éclaira.) Ça tombait à pic.

– Au fait (elle se redressa un peu), merci. » Elle tendit la main.

« N'en parlons plus », dit Red. Ils échangèrent une poignée de main, qui se prolongea en un silence gêné. « Tu sais, finit par dire Red, j'ai pris soin de Charley comme si c'était mon propre frère. »

Elle retira sa main. « C'est censé vouloir dire quoi ?

– Je ne sais pas. Rien ? À ton avis, c'est censé vouloir dire quoi ?

– Est-ce qu'il t'est arrivé un jour de répondre à une de ses lettres ? rétorqua Tipsy comme pour se défendre.

– Non, dit simplement Red. Et toi ?

– Je… je n'ai jamais su où lui écrire. En plus, ajouta-t-elle d'un ton sincère, il y avait le problème de la motivation. Je lui envoyais une lettre tous les ans… voire tous les trois ans. Mettons que ç'ait été tous les trois ans, conclut-elle piteusement.

– Je vois, dit Red sans grande compassion. En tout cas, pour ma part, lui écrire aurait été idiot. Mais tous les mois, ma femme lui envoyait un carton de livres. Elle les choisissait, moi je payais, y compris les frais de port. (Il haussa les épaules.) Charley et elle partageaient le même intérêt pour les romans. Et l'histoire. Tout le monde lisait tous les bouquins, au gnouf. (Red soupesa franchement Tipsy du regard.) Tu ne sais rien de moi.

– Exact. Et alors ? Qui est-ce qui se montre ingrat, maintenant ? »

Silence.

« Quel était le titre du livre qu'il a brûlé ?

– *Traversée vent debout.* »

Tipsy s'éclaira. « C'est un titre idéal pour un film. »

Red s'esclaffa.

« Il t'a raconté de quoi il était question ?

– Un roman sur la prison. Un roman sur la navigation. À moins que ce soit un roman sur la mer écrit en prison, ou un roman sur la prison écrit en mer. (Red haussa les épaules.) Il le reprenait sans arrêt sous un nouvel angle. En fait, après l'avoir brûlé, il l'a tout simplement recommencé. À moins qu'il ait juste continué de taper. »

Un sourire interrogateur s'esquissa sur les lèvres de Tipsy. « Épais comment ? »

Red leva le pouce et l'index. « Peut-être trois cents pages, tapées, double espace, recto.

– Et il a fourré tout ça dans un poêle ?

– On était soûls. J'ai déjà dit qu'il faisait frisquet. Le temps que je comprenne… (Red ouvrit la main.) Il a dit que ce n'était pas assez bon, que ça ne menait nulle part, qu'il en avait marre d'y penser, qu'il avait l'impression d'être piégé. C'était peut-être aussi simple que ça. (Il referma la main.) Ça nous a tenu chaud pendant à peu près une demi-heure. »

Tipsy garda le silence.

« Charley travaillait sur une nouvelle version quand il est mort.

– Comment le sais-tu ?

– Je l'ai vue.

– Où ça ?

– Éparpillée le long du Gulf Stream. Des pages et des pages. Si ç'avait été un endroit planté d'arbres, on aurait pu se croire en automne. Des feuilles partout. »

Tipsy se rembrunit. « C'est carrément loin d'être sûr.

– Toujours est-il que Charley a proposé son roman à la Maison de Neptune, et qu'ils l'ont accepté. Moi, j'étais occupé à essayer de sauver tout le reste. » Il désigna la brique enveloppée d'adhésif, le livre de bord taché par l'eau de mer, et le réfrigérateur. Puis il se tourna vers la mallette et en retira trois ou quatre enveloppes courantes. « Celles-là te sont adressées, aux bons soins de Red Spot Junior. C'est comme ça que je t'ai trouvée. Il y en avait sept. (Il les déploya en éventail.)

– Elles ressemblent exactement aux quatre ou cinq dernières que j'ai reçues de lui. Il n'y a que les timbres qui changeaient.

– Et voilà.

– Il libellait l'adresse d'avance ?

– Il en rédigeait une douzaine, j'imagine. Autant qu'il y en avait dans une boîte à la papeterie. Sous les tropiques, ajouta-t-il, il faut acheter ces enveloppes dont la bande adhésive est protégée par un papier qu'on retire. Sans quoi l'humidité les colle. Même problème avec les timbres. Soit ça, soit il faut les conserver au froid. (Il ajouta la liasse d'enveloppes à la pile de documents.) Charley n'avait pas de réfrigérateur à bord de *Vellela Vellela*... »

Tipsy se retourna pour jeter un bref regard, puis se ravisa. Elle prit son verre et se ravisa aussi. Au lieu de tremper les lèvres dans le rhum, elle reposa le verre sur la carte, au nord d'une rose des vents située dans le Golfe du Mexique.

Red la regardait.

« C'est bon », dit-elle doucement. Elle leva les yeux et le regarda. « Raconte-moi toute l'histoire. »

28

« Ç'aurait dû être un boulot sans histoires. On ne peut jamais savoir, bien sûr. Charley n'était plus dans le circuit depuis un bon moment. Je croyais qu'il préférait. Mais quand il a appris que ce coup-là pouvait lui rapporter vingt mille dollars en deux ou trois semaines, il a voulu s'en charger.

– Tu lui as demandé pourquoi ?

– Il m'a dit qu'il lui fallait de quoi aller voir sa sœur en Californie. »

Tipsy se mordilla la lèvre.

« Je me suis bien sûr demandé pourquoi il choisissait ce moment-là, poursuivit Red. Mais bon, je me suis répondu : ça ne te regarde pas. Peut-être que Charley a le sentiment d'être mortel ? Peut-être qu'il a eu un présage ou un signe, peut-être qu'il pisse du sang, par exemple, ou que quelque chose l'a secoué au point de le pousser à braver sa peur d'un échec face à l'imminence de la mort ? Peut-être qu'un albatros est passé au-dessus de la proue de son bateau de bâbord vers tribord. »

Tipsy cilla. « C'est mauvais signe ? »

Red se mit à rire. « Tu es crédule.

– Bon, et alors ? (Elle lui lança un regard noir.) Peut-être qu'un médecin lui a annoncé une mauvaise nouvelle.

– La seule mauvaise nouvelle que Charley ait jamais laissé un médecin lui annoncer, c'est qu'une course était annulée. "Consulte un médecin sur quoi que ce soit d'autre que la navigation, disait souvent Charley, et il te trouvera quelque chose qui cloche. C'est son boulot." Il prêchait un converti.

– Tu ne vois jamais de médecin toi non plus ?

– Seulement pour me faire recoudre. Et puis mince, un vétérinaire sait faire ça tout aussi bien. De même qu'un bon maître voilier.

– Recoudre de quoi ?

– Hameçons. Gaffes. Épissoirs. Un coup de machette. (Il désigna une série de cicatrices sur son avant-bras droit.) Morsures. »

Ces cicatrices ressemblaient à une inscription en caractères cunéiformes roses. « Un requin ? demanda Tipsy.

– Je ne compte pas les requins, dit Red. Ils ne savent faire que ça. Toujours est-il que je me faisais du souci pour Charley. Je ne le trouvais pas assez en forme pour ce voyage. Depuis qu'il était sorti de prison… je ne sais pas trop. Enfin si, je sais. La prison a changé Charley. Il en parlait d'une façon désinvolte, mais tous ceux qui connaissaient le Charley d'avant-prison et celui d'après remarquaient le changement. Il en avait sa claque de la vie de délinquant. Et tant pis si ça devait entraîner la pauvreté, un changement d'amis radical, ou la mort. » Red leva la main pour prévenir toute objection. Comme l'avait déjà remarqué Tipsy, là aussi il avait une cicatrice, une balafre oblique en travers de la paume, mais récente.

« Tout ça, je le sais, dit-elle non sans un léger agacement.

– Malgré tout, poursuivit Red avec une certaine satisfaction, Charley aurait croisé un agent fédéral aveugle sous l'horloge de la gare de Grand Central qu'il ne lui aurait pas donné l'heure.

– C'est ce qu'on pourrait appeler avoir les idées bien arrêtées.

– Et comment, bon Dieu. En tout cas, ce trait de caractère lui a valu la prison, et ses collègues — qu'il n'avait pas balancés — lui ont exprimé leur gratitude en s'occupant de lui quand il est sorti. C'est comme ça qu'il a eu son boulot au chantier naval, comme ça qu'il a eu son bateau, et comme ça qu'il a pu se permettre de le remettre en état. Et comme ça aussi que, trois ans plus tard, il y a six mois, je me suis pointé en lui garantissant que ce plan-là serait une promenade de santé. Il ne m'a jamais rien demandé entre-temps. Pas une seule fois.

– Passer un kilo de cocaïne en Floride dans la coque d'un bateau sans moteur, c'est une promenade de santé ?

– Le climat sécuritaire actuel rend les choses un peu plus difficiles qu'avant, mais en réalité, tu sais, mis à part le fait que les fédéraux ne feraient pas la différence entre une taupinière et leur trou de balle, une telle quantité de drogue s'importe clandestinement aux États-Unis à toute heure du jour ou de la nuit, si bien que les autorités n'ont pas la possibilité de faire face. Moyennant quoi un simple kilo, c'est insignifiant. Pratiquement inexistant. Et ça, c'est pure vérité.

– Je peux te poser une question ?

– Bien sûr.

– Pourquoi ne lui as-tu pas tout simplement donné les vingt mille dollars ?

– Je suis qui, moi ? (Red porta la main à son torse en regardant par-dessus ses lunettes.) Crésus ? (Il présenta sa paume blessée.) Je plaisante. »

Tipsy regarda ostensiblement autour d'elle. « Beau bateau.

– Je me contenterai de te rappeler que ce beau bateau n'est pas à moi. »

Elle plissa les paupières. « On en arrive à la question suivante : pour qui travailles-tu ? »

Red fit mine de ne pas entendre. « Je savais que si je lui proposais l'argent d'entrée de jeu, il refuserait. Je lui ai donc proposé de lui prêter l'argent à zéro pour cent d'intérêt, ou aux conditions qu'il voulait. Il a refusé. Il a insisté pour le gagner, et il a souligné l'évidence, à savoir que j'étais la seule personne qui puisse l'aider à gagner autant en un rien de temps. Disons à gagner autant, point. Tout bien réfléchi, j'aurais dû lui fourrer ce fric dans le cul en petites coupures. Mais dans un moment de faiblesse sentimentale, j'ai capitulé.

– Ça fait bien du blabla pour un petit kilo de cocaïne insignifiant.

– Bon, c'est sûr, maintenant que tout a foiré, ça a l'air idiot. Pendant ce temps-là, de parfaits crétins entrent toute la merde qu'ils veulent dans le pays à raison de plusieurs tonnes par semaine. Et certains de ces types sont drôlement vicieux, en plus. On mûrit avec les années, on n'a aucune envie de traiter avec des types pareils. D'ailleurs (il engloba d'un geste ce qui les entourait), même sur ce rafiot on ne pourrait pas charger une tonne. Pour transporter une tonne, il faut un vrai bateau. Un navire. Et de vrais contacts. Il faut pratiquement que quelqu'un soit au courant du plan des fédéraux au port, ou à l'aéroport, ou des deux côtés d'une frontière donnée. Les opérations de ce genre sont vastes et coûteuses, il y a des fuites, des armes, des coups en traître, et beaucoup à perdre. Des gens se font tuer avant l'heure, et c'est presque toujours les petits. Je ne sais pas pourquoi ; sans doute parce qu'ils sont plus nombreux. En tout cas, entre deux de ces coups d'envergure, il y a toute la place voulue pour que les gars comme moi découvrent plein de possibilités de marchés modestes.

– Mon frère était petit ?

– Minuscule. Mais ton frère s'est tué tout seul.

– Ah ! (Tipsy bredouilla la conclusion qui s'imposait :) Auto-décapitation.

– Non, répondit Red d'un ton faussement patient, ça c'est moi qui m'en suis chargé. Mais seulement après qu'il s'est noyé tout seul. Pourquoi est-ce que tu serines ça ? Tu crois que j'y ai pris plaisir ou quoi ?

– Est-ce que j'ai dit ça ?

– Alors laisse tomber ! »

Une houle souleva doucement le grand cruiser et le laissa redescendre. La lampe à huile en cuivre, anachronisme étincelant et coûteux, grinça en se balançant au-dessus de la table à cartes.

« Tu as tranché... » commença Tipsy, mais elle se sentit bête de revenir là-dessus, et renonça. « Je l'ai vu. Je pourrais le revoir. Ça doit donc être vrai.

– Il était déjà mort, lui rappela gentiment Red. Sur le moment, j'ai pensé que je n'avais pas le choix. » Du bout des doigts, il fit tourner son verre sur la carte.

« Tu n'avais pas le choix ? releva fermement Tipsy. Des milliers de gens meurent tous les jours. Peut-être des millions. Combien d'entre eux la tête tranchée ? Avant l'invasion de l'Irak, je veux dire. Sauf qu'en Irak, ça leur arrive avant de mourir. Mais après ? À quoi ça sert ? À fabriquer des perruques ? Des implants cornéens ? À moins qu'on ait mis au point la transplantation de cerveau ? D'ailleurs (elle se mit à pleurer), qui voudrait du cerveau à la con de mon frère ? De quel genre de gens on parle, là ? D'abrutis à qui il faudrait des implants pour faire comme s'ils avaient de beaux souvenirs de voyages en voilier dans les Caraïbes ? (Les larmes coulaient enfin. Elle martela des deux poings la table à cartes.) Si c'est ça le problème, pourquoi est-ce qu'ils ne s'offrent pas tout simplement des chaînes de télé-tourisme plus performantes ? »

Red se leva et tenta de la réconforter en lui passant le bras autour des épaules. Elle le frappa aussi fort qu'elle le pouvait, dans les tripes. Il encaissa. Elle recommença. « Allez, vas-y, raconte-moi, dit-elle entre ses larmes. Je peux encaisser. Je n'ai fait que ça toute ma vie. (Elle s'essuya les yeux d'un geste plein de colère.) Tu vois un peu comme je suis dure ?

– J'étais là parce que je le suivais », dit Red, pratiquement comme s'il parlait tout seul. « Et ce n'est pas en nous apitoyant sur nous-mêmes qu'on s'en sortira.

– Espèce de sale… (Prête à le frapper de nouveau, elle s'arrêta.) Qu'est-ce que tu as dit ?

– Je m'inquiétais pour lui. Alors, au lieu de tourner en rond pendant quinze jours, j'ai décidé d'agir. Et puis merde, je me suis dit, ça faisait deux mois que je n'étais pas allé pêcher. Alors j'ai fait le plein de *Tunacide*, pris un tas de provisions, et je me suis mis en route.

– Qui ça ?

– *Tunacide*, c'est le nom de mon bateau de pêche. Bon sang, si tu voyais ça. Il est…

– Abrège, coupa-t-elle férocement. Je ne ferais pas la différence entre Proust et un bateau de pêche. (Elle ramassa le foulard noir, le porta à ses yeux, puis le reposa violemment sur la carte.) J'ai besoin de mon frère !

– Là, Tipsy, je ne peux rien pour toi », dit doucement Red.

Fermant très fort les yeux, elle secoua la tête. « Je sais qu'il faut que je me ressaisisse. Je vais me ressaisir. (Elle chassa le bras de Red d'un geste impatient.) Raconte-la ta putain d'histoire.

– Question détection, ce bateau est capable d'épier la vie privée d'un guppy à mille brasses de profondeur. Radar, sonar, GPS, télévision par satellite, identification des navires, je t'en passe. (Il toucha l'épaule de Tipsy en un geste qui se voulait rassurant, puis se mit à marcher de long en large.) Tout le temps que Charley était là-bas, j'étais de l'autre côté de l'horizon, à garder un œil sur lui. À son insu, en plus de la poudre et de l'ADN, j'avais demandé à Arnauld de placer un transpondeur à bord de *Vellela Vellela*. J'étais seul à en connaître la fréquence, qui changeait quotidiennement suivant les onze premiers termes de la suite de Fibonacci. »

Tipsy se moucha. « La quoi ?

– Tu sais, 0, 1, 1, 2, 3, 5, 8, 13… »

Elle abattit sur la table à cartes un poing enveloppé du foulard. « Tu me fatigues ! » Son verre, celui de Red, le compas, la brique de cocaïne, tout tressauta. Soudain, son regard se fit vague avant de lentement se fixer de nouveau sur lui. « Un transpondeur ?

– De la sorte, je veillais sur Charley, sans être vraiment inquiet pour son sort et tout en trempant quelques hameçons. D'ailleurs, juste ici (posant l'index sur la carte), à environ un mille dans l'est de Bird Rock, j'ai remonté un splendide albacore, le plus beau que j'aie jamais pris. Un poisson incroyable. (Il déplaça son doigt de deux centimètres.) C'était le lendemain du jour où Charley a mouillé devant Albert Town.

– Alors comme ça, tu lui as filé le train tout du long à partir de Rum Cay ?

– D'un bout à l'autre. Et ce fut spectaculaire. Ça faisait des années que je n'avais pas passé autant de temps sur l'eau. Certains coins des Caraïbes ont beaucoup changé. Dans d'autres, c'est comme si Colomb n'avait jamais appris à naviguer.

« Au bout de ces dix jours, le frigo était quasiment plein de poisson, et c'est un grand frigo. Bien plus volumineux que celui-ci. Quoique pas aussi froid, ajouta-t-il pensivement. Bref, je passais la matinée à pêcher en me laissant dériver. Je consacrais l'après-midi à refaire mon retard sur Charley. Le soir, je m'ouvrais une bière et branchais le pilote automatique, ou bien je jetais l'ancre si les parages étaient intéressants ou promettaient une belle pêche pour le lendemain matin. *Tunacide* passe bien dans l'eau à seize nœuds. Charley filant quatre, cinq nœuds au plus, mon problème était moins le risque de le perdre que celui de le dépasser. Il me suffisait de le maintenir sous l'horizon et en route d'éloignement.

– Ça représentait quoi, comme distance ?

– Vingt-cinq à trente milles. La passerelle du *Tunacide* est pas mal haute et assez reconnaissable. Si jamais Charley l'apercevait, j'étais grillé dans la seconde.

– Ça a tout l'air d'un coup monté.

– Là, je t'arrête, dit Red en levant la main. C'est moi qui me suis fait avoir. »

Les larmes avaient cessé, mais Tipsy restait fragile. Elle avait mal à la tête. Les yeux bouffis. Elle les tamponna à l'aide du bandana. « Ça va aller, finit-elle par dire en reniflant.

– C'est l'inattendu qui s'est produit. *Vellela Vellela* s'est abîmé à jamais. J'ignore comment. Ça aurait pu arriver à n'importe qui. Même à moi. De nuit, en plein jour, en train de dormir ou bien en état de veille — un accident. C'est comme ça. (Il rouvrit le livre de bord.) Hormis quand il s'égare dans la poésie française, les quelques dernières entrées sont concises, par rapport à d'autres plus bavardes. (Il feuilleta quelques pages à rebours.) Il a dormi pour la dernière fois... ici. Deux nuits entières. (Il porta le doigt sur la carte.) Albert Town, quatre jours plus tôt. Ensuite (son index suivit le tracé de Charley), quatre jours sans sommeil, les deux derniers sous amphètes. Il était claqué. Après avoir mis cap au nord, il aura certainement amarré la barre et sera allé s'effondrer sur sa couchette.

– Mais tu étais sur place. Est-ce que tu n'aurais pas pu le rejoindre avant que son bateau coule ? »

Red eut une grimace. « Tu t'es déjà bagarrée avec un tarpon ?

– Un quoi ?

– C'est un poisson.

– Eh bien ?

– Du costaud.

– Et alors ?

– Ce n'est pas pour rien qu'on appelle ça la pêche au gros. Ce matin-là, un tarpon a mordu sur ma ligne de traîne si violemment qu'il a presque fait faire demi-tour au bateau. (Il montra la paume de sa main gauche.) Tu vois ça ?

– Oui, j'avais remarqué.

– Ce salopard a carrément arraché ma meilleure canne à son cardan. Bien sûr, j'avais gréé un garant. Mais avant que j'aie pu ramener la canne à bord et embrayer le frein, cet enfant de salaud avait dévidé du moulinet peut-être cinq cents mètres de fil numéro dix-huit. Ça faisait un boucan, comme ces pingouins mécaniques complètement frénétiques. À peu près la moitié de ce fil m'est passée à travers le gras de la main. Ça m'a entaillé jusqu'à l'os, comme ces machins à découper le fromage. »

Tipsy tressaillit. « Pourquoi est-ce que tu n'as pas laissé filer ce malheureux poisson ? »

Red lui lança un regard. « Ça risquait pas. (Il brandit un pouce vers son torse.) Je suis un homme, non ?

– Mon frère était de l'autre côté de l'horizon, en train d'y passer ! » s'écria-t-elle.

Il éleva les deux mains. « Au dernier pointage, Charley s'en tirait très bien. D'après mon calcul, il voguait à quatre nœuds et demi, tenant un cap parfaitement rectiligne, tombant pile sur ses points de route, naviguant à la girouette, au loch, au sextant et à l'estime, aussi bien que s'il avait possédé le meilleur pilote automatique du marché. Tout comme moi. (Il se braqua de nouveau le pouce sur la poitrine.) Il était bon marin. Je ne m'inquiétais pas pour lui, mais plutôt pour ce foutu poiscaille. Et aussi pour mon matos, évidemment, qui me coûterait plus de mille billets s'il fallait racheter du neuf.

– Ce qui n'a pas été le cas, avança Tipsy.

– Non, bien sûr. Mais qu'est-ce qu'on en a à faire ? » s'exclama Red avant de reprendre sur un ton plus modéré : « Dans un premier temps, j'ai laissé le poisson travailler contre le frein, pendant qu'avec les dents, je me nouais un tee-shirt autour de la main tout en me sanglant dans la chaise. Très vite, j'ai pas peur de le dire, il y a eu du sang partout. C'était sacrément glissant. À croire que j'avais vidé un banc de poissons et que je m'étais tranché la gorge par-dessus le marché.

« Bref, une fois remis en selle, je n'ai plus eu qu'une idée en tête : m'expliquer avec ce tarpon.

– Bon, alors, demanda Tipsy non sans impatience, combien de temps a-t-il fallu à un macho tel que toi pour le sortir, ce putain de poisson ?

– Cette fois-là, six heures et demie.

– Six heures et demie ? Je n'y crois pas.

– À l'issue desquelles il s'est décroché.

– Oh, non ! » fit Tipsy, avec une compassion mal feinte.

« Ce sont des choses qui arrivent. (Red se redressa de toute sa hauteur.) C'est de l'ironie que je perçois dans ta voix ?

– Tout juste. Ainsi que de la pitié pour le poisson.

– C'est bien ce que je me disais. Bref, taquiner un bestiau de ce genre, ça représente pas mal de boulot, comme tu dirais. Il faut lui donner du mou, reprendre du fil quand il fatigue, laisser filer, rembobiner, laisser filer. Pendant tout ce temps, il faut l'empêcher de ramener la ligne sous le bateau, ne pas la laisser s'engager dans l'hélice, ne pas donner au poisson assez de mou pour qu'il recrache l'hameçon, ne pas se déshydrater, se garder de l'insolation. Calquer ses efforts sur ceux du poisson, économiser ses forces, et ainsi de suite. C'est très compliqué, surtout quand on est seul, et c'est très marrant. Et ne me sors pas les conneries habituelles, vu que tu ne sais pas de quoi il retourne. Mais revenons à nos moutons. Quand ça a été terminé, on avait eu une belle empoignade, et le poisson s'en était tiré. J'avais bu une bière et m'en étais ouvert une autre quand je me suis rappelé ce qui m'avait amené dans le coin. En jetant un œil sur l'écran, j'ai tout de suite vu que le bateau de Charley n'avait couvert que quelques milles pendant que le tarpon baladait *Tunacide* en tous sens. Une quarantaine de milles seulement séparaient mon bateau de celui de Charley, alors que l'écart aurait dû s'élever à quelque chose comme soixante milles.

« De multiples raisons peuvent expliquer l'immobilité d'un bateau, surtout s'il est mené en solitaire et s'il n'est pas équipé d'un moteur. Il peut, par exemple, se trouver encalminé. Ou bien il se peut qu'un élément du gréement soit défaillant. Plus probablement, le navigateur en solitaire aura mis en panne le temps d'un petit somme, partant du principe que s'il est non manœuvrant en plein jour, il court moins de risques de se faire aborder. Mais il se peut aussi qu'il ait cassé quelque chose, ou que, le vent ayant forci, il ait voulu réduire la toile et qu'une drisse se soit coincée. Ou — tiens, en parlant de ça — il a peut-être ferré un beau poisson et, après l'avoir sorti non sans batailler, il est maintenant installé avec deux ou trois cannettes de bière devant une plâtrée de thon grillé qu'il fera suivre d'un roupillon. Il y a beaucoup de variables. As-tu jamais pensé à tout ça ?

– Non, répondit-elle catégoriquement. Jamais.

– Eh bien, moi si. Il y avait des tas de raisons possibles pour expliquer le fait que Charley lambinait là-bas, et j'avais de mon côté de bonnes raisons de ne pas révéler ma présence. Donc, j'ai nettoyé le bateau et me suis pansé la main, pas beaux à voir ni l'un ni l'autre. Je me suis enfilé deux litres d'eau plus deux autres bières. Puis j'ai haussé le signal audio du radar ainsi que le volume du scanner VHF, et je suis allé m'endormir comme une masse sur ma couchette, un ventilateur braqué sur le visage. Tu as déjà dormi avec un ventilo ? C'est...

– Finalement, tu as beau être un homme, un vrai, tu n'en es pas moins humain, conclut Tipsy.

– Merci. C'est exact. À mon réveil, je me suis préparé un solide petit déjeuner, après quoi... Tu te rappelles le thon albacore ? »

Elle hocha la tête.

« Pendant que mon steak de thon pochait dans le beurre et le vin blanc avec deux feuilles de laurier et un doigt de fenouil (il fit claquer ses lèvres), je me suis mis en devoir de déterminer la position de Charley. Ainsi que la mienne.

– Et ?

– On dérivait tous les deux avec le courant. En l'espace de neuf ou dix heures, il n'avait pas parcouru six milles sur le fond. Tout comme moi. Mais lui y avait mis deux fois plus de temps que moi. Donc, il y avait peut-être quelque chose qui clochait de son côté.

– Et tu as aussitôt fait route sur lui ?

– Absolument pas. Je me suis dit que j'allais finir mon petit déjeuner et qu'ensuite, si Charley paraissait toujours à la dérive, je trouverais le moyen de m'approcher discrètement. Peut-être après la tombée de la nuit.

– Nom de dieu, fit Tipsy en serrant les dents.

– Je sais ce que tu penses. Sans ce tarpon, nous avions un marin vivant.

– Et un frère vivant.

– Doublé d'un salopard d'entôleur », lâcha sombrement Red.

29

« Le thon était délicieux, mais je n'y prenais aucun goût. J'ai commencé à la bière et terminé avec du café, sans quitter l'écran des yeux. Pour finir, n'y tenant plus, j'ai lancé les moteurs et fait route sur Charley. À petite vitesse. Je barrais du pont volant, ce qui me plaçait les yeux à peut-être huit mètres au-dessus de l'eau. Plus haut qu'ici. (Il désigna la passerelle.) L'un dans l'autre, j'aurais pu réussir à apercevoir son arrière, tandis qu'avec le mouvement de la houle et le soleil dans mon dos, il aurait pu ne pas déceler ma présence.

« Seulement, plus j'approchais de son signal, plus je comprenais qu'il y avait un os. À une distance de treize milles, j'aurais dû voir sa tête de mât — je te parle en milles nautiques, soit à peu près quinze milles terrestres. Ça fait un peu loin pour apercevoir la pomme d'un mât, mais ç'aurait dû être facilité par le fait que ce mât portait des voiles, de grandes voiles blanches. Je savais dans quelle direction regarder et je possédais des jumelles stabilisées. C'était une journée typique des Caraïbes, claire comme l'œil, parcourue de cumulus bas en forme de cosses. Il existe des tables qui disent ce qui est visible à telles et telles distance et hauteur au-dessus de l'eau. J'ai mis le nez dedans. Étant donné que, comme il est dit dans le livre de bord, le mât de *Vellela Vellela* s'élevait à douze mètres soixante-cinq au-dessus de la ligne de flottaison, longueur à laquelle Charley avait encore ajouté soixante centimètres, et que mes yeux se trouvaient à peut-être six mètres cinquante au-dessus de l'eau, les tables promettaient que la pomme de son mât était visible à une distance de dix-sept milles soixante-treize nautiques. Arrondissons à dix-huit. Je m'en souviens parfaitement. C'est comme si j'avais encore les chiffres sous les yeux.

« Il y avait une assez jolie houle, dans les deux mètres d'amplitude, ce qui apportait un plus et un moins : la possibilité accrue de l'apercevoir du sommet de la vague et celle de le perdre de vue une fois dans le creux. Ç'aurait été impec. Si je le voyais et que tout semblait aller au mieux, je pouvais me laisser distancer et retomber derrière l'horizon sans qu'il se doute de quoi que ce soit. Mais il fallait faire attention. Comme je l'ai dit, Charley était un bon. S'il se trouvait sur le pont, il devait balayer l'horizon du regard, encore qu'à l'œil nu ; sauf s'il venait à repérer un objet particulier suscitant son intérêt, comme par exemple le reflet d'un nid-de-pie en inox avec une tignasse rousse sous un chapeau de paille contrastant joliment sur un fond de ciel bleu. Mais il devait surtout se garder de l'approche d'un navire officiel, d'un cargo ou d'un tanker.

« Plutôt que de prendre ce vecteur de dix-huit milles en route directe, je suivais une tangente. Mais pas un bout de mât, point d'antenne VHF ou de girouette, pas le plus petit reflet d'une pièce de capelage inox ou d'une manille de drisse, pas le moindre bout de toile en vue. Du moins pas à la distance de dix-sept milles soixante-quinze. Ni à dix-sept, seize et demi, seize, quinze et demi...

« Je continuais de scruter les instruments comme un malade. Il était pourtant impossible qu'ils mentent. Ils affirmaient que Charley se trouvait en plein sur l'horizon et en approche, à quelques degrés sur bâbord, et cependant l'horizon restait désert.

« J'ai réduit la tangente et me suis retrouvé en route directe sur lui. Avec circonspection, mais droit sur lui.

« M'est alors venue une pensée peu réjouissante. Et si Charley avait compris ce que je faisais ? Et s'il avait découvert le transpondeur ? C'était presque impossible, car celui-ci était à l'intérieur de cette brique de cocaïne, elle-même placée derrière l'anode en zinc se trouvant sous la ligne de flottaison de *Vellela Vellela* ; de plus, la platine recouvrant le tout était fixée à l'aide de vis Torx. Bien sûr, il pouvait avoir plongé pour inspecter la carène. Il n'avait aucune raison de le faire, mais à supposer qu'il l'ait pourtant fait ? À supposer que Charley ait plongé, qu'il ait ouvert la planque à l'aide d'un tournevis Torx dont il se prétendait dépourvu, qu'il ait récupéré la cargaison et découvert l'ADN ainsi que le transpondeur. Double surprise. Qu'aurait-il fait ?

« La même chose que moi. Il aurait placé le transpondeur dans un ancien pot de mayonnaise doté d'un couvercle étanche lui permettant de flotter, jeté ce bocal à la mer et pris pour cap n'importe lequel des 359 degrés de la rose des vents ayant peu ou rien en commun avec le vecteur parallèle au Gulf Stream que suivrait le bocal, lequel courant, dans ces parages, porte vers le nord-est à la vitesse de deux nœuds. Après quoi je continuerais de naviguer jusqu'à me faire prendre ou changer d'océan, selon ce qui se produirait en premier. À l'heure qu'il était, si Charley avait été suffisamment parano pour agir de la sorte, ce que j'aurais fait moi-même, il pouvait, porté par un vent soutenu, être à soixante-dix, quatre-vingts, voire quatre-vingt-dix milles de distance, et pratiquement impossible à retrouver.

« Mais je m'égarais dans l'inconcevable. Quelle bonne raison aurait-il eue de me soupçonner ? Moi entre tous. Moi qui lui avais mis le pied à l'étrier, qui l'avais remis en selle à sa sortie de taule et lui avais, de plus, confié le boulot en cours. Pourquoi aurait-il pensé que je n'avais pas ses intérêts à cœur ? Ça ne tenait pas debout. Mais peut-être s'était-il mis en tête que je ne sais quelle troisième partie s'intéressait à lui. Quelque chose clochait donc dans ce qui clochait — tu me suis ?

« Je progressais cependant à pas de loup, car je ne pouvais me résoudre à admettre que cette opération avait ne serait-ce qu'une petite chance de foirer. J'étais dans le déni. Je continuais de faire route avec circonspection, me rapprochant toujours plus du transpondeur. Je continuais d'observer l'horizon aux jumelles et ne voyais toujours rien. Onze milles, dix, neuf…

« Une heure et demie plus tard, je suis passé directement au-dessus du signal, et pas la moindre trace du bateau. Rien que l'océan désert.

« C'était quoi ce merdier !

« J'étais donc maintenant dans l'inconcevable jusqu'au cou, et je te prie de croire que c'était une impression dégueulasse.

« Pas de débris en vue. Je patrouillais en multipliant les ronds sur l'eau. D'où que provienne son signal, ce foutu transpondeur restait invisible. Je n'avais aucune idée de l'exactitude de mon matériel, détail que j'aurais dû prendre en compte ; mais enfin, bon dieu, je cherchais une unité de trente pieds de long, pas un gadget électronique de la taille d'une boîte d'allumettes. Cette saleté de rafiot aurait dû être visible même à dix milles de distance.

« Est-ce que, le bateau ayant coulé, le transpondeur fonctionnait toujours ? Le type à qui je l'avais acheté m'avait dit que ce machin pouvait transmettre à travers peut-être une demi-atmosphère, soit environ cinq mètres d'eau, grand maximum — question à laquelle je m'étais intéressé, bien évidemment, puisque l'engin devait être planqué sous la flottaison. Mais il avait également précisé qu'en dessous d'un quart d'atmosphère, sa portée se trouverait sévèrement raccourcie. Cela m'a conduit à supposer que *Vellela Vellela* s'était rempli et flottait maintenant entre deux eaux, juste sous la surface.

« En supposant le transpondeur toujours à bord.

« Parvenu à ce point, j'étais si énervé par cette connerie d'écran qui me plaçait juste au-dessus du signal, que j'ai fini par l'éteindre.

« Mes méninges en surchauffe échafaudaient toutes sortes de scénarios. Je n'avais sans doute pas autant sollicité mes neurones depuis le jour où, une quarantaine d'années plus tôt, j'avais passé le permis des cent tonneaux. J'ai coupé les moteurs et tendu l'oreille. Avec les jumelles, j'ai balayé au petit bonheur des étendues d'océan désertes. Je cherchais, en l'air, des fusées éclairantes. Je cherchais, au ras de l'eau, des débris. Je me suis collé le nez à l'écran du radar. Rien. J'ai réglé portée et sensibilité au maximum. Rien. J'ai de nouveau emporté les jumelles sur le pont volant, ne serait-ce que pour l'effet apaisant du grand air et du soleil. Toujours rien. Ma patience était à bout.

« Pour finir, est arrivé le moment où j'ai admis que, flottant comme un bouchon dans un paysage marin désert, je devais faire quelque chose, même si ce n'était pas la bonne option.

« Je me suis donc penché sur la carte. J'avais tracé la route de Charley en même temps que la mienne. Je n'ai jamais pu me défaire de l'habitude de travailler sur des cartes en papier, et voilà que ça m'arrangeait bien. Je savais où Charley avait mis cap au nord. Je savais où le transpondeur avait commencé de se déplacer à la même vitesse que le Gulf Stream. Et en fait, je n'étais pas si éloigné que ça de ce point.

« J'ai tracé la route entre l'endroit où Charley avait changé de cap et Boca Chica Key. J'opérais avec soin. Je savais combien de temps s'était écoulé depuis le changement de cap, depuis le moment où le signal du transpondeur avait ralenti. Je savais aussi que Charley avait dû mettre un peu d'ouest dans son nord afin de compenser le courant portant vers l'est. Et ainsi de suite.

« Ça m'a pris une éternité. Mais j'en ai vu le bout, j'ai choisi un cap et remis en route.

« À peine une demi-heure plus tard, ma plus longue demi-heure à ce jour, le radar a accroché un tout petit écho. Assez bizarrement, celui-ci se trouvait à quinze milles de distance, bien en deçà de la portée limite du radar de *Tunacide*, qui est de vingt-cinq milles. L'écho apparaissait, disparaissait. Il se trouvait largement au nord-est de la route que je m'étais tracée ; mais comme il s'agissait du seul objectif que j'aie vu de toute la journée, j'ai gouverné dessus.

« Encore une heure, et l'inconcevable se produisit une nouvelle fois. Au moment où *Tunacide* se soulevait au sommet d'une vague, les oculaires de mes jumelles ont encadré la seule chose que je ne voulais pas voir : un tronçon de mât dénudé, réduit à un miroitement d'aluminium déchiqueté, à moins d'un mètre cinquante au-dessus du pont. L'instant d'après, cette vision avait disparu.

« On était dans le creux, je ne voyais plus que de l'eau. J'ai pris un relèvement et refilé le cap à suivre au pilote automatique. La houle était trop forte pour mettre en avant toute, mais j'ai quand même poussé un peu les gaz. Pas trop toutefois, parce que si on tape dans une mer bien formée, le pilote se dérègle ; or j'avais besoin de lui. Pendant que le bateau s'échinait en direction de l'épave, je me suis rué sur le pont pour sortir tout ce qui me venait en tête. Une touline, un grappin, une paire de gilets de sauvetage, une gaffe. Palmes, masque, tuba, bouteille, ceinture de plomb, caisson étanche. Une glène de câble de remorquage. J'ai frappé des défenses le long du bord. Il y a à bord de *Tunacide* un compresseur pour remplir les bouteilles de plongée, alimenter un narguilé en oxygène, faire du sablage ou de la peinture, tout ce qu'on veut. J'ai couru le mettre en marche.

« Après quoi je suis remonté là-haut balayer l'avant de bâbord à tribord et retour avec les jumelles. Je l'ai revu brièvement du sommet d'une vague et, ça ne me gêne pas de le reconnaître, le cœur m'a presque manqué. J'avais bien sûr pensé, dans un premier temps, que la coque était sous l'horizon. Le mât était complètement nu, hormis une épaisseur de voile encore engagée dans la gorge, sous le point de rupture. Tout le reste du gréement n'était plus qu'un enchevêtrement couché sur le pont et se déversant sur le côté tribord. Charley était assis contre le pied de mât, tourné vers l'arrière, au milieu d'une confusion de câbles et de toile, et il était en train de jeter en l'air des liasses de papier.

« “De dieu, mais qu’est-ce qui se passe ?”, ai-je lancé à voix haute sous les jumelles.

« Un creux a avalé le franc-bord de *Tunacide*, et *Vellela Vellela* s’est dérobé à ma vue. J’ai repris la barre en manuel, mais quand j’ai voulu donner des gaz, la mer n’a pas été de cet avis. L’avant ne cessait d’enfourner, comme disent les marins. J’ai donc réduit le régime. Encore quatre milles. Sur la crête suivante, j’ai de nouveau braqué les lunettes. Je me sers de jumelles de haute technologie, à gyroscope incorporé pour stabiliser l’image. Un billet de mille. Tu savais que “bateau” est l’abréviation de “Baille Ton Oseille” ? Ça n’a rien de drôle, c’est sûr. Question de contexte. Bref, j’ai été à deux doigts de gerber. *Vellela Vellela* ne se trouvait pas du tout sous l’horizon. Il était submergé. Ce qui s’offrait à ma vue — le tronçon de mât, la tête de Charley et un peu de ses épaules — était tout ce qui restait à la surface.

« J’ai mis la gomme. Matériel traînant sur le pont, écoutilles et descente béantes, rien à foutre. *Tunacide* s’est montré à la hauteur et s’est mieux conduit que je ne m’y attendais. Les vieux marins ont toujours un préjugé à l’encontre de ces tupperware, considérant qu’une baille à moteur ne peut tenir la mer comme un voilier digne de ce nom. Plage avant balayée d’eau verte, *Tunacide* se comportait bien, jusqu’au moment où de quoi remplir un tanker s’est engouffré dans la descente. Il m’a fallu lever le pied et lancer les pompes de cale plein pot. Tu comprends, il ne s’agit pas d’une de ces vedettes rapides capables de voler de crête en crête à une vitesse uniquement limitée par ta capacité à ne pas tomber les quatre fers en l’air. Rien n’a été emporté par-dessus bord en dehors d’une chaise de pont, qui ne m’a pas fait défaut jusqu’à ce que j’aie besoin de m’asseoir, plus tard, beaucoup plus tard.

« En mer, tout se produit parfois si vite qu’on ne parvient pas à appréhender l’enchaînement des faits. D’autres fois, un unique événement met une éternité à se dérouler, et ç’a été le cas ce jour-là. On a réduit l’écart à la vitesse de huit nœuds. Trois milles, deux, un, un demi, un quart de mille… Ç’a été l’affaire d’une vingtaine de minutes, peut-être plus, mais ça m’a paru interminable. Quand on est arrivés sur place, seule dépassait l’extrémité déchiquetée du mât. La tête de Charley émergeait de la houle et y replongeait tour à tour.

« À une centaine de mètres de distance, j’ai dû prendre sur moi pour mettre au point mort. Il flottait pas mal de trucs autour de l'épave : des bouteilles et des bidons, des fringues, une gaffe, des bouquins, les fameuses feuilles de papier, un jerrycan en plastique bleu, la longue spirale d'un bout en polypropylène jaune amarré à un canot de survie dégonflé — ça, plus le mât et le gréement. Sans compter que le scénario le plus simple et le moins parano était que la coque de *Vellela Vellela* avait été crevée par un objet flottant entre deux eaux ; or, si tel était le cas, où se trouvait-il ? Le courant nous était favorable et *Tunacide* courait encore sur son erre. Le mieux était de se laisser dériver sur *Vellela Vellela*. Et d'éviter que l'hélice ne fasse connaissance avec cet embrouillamini de bouts, de câbles et de toile, sans compter un skipper encore vivant. Qui sait, peut-être disposait-il d'une bouteille ou d'un tuba ou quelque chose. Difficile à dire, mais pendant qu'on parcourait les cent derniers mètres à la vitesse d'un mètre par an, je voyais, tout contre le mât, les cheveux de Charley monter et replonger, monter et replonger. De temps à autre, sa tête tout entière était submergée, après quoi il remontait en crachant de l'eau. Il n'était donc pas encore noyé. Bien qu'il me tourne le dos, je ne comprenais pas pourquoi il ne m'avait pas encore repéré, ni comment il s'était débrouillé pour bousiller son canot de survie. Mais on te dira dans les milieux bien informés qu'un navire ne s'abandonne qu'en toute dernière extrémité, car nombreux sont ceux qu'on retrouve toujours à flot des semaines, des mois ou des années après la disparition de leur équipage. Certes, si tu as en plus fait un trou dans ton canot de survie, cette considération est un rien superflue. Par ailleurs, dois-je préciser qu'un aileron de belle taille tournait autour de l'épave ? Il a disparu à l'approche de *Tunacide*, mais n'empêche…

« Pour que Charley se retrouve dans ce pétrin, il fallait quand même que quelque chose ait sacrément déraillé.

« Ma foi, j'étais peut-être effectivement son ange gardien. Si c'était le cas, ça allait toutefois se jouer à peu de chose. De toute façon, ce n'était pas le moment de tourner autour du pot. J'ai sauté sur la plage arrière et empoigné la bouteille de plongée. Que j'ai reposée pour enfiler le compensateur de flottaison. J'ai repris la bouteille. Et là, je me suis dit : à quoi tu penses, espèce de con ? Il va y avoir du bricolage. J'ai dévalé l'échelle de descente et vidé tout un tiroir d'outils sur le plancher du compartiment moteurs pour y chercher la clé pneumatique, un embout Torx n° 2 et un putain d'adaptateur de 9 à 12 mm, et encore, il m'en fallait un qui aille de 9 mâle à 12 femelle. Si tu n'as jamais farfouillé, sans avoir de temps à perdre, dans des boîtes d'outils pleines de cambouis pour y chercher trois trucs sans lesquels tu ne pourras rien faire, tu ne sais pas ce que c'est que de s'énerver.

« Et aussi un tuyau. Deux tuyaux, devrais-je dire, car j'avais à bord deux fois quinze mètres de conduite pneumatique de 9, soit un total de trente mètres, et il fallait bien ça, non ? Ce bon dieu de bateau mesure seize mètres, et le compresseur est installé au centre, saisi contre l'arrière du rouf, avec un réservoir rouge comme une novice. Quinze mètres de tuyau permettent d'intervenir n'importe où sur le bateau, avec l'autre longueur en guise de rechange ou pour faire travailler un deuxième outil, et baille donc un peu plus d'oseille.

« Enfin, tu vois ce que ça implique. Je disposais de peut-être vingt-cinq mètres de tuyau et de va savoir combien de temps pour plonger sous *Vellela Vellela* et dévisser huit vis Torx sur son... quoi déjà, tribord ? Putain, je ne le savais même pas ! Tribord ou bâbord, c'était pile ou face, mais de toute façon à l'arrière. Seulement, il y avait aussi Charley. Je devais m'occuper de lui autant que de la cargaison.

« J'ai branché l'embout mâle du tuyau sur le réservoir d'air comprimé. Avec cinquante kilos de pression, la conduite est devenue aussi raide qu'un câble rouillé. J'ai connecté la prise mâle de la clé pneumatique au raccord femelle de mon tuyau et j'ai actionné la détente à deux reprises, vroum vroum. Encore un coup, vroum vroum, et le pressostat a fait son office, actionnant la valve antiretour. Jusque-là tout allait bien, mais est-ce que ça fonctionnerait sous l'eau ? Putain, va savoir. Bonne question en tout cas. Je suis redescendu quatre à quatre pour farfouiller derechef dans les outils en quête d'un tournevis Torx n° 2, modèle manuel. Ça ressemble à un tournevis normal. À tous les coups, j'allais séjourner à trois ou quatre atmosphères, soit 25 ou 35 mètres, dos tourné à la squalosphère, le temps de dévisser à la main mes huit vis. J'ai également pris au passage un rouleau d'adhésif.

« De retour sur la plage arrière, j'ai ouvert la valve de la bouteille de plongée et enfilé le harnais. J'étais tendu comme un greffier. C'est alors que j'ai pensé à l'échelle de corde. Je suis allé la dérouler le long du tableau arrière, afin d'être en mesure de remonter à bord. Ne ris pas. De meilleurs marins que moi ont oublié cette précaution sur des bateaux pourtant dotés de moins de franc-bord que *Tunacide*, et ils ne sont plus là pour raconter leur histoire. J'ai bouclé la ceinture de plomb. Je me suis assis sur la chaise de combat pour chausser les palmes et, m'avisant de cela au dernier moment, je me suis sanglé la gaine d'un couteau de plongée qu'un dénommé Cedric Osawa m'avait offert il y a de ça des années. C'est exact, Charley le connaissait aussi. Le plus formidable couteau de plongée qu'on ait jamais vu, avec un fil tranchant comme un croc de serpent et un dos en dents de scie capable d'élaguer un chêne. Cedric est branque. Ce truc m'a fait marrer quand il me l'a donné, mais en cet instant précis, sur l'océan agité, l'avoir en main m'a rassuré. Je n'ai pas pris l'arbalète : j'étais assez chargé comme ça. C'est alors que j'ai avisé le rouleau d'adhésif, posé sur le pont. Je l'ai regardé un moment. Pourquoi diable l'avais-je remonté ? J'ai passé en revue toutes les opérations que je pouvais devoir exécuter pendant la plongée, et ça m'est revenu. J'en ai déchiré cinq centimètres que j'ai enroulés autour de l'embout Torx et de l'adaptateur en finissant par le mandrin. Ces pièces ont tendance à se désolidariser en plein air ; alors, sous l'eau, je te raconte pas...

« Pendant ce temps-là, *Tunacide* avait dérivé jusqu'à l'épave, comme lors d'une manœuvre de l'homme à la mer parfaitement effectuée, et se trouvait donc au vent de *Vellela Vellela*. Un aileron a refait son apparition dans ma bonne vieille vision périphérique. J'avais une carabine à bord, ainsi qu'un fusil de chasse, mais il est contre-indiqué de répandre du sang dans l'eau si on compte faire trempette. Une coexistence pacifique est la solution. J'ai craché à l'intérieur du masque, purgé le détendeur et plongé à la renverse, masque plaqué sur le visage à l'aide de ma main amochée, clé à choc dans l'autre.

« J'ai frôlé un enchevêtrement de câbles et de toile déchirée. Putain, un miracle que je sois passé à côté. Le risque ne m'avait même pas effleuré. Si je m'étais affalé là-dedans, ç'aurait été la fin des haricots. Dans le meilleur des cas, j'aurais peut-être pu m'en dégager avant que ça m'entraîne au fond.

« La carène se trouvait tout près, juste au-dessus de moi. Je repère tout de suite l'anode. Un coup de chance. Et maintenant, Charley. Je remonte dans une trouée d'eau libre et je vide un peu la stab. Mes plombs me font redescendre à hauteur du plat-bord, et le voilà devant moi, enchaîné au mât.

« Il s'était enchaîné à ce putain de mât !

« À moins que quelqu'un d'autre s'en soit chargé ?

« Je n'en croyais pas mes yeux, je ne savais pas quoi en penser. Mais c'était comme je te le dis : une espèce de harnais composé de chaînes. Tout droit sorti d'un catalogue sadomaso, cadenas compris.

« Je flottais là, incrédule. Les yeux devaient me sortir des orbites au point d'emplir le masque. Charley était encore vivant, il m'a vu. En plus, j'avais en main une clé pneumatique. Une clé à choc, tu imagines un peu ! Il a dû penser que je m'apprêtais à lui changer une roue. C'est comme les tests qu'on te fait passer pour voir si tu es suffisamment débile pour entrer dans l'armée. Qu'est-ce qui cloche dans cette image ? J'avais la cervelle obnubilée par la vision d'une grosse cisaille coupe-boulons à manches rouges que j'ai, à manches rouges avec des poignées en caoutchouc noir et des mâchoires noires, et elle était restée à bord de *Tunacide*. Je venais de la voir dans un rangement sous l'établi du compartiment moteurs, tout à côté des tiroirs où j'avais farfouillé en quête des autres outils.

« Bon dieu, mais pourquoi n'avais-je pas pris ce coupe-boulons ? Qu'est-ce que j'avais à foutre d'une clé à choc pour libérer Charley !

« Mais ça n'aurait pas changé grand-chose. C'était au moins du 15, comme maillons, et en acier cémenté, fin de l'histoire — trop costauds pour la mienne comme pour la plupart des cisailles. Trop costauds pour un seul homme…

« Charley tendait le doigt. Est-ce qu'il se payait ma fiole ? J'ai détourné la tête comme pour chercher un juron bien senti, et c'est alors que mon regard a rencontré le globe oculaire bâbord du plus gros requin marteau que j'aie jamais vu.

« C'est lui que me montrait Charley, et si je n'avais pas regardé de côté, j'aurais fort bien pu servir de déjeuner à cette créature. Est-ce que le requin marteau attaque l'homme ? Je ne sais pas ce qui m'a pris. La clé pneumatique flottait plus ou moins entre nous. Il m'a suffi d'appuyer sur la détente et d'en balancer un coup entre les deux yeux de ce cartilagineux enfant de salaud. À vrai dire, je ne suis pas certain que l'outil ait seulement touché le requin. Avec le bruit, l'éruption de bulles, il a tout bonnement disparu du paysage.

« Je me suis retourné vers Charley. Que pouvais-je faire ? L'idée m'est venue que ce mât était en aluminium. Peut-être pouvais-je arracher suffisamment d'accastillage pour ensuite faire glisser le bonhomme jusqu'en haut. J'ai empoigné le couteau…

« C'est là qu'il s'est mis à se marrer. Charley me sauve la vie, je cherche à lui rendre la pareille, et il trouve ça drôle.

« "Je t'emmerde !" j'ai gueulé, avec tellement de conviction que j'en ai craché mon embouchure.

« Pour ça, Charley a certes ri le dernier, mais ensuite il s'est noyé. Sous mes yeux. Je crois que c'est une mort horrible. Au début, on comprend qu'on a intérêt à ne pas respirer. Puis on comprend qu'on ne va pas pouvoir le faire. Ensuite, on comprend qu'il faut respirer mais qu'on n'a pas intérêt à le faire. Enfin, on comprend qu'on va quand même essayer et que ça ne va pas marcher, mais qu'il le faut, car ne pas respirer est trop douloureux, sur quoi ça y est, on n'est pas un poisson, on s'est noyé.

« C'est le fait de tout comprendre à l'avance qui rend ça affreux. Plus on comprend, plus on se dit que ça va faire mal. C'est toute l'horreur de la chose. Plus on a d'imagination, pire est l'appréhension. Le fait même n'est pas si atroce. Du moins à ce qu'il m'a paru. Les yeux de Charley se sont écarquillés. Il a eu l'air effrayé. Et aussi amusé. Puis les bulles se sont interrompues. Il a ouvert grand la bouche comme un poisson hors de l'eau, ce qui se conçoit, d'un certain côté, puis il s'est détendu et ses yeux ont cessé de bouger. Il était mort.

« Je me suis attaqué à la chaîne, au cadenas, au mât, au vit-de-mulet. Je me suis jeté sur le premier capelage sous lequel j'ai pu engager la pointe du couteau : un anneau où était frappé l'émerillon de la poulie du hale-bas. Stupide. J'ai tranché les brins reliant les deux poulies. Ensuite venait le vit-de-mulet, obstacle de taille sur lequel je me suis escrimé. Une des têtes de vis a fini par céder, mais pas avant que casse la pointe de ma lame. Ça n'avançait à rien. J'ai regardé le triangle en inox et la tête de vis rebondir sur le pont, en faisant de petites culbutes comme s'ils se poursuivaient l'un l'autre, et accélérer lentement en s'engloutissant, comme avec la ferme intention de tournoyer jusqu'au bout des neuf cents brasses portées sur la carte qu'il leur restait à parcourir pour toucher le fond avant *Vellela Vellela*. Mille quatre cent quarante mètres. Cent quarante-trois atmosphères. Si on envoyait un gobelet en polystyrène à cette profondeur, la pression le ramènerait aux dimensions d'un dé à coudre.

« Combien de temps s'est écoulé, je l'ignore. Tandis que je travaillais derrière Charley, j'ai fini par remarquer que sa tête dégarnie ballottait lentement d'une épaule à l'autre, faisant osciller en tous sens ses mèches clairsemées. Le manomètre est venu flotter devant mon masque. Je l'ai saisi pour voir ce qu'il indiquait : avec tous ces efforts, j'avais consommé plus des deux tiers de mon air. La plongée tirait à sa fin.

« J'ai porté au mât un violent coup de poignard, si violent que la lame épointée y a pénétré sur la moitié de sa longueur. Naturellement, elle est restée coincée. Imagine-toi un piège à homards. J'ai bouffé pas mal d'oxygène à essayer de la dégager, avant de renoncer.

« J'ai alors repensé au palier des trente mètres. Levant les yeux, j'ai constaté que la luminosité avait décru ; or il s'agissait de la mer des Caraïbes, dont les eaux sont transparentes, où la lumière pénètre profondément.

« Le centimètre d'eau qui se trouvait à l'intérieur de mon masque avait viré au rose : la pression faisait sourdre le sang de mes sinus.

« Une atmosphère correspond à dix mètres de profondeur. Le tuyau mesurait trente mètres dont au moins cinq ou six mètres se trouvaient hors de l'eau, partant du compresseur puis formant le beau demi-nœud que j'avais pris la précaution de faire autour du balcon et descendant le long du franc-bord de *Tunacide*.

« En quelques brasses, j'ai survolé le pont et plongé vers l'étambot de *Vellela Vellela*. D'anode, point. Où était-elle passée ? Désorienté, je m'étais dirigé vers le mauvais bord. Il m'a fallu remonter, repasser au-dessus de la plage avant et redescendre de l'autre côté tout en dégageant mon tuyau des différents bouts et câbles qui encombraient le passage. Je trouve mon anode. Vis numéro un. Zut. Règle l'outil sur dévissage, crétin, et estime-toi heureux de ne pas lui avoir foiré la tête. Vis numéro un, donc. Parfait. Vis numéro deux, trois et quatre… Et juste au moment où, tout en me tenant au safran avec ma main blessée, je venais de débloquer l'avant-dernière vis, *Vellela Vellela*, qui continuait de s'enfoncer, m'a arraché la clé pneumatique. Fin du tuyau. Début de la troisième atmosphère.

« J'ai tiré le tournevis Torx de la gaine du couteau et m'en suis servi pour sortir la dernière vis. En quasi-apesanteur, l'opération est beaucoup plus difficile qu'il n'y paraît, mais vis et platine n'ont pas tardé à suivre le reste vers les abysses, et la brique était à moi. Nulle trace du transpondeur, bien sûr, ni de l'ADN. Je n'en étais pas surpris, et d'ailleurs ce n'était pas le moment de ruminer la question.

« Je garde toujours, passée dans la ceinture lestée, une petite gibecière en filet dont je me sers quand je pêche à l'arbalète. J'y ai fourré la brique emballée sous vide.

« J'ai chassé le sang de mon masque et envoyé un peu d'air dans la stab. L'épave descendait devant moi en emportant avec elle le cadavre de Charley. Les requins n'allaient pas tarder à s'en occuper — peut-être même très vite, si leur cervelle arrivait à comprendre que je n'étais plus en mesure de changer leurs roues. Levant la tête, j'ai aperçu la clé à choc, ballant dans le vide une dizaine de mètres plus haut.

« D'habitude, avant de plonger, je prends un décongestif. Des années de congestion nasale due à la poudre rendent la chose nécessaire. Pour l'heure, j'avais l'impression d'être sur le point de perdre un tympan. J'ai soulevé le masque et soufflé en me pinçant les narines. L'oreille douloureuse s'est dégagée. Le tympan de l'autre a lâché. Et, en effet, ça fait mal.

« Là-dessus, autre emmerde, je remarque en tournant la tête qu'un mince filet de sang s'élève de ma tempe. Un requin allait peut-être bientôt venir m'aider à m'apitoyer sur mon sort.

« J'ajoute de l'air dans la stab et, à l'aide des palmes, je continue de m'élever au-dessus de l'épave.

« Charley était suspendu là, flottant légèrement, assujetti de sa propre main à son propre mât. Je n'aurais pas pu le sauver du tout, bon dieu. Il savait que je le suivais. C'est alors que la vérité m'est apparue : il n'avait pas voulu être sauvé !

« Une preuve, je me suis dit. Quels qu'aient été la cause et le commanditaire de tout ça, j'allais avoir besoin d'une preuve, et un simple kilo de cocaïne n'y suffirait pas.

« C'est à peu près à ce moment-là que je me suis aperçu que l'épave ne coulait plus. Pas rapidement, du moins. Je m'explose un tympan et voilà que j'ai le temps de réfléchir ? On est suspendus là, le bateau et moi, dans un état de quasi-flottabilité. J'aurais pu sombrer dans une rêverie béate si je n'avais levé les yeux, va savoir pourquoi, et découvert que la clé pneumatique et peut-être trois mètres de tuyau s'étaient pris dans le sac de nœuds formé par les câbles, et que ce fil de caoutchouc tentait désormais d'arrêter la descente d'un bateau de sept tonnes. Si je ne faisais rien, il allait y avoir des conséquences. Il y a toujours des conséquences. En mer, quand les choses se mettent à dérailler, ça ne traîne pas.

« Là-dessus, je réalise que non seulement ce putain de tuyau de trente mètres de long ne va pas lâcher, mais qu'il n'entraînera pas non plus le compresseur par-dessus bord. Pourquoi ? Parce que deux larges bandes en acier fixent le réservoir du compresseur, d'une capacité de plus de cent litres, à la cloison arrière de la timonerie, voilà pourquoi. Sans parler du fait que le tuyau est noué sur le balcon. Ce putain de montage a donc toutes les chances de faire chavirer *Tunacide*. Ou bien encore, vu que les moteurs tournent au ralenti, la traction va peut-être le faire gîter suffisamment pour soulever au-dessus de la surface la prise d'eau de refroidissement, si bien qu'elle aspirera de l'air. Dans les deux cas, l'épave de *Vellela Vellela* est bien partie pour transformer mon bateau de pêche en élevage de langoustes. Il suffirait qu'à un moment donné, il se mette en travers devant une vague plus forte que les autres ou qu'il embarque un paquet de mer, et tout le bataclan se retrouverait sous l'eau — les deux bateaux, Charley et moi, Charley devenant tout à coup le mieux loti des deux.

« Je ne vais pas t'assommer en te racontant ce qu'il a fallu faire pour récupérer le couteau. Je me contenterai de dire qu'il m'est venu dans les mains comme si ce mât en alu avait été un pain de saindoux.

« Je suis remonté avec des mouvements de batracien, le tympan en vrac et tant pis pour le mal des caissons, jusqu'à me retrouver au-dessus de l'épave et de ses cirrhes, et j'ai massacré le tuyau. Que je me rapatrie seulement en Floride, je pensais, et j'achèterai tous les putains de tuyaux pneumatiques, clés à choc et tympans synthétiques qu'on peut se payer. Et que je te baille un autre billet de mille.

« Crachant son air avec une force suffisante pour être audible, la conduite tranchée s'agitait comme un serpent pris de folie. Les bulles, à présent plus grosses, ondulaient violemment avant de se fractionner en bulles plus petites. Le compresseur devait avoir déjà redémarré pour s'efforcer de répondre à la demande ; à moins que quelqu'un monte à bord pour le couper, son petit moteur de trois chevaux allait griller. Et la clé à choc ? Je l'ai aperçue très loin en dessous, loin, toujours plus loin, traînant à sa suite quatre ou cinq mètres de tuyau jaune pareils à un long laminaire.

« Encore un billet de mille.

« Mais descendre l'axe Y des deux tuyaux, c'est la direction négative. J'ai regardé vers le haut. Dans la direction positive. *Tuna-*

cide ne courait plus aucun risque. Lentement mais sûrement, la coque de *Vellela Vellela* se déterminait à reprendre sa descente, proue et Charley en tête, comme éclairée de derrière par l'obscurité. J'ai suivi ce spectacle de mes propres yeux, et je ne suis pas près de l'oublier.

« J'ai rengainé le couteau brisé, purgé la stab et je me suis traîné à sa poursuite. J'avais la sensation qu'on me dévissait une vis Torx à l'intérieur de l'oreille. Si tu passes de ce côté de ma personne, il faudra que tu parles plus fort. À l'époque, je me disais — je savais — que le témoignage d'un malheureux kilo de cocaïne taché d'humidité tomberait dans l'oreille d'un sourd. Impossible qu'il soit entendu. Jamais de la vie.

« Et une tête ? je me dis. Muette, tonitruante, saisissante — l'idée me plaisait. Elle ne me choquait même pas. Pourquoi ne pas tenter le coup ? Qu'avais-je à y perdre ? Une tête pouvait fournir, comment dire… la preuve irréfutable qu'on jouait désormais plus gros jeu. Et merde. Et merde, pourquoi pas ?

« Cette tête, tout comme la dernière vis Torx, ça ne s'est pas fait tout seul. Du travail en apesanteur.

« Et merde, me répétais-je en charcutant avec application tandis que je descendais vers les ténèbres et épuisais mon oxygène, les jambes nouées autour du mât et d'un macchabée dont le sang ne giclait pas de la jugulaire mais s'en échappait en un filet étonnamment mince. Et merde, me disais-je, ce n'est pourtant pas que Charley ait encore l'usage d'une tête. »

V

Les droïdes de Sí

30

Même quand on a une famille, le suicide est une option ; mais pour entretenir une famille, il faut avoir envie de vivre.

Complexe.

Quand on n'a pas de famille, le suicide est une chose simple.

Ces réflexions, entre autres pensées bizarrement cohérentes, lui titillaient désagréablement l'esprit alors même qu'un aide-soignant lui rasait le crâne en salle d'urgences. Un flic enregistrait studieusement le signalement qu'il donnait des deux personnes qui l'avaient agressé.

Tous ceux qui l'approchaient portaient des gants. Le flic n'en avait pas, et ne l'approcha pas.

Les pieds ballants au-dessus du sol, une main recouvrant l'autre au creux des cuisses, en véritable incarnation du calme, Quentin décrivit minutieusement deux sosies de Tipsy et Red, tandis que ses cheveux fins tombaient sur le drap recouvrant la civière sur laquelle il était juché.

« Femme blanche, lut l'agent sur un carnet à spirale de huit centimètres sur treize. Cheveux mi-longs tirant sur le roux, sans doute teints au henné. Taches de rousseur. Teint brouillé. Pas de maquillage. Couperose sur la joue gauche. Visage soufflé. Alcoolique ? Quarante, quarante-cinq ans…

– Quarante-cinq, cinquante, rectifia Quentin. N'entretenez pas ses illusions. Cela dit, ajouta-t-il froidement, l'alcool l'a peut-être vieillie prématurément. »

L'agent nota consciencieusement la correction. Il se servait d'un bout de crayon jaune de sept centimètres fourni par le bowling du Presidio.

« Les crayons comme celui-là, fit remarquer Quentin de but en blanc, sont conçus pour empêcher les tricheries. »

L'agent regarda son crayon, puis l'agita entre ses doigts. « La première idée, c'est la meilleure », déclara-t-il gravement.

Quentin ferma les yeux et se concentra. « Sweat-shirt Stanford, reprit-il. Jean bleu d'aspect neuf, tennis roses propres — disons plutôt baskets basses roses et sales. »

Le flic leva la tête. « Vous pensez que ça pouvait être des tennis de marque ?

– Pas plus que je ne pense qu'elle ait fait des études universitaires. (Quentin renifla.) Surtout pas à Stanford. »

Le policier, que les lettres noires gravées sur sa plaque identifiaient comme VENTANA, fronça les sourcils. « Comment pouvez-vous en être sûr ?

– Parce que moi, affirma Quentin avec toute la gravité qui s'imposait, je suis diplômé de Stanford.

– Bon, bon. (L'agent répéta docilement à voix haute tout en écrivant :) Sans doute… pas… degré d'études… très poussé.

– Avec mention bien, ajouta Quentin pour lui-même. Aïe.

– Désolé, mon chou, lui dit l'aide-soignant. Il y a drôlement des croûtes, par endroits, dans ces cheveux*.

– Vous n'avez pas d'aspirine, dans ce service ?

– Là encore, désolé mon chou. Il n'y a que le docteur qui puisse, et je ne suis pas…

– Vous, vous êtes une vedette de cinéma, coupa Quentin.

– Scénariste, en fait.

– Ce ne serait pas juste un mot de plus pour désigner l'auto-infantilisation ? demanda Quentin du tac au tac.

– Bien, ça, d'estomaquer le peuple. (L'aide-soignant recula d'un pas et cassa le poignet, appuyant le rasoir contre sa hanche.) Mais c'est qu'on serait d'humeur coquine ?

– Et alors ? répondit Quentin en lui dardant un regard droit dans les yeux.

– Chéri, dit l'aide-soignant en tournant la tête de côté, qu'est-ce qu'une fille comme moi pourrait bien faire d'une folle sur le retour comme vous ?

– Je suis venu ici pour guérir ? suggéra Quentin.

– Bon, les filles, risqua l'agent Ventana.

– Si vous restiez en dehors de ça, mon petit cul ? » rétorqua l'aide-soignant, faisant volte-face.

L'agent Ventana fronça les sourcils. « Mon secteur, ç'a été le Castro pendant trois ans. On m'y a traité de tous les noms possibles et imaginables. Mais je n'ai jamais entendu "mon petit cul". »

L'aide-soignant agita ses ciseaux. « Vous deviez garder votre casquette, alors. »

Sans doute Ventana avait-il été spécialement formé pour ça. En tout cas, il rougit.

L'aide-soignant se lamenta auprès de Quentin : « Pourquoi est-ce que les hommes hétéros sont toujours si sérieux ?

– Ce n'est pas ça, lâcha Ventana. Mais je viens de boucler un stage de six mois sur la gestion de la colère. Alors pour ce qui est des petits agacements du quotidien, je suis plutôt… neutre. C'est ça. Par là-dessus, il y a mes inhibiteurs de capture de sérotonine. Et en plus, je suis encore en période de mise à l'épreuve pour avoir collé un marron à une gouine qui m'avait fait un doigt. Je lui avais dressé un P-V pour une infraction moins grave que celle qu'elle a ensuite commise, vu que je trouvais qu'elle avait un cul de toute beauté. Aussi sec, elle se met à me casser les oreilles en débitant un torrent d'obscénités comme on n'en avait jamais entendu sur le front de mer — quand cette ville avait un front de mer. Mais ça fait trois générations qu'y a plus un putain d'ouvrier à San Francisco, maintenant. Si ma grand-mère ne m'avait pas laissé sa maison dans le quartier Excelsior (il braqua le pouce tenant le crayon par-dessus son épaule), j'aurais dégagé d'ici. Pour en revenir aux faits, elle m'a traité de tous les noms possibles et imaginables, mais pas de "petit cul". (L'air presque furieux, il précisa :) La gouine, pas ma grand-mère. »

Quentin et l'aide-soignant observaient l'agent Ventana. « Compris, risqua prudemment l'aide-soignant.

– J'ai laissé le programme dans la voiture, ajouta Ventana d'une voix qui commençait à se fêler. Pour la gestion de la colère, je veux dire. Le titre du premier chapitre, c'est *Notes d'un souterrain*. Mais même si je l'avais ici, je n'aurais pas la moindre idée de la façon d'y trouver une insulte pareille. D'ailleurs… si je m'énerve comme ça, je n'arrive plus très bien à lire. Les mots se dédoublent et les lignes gondolent. Inutile de dire que les phrases deviennent incompréhensibles. C'est à peu près comme si je regardais le flot ininterrompu de dingues qu'il y a au croisement de Mission Street et de la 16e Rue. Ils sont tous uniques, et pourtant tous différents… vous voyez ce que je veux dire ? Les gens sont tous pareils, à l'intérieur, c'est vrai ils sont faits d'oxygène et d'hydrogène, en majeure partie, et sans doute aussi de carbone. Extérieurement, ils ont tous des casiers judiciaires différents. Mais à l'intérieur, c'est sûr, il ne peut pas y avoir plus que les quatre-vingt-seize éléments d'origine naturelle. Vous ne croyez pas ? Peut-être qu'un jour, quelqu'un, dans un labo, clonera un être vivant à partir d'un élément de synthèse. Mettons du lawrencium. Après tout, le lawrencium a été fait à partir du californium. (Le regard de Ventana présentait les mouvements oculaires rapides d'un dormeur en plein rêve.) Certaines personnes sont plus radioactives que d'autres. C'est naturel, tout simplement. Prenez notre ancien président, par exemple.

– Non, répondit le reste de l'assemblée. Prenez-le vous-même.

– Mais en fin de compte, ça ne change strictement rien. Pour moi, ils sont tous pareils, tous carrément dingues. (Son regard alla de l'aide-soignant à Quentin, et retour.) Pas moi. (Sa mâchoire tressaillit.) Je ne suis pas dingue. Je ne suis pas dingue du tout. (Un sourire lui tordit la bouche.) D'accord ?

– Dingue, mec. » Le ton de l'aide-soignant était empreint de compassion.

« Carrément fou, renchérit Quentin.

– Comme ce mot que vous avez employé, poursuivit l'agent Ventana. Ce grand mot.

– Un mot ? » Quentin cilla.

« Auto-infantilisation, rappela l'aide-soignant.

– Très utile dans le courant de la conversation, dit Quentin à l'aide-soignant.

– Mary, lança l'aide-soignant avec une emphase théâtrale, tu es trop chipie. »

Ventana darda la mine de son crayon. « Épelez-le. Que je puisse le chercher dans le dictionnaire. »

L'aide-soignant s'exécuta.

« Pas mal, dit Quentin à l'aide-soignant. Mais vous ne pourrez pas le chercher », dit-il au flic.

L'agent Ventana leva le nez de son carnet. « Pourquoi donc ?

– Parce qu'il l'a inventé, dit l'aide-soignant.

– Voilà* », dit Quentin.

L'agent s'empourpra de colère. Il s'embrasa si soudainement que l'aide-soignant et Quentin furent pris au dépourvu. « Putain mais qu'est-ce que ça veut dire au juste "il l'a inventé" ? lança-t-il.

– Calmez-vous, dit l'aide-soignant.

– C'est, euh, je veux dire, c'est simplement une dérivation, un néologisme. Comme, par exemple, le mot bredoulocheux.

– Bredoulocheux ? Néologisme ? » L'agent Ventana cracha plutôt qu'il ne demanda à Quentin, comme sur le point de le frapper : « Putain mais qu'est-ce que ça veut dire ? Hein, le pédé ? T'as encore pas vu... » Il s'interrompit.

« Holà, holà, coupa l'aide-soignant. L'auto-infantilisation, on est en plein dedans ! »

Malgré son traumatisme crânien, sa blessure au cuir chevelu et ses soixante-treize ans, Quentin se redressa. « Est-ce qu'à aucun moment, j'ai laissé entendre que j'avais été victime d'une agression causée par la haine, agent Ventana ?

– Hein ? Euh, non, reconnut Ventana. Mais pour quelle autre raison est-ce que quelqu'un collerait une beigne sur la tronche à un pédé ? Ils vous ont pris votre portefeuille ? Votre argent liquide ? Votre carte bancaire ?

– Ils m'ont pris ma dignité », répliqua Quentin.

L'agent Ventana darda la mine de son crayon. « Vous, vous êtes homo... non ?

– Comment... comment le savez-vous ? demanda Quentin d'un ton hésitant.

– Jésus Marie Joseph, fit l'aide-soignant en levant les yeux vers le plafond. Mon Dieu ! s'écria-t-il tout à coup. Il y a du sang au plafond. »

Quentin et l'agent Ventana, qui se méfiaient pourtant l'un de l'autre, levèrent la tête.

« Je suppose que c'est pour ça qu'on appelle cet endroit la salle des urgences », dit Ventana.

Quentin hocha la tête. « Placez-la dans votre scénario, celle-là.

– On entendra auto-infantilisation dans un film, assura l'aide-soignant au plafond, le jour où ma bite ne bandera plus.

– Hollywood refuserait bredoulocheux dans une adaptation de Lewis Carroll, dit Quentin.

– C'est déjà fait », soupira l'aide-soignant. Son regard revint se poser sur la blessure de Quentin. « À propos.

– Veillez bien à mettre vos petits gants, lui rappela Quentin. Je suis séropositif.

– Ne vous inquiétez pas pour moi », lui dit l'aide-soignant en faisant claquer le gant de latex sur son poignet, le rasoir à la main. « Si je dois attraper le VIH, ça sera par les voies naturelles.

– Ce n'est même pas drôle, dit Quentin.

– Je sais, dit l'aide-soignant. C'est ma façon de vous tenir éveillé.

– Je crois que je vais vomir », annonça l'agent Ventana.

L'aide-soignant examinait le sommet du crâne de Quentin. « Ça veut dire que c'est fini, vous n'êtes plus en rogne ?

– Négatif. (L'agent Ventana secoua la tête.) Je suis en perma-rogne. »

Quentin, qui tenait la tête penchée en avant, s'illumina sans bouger. L'aide-soignant adressa un grand sourire à la blessure de Quentin. « Excellent ! »

L'agent joua les effarouchés. « Vous trouvez ?

– Vous êtes trop mignon, affirma l'aide-soignant. Et vous n'imaginez pas ce que je pourrais faire pour votre mariage. Tenez-vous tranquille. »

Quentin se rembrunit. « Ce n'est pas... très confortable.

– Je vais avoir fini. Comment ça se fait que vous ayez laissé tout ce sang sécher comme ça ?

– J'ai passé un week-end au Cabo San Lucas avant de venir vous voir.

– Pourquoi ne pas m'avoir appelé ? Je vous aurais rejoint là-bas.

– Bon, alors, coupa l'agent Ventana. De quoi l'homme avait-il l'air ?

– C'était un rouquin, lui aussi.

– Qu'est-ce qu'on a fait pour foutre les rouquins en rogne ? demanda l'aide-soignant.

– Aucune idée.

– Tous les rouquins sont en perma-rogne, proféra l'agent Ventana. Les petits mecs ont intérêt à se tenir à distance.

– Le voilà qui recommence, fit remarquer l'aide-soignant. Le mot bredoulocheux n'apparaît qu'une fois dans la littérature — toute la littérature —, vous entendez ce que je vous dis ? (Il tamponna à l'aide d'une éponge imbibée d'eau chaude le sang coagulé autour et dans la plaie au crâne de Quentin.) Et là, je ne parle même pas des généralisations scandaleuses à propos des minorités.

– C'est tout ce que vous vous rappelez, concernant ce type ?

– Il avait l'air d'un pirate sur le retour. Ça dépassait largement tout ce que j'ai pu voir dans les années 90 dans le milieu de l'immobilier. Des tas de cicatrices, dégarni sur le dessus, trapu, sans doute encore un alcoolique. Ou un type qui aime manger. Il mettait plein... » Quentin s'interrompit subitement.

Ventana attendit.

Qu'est-ce que je suis en train de foutre, se demanda Quentin. Je dois être plus affaibli que je ne m'en rendais compte. L'idée c'était que si je donnais à ce flic une description exacte de Tipsy et Red, jamais il ne les trouverait. Ça semblait un angle d'action assez raisonnable, sur le moment, et plus facile que d'inventer, parce qu'il aurait ensuite fallu que je m'en souvienne, et que ça aurait très certainement conduit à l'arrestation de gens innocents. Mais si je vais jusqu'à raconter à ce flic que, par exemple, Red Means a une façon de parler plutôt crue et qu'il s'y connaît sans aucun doute en bateaux et en trafic de drogue, eh bien, l'agent Ventana risque de deviner l'identité de Red sans plus d'aide que ça ! Grâce à ces quelques indices et rien d'autre ! Déduction admirable. D'ailleurs, c'était juste un jeu pervers auquel je me livrais, vis-à-vis de moi-même, principalement. Qu'est-ce que Genet disait à propos de la trahison ? Que ça l'excitait ? Quelque chose comme ça. Et aussi que l'acte est extatique ? Qu'en plus, le résultat n'est autre que l'affranchissement. Ou la liberté. Comme Jésus au moment où il se rend compte — ou présume — qu'il a été trahi, non pas par Judas, mais par Dieu. La souffrance de Notre Seigneur n'est-elle pas alimentée par la certitude que, une fois qu'Il a trahi Son propre fils, Dieu est débarrassé à tout jamais de l'humanité, donc affranchi et, par conséquent, Lui-même extatique ? Libéré du courroux ? Je suis qui, moi ? se demanda Quentin. Martin Buber sous mescaline ? Le programme, ambulant et parlant, de l'agent Ventana ? C'est une épiphanie due au traumatisme, ou rien que de la daube ?

– Tenez-vous tranquille », supplia l'aide-soignant d'une voix très lointaine.

C'est Tipsy et Red qui m'ont mis dans ce pétrin. Pas Dieu, pas Jésus, pas Jean Genet-l'affranchi-de-l'immobilier. Moi excepté, bien sûr. Moi personnellement, je n'étais pas obligé de quitter le ponton avec eux. De *larguer les amarres*, comme on dit.

Je me demande de quoi ils ont parlé une heure durant, pendant que je saignais par terre. Sur le pont, je veux dire.

Qu'ils aillent se faire foutre, de toute façon.

Peut-être que je devrais décrire la tête coupée pour ce gentil agent névrosé ? Il ont cru que je n'avais pas vu cette tête. Crétins de conspirateurs. Mais l'Ombre sait !

Mon Dieu ! Je suis en train de réfléchir aux conséquences après avoir trahi ma plus chère amie, en même temps que son tout récent ami, et aussi la tête coupée de son frère. Peut-on trahir une tête coupée ? Si on était dans un roman policier, cette tête me donnerait des cauchemars. On ne tombe pas souvent sur des têtes coupées dans les romans ordinaires. Mais il y en a une dans Stendhal, ce cher Stendhal. Difficile de faire des cauchemars quand on fait des insomnies. Insomnies inconsolables, ce bon vieil alligator de l'allitération. Par ici, il tendit vaguement l'index, la folie ment. Et par là, il tendit vaguement l'index, la folie dit la vérité. Par ici ou par là ? On ne parlait pas justement d'alligator ? De toute façon, c'est un crocodile. Non. Là n'est pas le problème.

« Mr Asche ? (L'aide-soignant claqua des doigts sous le nez de Quentin.) Hé oh !

– Oui ? Oui, quoi ? (Quentin recula face aux doigts de l'aide-soignant.) Qu'est-ce qu'il y a ?

– Ça va ?

– Bien sûr, je vais très… Qu'est-ce qui se passe ?

– Ne montez pas sur vos grands chevaux, dit l'aide-soignant. Je croyais que le traumatisme se manifestait. Ce n'est rien.

– Pourquoi est-ce que je monterais à cheval ? »

L'aide-soignant le regarda et battit des paupières.

« Je vous remercie de faire votre boulot, poursuivit Quentin. Mais là, c'est un peu gonflé. Vous ne trouvez pas ?

– Mon vieux ! râla l'aide-soignant. Alors vous, vous êtes assez teigneux pour survivre à un gnon sur la tête. Qu'est-ce que c'est que ça ? (Il se haussa sur la pointe des pieds comme pour scruter le dessus du crâne de Quentin.) Je vois votre cerveau.

– Vous voyez mon quoi ? glapit Quentin.

– Il est rouge et il palpite.

– Il palpite ?

– Là où il n'est pas rose », ajouta l'aide-soignant en gloussant.

L'agent Ventana ricana avant d'avoir le temps de dissimuler sa bouche derrière son bloc-notes.

« Quel professionnalisme. » Quentin renifla avec autant de dédain que peut en rassembler un individu au crâne à demi rasé et portant une blouse ouverte dans le dos. D'une chiquenaude, il chassa une poussière imaginaire de sa rotule nue. « En droite ligne des émissions de télévision. Imaginez ça. »

Ventana et l'aide-soignant tournèrent tous les deux la tête vers la plateforme fixée au-dessus de la porte du couloir, sur laquelle était installé un téléviseur. Sur l'écran, un journaliste sportif pérorait sans le son. En dessous de son image, se déroulait l'annonce : *... essence à la pompe : HAUSSE de 27 cents...*

Le regard de l'aide-soignant revint à la plaie au crâne de Quentin. « Ça doit bien faire sept mille gardes que j'ai oublié cette machine infernale.

– Un téléviseur, répondit Quentin, qui complète la panoplie : lumières au néon, plafond ensanglanté, murs moutarde, lino foutu, et blagues salaces sur les homosexuels blessés à la tête. C'est un tout. Je m'étonne qu'il n'y ait pas en prime un caddie de supermarché pour les membres sectionnés. C'est le cul-de-sac du monde civilisé, ici.

– Sur ce coup-là, Mary, je ne dis pas le contraire », marmonna l'aide-soignant d'un ton catégorique.

L'agent Ventana agita son carnet et son crayon. « Cheveux roux et pirate, amorça-t-il.

– Tenez-vous tranquille.

– Le mot que je cherche n'est pas insomnie, dit Quentin. Il n'est pas question de ne pas pouvoir dormir à la suite d'une blessure crânienne, mais d'être incapable de se rappeler les choses. Comme dans le roman policier.

– Amnésie ? lancèrent ensemble Ventana et l'aide-soignant.

– C'est ça. (Quentin battit des paupières.) C'est ça », répéta-t-il, quoique avec moins de conviction. Il rit. « Messieurs, lança-t-il à la ronde, depuis quand est-ce que je n'arrive pas à me rappeler le mot amnésie ? »

La mine de l'agent Ventana, qui dénotait l'attente évoluant mollement entre ennui et épuisement, ne changea pas. Quentin coula un regard oblique à l'aide-soignant.

« Depuis quand est-ce que je n'arrive pas à me rappeler le mot amnésie ? » répéta songeusement Quentin. Il ne voulait pas avancer de réponse. Ou ne le pouvait pas. Toutefois, sa fascination étant de l'ordre de celle qu'éprouve un individu incapable de détacher son regard des soubresauts faiblissants d'une araignée écrasée, allégorie arachnoïde de son propre esprit, huit pattes coupées, seize genoux démantibulés, qui la vouaient à la toile au ras des pavés, Quentin risqua une supposition : « Depuis que j'ai pris un coup sur la tête ? »

L'aide-soignant esquissa une moue. « Ça paraît logique. »

Quentin regarda l'agent Ventana.

« Cheveux roux et… ? »

Quentin soupira. « C'est tout ce dont je me souviens.

– Ça, et auto-infantilisation, leur rappela l'aide-soignant.

– Pas du tout, dit Quentin. J'ai inventé ça à chaud. Considérez qu'il s'agit d'une bouffée néologique spontanée. Rien à voir avec l'amnésie.

– Pan dans sa tronche, à l'autre touche-pipi ! dit l'aide-soignant.

– Tout des conneries, dit l'agent Ventana.

– Encore des mots que vous n'aviez jamais entendus ? demanda l'aide-soignant.

– Non, mais…

– Parlez plus fort. C'est bruyant, ici.

– En général, je ne perçois qu'un sous-ensemble d'une quelconque langue humaine donnée, la mienne ou autre, expliqua Ventana. Langues à clics comprises. »

L'aide-soignant hésita, reprit brièvement, puis interrompit son activité. « C'est bon, dit-il. Je me lance. Comment dit-on "Je t'emmerde" dans une langue à clics ?

– Laquelle ?

– Un beau connard avec un insigne, annonça l'aide-soignant. Ce type est un… »

Mais quand l'agent Ventana ouvrit la bouche, Quentin et l'aide-soignant crurent entendre des sauterelles dans un tuyau métallique.

« Comment osez-vous me parler sur ce ton ? demanda l'aide-soignant.

– C'est ce que je leur dis à tous, répondit l'agent Ventana. Juste après les avoir séchés avec mon gourdin. »

Quentin et l'aide-soignant répétèrent en chœur : « Séchés avec votre gourdin ?

– Celui qui ne met jamais un coup de matraque à personne, dit l'agent Ventana, n'est pas mon ami. (Il rougit.) J'ai tué un type accidentellement avec une matraque, lâcha-t-il. Mon premier congé sans solde.

– Et combien de temps de congé administratif ? » s'enquit l'aide-soignant.

L'expression qui se lut dans les yeux de l'agent Ventana — nostalgie, consternation, regret ? — stupéfia Quentin. La porte s'ouvrit soudainement, sous le téléviseur. L'aide-soignant l'entendit, jeta un coup d'œil par-dessus son épaule, et poursuivit son travail, lançant rapidement : « On est à San Francisco. Les gens tuent pour obtenir un droit de séjour, ici. Ils tuent, je vous le dis, moi. On sélectionne les meilleurs éléments de toutes les facultés de médecine de l'hémisphère. On prend la fine fleur des gens intelligents et motivés. Et qui est-ce que le système nous crache ? (Il émit un bruit rappelant celui d'un chien évacuant une boule de poils.) Le Boucher hétéro vomi des Enfers. »

Faute de pouvoir bouger la tête, Quentin regarda par en dessous. « Le quoi ? »

L'aide-soignant répartit équitablement l'emphase entre toutes les syllabes de sa réponse feutrée.

« Quel est le mot qui vous échappe dans “le Boucher hétéro vomi des Enfers” ? »

31

« Écoutez, Oscar, il doit bien y avoir un moyen. »

L'agent Few contempla son café.

« Enfin bon, ces gens, d'où viennent-ils ? »

Oscar soupira. C'est chaque fois pareil, se dit-il. Chaque fois que je rencontre une femme avec qui je pense pouvoir vivre quelque chose, je finis par découvrir qu'il y a une arrière-pensée. Un rayon de soleil tomba sur la table et fit étinceler son café comme la diction dans un symbole, pour reprendre les mots du poète Darrell Gray. Few esquissa une moue. Les ombres que projetait un ventilateur de plafond balayaient la surface de son café. Une arrière-pensée à mon arrière-pensée, en fait.

« Eh bien… (Il effleura le bord de sa tasse du bout de sa cuiller.) Il y a ce truc qu'ils font les mardis soir. »

Tipsy plissa les paupières. « C'est ce soir.

– Ils appellent ça le Rabattage de Bleus. C'est une sorte d'antenne ouverte. On s'inscrit, on débite son truc, ils mesurent le résultat à l'ancienne.

– Comment ça ? À la quantité d'argent que les gens nous jettent ? »

Few se contenta d'un pâle sourire. « Dans vos rêves ! Ça s'appelle un applaudimètre, mais c'est tout bêtement un vu-mètre avec un mouchard. Ils n'utilisent même pas de micro indépendant. C'est d'autant plus dommage que celui de l'animateur est un cardioïde. Ils devraient vraiment se servir d'un…

– Quelle heure ? »

Oscar Few pouvait toujours s'échauffer à propos de matériel audio, s'il y avait une chose qu'il n'ait jamais croisée, c'était une femme que le sujet enthousiasme autant que lui. « Ils y vont à sept heures et demie. Si vous ne voulez pas perdre votre temps à écouter des seaux de platitudes à la noix, il faudrait qu'on y soit dès sept heures.

– Tous les deux ?

– Tant qu'ils ne vous auront pas adressé une invitation, ou que vous n'aurez pas rencontré quelqu'un d'autre, vous aurez besoin de moi pour entrer.

– Je vous retrouverai sur les marches de Bryant Street à six heures et demie.

– Je vous conseille de vous inscrire en deuxième ou troisième, ça vous permettra de voir comment ça fonctionne. (Few soupira devant son café.) Six heures et demie, c'est bon.

– Merci Oscar. (Tipsy se leva et sortit un billet de vingt de la poche gousset de son jean.) Je me charge de régler. » Elle paya et laissa un pourboire sur le comptoir, adressa un petit geste de la main dans la direction de Few, et s'en alla.

Few resta assis à la table un long moment, plongé dans ses pensées. Son téléphone portable vibrait de temps à autre dans son étui de ceinture, comme une cigale nichée dans l'écorce de son être, mais il n'y prêtait aucune attention. Quand il se décida à tremper les lèvres dans sa tasse, le café était trop froid pour qu'il le boive. Il se leva et quitta le bar.

Une fois que le technicien bénévole eut plus ou moins réussi à régler un larsen pénible, la troisième oratrice se lança.

« L'Irak, comme nous devons tous le savoir et l'admettre, désormais, est ingérable. »

La salle était bondée, et dix-sept spectateurs s'étaient inscrits pour prendre la parole.

Rooba rooba, répondit la foule.

« L'Irak a coûté aux pays développés du sang et des richesses au-delà de toute mesure, du sang et des richesses au-delà de toute mesure. »

Rooba...

Pas mal comme début, pensa Oscar. Malgré son épaisse liasse de notes, elle s'adresse directement à la foule. D'habitude, ils restent plantés là. Leur arracher une quelconque réaction dès sa première allocution était assez incroyable.

« Pourtant les pays développés ont besoin des réserves pétrolières de l'Irak, les veulent, les réclament à cor et à cri. »

Roooooba…

« Avec ce que nous avons dilapidé à cause de cette guerre, nous aurions pu acheter du pétrole à Saddam Hussein pendant une bonne partie du siècle ! »

Roooooba…

« Que faire ? (Tipsy brandit sa liasse de feuilles.) Cet après-midi, dans le BART qui me ramenait chez moi après le travail, sachant que j'allais me présenter devant vous ce soir, j'ai imaginé un plan.

– Où est-ce que vous travaillez ?

– À l'hôtel de ville.

– Où est-ce que vous habitez ?

– À la jonction de Mission Street et de la 16e Rue.

– Ça fait une seule station !

– Hé oui, dit Tipsy, tout va bien pour moi. »

Rooooba rooooba rooba…

Bon sang, pensa Few en coulant un regard en douce à son propre vu-mètre. Elle habite les Avenues, à l'ouest de la ville, elle a lâché en passant qu'elle ne prenait jamais le BART, je sais très bien qu'elle n'a pas de boulot et qu'elle n'avait pas le moindre plan il y a quelque chose comme cinq heures de ça.

Cette fille a ça dans le sang.

Une voix cria du fond de la salle : « Ça fait dix minutes de plus que le temps consacré par le gouvernement Bush à toute la stratégie d'invasion de l'Irak ! »

Roooooba…

« Je suis on ne peut plus d'accord », renchérit l'oratrice…

Oscar avait auditionné cinq ou six Rabattages de Bleus et, Tipsy mise à part, c'était à peu près toujours les mêmes gens. Mais puisqu'il avait pris la peine de venir écouter, il insista pour consigner la totalité de la soirée. Ils restèrent donc jusqu'à la fin.

Dix-sept personnes s'étaient inscrites ; finalement, quinze d'entre elles prirent la parole. En dehors de l'Irak, les sujets couvraient le Super Bowl, l'Afghanistan, la Colombie, les dégâts en Antarctique, les arbres à Berkeley, le 11-Septembre, la déroute du parti républicain, la déroute des démocrates au Congrès, l'affreuse nouvelle présentation 2009 du *Chronicle*, Woody Guthrie, le krach économique de 2008, la hausse alarmante du taux d'acidité de l'océan.

« Pourquoi les néo-conservateurs hibernent dans la boue comme les sauterelles », « La fuite en avant des Juifs » suivie de « La fuite en avant des Palestiniens », « Les médias libéraux » et « La mondialisation du café cultivé sous couvert forestier ».

Rien de tout cela n'avait le moindre rapport avec la raison pour laquelle Few assistait à des rassemblements chapeautés par la Cavalcade des Merveilles, et de toute façon il se serait quand même barbé à mourir.

Tipsy Powell, beaucoup moins. Elle était fascinée. En ce qui la concernait, si la soirée antenne ouverte avait inclus un bar, ç'aurait été parfait.

Pour pallier cette lacune, Oscar et elle se replièrent dans un restaurant mexicain de Folsom Street, où Tipsy descendit trois margaritas avant même que Few se soit resservi pour finir sa bouteille de Bohemia.

« J'ai des milliers d'idées », lui annonça-t-elle, avant de reprendre le cours d'un délire que son discours à l'antenne ouverte n'avait fait qu'esquisser, étant limité à cinq minutes.

Few contempla les bulles de sa bière.

Entre sa première margarita et la deuxième, Tipsy lui demanda pourquoi il n'enregistrait pas ce qu'elle était en train de dire.

Few leva les yeux de son verre le temps de la dévisager, puis secoua la tête.

« Je n'ai que vingt-trois téraoctets de mémoire, dit-il d'une voix plus plate qu'un chat écrasé. C'est une opération à petit budget. Et comme d'habitude (il trempa les lèvres dans sa bière), ce budget est menacé. »

Considérant que la repartie de Few n'était que blabla de bureaucrate, Tipsy entreprit de développer les possibilités mises au jour par l'assemblée du Rabattage de Bleus.

Few la laissa bavasser.

Il m'est déjà arrivé de me tromper sur les femmes, euphémisa-t-il en son for intérieur. Peut-être que son frère va resurgir plus tôt que prévu et que je pourrai cataloguer cette super montre comme Télévision de mi-journée.

Une demi-heure plus tard, aux environs de 11 h 30, dans sa maison de Quintara Street, Tipsy se servit un shot de tequila accompagné d'une bière, s'enroula dans une couverture mexicaine pour rester dans le ton, se pelotonna dans le fauteuil de la cour, et bien que l'assemblée du Rabattage de Bleus l'ait plus enthousiasmée que tout ce qu'elle avait vu depuis des années, elle sombra dans le sommeil.

Ses rêves furent, en majeure partie, invraisemblables. Mais il y courait un fil rouge resté cohérent, faute d'un terme plus approprié, depuis de nombreuses années.

Tipsy avait souvent éprouvé la sensation de lire, de déclamer, ou de discuter dans des paysages oniriques, mais il était bien rare que le texte ait un sens, faute d'un terme plus approprié ; il était même encore plus rare, quand le sucre résultant du métabolisme de l'alcool consommé l'éveillait en sursaut quatre heures après l'avoir assommée, qu'elle se rappelle les textes en question.

Ce soir-là, imbibée de bière et de tequila, blottie dans le fauteuil en cèdre sous un vent d'ouest déchaîné et un ciel sans étoiles, elle fit un rêve saisissant de clarté, faute d'un terme plus approprié. Entre autres aspects irréalistes — car c'était un rêve, après tout —, le temps illimité dont elle disposait pour formuler ses pensées. La taille du lieu où elle se produisait. L'importance de la foule qui écoutait ses moindres propos. Et l'éclairage incroyable…

Quand la métabolisation de l'alcool en sucre et acétylène l'éveilla en sursaut quatre heures plus tard, elle grelottait et avait le torticolis.

Le crépitement des feuilles de figuier ressemblait à des applaudissements.

« … Comme certains d'entre vous s'en souviennent peut-être, le grand Buckminster Fuller redécouvrit des vérités anciennes concernant la géométrie dans l'espace et mit au point leur utilisation contemporaine et future. Bien qu'une grande partie de ses travaux dans ce sens date des années cinquante, il se rendit compte lui-même que, indépendamment de ses talents de chercheur, il faudrait encore que s'écoule une génération voire plus pour que les propriétés des matériaux évoluent de façon à permettre la réalisation des innovations inhérentes à ses calculs. »

L'écran fixé en hauteur derrière la tête de l'oratrice s'alluma. La diffraction de son rayonnement jouait joliment sur sa chevelure.

« Nous voyons là un dôme géodésique simple. En l'occurrence, un icosaèdre à vingt fréquences. Pour vous, bien sûr, qui n'êtes que des décideurs (et là, l'oratrice s'autorisa le large sourire peaufiné devant l'objectif long comme le bras de l'appareil photo de son Assistant numérique de Comité, grâce auquel les spectateurs avertis la reconnaissaient dans le monde entier), les mathématiques n'ont aucun rapport avec le sujet. »

Rires.

« Pourquoi cela ? demanda l'oratrice.

– Les ingénieurs, ça se trouve à la pelle ! cria une voix depuis le parterre de l'assemblée.

– Gagné ! » rugit un tweeter asexué, accompagné de sirènes et des notes de mirliton d'un orgue Wurlitzer. Une pluie de confettis parallèle à la directrice d'un étroit cylindre s'abattit du plafond stratosphérique de la salle sur le crâne rasé d'une seule auditrice déjà triangulée par une paire de projecteurs mobiles, couvrant pas si fortuitement que ça un rayon de trois personnes autour d'elle dans toutes les directions. « Un forfait vacances pour deux àààà... (un roulement de timbales s'enfla puis s'arrêta)... Langley, en Virginie ! (Coup de cymbales.) Le lieu de villégiature le plus sûr de toute la Cryptopole ! »

La salle se déchaîna. Un grand jeune homme blond en short de tennis, les manches d'un sweat-shirt frappé d'une lettre nouées sur les épaules, lunettes de vue siglées d'un « CW » en italiques dans l'angle mort de la monture, surgit pour apporter une enveloppe. « Vous visiterez, en compagnie du second sexy de votre choix, rugit l'annonceur, l'entrée du siège de la CIA, les abords du Pentagone, le parking non nominatif de l'un des nombreux bâtiments banalisés de l'endroit, et, cadeau spécial d'un réseau concerné : vous et lui, ou elle, aurez droit à la retransmission gratuite à vie de State TV, la télévision d'État.

« Et vous savez que c'est une excellente affaire, mesdames et messieurs », ajouta l'oratrice, penchant la tête pour parler doucement dans le micro, « ne serait-ce que parce que vous savez aussi que l'État préfère goûter la douce ironie de faire payer les gens pour ça. Ce qui revient exactement au même que de verser deux cent cinquante euroshells à un fabricant pour se promener avec une paire de baskets frappées du logo de sa marque. Exactement au même. »

Des poings se dressèrent activement. « C'est la Vraie Vérité ! » Des applaudissements polis persistèrent sporadiquement, ce qui rendit le raffut de la claque un brin forcé.

Sans laisser les applaudissements s'éteindre tout à fait, le joueur de tennis, d'un seul geste ininterrompu, tendit l'enveloppe à la gagnante éberluée, lui passa le bras autour des épaules en montrant du doigt une caméra, lui pinça le cul, grimaça sous une explosion de lumière stroboscopique tandis que la fille glapissait, s'écarta, tendit les bras dans sa direction, et recula dans l'obscurité définie par le rond lumineux du projecteur. « Gagné ! » redonda une voix informatique dans une clameur renouvelée de sirènes, cloches à vaches et notes mirlitonnées d'orgue Wurlitzer. « Car en effet, rugit l'annonceur, il n'existe pas dans toute la Cryptopole un endroit où passer des vacances plus sûres qu'à Langley, en Virginiiiie ! » La foule réagit en rugissant à gorge déployée.

L'oratrice maintint son sourire pendant que les écrans se rétractaient. « C'est une décideuse pleine de chance que nous avons parmi nous », lança-t-elle d'un ton chaleureux, plongeant le regard droit dans l'obscurité grouillante. « Profitez bien de ce voyage. Vous pourrez rattraper votre retard au travail le week-end prochain.

– Ah ha. Ah hah hah hah hah, renchérit la claque.

– Tu as entendu ce qu'elle a dit ? hurla un membre à sa voisine.

– Trop génial, putain ! » dit cette dernière, à peine audible dans l'hilarité et les applaudissements. Ils se tapèrent dans la paume, les bras levés haut, en signe de victoire.

L'ordinateur afficha sur l'écran une carte du Moyen-Orient, et la foule se calma. L'oratrice rajusta le dahlia sur son chapeau.

« Des Kurdes au nord du pays, en gros à partir de la frontière iranienne au-delà de Sulaymaniya, au nord vers la Turquie et au nord-est vers la Syrie », récita l'oratrice. De petites icônes à l'image de narguilés apparurent sur la carte à mesure qu'elle cochait les lieux. « Comme un certain nombre d'entre vous ont des raisons de le déplorer pour l'avoir appris très tard, l'Iran abrite la plus importante population chiite du monde. Cette influence s'étend vers l'ouest, dans tout l'est de l'Irak, de la province d'As-Sulaymaniya jusqu'à Bassorah, tout au sud. » Des croissants de lune apparurent, fixant diverses distances à l'est de la frontière irakienne, les pointes tournées vers l'Iran. La carte s'afficha pendant que l'oratrice parlait. « Cette frontière s'étend sur à peu près sept cent cinquante kilomètres à vol d'oiseau, mais elle est plus complexe sur le terrain et couvre sans doute une fois et demie cette distance dans la réalité. Nous avons ici le Koweït, sécularisé comme vous le savez presque tous, sous la ferme domination de l'Ouest et, par conséquent, fragilisé. Bien. » L'oratrice dirigea un pointeur laser de façon à souligner la frontière tripartite à la jonction du Koweït, de l'Irak et de l'Arabie Saoudite. « Qui, parmi vous, sait quel pays limitrophe de l'Irak a la plus longue frontière commune avec ce pays ? Quel pays a la plus courte frontière commune ? Quel pays a accueilli le plus grand nombre de réfugiés fuyant la guerre civile ? » L'oratrice aurait pu être un professeur honoraire coiffé d'un chapeau fleuri et dispensant un cours de géographie politique dans une petite fac sur les berges du Río Pecos, qu'elle n'aurait pas eu l'air plus débonnaire en scrutant son auditoire. « Quelqu'un sait ? » Elle braqua son pointeur laser au hasard dans l'auditoire. « N'hésitez pas.

– L'Arabie Saoudite ! » lança quelqu'un.

L'oratrice haussa un sourcil. « Vous dites l'Arabie Saoudite ? » La carte se déplaça vers l'ouest. Le point rouge du laser y traça une ligne. « Voici la frontière. Qu'est-ce que ces deux pays offrent ? Des sanctions en faveur des réfugiés ?

– Non ! crièrent en chœur deux ou trois voix.

– La compassion chiite ? »

Deux ou trois personnes s'esclaffèrent.

« La plus longue frontière ! » hurla la première voix, pour compenser l'ennui qu'elle laissait filtrer.

Un zoom arrière éloigna soudain la carte. « Ce n'est pas tout à fait exact, dit l'oratrice. L'Arabie Saoudite partage la deuxième plus longue frontière avec l'Irak. L'Iran passe avant. Regardez. » Zoom arrière de la carte. Des chiffres s'affichèrent en surimpression. Arabie S./Irak : 900 km ; Iran/Irak : 1200 km… « Et les statistiques concernant les réfugiés ?

– La Jordanie a accueilli plus de 750 000 réfugiés, lança une voix de femme dans l'obscurité. La Syrie, un million.

– Et l'Arabie Saoudite ? » demanda l'oratrice.

Une voix se fit entendre : « L'Arabie Saoudite ne donne pas de statistiques en matière de réfugiés.

– Et les États-Unis ? » lança une voix.

Rires.

« Hum, reprit l'oratrice, donc c'est la Jordanie, le pays qui partage la plus courte frontière avec l'Irak à l'exception de la Turquie ; et la Syrie, dont la longueur de frontière commune arrive en troisième place derrière l'Iran et l'Arabie Saoudite. À elles deux, la Jordanie et la Syrie comptent près de deux millions de réfugiés irakiens, ce qui représente quelque chose comme quatre-vingt-cinq pour cent du total. Exact ?

– Mais ils sont tous arabes ! objecta quelqu'un.

– C'est juste, confirma l'oratrice. Les Iraniens sont perses et chiites. Les Jordaniens et les Syriens sont sunnites et arabes.

– Donc, dit quelqu'un tout près du pied de l'estrade, ils prennent soin de leurs frères.

– Comme c'est gentil de leur part, confirma quelqu'un d'autre.

– Mais l'Arabie Saoudite alors ?

– Ils ont leur ordre du jour à eux.

– Qui inclut le wahabisme.

– Qui inclut les bases de l'armée de l'air américaine.

– Qui incluait les bases de l'armée de l'air américaine.

– Attendez. » L'oratrice leva la main. Loin au-dessus, son pointeur laser décrivit au plafond de petits serpentins rubis de ficelle fantastique. « Ne mélangeons pas les sujets. Indépendamment de la question militaire, comment pouvons-nous définir au mieux le problème des réfugiés ?

– C'est une question humanitaire ! cria quelqu'un.

– Oui ! C'est une question humanitaire ! enchaînèrent plusieurs voix.

– Et donc ? » poussa l'oratrice.

Plusieurs voix rugirent comme un seul homme : « Et donc c'est une question facultative ! Négligeable ! Contraire à une bonne politique ! »

L'oratrice ne réprima pas son sourire. Être démagogue, c'est régner, proclamait la pastille discrètement nichée sous le revers de sa veste. Elle leva les yeux vers l'écran. Un à un, les croissants tournés vers l'est, ceux tournés vers l'ouest et les narguilés s'éteignirent.

Dans le torrent d'applaudissements qui suivit, deux lignes de pointillés commencèrent à se diriger vers le nord à partir d'un vertex commun à la base du Chatt-el-Arab.

« Ceci est le cours d'eau à l'angle nord-ouest du Golfe Persique qui irrigue aussi bien le port pétrolier de Bassorah, en Irak, que celui d'Abadan en Iran. Suivez-moi bien, maintenant », conseilla l'oratrice.

Dans le domaine du rêve, la chose pourrait s'apparenter au fait de voler. Les lignes sinuèrent comme des méridiens, parallèles mais divergentes, traversant l'Irak en direction du nord. Celle de droite suivait plus ou moins la frontière Irak-Iran. L'autre se faufilait vers l'ouest tout en progressant vers le nord, longeant Nassiriya, Najaf, Karbala et Ramadi. Les deux lignes se rejoignirent à nouveau dans le Djebel Hamrin, au sud de Kirkouk et au sud-ouest de Sulaymaniya.

« Donc », dit l'oratrice avec satisfaction, tout en encerclant les deux lignes à l'aide du point rubis de son laser, « de Bassorah à Tuz Khurmatu, dans le Djebel Hamrin, et retour à Bassorah.

– Les gisements pétroliers de l'Irak, comprirent plusieurs des spectateurs médusés.
– Ça a la forme d'un porte-monnaie, dit quelqu'un.
– Le Porte-monnaie Pétrolier, renchérit un autre.
– Comment dit-on porte-monnaie en arabe ? demanda l'oratrice.
– Hafiza ! cria quelqu'un. Zayt ! Zayt, c'est le mot pour l'huile, c'est-à-dire le pétrole ! C'est le Hafizat al-Zayt !
– Gagné ! Ding ding ding...
– Merde alors, dit quelqu'un d'autre, il y a de la Vision dans ce rêve ou quoi ?
– Gagné ! Ding ding, ding ding ding...
– En vertu de tous les droits, objecta quelqu'un, la majeure partie de ce territoire est perse !
– On les emmerde, dit quelqu'un.
– On les emmerde ! » cria un autre, et beaucoup reprirent le cri : « On les emmerde ! On les emmerde ! On les emmerde !...
– Voyons, voyons, fit l'oratrice, rayonnante, ce n'est pas très diplomate. »
Emmenée par la claque, la salle fut subsumée sous un rire sycophante.
« Et le reste du pays, alors ? » demanda quelqu'un, une fois l'hilarité suffisamment retombée pour qu'une voix isolée puisse être entendue.
Le pointeur décrivit un cercle. « Cette bande de désert à l'est — qui s'appelle, soit dit en passant, le Désert syrien (acclamations éparses) — peut facilement être divisée en tirant une bissectrice perpendiculaire à partir de la frontière jordanienne (une ligne apparut), qu'on prolongera jusqu'à la frontière ouest du Hafizat al-Zayt, comme ceci. » Une ligne traça un chemin à travers le désert, le long de l'autoroute reliant la ville frontalière de Tribil à une zone gravement dépeuplée à environ cent dix kilomètres au sud-ouest d'Al-Ramadi, où elle coupa la frontière ouest du « Hafizat al-Zayt, ainsi baptisé depuis peu, en fait... » précisa l'oratrice, sous des hennissements moqueurs. « Pour que personne ne se sente complètement truandé, cette autoroute (le pointeur laser remonta la route jusqu'à Tribil) devient territoire international. » La bissectrice perpendiculaire se scinda en deux lignes parallèles et poursuivit jusqu'à l'autoroute, formant comme un couloir à cette dernière.
« Pour autant, lança l'oratrice, il sera sans doute encore dangereux d'y voyager au moins jusqu'à la fin de l'Ère capitaliste.

(Elle se retourna vers l'auditoire.) Ce qui représente combien de temps ?

– Mille ans ! » fut la réponse que lancèrent aussitôt un grand nombre de spectateurs comme un seul homme.

L'oratrice porta la main à son oreille. « Combien ?

– Mille ans !

– Je n'entends pas ! rugit l'oratrice.

– MILLE ANS ! tonnèrent les spectateurs.

– Merci. » L'oratrice lissa sa boutonnière à pastille.

« Cette mégachierie de pétrole ne durera pas aussi longtemps que ça ! fit remarquer quelqu'un.

– Gagné ! (Tout le monde s'esclaffa.) Ding ding ding... »

L'oratrice se tourna de nouveau vers l'écran. « L'Arabie Saoudite a cette moitié (le pointeur laser griffonna dans le désert au sud et à l'ouest de Karbala, Najaf et Nassiriya), et la Syrie celle-là. » Le point rouge vif tournoya dans les déserts entourant Bagdad, Kirkouk et Mossoul.

« Ça ne fait pas des moitiés, ça, objecta quelqu'un.

– C'est une presque moitié de quelque chose qui met la branlée à une presque moitié de rien, lança une autre voix.

– Parlez-en au Koweït et à la Jordanie, plaça une autre.

– Ou à l'Iran, pendant qu'on y est, ajouta une femme.

– Qui prend ces décisions ? cria quelqu'un.

– Qui pose la question ? releva l'oratrice en se tournant vers la foule.

– Vous répondez à une question par une autre », répliqua crânement le premier questionneur — si crânement, en fait, qu'il ne faisait aucun doute qu'il s'agissait d'un membre de la claque muni du script de son intervention.

« Détrompez-vous », répondit sans détour l'oratrice, comme patiemment. « Nous sommes en train d'étudier un rapport officiel en nous livrant à un brainstorming au sujet d'un problème ingérable. *Nous ne décidons pas forcément d'une politique.*

– Cui-cui-cui ! cria quelqu'un.

– On aurait pourtant cru qu'ils en imagineraient des tas en prévision de ces démentis, histoire d'en finir », marmonna quelqu'un dans la Suite des Apparatchiks de haut rang. L'oratrice capta la remarque dans son oreillette : « Rédigez une note.

– Bon, d'accord », répondit le spectateur, dans une ambiance très bon enfant. « Mais comment propagez-vous votre solution ? Comment l'appliquez-vous ?

– Oui, s'écrièrent plusieurs voix. Comment, bon Dieu ?

– Dieu n'a rien à voir là-dedans ! » rugit l'oratrice, et la gélatine du rêve frémit. « Qu'il ne soit plus question de ces invocations de divinités au sein de cette assemblée. C'est compris ?

– Compris, chef ! répondit d'une seule voix l'assemblée tout entière.

– Je n'entends pas.

– Compris ! Chef !

– Je n'entends rien, bande de chochottes.

– COMPRIS ! CHEF ! reprit l'inéluctable réponse.

– C'est déjà mieux. (Un peu déshydratée, avec un début de migraine, l'oratrice s'éclaircit la voix.) Au temps pour moi. (Elle braqua le laser dans l'auditoire ébloui.) Nous en étions à… ?

– Partager le Moyen-Orient, pour reprendre l'appellation sous laquelle le monde connaissait cette région, à l'époque post-coloniale, telle que divisée par la Déclaration Balfour. » La réponse, provenant pourtant du compte rendu sténotypé officiel de la soirée, était convenablement craintive. « Chef », ajouta-t-on.

Le sténo, un ancien journaliste, n'était plus ni homme ni femme. Le changement s'imposait.

« Bien. Et le sujet débattu ?

– L'imposition, chef.

– Contexte ? »

Quelqu'un, dans l'auditoire, trouva le courage de prendre la parole. « Comment proposons-nous d'imposer la démarcation du nouveau Porte-monnaie Pétrolier ?

– Ah, fit l'oratrice. C'est là que M. Buckminster Fuller intervient… qu'il le veuille ou non. » Rires. Le point rouge vif traça les frontières, les rotations de forces militaires au sein des pays, le Hafizat al-Zayt. « On construit un mégadôme qui coiffe tout le truc.

– Un mégadôme !

– Une synergie de dômes — pluriel —, donne un seul… singulier… mégadôme !

– C'est le tout qui excède la somme de ses composantes ! déclara quelqu'un sur fond d'acclamations approbatrices.

– Mais, c'est possible ?

– Bien sûr ! »

Sur l'écran s'afficha une succession animée image par image de montants, longerons, poutres, colonnes et moyeux qui s'assemblèrent et s'incurvèrent comme s'ils étaient dans les airs.

« Un mégadôme !

– D'à peine dix étages de haut. Divisé en segments de façon à respecter les reliefs de la géographie, à contrôler les vertex, les issues et, bien sûr, la hauteur des puits de forage.

– En fibre de carbone… ?

– Fuller connaissait la fibre de carbone… ?

– Il ne devait pas avoir…

– La pyrolyse de fibres synthétiques serait un fructueux domaine de rech…

– Pire au lit ?

– Laissez tomber.

– La technologie est notre alliée…

– … Sans quoi !

– Ding ding, ding ding ding…

– Plus, bien sûr, les ratios d'Avogadro favorables à la dispersion des gaz rares. (L'oratrice se tirailla la lèvre, l'allongeant de façon déconcertante.) L'argon, peut-être.

– Il faut quasiment que ce soit de la fibre de carbone…

– La substance est répertoriée. Mais soyez tranquilles, elle existe. La technologie est à peu près la même que celle mise au point par la Nasa en prévision des colonies minières d'hapkéite qui doivent bientôt être construites sur la Lune.

– Pur génie !

– Paoh paoh, paoh !

– Une éclatante réussite technologique financée par l'argent des contribuables !

– Mais là encore… écoutez-moi, mesdames et messieurs ! Soyez raisonnables ! Soyez rationnels ! Soyez réalistes… ! Comment mettons-nous la chose en application ?

– Ouais. Et le peuple, alors ? »

Rires.

« Non, sérieusement. Le peuple va se mettre en travers du chemin.

– Gagné ! Ding ding ding…

– Pas de panique, lança l'oratrice d'un ton apaisant. Une fois le dôme construit, nous laisserons quelques portes ouvertes et inonderons l'endroit de fourmis de feu.

– De fourmis de feu ? Elle a parlé de fourmis de feu ? Fourmis de feu… ! »

L'oratrice se croisa les bras sur la poitrine, l'air plein de suffisance. « Un nombre d'Avogadro de fourmis de feu.

– C'est génial ! s'écria un statisticien avec fougue. Les grands orages de l'est du Texas qui coïncident avec l'Ère des Modèles météorologiques non-conformes nous submergent de fourmis de feu excédentaires.

– Génial ! glapit la claque.

– Parfait ! renchérirent les autres.

– Tout le monde s'en ira », rugirent des centaines de voix. Puis, citant le septième tube consécutif de Condor Silversteed arrivé en tête du hit-parade : « "Marre des factions du feu, paoh paoh, paoh paoh paoh, f-f-f-factions…"

– Quel artiste ! » murmura, impressionné, un occupant des Apparatchiks de haut rang. « L'apothéose de la prolepse ! » souffla un autre.

Le brouhaha enfla en une cacophonie d'argumentations, péroraisons et vitupérations, tempérée cependant par enthousiasme et doute. L'oratrice brandit son marteau d'encadreur de huit cents grammes en provenance du Japon, si beau de ligne et de fabrication qu'on eût dit qu'elle s'apprêtait à frapper l'estrade avec une orchidée en acier inoxydable. Le mal de tête se démultiplia en proportion. « Il existe une solution (l'oratrice grimaça). Mesdames et messieurs, il existe une solution… ! »

La carte du Porte-monnaie Pétrolier reparut sur l'écran, quadrillée de triangles et d'hexagones.

« Durée de construction : dix ans. Coût : sept trillions d'euroshells…

– D'euroshells ! fut la réponse indignée.

– Pourquoi des euroshells ? » cria quelqu'un.

L'oratrice haussa les épaules. « Quand on ne fait pas dans la dentelle : euroshell. »

Certains spéculateurs s'esclaffèrent, d'autres pleuraient. « C'est le Territoire-fiduciaire-imposé-par-le-Progrès », entonna l'annonceur de sa plus belle voix de *basso profundo*.

L'oratrice acquiesça lentement. « Mais quid des deux ou trois millions supplémentaires d'individus qui auront pris la fuite ? leur rappela-t-elle. Ne seront-ils pas de souche assez résiliente et cohérente pour réimplanter leurs cultures ? (Elle croisa les bras.) Où est le problème, bon sang ? »

Plusieurs membres de l'assistance émirent des sons pareils à celui d'un interphone de porte. « C'est une question humanitaire, ça ! » D'autres renchérirent : « Ça sort du cadre du débat !

– Ah, bien sûr, répondit l'oratrice. J'avais oublié.

– Ah, bien sûr ! » Ils s'esclaffèrent tous de cette boutade originale. L'oratrice avait oublié ! Voilà ce que rapporte une bonne nuit de sommeil au Xolotel™, également connu sous l'appellation d'arrière-cour. Preuve irréfutable !

« Visionnaire ! lança un télégué.

– L'oratrice parle vrai en dormant ! s'enthousiasma un hologué.

– L'un dans l'autre, ça reviendra au même que de travailler sur la Lune. Une mégachiée d'occasions d'embauche… »

Rien ne se produisit.

L'oratrice se pencha sur le micro. « Des emplois, souffla-t-elle. Des emplois, bande de crânes de piafs ! »

La salle fut prise de délire avant de finalement se dissoudre en éclats de rire satisfaits. « Pas de chansons. (L'oratrice consulta une montre imaginaire à son poignet.) Pas avant que Condor Silversteed implose à onze heures précises !

– Gagné ! Ding ding ding… »

Tout le monde poussa des acclamations. Mais avant que la foule entre en éruption malgré le silence flagrant de la claque, l'oratrice leva les deux mains. « S'il vous plaît, veuillez d'ici là mettre de côté votre subjectivité passionnée. »

Le point rouge vif du laser tournoya.

« Le Sanctuaire, conclut l'oratrice, sera érigé au cœur même du Hafizat al-Zayt. »

Le point se fixa à la confluence des fleuves Tigre et Euphrate. « Tous les cent kilomètres, à peu près, des tunnels transversaux ménagés dans le ripstop — sous très haute sécurité, bien entendu — seront ouverts de temps à autre pour permettre la migration bédouine, aussi bien qu'un commerce limité, parce qu'après tout, on ne peut pas éliminer complètement les gens. En tout cas pas encore ! » Rires soutenus…

… Quentin, dit une voix off dans le rêve, où es-tu ? Je suis en proie à mon premier véritable cauchemar politique durant un vrai sommeil…

Oscar Few passa la nuit à Pirates Cove.

Le hasard voulut que ce soit une nuit extraordinairement claire. Après avoir planqué sous l'agave l'équivalent d'un mois d'écoute sur bandes magnétiques, il était allongé dans son sac de couchage, sur la plateforme en bois flotté construite au-dessus d'une brèche, à bonne distance de la limite de la marée, et comptait les étoiles et les constellations. Il savait en nommer certaines, et inventait les noms des autres. Arcturus, une des étoiles formant le Bouvier, Pygmalion, la Vierge, le Sagittaire, le Cygne, et Bellérophon, aussi bien qu'Alice, le Lapin et le Chapelier fou.

À vrai dire, s'il était capable de repérer à quarante mètres un fanatique enragé en tenue étanche aux ondes radio, les seuls constellations dont il soit vraiment sûr étaient la Grande Ourse, Orion et les Pléiades. Il aimait bien l'histoire qui voulait que cette dernière constellation ait été ainsi nommée en l'honneur des sept filles d'Atlas transformées en étoiles, dont seulement six sont toutefois visibles à l'œil nu. Difficile de ne pas se laisser dépasser par ces trucs-là, mais pas aussi difficile qu'avec la Cavalcade des Merveilles, se rappela-t-il en frissonnant. Sans parler de la toile que ces gens tissent Dieu sait comment. Quand allait-il rencontrer une femme à qui il puisse parler ? Et il y avait aussi Mars et Vénus, mais ce ne sont pas des constellations. Ce qui lui remit en mémoire un tee-shirt dont l'inscription proclamait : « N'oublions jamais Pluton. » Quant aux autres — Cancer, Grande Ourse, Sagittaire, à moins que le Sagittaire s'appelle aussi Orion ? —, il en connaissait les noms, mais pas les étoiles qui les constituaient.

Il savait aussi qu'en Chine, ces mêmes constellations s'appelaient Rat, Chien, Sanglier, Serpent, Dragon, Cheval, Mouton, Singe, Bœuf… telles quelles ; car, comme les Grecs longtemps après, les Chinois de l'Antiquité avaient eux aussi de l'imagination, figurez-vous, et des étoiles pour l'exercer.

Belles et simples. C'est comme ça qu'il aimait ses explications.

D'un côté comme de l'autre, le ciel nocturne était une merveille à laquelle ne prêtaient guère attention, à l'heure actuelle, ni hommes ni bêtes — tiens, un satellite qui passe. Un jour, il y aura des stations d'emprisonnement sur orbite — et il aurait un Scanner Extra-Terrestre d'Identification des Véhicules qui lui permettrait de les recenser. L'une d'entre elles porterait sans doute le nom de Guantanamo_6, mais les ex-taulards dans le coup l'appelleraient La_Maison_junkie. En dehors des cassettes, il n'emportait jamais le moindre gadget technique au cours de ses randonnées en solo. Il passait assez de temps comme ça avec la technique. Du reste, les téléphones portables eux-mêmes ne fonctionnaient pas ici, sans parler d'unités SETIV pas encore existantes. Quoique — il soupira — ça aussi pouvait changer un jour.

Il reposait sur le dos, contemplant le ciel nocturne, au-dessus de lui, sans un nuage à l'exception du nimbus de San Francisco au sud, la ville elle-même dissimulée par les hauteurs de Coyote Ridge, pendant que les énormes rouleaux du Pacifique s'écrasaient en écumant contre le roc qui se dressait au-dessus du ressac, pareil à un gros chicot, sur la face sud de la petite anse. Stump Rock, il s'appelait. Haut d'une dizaine de mètres et large d'à peine trois au sommet, il n'était pas difficile à escalader à marée basse, et dans sa jeunesse enfuie Oscar Few avait passé des heures là-haut, à lézarder au soleil. De temps à autre, il prenait encore la peine de patauger jusqu'au pied et d'escalader. La dernière fois, au moins un an plus tôt, il avait remarqué qu'un fumeur d'herbe parti depuis longtemps avait laissé au sommet une pipe et un sachet de ganja, dans une anfractuosité du rocher, sous un buisson de baccharis rabougri. Pendant un certain temps, il n'y avait pas prêté attention, jusqu'au moment où, remarquant que l'herbe avait complètement noirci en moisissant, il y avait jeté un œil. Rien de fracassant. Un petit bang fait de bouts de tuyaux, l'herbe composée surtout de débris, sans la moindre tête, avec des tas de graines ; un flic s'y connaît là-dedans. Deux des graines avaient germé dans le peu d'humidité du sachet avant de se racornir. L'ensemble tomba en poussière dès qu'il y toucha. Ce qui l'amena à conclure qu'en dépit de la proximité d'une zone urbaine dont la population dépassait six millions d'individus, il y avait un bon moment que personne n'avait pris la peine de grimper jusqu'au sommet de Stump Rock.

Étendu sur la plateforme au-dessus des embruns, il entendait la bouée sonore au large du récif de Duxbury, à huit ou dix kilomètres de là, plein ouest. Il roula à plat ventre. Au bout d'une ou deux minutes, il la repéra, qui clignotait en vert. Il compta les éclats. Ils revenaient toutes les six secondes. C'était censément une balise à sifflet, mais le son du sifflet tenait plutôt de la plainte désespérée, porté par la houle et, par conséquent, soumis à ses caprices. Few adorait ça depuis l'enfance. Il se disait que c'était sans doute le son le plus mélancolique qu'il ait jamais entendu.

Cela lui fit repenser à un type vu pour la dernière fois en train de pousser sa planche de surf au large d'Abalone Flats, à l'extrémité nord du récif de Duxbury qui se trouvait à deux bons kilomètres au nord de la bouée et en justifiait l'emplacement. Un passant intrigué lui demanda putain mais où est-ce qu'il croyait aller comme ça, vu qu'il n'y avait pas de vague à prendre à l'ouest sur quelque chose comme quatre mille cinq cents kilomètres.

« Je cherche un bon dentiste », lui dit le type.

L'agent Few avait lu ça dans le *Chronicle*. Ça devait donc être vrai.

Emmène-moi avec toi, mec, se dit Few sans même plaisanter à moitié.

32

Cedric Osawa perçut l'odeur de la brique sur la table à cartes à travers deux couches de visqueen sept millimètres avant de dénicher l'interrupteur de la lumière. En fait, sitôt détectée l'une, il actionna l'autre.

N'importe qui aurait d'abord senti Cedric Osawa. Il avait passé deux semaines sur la route sans se laver. Bon nombre des véhicules qui l'avaient transporté étaient nettoyés bien moins souvent que ça, et la plupart des odeurs qu'on y affrontait se révélaient collantes et contagieuses. Il avait quitté Vegas sans prendre de douche, habité par des problèmes de digestion et des rêves emplis de nostalgie, de curieux présages, et de l'image obsédante, apparemment inamovible, d'un serpent cancanant comme un canard.

Cedric lui-même, quoique endurci, parvenait à discerner des relents de popcorn, d'un liquide imputable à la condition humaine, de poudre anti-puces et cafards, d'air comprimé, de skunk, couches jetables, tabac consumé, mousse de rembourrage fondue, antigel, goudron à toiture, sève de pin, encre d'imprimerie, café brûlé, laine brute, bidîs au clou de girofle, eau de Javel, livres moisis, plumes de collerette de vautour, de la centrale électrique de Four Corners, de poudre à canon, pneus en fusion, alcool dénaturé, acétone, xylène, toluène, tétrachlorure de carbone, moquette en fermentation, gorgonzola, gazole, basilic, chitine en décomposition, garnitures de freins fondues, et…

Justine.

Cedric ne distinguait pas une eau de toilette de marque d'une autre, et certes pas *Justine*. Mais si *Justine* a une particularité, c'est bien celle d'être unique, or Cedric l'identifia en tant que déviation significative de la puanteur du quotidien, de la plèbe, de la plupart des embarcations navigables. En plus, elle était récente. Son poids à bord de la plage arrière odoriférante l'interloqua.

De toute façon, l'interrupteur pouvait attendre.

Cedric brancha sa vision nocturne rapprochée qui lui avait permis d'éviter la collision avec plus d'un brise-lame sans éclairage, et inspecta la cabine. Les lumières de bateaux voisins surpassaient par endroits l'éclairage du yacht. Le flot jaune d'un lampadaire public de quai enfilait obliquement l'échelle de descente.

Justine. Il tendit le bras, cherchant un autre nom. Masculin ou féminin ? Sitôt la supposition émise, les phéromones affluèrent dans l'air ambiant. C'était involontaire. Une certaine frivolité renversa le sémaphore métabolique. Frivolité mortelle. Frivolité impliquait perversion. Propagande. Une erreur délibérée.

En dépit de sa concentration, il se remémora le serpent.

Le *shushupe*, originaire du bassin de la haute Amazone, est nocturne, long et extrêmement venimeux. Il est aussi rusé. Le *shushupe* trouve la piste d'une proie, s'enroule en tas sur lui-même, et cancane comme un canard. Dans le noir, il fait exactement le même bruit qu'un canard. Se pourrait-il qu'en plus, il porte *Justine* ?

Au grand jour, il faisait sans doute exactement le même bruit qu'un serpent.

Après avoir fait exactement le même bruit qu'un canard, le *shushupe* attend, les mâchoires béantes.

La méthodologie doit fonctionner, car l'espèce prospère.

Pourquoi ne pas donner à une odeur un nom de serpent ?

Une seule remontée de l'Amazone, c'était tout ce qu'il avait fallu à Cedric Osawa. Des vingt-six reptiles venimeux répertoriés dans l'un des appendices du livre de Clark, il ne se rappelait que le *shushupe*. Mais le *shushupe* suffisait bien. Ne suffisait que trop, en fait. Quelqu'un qui commanderait un bus Greyhound plein de serpents venimeux et ne verrait se pointer qu'un seul *shushupe*, celui-là pourrait signer le reçu. Après ce voyage-là, et une fois que celui-ci serait terminé, Cedric reprendrait la direction des îles dénuées de serpents de la Caraïbe, et tournerait le dos au catalogue de reptiles des *Sept Cités de Cibola*.

Quelle leçon en tirer ? Facile. Si ça fait un bruit de canard, ce n'est peut-être pas un canard.

... Donc, ce n'est peut-être pas une eau de toilette pour femme. Mais peut-être une eau de toilette pour homme. Peut-être une eau de toilette pour femme portée par un homme. Les mœurs de la métropole sont parfois si trompeuses.

Alors que si ce n'est pas une brique de poudre, là, sur la table à cartes, Cedric Osawa est le roi des canards, et le serpent de la destinée devra l'attendre.

Le serpent de la destinée attend bel et bien. C'est une des choses qu'il fait le mieux.

Les pas de Cedric sur la moquette du salon ne faisaient aucun bruit. Une amarre grinça. Le long du quai, une drisse cingla plaintivement son mât en aluminium puis se tut.

Une ombre décrivit un arc de cercle au-dessus de la rangée de hublots, à bâbord. Cedric se raidit. L'ombre atterrit sur le ponton, bien en vue.

Un héron bihoreau.

Un oiseau de la côte Ouest dont Cedric connaissait bien le cousin de la côte Est. Mais juste un oiseau, somme toute.

Ses épaules restaient tendues comme des haubans ridés de frais. Habitué comme il l'était à traiter à l'aide de médicaments diverses affections accumulées au cours d'une vie d'efforts physiques, une partie de lui-même expédiait des textos à la zone de son cortex concernée par ce genre de choses. Yo, tu A mal. Tu tien lcou ? T ouf. Foc tut prenn 7 brik sur la tronch pour k tu ti mett pov naz ?

Des années et des années plus tôt, Cedric avait tiré au fusil dans un téléviseur. Pour compléter le carnage, il avait viré le poste de son bateau pour le balancer sur un tas d'ordures tout proche. Et avait lâché une double décharge dans les débris. Très gratifiant. Maintenant, c'était dans son serveur mental qu'il aurait aimé lâcher une double décharge. Yo, T ouf. Un peu risqué quand même. Pourrait dézinguer le bonhomme avec. Pour ce qui était du téléviseur, ç'aurait été bien de dézinguer le bonhomme avec, mais ce n'est pas comme ça que ça marche. La façon dont ça marche, c'est : virez toutes les entités que vous voulez, le bonhomme continue.

Chierie insidieuse, yo.

Tout fatigué qu'il fût, Cedric se ressaisit. Il n'était pas sûr de ce qu'il allait faire quand Red s'amènerait. Le tuer d'entrée de jeu ? Sans doute le mieux. Cedric ne goûtait pas l'adiós prolongé de la torture. En plus de ça, Red était dangereux. Mais pas de précipitation. Ce soir, demain, ou le jour suivant, Cedric allait régler des comptes.

Bon 100 mec, j sui K né, se di Cedric. Mon cerveau, se dit Cedric, a l'air de jouer les guest stars sur le tournage par textos de sa propre existence. Ça remonte à quand, la dernière fois que j'ai vu un film ? Des dizaines d'années. Pourquoi est-ce que je resterais assis devant un film alors que… là c'est du sérieux, mec. Réveille-toi, bordel. Avant de rallier la métropole, tu n'avais même jamais entendu parler des textos.

Cedric avait envie de se réveiller, bordel, comme l'y incitait son cerveau, mais en fait il était mort de fatigue. Passer une soirée sur la bagnole de ce connard à Miami lui avait pompé de l'énergie, c'est sûr. Mais traverser en bus tout le foutu pays en pompait bien davantage. Il aurait dû rester dans cet hôtel de Vegas et dormir pendant une semaine. Mieux valu que ce soit à Palm Springs. Bakersfield ? Il semblait bien que cette histoire de couteau allait finalement lui coûter beaucoup de temps et de sommeil. Enfoiré de bureaucrate de merde. Deux semaines dans le bus et la perte d'un couteau avaient permis à Cedric de se remettre au parfum. « Ce putain de pays de merde se fait trancher le pénis architectural par des connards d'intégristes et qu'est-ce qu'il fait ? » lui avait dit un type monté à Albuquerque et descendu à Flagstaff. « Il déclare la guerre à deux pays. Il s'agite comme un mammifère ovipare semi-aquatique de cinq cents kilos qui vient de s'arracher un ongle. Tu me suis. C'est exactement ce qu'il fait, et il écrase du même coup tout un tas de pauvres civilisations et de pêcheurs au lamparo.

– Et il vient me sonner pour un couteau que je possède depuis trente ans.

– Ouais. » *Ouais*.

Incroyable qu'ils n'aient pas fait sauter les Bahamas, pendant qu'ils y étaient. Je suppose que, pour ça, je devrais les — et me — considérer comme verni. Et si Charley n'avait pas avalé son bulletin de naissance, je serais ancré dans je ne sais quelle anse tranquille avec ma précieuse double flûte nasale lucayenne, une vahiné, un litre de rhum et une guitare à peu près correcte… Une toute autre réalité, complètement.

Cedric laissa tomber. Rien à foutre de ça, et d'eux, et rien à foutre de toi, qui que vous soyez, eux, ça et toi. Je suis capable de liquider Red Means, que je sois en forme ou pas.

Il traversa la cabine. Il avait soupesé quelques briques en son temps — ainsi que des balles, bottes, ballots et valises. Il estima que celle-là faisait bon poids. Mille honnêtes bons grammes. Deux livres.

Le héron bihoreau émit un *couoc* et franchit de nouveau l'éclairage de bâbord et côté ponton. Cedric se figea. Les oiseaux et les serpents sont un peu de la même famille… non ? Les écailles sont devenues des plumes… non ? Le contraire alors ? La Californie abrite en tout et pour tout un serpent venimeux, se dit-il pour se consoler, et il ne cancane pas.

Le héron bihoreau s'éleva et se posa sur le bateau d'en face avec un bruit sourd.

Cedric se força à déglutir.

Le bateau d'en face était un Cal 20. Entièrement tapissé, gréement, rouf, ponts, barre, cockpit, et jusqu'aux amarres, de moisissure noire. Les seules taches blanches étaient les fientes de mouettes ou, comme constaté de visu, les chiures d'un héron bihoreau. Blanc bleuté, sous la lumière jaune du lampadaire au mercure. La couleur de…

Le couteau neuf de Cedric vint rapidement à bout de l'adhésif gris, du plastique noir, et du sachet transparent sous vide, à l'intérieur. Il n'eut pas besoin d'allumer pour examiner. La cocaïne, en plus, a une odeur particulière. La cocaïne sentait, pour Cedric, ce que sent la glace pour un Esquimau, l'odeur de lieux familiers, l'odeur des grands espaces, l'odeur de son habitat naturel. Elle sent ce que sent un type de glace précis comparé à tous les autres types de glace. Elle sent ce que sent la lame d'un harpon laissé sur le traîneau toute la nuit sous une aurore boréale exubérante.

Cedric mit son couteau neuf à l'œuvre. Il préleva un éclat de la brique sur la trappe du réfrigérateur, l'écrasa, répartit les cristaux minuscules en quatre rails comme s'il construisait une gare de triage pour la compagnie Sierra Pacific, puis roula un billet de cent dollars en un tube de sept ou huit millimètres de diamètre, s'envoya la poudre et bientôt, il se surprit à penser qu'il pensait de façon lucide.

Charley Powell, bon sang, c'était un cas.

Bien des aventures, ils avaient partagé, Charley et lui. Des bateaux par tous les temps, par exemple. Quoique, se dit Cedric en jetant un coup d'œil au Cal 20, jamais ils n'étaient sortis à bord d'un bateau déglingué.

Par contre, sortir défoncés en bateau, se dit Cedric en se penchant joyeusement vers le réfrigérateur, ça on l'a fait. « Gagné ! » le mot, bizarrement, surgit dans son esprit. « Paoh paoh, paoh. » Une saloperie de ville, Las Vegas. *Justine*. Cedric hésita au-dessus du billet roulé. *Couoc*. Il jeta un bref regard par la fenêtre.

Le héron avait bougé. Il contemplait maintenant l'eau noire entre le bateau et le ponton.

Le bateau tira sur ses amarres.

Juste au-dessus de la tête de Cedric, le manchon d'une lampe en cuivre grinça.

Cedric renifla. Pas du kérosène. De l'huile lampante inodore.

Et une mèche cramée.

Et ça, qu'est-ce que c'est ?

Du rhum.

Ah, se dit Cedric. Excellente idée.

La bouteille était posée sur le plan de travail. Du rhum haïtien, en plus. On n'en voyait pas souvent. Carrément génial. Cedric ôta le bouchon et huma. Nom de Dieu.

Pour la première fois en deux semaines, il sourit.

S'il savait une chose et une seule, c'était bien qu'il n'existe rien… rien d'aussi torride que de la coke pure avec un bon rhum haïtien.

Il but directement à la bouteille. Le rhum s'ouvrit un chemin à travers l'amas de mucus cocaïnisé qui lui enrobait l'épiglotte comme une horde de crevettes à long nez attaquant une vieille peinture antifouling — ou pour vous autres, marins d'eau douce, comme un lait en poudre premier âge coupé à la mélamine entame les tables actuarielles de la petite enfance. Faites votre choix. À des siècles de là, le samouraï sait. Ah ha ha hahaha…

Merde à la puissance quatre. Envoyer ça par texto. Cedric se leva et farfouilla jusqu'à ce qu'il trouve un verre. Il le remplit de rhum à moitié et but une nouvelle gorgée au goulot, avant de remettre le bouchon.

De la glace ? Je suis quoi, moi ? Un connard d'Esquimau ? Rien à foutre de la glace.

Au bout d'années passées sous les tropiques, Cedric avait appris à se passer de glace… pas de rhum, juste de glace.

Il fit les cent pas le long de la table à cartes. Situation parfaite, se dit-il. Défoncé au rhum et à la poudre, à contempler quarante mètres de ponton éclairés au mercure et un Cal 20 en train de pourrir, qui diable se soucie de savoir si c'est à San Francisco plutôt qu'à moins de cent milles au nord ou au sud du 25e parallèle ? Il leva son verre en direction de la rangée de hublots. Ça viendra, ça viendra. Je me dégagerai du pacte avec Charley et je rentrerai chez moi, en bus, en train ou à pied s'il le faut, quand bien même je n'aurais plus jamais de quoi me payer une bouteille de ce rhum. Sans parler d'un kilo de poudre, oublions. Il y a peut-être un moyen de traverser le pays avec les deux ? Indépendamment du fait qu'à mon âge, j'ai besoin de ces deux stimulants autant que d'un serpent qui fait le même bruit qu'un canard. D'un autre côté, à mon âge, qu'est-ce que ça change ? J'ai déjà vu des ouragans, des tornades latinas, des méga-yachts en flammes, un skieur nautique déchiqueté par un requin, le mauvais bout d'une arme automatique… et ça ne m'a encore pas contraint à grandir. Vieillir, ça parle de quoi ? Mais bon, maintenant — il leva l'index —, je dois commettre un péché.

Cedric regarda autour de lui. Oui. Bien sûr qu'il y en a un. Il souleva la trappe du réfrigérateur avec soin pour ne pas en faire glisser la cocaïne préparée. C'est un péché de mettre de la glace dans un rhum pareil. Il tâtonna à l'intérieur. Mais…

« Alors, vous avez enfin retrouvé votre copain. »

La voix était accompagnée d'un effluve de *Justine*.

La trappe s'ouvrit en cognant contre la cloison. Deux rails de coke effilés disparurent sur le côté du placard et dans les entrelacs d'un tapis en jonc de mer détrempé, sur le sol de la cabine. Tenant d'une main la tête de Charley par les cheveux, de l'autre son verre de rhum, Cedric se retourna lentement.

« Maintenant, au moins, vous pouvez dire que votre mission se fondait sur davantage qu'une simple supposition. »

Bien qu'à demi voilé d'ombre, l'homme qui lui parlait était vêtu de noir de la tête aux pieds, y compris les chaussures. Ses cheveux blonds lisses et un teint superbement bronzé se détachaient dans l'obscurité de la cabine comme le visage restauré de frais d'un saint dans un péristyle noirci par les ans.

En dehors des discussions nombreuses et continuelles qu'il entretenait avec et dans sa tête, Cedric n'était pas un grand bavard. Mais là, les circonstances le poussèrent à communiquer. Il souleva la tête. « Vous savez de qui il s'agit ? »

Le blond acquiesça. « Oui.

– Vous savez comment il a… fini dans cet état ? »

Le blond acquiesça de nouveau.

« Vous y êtes pour quelque chose ? »

Le blond tourna légèrement la tête. « Pas vraiment, dit-il à Cedric. Pas directement.

– Pas directement, répéta Cedric.

– Non. »

Cedric posa Charley sur le plan de travail.

« Alors de quelle manière ?

– Il va falloir que j'y réfléchisse, dit le blond. C'est une question intéressante.

– Faites donc. » Cedric racla un peu de glace dans le réfrigérateur et la laissa tomber dans son rhum.

« Mais au bout du compte, reprit le blond sans donner le moindre signe extérieur de cogitation, ça revient au même. »

Cedric sortit son couteau et remua son breuvage à l'aide de la lame. « Comment vous appelez-vous, pourquoi êtes-vous ici, et qu'est-ce qui revient au même ? » Il essuya une face puis l'autre de la lame sur sa langue.

« On m'appelle Miou Miou. »

Le visage de Cedric se convulsa en une expression de dégoût botoxée d'incrédulité.

« Ça n'a guère d'incidence aux yeux d'Allah, poursuivit Miou Miou. C'est vous…

– Allah, releva aussitôt Cedric. Qu'est-ce qu'Allah vient faire là-dedans ?

– Rien. (Miou Miou sourit.) C'est juste une expression. Vous savez, comme "Allah voit tomber le moineau" ?

– J'entends parler de connards à turban qui, en ce moment, se baladent partout dans le monde en faisant péter des trucs », lança Cedric en se disant qu'il arriverait peut-être à foutre ce type assez en rogne pour qu'il fasse une erreur. Il trempa les lèvres dans son verre. « Mais bon, reconnut-il en buvant une nouvelle gorgée, vous n'avez pas l'air d'un bronzé à turban.

– Bronzage et turban, ça a une toute autre signification pour moi, dit aimablement Miou Miou.

– C'est une réponse affirmative ? Vous n'êtes pas un bronzé à turban ?

– Plutôt du genre perturbant.

– Moi, dit Cedric en faisant tinter la glace dans son verre, je me fiche des tendances des autres. Du moment qu'ils me laissent tranquille, ils peuvent avoir toutes les tendances qu'ils veulent. »

Miou Miou sembla soupeser cette remarque. Puis : « Par moments, dit-il, les tendances sont difficiles à éviter.

– Comment ça ? » Cedric but une gorgée de rhum.

« Prenez votre ami Charley », dit Miou Miou.

Cedric ne regarda pas Charley. « Eh bien quoi ?

– Sur le tard, il avait contracté une certaine… tendance.

– Et alors ?

– Et alors regardez où ça l'a mené.

– Où est-ce que ça l'a mené ? »

Miou Miou sourit. « Ça l'a mené là où il est très bien : à l'intérieur d'un réfrigérateur intégré, comme un pack de bière. Ou un cubi de vin. Un poulet congelé. »

Cedric comprit alors qu'en même temps que de son sens de l'humour, il avait tout intérêt à se débarrasser de son verre. Pas du couteau. Juste du verre.

« Je suis navré pour votre ami, dit Miou Miou, étonnamment.

– C'est bien aimable de votre part », répondit Cedric. Sans lâcher l'homme du regard, il braqua son couteau vers la tête tranchée. « C'est vous qui avez fait ça ? »

Le blond secoua la tête.

« Vous savez qui ? »

Le blond hocha la tête.

« Qui ça ?

– Red Means.

– Je suis très déçu, dit Cedric en hochant la tête à son tour.

– Oui, dit Miou Miou.

– Oui quoi ? Qu'est-ce que vous savez de tout ça ?

– Charley vous a laissé un message, je crois. »

Cedric fronça les sourcils.

« Un message, reprit Miou Miou, et de la petite monnaie. »

Cedric n'aime pas ça, se dit Cedric.

« Il disait, en gros : s'il m'arrive quoi que ce soit, c'est Red Means le responsable. »

Cedric cilla.

« C'est juste ? demanda Miou Miou.

– En quoi ça vous regarde ? »

Miou Miou ne prêta aucune attention à la question. « C'est vrai ? »

Cedric ne répondit pas.

Miou Miou répondit à sa propre question. « Donc, vous êtes venu venger votre ami. »

Cedric ne dit rien.

« Que c'est loyal ! Que c'est démodé ! Que c'est idiot !

– Qu'est-ce que vous pouvez y comprendre ? »

Miou Miou répondit dans le noir : « Si vous promettez de ne pas venger à tort la mort de votre ami et de vous en retourner comme vous êtes venu, je vous laisserai partir.

– *Vous me* laisserez partir ? »

Miou Miou acquiesça dans le noir.

Pour la première fois en deux semaines, Cedric rit.

Dans le noir, Miou Miou ne rit pas.

Cedric reprit soudain son sérieux. « Et ta sœur ! En dehors du fait que ce ne sont pas vos affaires, en quoi êtes-vous mêlé à ça ? (Il hocha la tête en direction de celle de Charley.) Qu'est-ce que vous fabriquez ici ?

– C'est vous qui n'avez rien à faire ici, rétorqua Miou Miou.

– Felix Timbalón, comprit Cedric tout haut.

– Un camé à qui on ne pouvait pas faire confiance, dit Miou Miou avec mépris. Visiblement.

– Au moins, il gagnait sa vie en travaillant, objecta Cedric.

– Et que pensez-vous au juste que je sois en train de faire ? » rétorqua l'autre.

En dépit de l'atmosphère plutôt intense qui régnait alors dans la cabine principale, Cedric se dit que ce qu'il aimerait vraiment faire avant de poursuivre cette conversation, ce serait s'envoyer un autre rail. Au minimum, ça retarderait la corvée de chercher à comprendre ce qui se passait, sans parler d'intervenir dans le cours des choses.

« En temps normal, on me considère comme un homme totalement amoral, dit Miou Miou à Cedric. Une mission, c'est une mission, et du moment que j'empoche mon fric, tout m'est égal. Je prends mon pied, bien entendu. Mais dans la position que j'occupe, il n'est pas difficile de supposer que personne au monde ne vous regrettera, défoncé ou pas. »

Avec une adresse étonnante, compte tenu de son métabolisme envapé, Cedric bloqua l'épissoir déplié de son couteau en se jetant vers l'autre homme. Épissoir et lame formaient un T hors du manche du couteau qu'il serrait au creux du poing, composant une arme redoutable.

Mais Miou Miou était un petit peu trop loin pour que Cedric couvre en un clin d'œil la largeur du pont. De plus, pour tout dire, Cedric sous-estima la distance. Il était défoncé. Miou Miou était un professionnel et ne se pointait pas défoncé au boulot. Cedric n'était qu'un trafiquant de drogue à la retraite aux réflexes émoussés. Avant d'avoir seulement le temps de s'en rendre compte, mais à l'issue d'un mouvement qu'il trouva écœurant de familiarité, voire de lenteur, il assista à sa propre chute à plat ventre sur la moquette, le bras tordu entre les omoplates, l'épaule déboîtée, et sentit dans son dos le couteau dégringoler, inutile, sur le pont.

La fin ne va pas tarder, pensa-t-il.

« Vous avez déjà entendu parler d'un serpent qui fait le même bruit qu'un canard ? » demanda faiblement Cedric à terre.

Miou Miou lui fractura la nuque et se releva. « Non. (Il dégagea son poignet d'un geste vif.) Pas à ma connaissance. »

Le fer d'une gaffe défonça l'oreille droite de Miou Miou, déclenchant un acouphène strident qui dopplérisa dans son cerveau comme un sifflet anti-viol. Voilà donc le bruit que fait une erreur, se dit Miou Miou tandis que l'impact lui pulvérisait le crâne. Je me demande si les erreurs sont contagieuses.

« Toi non plus, personne ne te regrettera, dit Red tandis que Miou Miou s'effondrait sur Cedric. Enfoiré. »

Je le savais depuis longtemps, se dit Miou Miou en mourant.

Red ouvrit et referma dans le noir sa paume lacérée. À ce rythme, cette saloperie ne cicatrisera jamais.

Il posa la gaffe dans un coin. « Désolé, je suis en retard, Cedric. (Il alla jusqu'à l'évier et vida sur sa paume blessée le verre de Cedric.) Je suis souvent en retard, ces derniers temps. »

D'une main, Red racla de la glace dans le réfrigérateur et y reposa Charley de l'autre avant de laisser retomber la trappe. Il remplit de glace et de rhum le verre de Cedric, gardant quelques éclats gelés au creux de la main, et sirota avec mesure. Une fois la glace fondue dans sa paume, il posa le verre, s'agenouilla par terre et retourna méthodiquement les deux séries de poches.

Miou Miou, en professionnel, n'avait sur lui que des liquidités, quelque chose comme cinq mille en dollars et euros.

Cedric avait son permis bateau jusqu'à cent tonneaux délivré par les garde-côtes et une enveloppe d'aspect familier. Dedans, Red trouva 504 dollars bahaméens, 112 dollars américains et un message, qu'il lut à la lueur du lampadaire du ponton.

Cedric,

Ça fait un bail. Je te dois ces mille dollars, plus pénalités, depuis un moment. Essaie de ne pas tout jeter par la fenêtre.

Si par malheur ou autre, tu ne vois pas ma binette en chair et en os avant le début de la saison des ouragans, alors c'est que je suis grillé et le responsable c'est Red.

À un de ces quatre quelque part dans le grand lagon.

Charley

Red examina l'enveloppe. Le cachet se voyait à peine et la lumière était mauvaise, mais il finit par déchiffrer : Colonel Hill, Crooked Island, Bahamas. « Putain de ma race », lança Red à l'obscurité fantomatique. Il relut le message. Déchiffra une seconde fois le cachet. Rien n'avait changé. Il abattit le poing sur la trappe du réfrigérateur avec tant de violence qu'il la cabossa, ce qui fit saigner sa paume de plus belle.

Puis il resta longtemps debout dans la pénombre de la cabine. Au bout d'un moment, le héron bihoreau passa à tire-d'aile entre l'éclairage du ponton et les hublots de la cabine.

Red replia pensivement enveloppe, message, permis de garde-côtes et billets, et glissa le tout dans la poche de son pantalon.

Puis il reprit le verre, lampa le rhum restant, et mastiqua la glace.

« Miou Miou, finit-il par dire, j'ai une dette envers toi. (Il secoua la tête et posa le verre dans l'évier.) Connard de Charley. »

33

Des cris franchirent la porte en même temps que le médecin. Un groom métallique la referma derrière lui, sans plus de bruit qu'un bivalve.

« La déontologie m'interdit de traiter un patient, surtout un patient dans une situation aussi désespérée, d'enculé de mes deux », clama le médecin en se débarrassant calmement d'une paire de gants en latex barbouillés de sang. Le couvercle d'une poubelle en inox bâilla quand il en effleura la pédale, et il jeta les gants dans la gueule béante. « Mais j'en ai jusque-là de la déontologie.

– Il est grand temps, si vous voulez mon avis, commenta l'aide-soignant.

– Vous, on ne vous a rien demandé, dit le médecin en enfilant une paire de gants neuve. Les gens capables de se siphonner un fixe sur une perfusion de fentanyl dans le service d'orthopédie ne devraient pas être en droit d'avoir des opinions sur la déontologie.

– C'était Johnston, corrigea gravement l'aide-soignant.

– Et encore moins de les exprimer.

– Il travaille à Saint Carlottin, maintenant.

– Tiens donc, releva le médecin, on est en contact avec ce vil fumier ? On lui envoie des textos ? (Il poussa successivement chacun des doigts d'une main à angle droit de ceux de l'autre main pour ajuster le latex.) C'est une histoire syndicale ?

– Tout le monde sait qu'il est à Saint Carlottin, répondit calmement l'aide-soignant en éludant la question. J'étais présent à la réunion du personnel où vous avez vous-même souligné à quel point il serait efficace de le leur recommander chaleureusement en même temps qu'on le jetait d'ici. Vous...

– Je ne suis pas sûr de bien comprendre de quoi vous parlez », coupa abruptement le médecin. Son regard se posa sur Quentin. « Qu'avons-nous là ? » Il ne put se refuser un petit sourire railleur.

Quentin se redressa. « À qui ai-je l'honneur ?

– Nous autres, du service traumas, on est totalement dépourvus de bonnes manières », dit le médecin.

Le regard de Quentin se posa involontairement sur le torse du médecin, orné d'une plaque nominative rappelant celle de l'aide-soignant. « Docteur Felton-Foote, lut-il. Je ne vous ai pas connu à Guadalajara ? »

Felton-Foote toisa Quentin d'un regard d'entomologiste colonial. « Je suppose que vous avez connu tous ceux qui méritaient de l'être à Guadalajara.

– Sauf vous, semble-t-il.

– Je n'y ai jamais mis les pieds. » Felton-Foote renifla.

L'agent Ventana semblait perplexe. « Qu'est-ce qu'il y a à Guadalajara ?

– Une école de médecine, lui souffla l'aide-soignant avec assez de vigueur pour être entendu jusqu'au bout du couloir. Et une bonne, en plus. »

Felton-Foote gratifia l'aide-soignant d'un regard glacial. « Qu'est-ce que vous pouvez connaître au juste des mérites respectifs, voire relatifs, de tel ou tel institut de médecine ?

– Je les juge sur ce qu'ils m'envoient, répondit l'aide-soignant en toute simplicité.

– Moi, tout ce que je connais, dit Felton-Foote en regardant sévèrement Quentin, c'est ce que les rues de San Francisco m'envoient. Bon alors. (Il lui bascula brusquement la tête en avant et examina son cuir chevelu rasé.) Brutalités entre homos ? »

Quentin écarta le bras du médecin d'un revers sec de son propre avant-bras et le regarda droit dans les yeux. « Pas encore, dit-il d'un ton hargneux. Pas encore. »

Le téléphone portable du docteur Felton-Foote émit une mélodie vaguement familière. Il retira l'appareil d'un étui enfoui sous sa tenue de bloc, fronça les sourcils à la vue de l'écran, et prit l'appel. « Qu'est-ce qu'il y a ?

– Le thème de *Docteur Jivago* », souffla obligeamment l'aide-soignant. Quentin et Ventana le regardèrent. « Il a une licence de

Littérature comparée. Son mémoire posait que Boris Pasternak admirait tellement Pétrarque qu'il avait appelé son personnage Lara, dans *Jivago*, en l'honneur de la Laure du poète, et à la fin il y a un long appendice plein de tables généalogiques qui montrent que la vraie Laure, sur laquelle était fondé l'idéal de Pétrarque, entra par le mariage dans la famille qui engendra le marquis de Sade.

– On trouve toujours des liens avec la Russie, ces derniers temps, s'étonna Quentin, mais je ne savais pas pour le marquis de Sade. C'est vrai ? »

L'aide-soignant haussa les épaules. « Il écrit aussi de la poésie, du pur béton. »

Felton-Foote ne prit pas la peine de quitter la pièce, ni même de s'éloigner. « Rappelez-moi quand vous aurez nettoyé la plaie. (Il voulut couper, mais son interlocuteur l'en empêcha.) Eh bien, lancez une intraveineuse, aboya Felton-Foote. Vous êtes incapable ou quoi ? (Il écouta brièvement.) Non, non, non. (D'un doigt gainé de latex, il fouaillait l'air devant lui comme s'il s'agissait d'une prostate haut placée.) C'est une simple plaie par balle. Bien sûr qu'elle va être en état de choc. Lancez l'intraveineuse, donnez-lui un anesthésique local, nettoyez la plaie, et rappelez-moi quand elle sera prête. Quelque chose vous échappe dans Service et Humilité… ? (Il écouta encore un peu.) Mademoiselle Thomas, dit-il d'un ton faussement patient, des mères blessées par balle donnent naissance à des enfants dans le monde entier à tout moment, et dans des environnements qui n'offrent pas deux pour cent des ressources disponibles dans cet hôpital. Au nombre des dispositifs théoriques compris dans ces vastes ressources, vous n'avez jamais entendu parler de péridurale ? (Il écouta brièvement.) Attendez, attendez, attendez », dit-il, interrompant manifestement son interlocutrice. « Ne vous mettez pas dans tous vos états. Faites ce que je vous ai dit, et j'arrive. C'est compris ? Bon sang, mais voyez plutôt les choses du point de vue de votre internat. À savoir : vous voulez prêter main-forte pour une césarienne sur une femme blessée par balle, ou… (il dévisagea Quentin) vous préférez suturer une banale lacération du cuir chevelu ? (Il attendit.) C'est bon. (Il remit le téléphone dans son étui.) Ces internes, lâcha-t-il d'un air dégoûté.

– J'ai choisi ce métier pour soulager les souffrances de l'humanité, plaça l'aide-soignant. Or ce monsieur (il désigna Quentin) attend sur cette civière depuis déjà deux heures. »

Ventana désigna la télévision, qu'il contemplait comme s'il était hypnotisé. « Ce type-là dissèque depuis à peu près aussi longtemps une finale de football qui n'a pas encore eu lieu. »

L'aide-soignant n'eut pas un regard.

Quentin leva la tête le temps d'un bref coup d'œil à l'affichage numérique qui indiquait l'heure dans l'angle inférieur droit de l'écran. « Une heure et quarante minutes.

– Mmm », répondit le médecin d'un air absent. Après un court silence, il sourit. « Je viens d'acheter une Porsche.

– C'est pas vrai, encore ! » L'aide-soignant ferma les yeux et secoua la tête.

« Ouaouh », fit l'agent Ventana, s'arrachant à la contemplation du téléviseur. « Quel modèle ?

– Carrera Turbo S, lui répondit le médecin. Rouge priapique.

– Aileron de requin, dit Ventana, jantes bâton, toit panoramique, antibrouillards, hi-fi à sept haut-parleurs et un protège pare-chocs en nubuck ?

– La totale, lui assura le médecin. Le compteur est gradué jusqu'à 250. »

Ventana émit un sifflement appréciateur.

« Et vous y croyez ? » risqua l'aide-soignant.

Si Felton-Foote remarqua les émanations acides que dégageait le ton de l'aide-soignant, il n'en laissa rien paraître. Bien au contraire. « Vous embarquez une infirmière, vous montez et redescendez les rapports sur moins de deux kilomètres… (le médecin claqua ses doigts gainés de latex) et elle est à point.

– Moi aussi je me laisserais faire, lança l'aide-soignant d'un ton graveleux.

– L'ennui », poursuivit le médecin, manifestant une contrariété évidente, « c'est que je n'arrive pas à me composer une immatriculation correcte.

– Une immatriculation ? demanda l'agent Ventana.

– Il veut dire une plaque minéralogique de frime, personnalisée, lui expliqua l'aide-soignant.

– Ah, mince, compatit Ventana.

– Toutes les formules que je trouve sont déjà prises, précisa tristement Felton-Foote.

– FELTFOOT est déjà pris ? demanda l'aide-soignant.

– Attribué. » Le médecin hocha la tête, mécontent. Puis il la releva, tout excité. « Comment l'avez-vous su ?

– On a déjà eu cette discussion il y a une ou deux gardes, voire dix », observa l'aide-soignant.

Le docteur Felton-Foote se rembrunit vaguement. Il était clair, à voir son expression, que ce n'était pas la discussion qu'il était incapable de se rappeler, mais très probablement l'aide-soignant lui-même.

Quentin assistait à cet échange avec une incrédulité grandissante. « Dites, vous auriez une ou deux aspirines, dans le coin… ?

– Et FOOTFELT ? suggéra Ventana.

– Ouais », plaça l'aide-soignant, sans faire l'effort de dissimuler sa morosité, « vous avez pensé à FOOTFELT ?

– Pris. » Felton-Foote sortit de la poche de sa tunique blanche un rouleau de papier qu'il tendit à Quentin, de préférence aux autres.

Quentin s'en saisit. Ou plutôt, son incrédulité s'en saisit, à moins que ç'eût été son traumatisme crânien. Quelque chose, en tout cas, le rendait passif.

L'aide-soignant lui décocha un coup de coude assorti d'un clin d'œil. « Voyons voir. » L'agent Ventana fit le tour de la civière pour regarder par-dessus l'épaule de Quentin quand il déroula le papier, dévoilant une liste dont chaque terme avait été rayé au stylo ou au crayon.

FELTFOOT
FOOTFELT
FLTFT
FTFLT
FLTDOC
DCTRFLT

« J'ai compris, dit Quentin.

– Bien. (L'aide-soignant lui tapota l'épaule.) C'est la première étape vers la neutralisation de l'auto-infantilisation. »

Le médecin le fit taire.

« FFOOTENTOLE est une anagramme de FELTON-FOOTE, dit Quentin. Seule l'Ombre saura.

– Et les possesseurs de bagues décodeuses secrètes », ajouta l'aide-soignant avec admiration.

Ventana avait l'air éberlué.

Felton-Foote compta sur ses doigts. « Trop de lettres.

– Parfait, déclara Quentin, alors optons pour FOOTENTOLE. Ou bien… est-ce qu'ils accordent les espaces entre les mots ? Pour faire : FOOT EN TOLE ?

– Ah non ! (Felton-Foote esquissa un geste comme pour repousser l'idée à l'aide de ses deux paumes gainées de latex.) Ça rappelle COKE EN STOCK, avec ou sans espaces.

– Celle-là non, de toute façon, lança spontanément Ventana. Je l'ai alpaguée pour obstruction d'un passage piéton. Une Jaguar XKE. (D'un revers du poignet, il exhiba son carnet.) Trois cent soixante-quinze dollars.

– Il y eut une époque, bien sûr… » Comme pour troquer, non sans un brin de mauvaise grâce, une rêverie sur les excès du passé contre les exigences des affaires du présent, Felton-Foote mit fin à la réflexion. « Mais, non. Inspiré par l'exemple d'un récent président, j'ai renoncé à la jouissance de cette substance pour réifier mon intégrité personnelle.

– Réifier, dit pensivement Quentin, c'est considérer ou traiter une abstraction comme si elle avait une existence concrète ou matérielle.

– Misère, souligna l'aide-soignant.

– Après mon internat », précisa le médecin, d'un ton vaguement boudeur.

« Dites, lança l'aide-soignant, ce n'était pas à peu près à la même époque que Johnston s'est fait pincer pour avoir siphonné du fentanyl ?

– Vous êtes qui, vous, aboya Felton-Foote. Thucydide ? »

Le thème de *Docteur Jivago* se fit entendre à nouveau. « Tous les autres qui se trouvent là sont pris aussi. Allô. »

Quentin partagea la liste avec l'aide-soignant et Ventana.

CADUCEUS (trop long)
CADUCEE
KDUCEE
KDUC
KDC
CHARQTEUR (trop long)
CHRQTR
CHARQTR
CHARQT
CADUZEUS (trop long)
CADZEUS
KDZEUS

KDZS (ne veut rien dire)
CHIRURGIEN (trop long)
CHRURGE
CHRRG
CHRG
CHIRRG1
CHIRRG2
CHIRRG3, etc., etc.

« C'est carrément déprimant, dit l'aide-soignant avec une certaine satisfaction.

– Je trouve, renchérit Quentin en ravalant vaillamment un afflux nauséeux.

– C'est dur, réifia l'agent Ventana.

– ER figure sur la liste ?

– Euh… Là.

– Et pourquoi pas ENFOIRÉ ?

– Euh… aussi.

– Quoi ? Où ça ?

– Je plaisante. (Quentin lui tendit la liste.) Quelqu'un a envie d'ajouter quelque chose ?

– Oui, dit l'aide-soignant, mais non merci.

– Garçon ou fille ? » demanda Felton-Foote à son téléphone, tournant la tête pour déchiffrer le numéro qui s'affichait sur l'écran du bipeur accroché à sa ceinture.

Quentin laissa tirebouchonner la liste. « On n'est pas censé suturer une plaie avant qu'elle ne cicatrise ? (Il effleura sa blessure au cuir chevelu.) Malgré ma dose quotidienne de warfarine, le saignement s'est arrêté.

– Vous savez qu'au début, ce truc-là servait de mort-aux-rats ? (L'aide-soignant inclina doucement la tête de Quentin pour regarder.) En effet. »

Quentin battit des paupières. « La warfarine ? »

L'agent Ventana refit le tour de la civière. « Il nous manque toujours un signalement complet. »

Quentin battit deux fois des paupières. L'agent semblait un peu… flou. Ses lunettes devaient être dans sa veste. « Signalement ? Signalement… »

Ventana lut dans son carnet : « Pirate roux. Baraqué, bourru, bronzé… »

Quentin fronça les sourcils. « Je ne me souviens de rien, dit-il au bout d'un moment.

– Envoyez-y un GynObs, lança Felton-Foote dans son téléphone. Moi je n'y connais rien en prémas. (Il coupa la communication.) Alors ? »

Les trois autres le regardèrent. « Alors quoi ?

– Vous avez trouvé une immatriculation pour ma Porsche ? »

Quentin lui tendit le rouleau de papier. « Vous les avez déjà toutes trouvées, on dirait.

– Drôlement inventif, renchérit l'aide-soignant. Nous on sèche.

– On sèche, confirma l'agent Ventana.

– C'est un problème délicat, dit Felton-Foote en récupérant la liste. Ça ne m'étonne pas que vous n'y arriviez pas.

– D'autant que je suis blessé, fit remarquer Quentin.

– Une blessure à la tête, précisa l'aide-soignant.

– En effet…, murmura pensivement le médecin en martelant le rouleau de papier du bout de ses doigts gainés de latex.

– Pourquoi pas TET2NEU ? » suggéra l'aide-soignant.

Le médecin leva la tête et sembla réfléchir. « Je ne suis pas psychiatre, finit-il par répondre.

– Sans doute déjà pris, dit l'aide-soignant pour le consoler.

– D'ailleurs, dit l'agent Ventana en comptant sur ses doigts, ça fait trop de lettres.

– Je ne me sens pas trop bien, avoua sincèrement Quentin. J'ai le tournis, on dirait. Le *mal de mer**. (Il plaqua une main sur son ventre.) À moins que les sushis soient encore vivants. (Il eut l'air perplexe.) Sauf que je ne mange pas de sushis.

– Ça doit être dur, dit l'agent Ventana.

– De ne pas manger de sushis ? demanda Quentin d'un ton hésitant.

– D'être propriétaire d'une Porsche. »

Le médecin s'autorisa un soupir irrité. « C'est une question de discipline. »

Quentin s'évanouit.

« Et maintenant », dit un homme assis derrière un micro posé sur un bureau dans le téléviseur fixé au-dessus de la porte, « la jolie Doris va lever bien haut cette photo pour que nous puissions la voir ». La caméra coupa et passa à une brune mince en robe de cocktail pourvue en outre d'un sourire éblouissant. Une minuscule croix dorée se balançait au bout

d'une fine chaîne en or au-dessus du creux de son décolleté, et plus bas, au niveau de sa taille, la jeune femme tenait une photographie dont la surface glacée renvoyait le reflet de l'éclairage du studio. Elle guetta du regard une indication tandis que la caméra se rapprochait lentement du cliché jusqu'à obtenir un gros plan occupant tout l'écran — en sus des ongles manucurés de Doris —, après quoi elle fit le point pour révéler le sujet de la photo : une jeune fille plissant les yeux, un sourire hésitant aux lèvres. « Et maintenant, regardez ça, reprit l'homme. A-t-on jamais vu une petite fille aussi laide ? Regardez ces cheveux. Regardez ces dents. Une honte pour l'espèce. Je ne parle pas spécifiquement de la race blanche, mesdames et messieurs, car, vous le savez tous, je ne suis pas raciste. Je parle des hominidés en général. Regardez cette mimique. Je parie qu'elle est déjà presbyte. Son papa a peut-être été à Hollywood et son deuxième papa, boursier de la fondation Rhodes, et ses deux mamans ont peut-être été toutes les deux à Hollywood et Yale, mais c'est ce genre de hideuse progéniture qui fait qu'on se demande ce qui peut bien se passer de nos jours dans nos universités d'élite, bon sang. Ça vous arrive de vous poser la question ? Hein ? Qu'est-ce qui se passe de nos jours, bon sang, dans nos universités d'élite — les miennes et les vôtres ? Merci, Doris. » La caméra recula jusqu'à un cadrage en pied de la toujours souriante Doris, puis passa à l'homme assis derrière le bureau. Il souriait, lui aussi. « Vous, jamais vous n'aurez un gosse aussi moche, ma grande », lança-t-il d'un ton rassurant à Doris, hors champ côté cour. Le plan revint maladroitement sur elle en train de rire, sans le son, puis repassa à l'homme : « Ça vous arrive d'envisager d'avoir des enfants ? Hein ? (Regard libidineux.) On reparlera de ça plus tard. » La caméra revint une nouvelle fois sur la jeune fille, l'air faussement offusquée, puis retour. « Doris, encore merci, ma grande. (Il regarda la caméra.) Peu importe ce qui se passe dans les couloirs du Congrès. Tout ce qu'il y a de convenable dans notre pays, les gens comme les parents de cette pauvre gamine moche et difforme ont la ferme intention de le détruire. Instruits, riches, gauchistes — une combinaison meurtrière. La famille politique sans étiquette des parents de cette hideuse petite fille a entrepris une campagne inlassable contre la loi des Conventions Redfern. Pouvez-vous le croire, mesdames et messieurs ? La loi des Conventions Redfern ! Qui, dans ce vaste pays qui est le nôtre, peut décemment s'opposer à la Convention Numéro Un ? (Il brandit l'index.) La pénalisation de la destruction par le feu du drapeau national. La pénalisation de la destruction par le feu du drapeau national ! Qui peut décemment s'y opposer ? Dites-moi. » La photographie reparut dans le champ et l'homme se pencha vers la caméra pour s'en saisir. Il se rassit et cala la photo en l'orientant vers le flamboiement des projecteurs du studio tout en surveillant un moniteur hors du champ. « Les parents de cette petite fille n'ont qu'un but, un seul objectif, et il s'agit tout bonnement... (la photo calée, il regarda directement la caméra) tout bonnement, répéta l'homme calmement, de l'implosion de la grande démocratie qui est la nôtre. (Il secoua la tête.) La famille politique sans étiquette des parents de cette petite fille et leurs copains ne s'arrêteront que lorsque leurs efforts auront mis notre grand pays à genoux... »

Qu'est-ce qui se passe, bon sang ? se demanda Quentin. Qui est ce type ? Mais les gens qui s'affairaient autour de lui ne prêtaient aucune attention à ses questions, si seulement ils les entendaient ; si seulement, comprit-il soudain, il les formulait à haute voix, et le cas échéant, de façon cohérente. Agent Ventana ? miaula-t-il. Docteur Felton-Foote ? La télévision est-elle la seule chose que j'arrive à entendre ou comprendre ? Est-ce mon sort ? Mais je n'y comprends rien... Il n'était plus assis sur la civière, mais étendu à côté, par terre. Il était sur le dos, regardait le plafond. En cercle autour de lui, il distinguait clairement les visages de l'aimable aide-soignant, de l'agent Ventana, et de Felton-Foote qui téléphonait, le dos tourné à la civière, et semblait articuler sans bruit les mots : « Envoyez-nous tout de suite un traumatologue ! » Tout en braillant sans un bruit dans son téléphone, il lorgnait l'écran de son bipeur.

L'homme grimaça et laissa tomber sur son bureau la photo de la petite fille. « Je vous conseille vivement d'appeler votre sénateur, votre représentant au Congrès », dit-il, s'adressant à la caméra. « Appelez la Maison-Blanche, parce que, voyez-vous, la Maison-Blanche a besoin de vous entendre. (Il pointa l'index droit vers la caméra.) Si vous avez le sentiment que votre représentant au Congrès ou au Sénat y est plus ou moins arrivé en dépit de votre vote honnête, nous disposons d'un numéro spécial que vous pouvez joindre. (Il abaissa les yeux comme pour scruter par-delà le bord de son bureau.) N'est-ce pas ? ajouta-t-il en laissant son regard fuir en coin. N'est-ce pas que nous disposons d'un numéro spécial que les gens peuvent appeler de chez eux ou de leur lieu de travail ? » Une note menaçante teintait son intonation. Les chiffres d'un numéro commençant par 800 se mirent à défiler au bas de l'écran. Le dispositif qu'utilisait le studio pour créer cet effet ajoutait un léger bourdonnement au signal audio, tandis qu'une bande translucide en dents de scie faiusait onduler deux lignes de balayage en dessous du signal vidéo. « Voilà. Ce que vous voyez s'afficher sur votre écran chez vous ou au bureau, c'est le numéro gratuit du Comité National de Réaction Politique d'Urgence pour la Défense de la Loi des Conventions Redfern. Les opératrices atten-

dent vos commentaires, vos suggestions, et s'il vous est possible d'apporter une contribution, vos dons. En effet, mesdames et messieurs (il soupira), c'est une dure réalité de la vie, mais l'argent a du poids. Eh oui (il posa modestement la main sur son cœur), vous pouvez bien m'écouter à longueur de journée (il sourit et pencha la tête de côté), d'ailleurs j'espère que vous le faites. Mais l'argent (il retrouva sa gravité), c'est ce qui fait que fonctionne ce qu'on appelle ici la démocratie. Vous le savez, moi je le sais, eux le savent aussi. Quand je dis "eux", je veux parler des gens haut placés à Washington, je veux parler des gens qui ont un programme, comme les copains et la famille politique sans étiquette emmenée par la petite fille que voilà. (Il abaissa les coins de la bouche, comme s'il les dirigeait vers la photo posée face vers le plafond sur son bureau.) Avec votre aide, mesdames et messieurs, nous pourrons faire passer la Loi des Conventions Redfern. Appelez-nous dès maintenant. (Il récita le numéro de téléphone.) Placez vos dollars chèrement gagnés là où sont votre parole, votre cœur et votre réflexion. Nous nous chargeons du reste. Dès maintenant. (Il recula son fauteuil et tambourina des dix doigts sur le bord du bureau.) À notre retour, nous nous pencherons de plus près sur les Douze Conventions, ainsi que sur certains des juges activistes qui se clament américains mais n'estiment pas que les Conventions méritent la sanction de la justice. »

Sandy, dit Quentin à l'aide-soignant, ce dernier portant aussi une plaque nominative, *dites-leur d'éteindre. Qui diable est ce sale type ? Pourquoi l'administration de cet hôpital nous torture-t-elle avec ces insanités ? State TV est-elle la seule chaîne qu'on peut avoir ici, dans le sous-sous-sol qu'est cette salle d'urgences ?*

Son propre regard lui confirma la désagréable conviction que, quoi qu'il ait lui-même l'impression de dire, les autres ne l'entendaient pas. Le masque de l'aide-soignant avait suffisamment glissé pour laisser entrevoir ce qu'il ressentait véritablement, or ce que Sandy l'aide-soignant ressentait n'était autre que de la pitié à l'égard de Quentin. Il était évident que Sandy et toutes les autres personnes présentes dans la pièce n'entendaient que du charabia.

Puis la voix de Sandy transperça le cocon de silence qui enveloppait les facultés conscientes de Quentin, pareille à une transmission radio inattendue sur une fréquence jusqu'alors muette.

« … bébé », dit Sandy l'aide-soignant, des larmes débordant de ses paupières inférieures. « Il fait les mêmes bruits qu'un bébé. »

Puis la porte du couloir s'ouvrit et se referma, sans plus de bruit qu'un bivalve, et le type russe se faufila à l'intérieur. Quentin le reconnut mais ne put le situer ni se rappeler son nom. Le médecin dit quelque chose que Quentin ne comprit pas. Le Russe répondit, le médecin demanda quelque chose, puis Quentin tenta de parler. L'aide-soignant dut le maîtriser, l'agent Ventana lui prêta main-forte et, par malheur, il apparut que la vessie de Quentin l'avait trahi. L'agent Ventana fit la grimace et s'écarta, mais l'aide-soignant resta à son poste. Le docteur Felton-Foote suivit la scène derrière l'oreillette de son portable, tout ce qu'il disait il le disait à son téléphone et, de toute façon, Quentin n'en comprenait pas un mot. Il en va des médecins comme de la poésie : le sens découle des sons comme une pluie soutenue sur une houle d'océan qui se dissout entre les rochers du Finistère par un beau jour d'hiver. Ces houles voyagent depuis le Japon. D'où sort ce type, parvint à crier Quentin, et l'aide-soignant le regarda comme si ce qui arrivait à son patient l'inquiétait vraiment et tout à coup sa bande-son devint audible par intermittence.

« … carte de visite dans votre poche… téléphone portable… C'est le seul ami/collègue/proche ou parent, cochez une des cases, là, voilà, qu'on ait pu trouver. Bien tard, situation urgente, personne ici n'a trouvé le temps de le faire de toute façon… Il faut qu'il nous signe la décharge nous autorisant à vous trépaner pour soulager la pression intracrânienne. Ne vous inquiétez pas, à peine un petit pincement… Mais vous le reconnaissez sûrement ? Il est là pour vous aider. On ferme les yeux sur le règlement, là. On cherche tous à vous aider. »

Inaudible à nouveau. Bruits de vagues déferlantes, de mauvaise réception sur ondes courtes, de feuilles tombées. De brouillage en provenance du purgatoire, du passé. Visitez Huê sans risque en pousse-pousse pendant le Têt en compagnie du marquis de Sade… ! J'efface votre offre, dit la télévision, visitez Bassorah en compagnie des Commandos britanniques, effets spéciaux réalistes garantis, pas d'éclats d'obus… Bonus : retour chez vous à temps pour le match des Forty-niners ! Rafraîchissements de bienvenue non alcoolisés et en-cas inclus. Bar payant. Offre valable uniquement dans les points de vente privilégiés. Paint-ball en sus.

Attaque, dit la bouche de l'agent Ventana. La bande-son de l'agent Ventana était coupée, elle aussi. Crise cardiaque, articula l'aide-soignant.

« Eh bien, mon ami macchabée, que vous est-il arrivé ? » demanda Vassily, sa sollicitude surfant tout à coup sur la vague de la sérénité. « Vous pourriez peut-être, insista-t-il, vous pourriez peut-être me mettre en relation avec notre ami Charley pour que nous puissions nous accorder sur les dispositions concernant votre sortie de l'hôpital… ? »

Comme un pauvre petit bébé, articula l'aide-soignant, les yeux emplis de larmes muettes. Seul le dernier mot émergea de l'écume susurrante. Mais si l'un d'eux venait à passer par-dessus bord, craignit Quentin, ça s'écraserait sûrement par terre dans un boucan infernal. Le bord du gouffre. Écoutez ce chuintement.

Pervers ! Quentin se tortilla pour s'éloigner de Vassily et se contorsionna sans résultat, *extrêmement pervers, à éviter*, bien que sa tunique d'hôpital soit une feuille de plomb assortie à ses pieds de plomb et à la carte de crédit en plomb qui lui garantissait assez de Miles pour une évacuation sanitaire en hélico qui le sorte de ce merdier.

Attaque, redit la bouche du flic. Infarctus foudroyant, redit la chorégraphie labiale de l'aide-soignant. Pourquoi pas les deux ? mima très convenablement l'agent Ventana.

Pervers, Quentin le nota pour la prochaine fois, le nota sur l'ardoise que tenait le clown attendant à la plateforme de rotation du tram, un type auquel il donnait un pourboire deux fois par semaine après être allé ramer au Bay Club, à l'époque où il pouvait encore ramer, deux décennies plus tôt. Rame, rame, et filent tes décennies…

« Bébé », bivalva l'aide-soignant, les yeux emplis de larmes muettes.

Un bébé ? Quentin se redressa, pour ainsi dire, bien qu'il restât allongé. *Un nouveau-né ?* Qu'est-il advenu du préfixe et du suffixe ? Sa force se dissipa comme une cuillerée d'eau dans un wok chaud. Il ne s'était pas rendu compte qu'il tentait de s'asseoir. Bon d'accord, asseyons-nous. Allons-y. Mouillé : risque de glissade. Légère inquiétude : quand ai-je pris mes médicaments pour la dernière fois ? Hier ? Avant-hier ? Panique. Horodateur expiré. Ces trucs m'ont maintenu jusque-là. Hier. Jusque là-bas. Aiguille dans le rouge. J'ai de la monnaie. Des mains le retenaient doucement, de plus en plus fermes à mesure qu'il insistait. Il abdiqua et retomba à terre, en position fœtale. Prostration intégrale. Quelqu'un écarta du chemin la civière. Si on déblaie, éteignons aussi cette télé répugnante. Il chercha dans sa poche le Quietus accroché à son trousseau de clés. *Ils ne vont pas croire que je suis rusé, que je conspire pour apporter la paix et la tranquillité dans un bistrot d'urgence où ils me croient totalement incapable de commander quelque chose ? Bistro, ça veut bien dire* rapide *?* Sauf qu'il n'avait pas de poche, pas plus que de pantalon, et qu'il pinçait entre pouce, index et majeur un pénis transi et craintif de vieillard, fripé et ratatiné, qui ne se dressait plus à tout bout de champ comme jadis, il est ici question de régression, du berceau à l'agent-immobilier-de-l'année au berceau de nouveau, périgée apogée périgée, el señor caractère du personnage, un repli de peau, principalement, plus petit que jamais parce que Quentin portait une tunique jetable en papier gris taupe frappée d'un semis de pensées à quatre feuilles blanc cassé de la taille d'une pièce de un centime et ouverte de haut en bas dans le dos, du coup il faisait froid par terre dans cette salle d'urgences, froid à plus d'un égard. Et les poches de ces trucs ne sont pas couvertes par notre assurance ? Peut-être par la franchise ? Ne perdons pas notre sang-froid. Merci d'être venu et reparti. Rapide en russe. *Oh*, se dit Quentin en se rallongeant sur le lino glacé et piétiné de tous, ce truc ne durera jamais, est-ce que le système des soins planifiés permet de brader les actions du lino ? Encore mieux : un petit bol d'air frais ? Votre vendeur pourrait vous le facturer au moins autant qu'il facture l'eau. Tout ce que la circulation supportera. *Oh, c'est de la perversité, un monde pervers envahi par State TV et les gants en latex, ce qui signifie que j'ai encore de l'odorat et une famille morte de longue date générant une élévation perverse. Je pourrais apprendre le russe pour trois fois rien, à commencer par* sortez-moi de là, *je pourrais facilement échanger des roubles contre des euros, oublions le dollar, le dollar est grillé, d'ailleurs pourquoi faut-il que je pense à l'argent en ce moment précis ? Maintenant, alors qu'on pourrait confondre pervers et pivert, un pivert qu'une brise oubliée transformerait élégamment en une flèche emplumée qui fendrait sans bruit, gracieuse, les hautes herbes bruissantes...*

34

Le Russe tendit une main charnue, paume tournée vers le ciel. Red y laissa tomber la clé.

Le Russe examina attentivement la clé, comme s'il s'agissait d'une boucle d'oreille ou d'une broche sertie d'une pierre de valeur. Il en balança le flotteur comme pour s'hypnotiser lui-même. Puis son regard se porta au-delà, se posant sur Red. Par-delà le flotteur, Red regardait le Russe. L'homme lâcha la clé, la laissant tomber sur la table.

Un serveur apparut. « L'un de vous, messieurs, souhaitera-t-il prendre un cocktail avant de dîner ? » Il se pencha au-dessus de la table pour allumer deux bougies dans une applique murale.

Le Russe n'attendit pas Red. « Je prendrai un double shot de votre vodka la moins chère, glacé, sans eau.

– Ira-t-on jusqu'à la vodk-martini, monsieur ? suggéra le serveur. C'est très froid et sans eau. »

Le Russe sourit. « Seulement si vous la servez dans… comment dites-vous… un shooter ?

– Très bien, dit le serveur.

– Vous maîtrisez le dialecte, fit remarquer Red.

– Le vocabulaire affûte l'esprit, déclara le Russe.

– Pas de vermouth, pas d'olive, pas de glaçons ? demanda le serveur.

– Pas de fruits », répondit Vassily. Mais il regardait Red.

Le serveur se tourna vers ce dernier.

« Monsieur ?

– J'attendrai le vin.

– Très bien. Puis-je vous énumérer les plats du jour ?

– D'abord la vodka, dit le Russe. Et une carte des vins.

– Très bien, monsieur. Vous trouverez la carte des vins sous votre menu.

– En effet, dit le Russe sans regarder. Qu'est-ce que vous avez en provenance de la vallée du Rhône ?

– Rouge ou blanc ?

– Rouge. »

Le serveur ouvrit la carte des vins à la septième ou huitième page et l'effleura d'un doigt. « Ces vins-là proviennent tous de la vallée du Rhône, monsieur. Avez-vous une préférence particulière ?

– Vacqueyras, saint-émilion, châteauneuf-du-pape, saint-joseph... mais seulement s'il est vraiment, comment dites-vous... fameux. À propos (le Russe détacha son regard de Red pour le poser sur le serveur), pas de tord-boyaux à quinze degrés... *capisce* ? Quand je dis que je veux boire du vin français (le Russe posa un doigt sur la nappe), je m'attends à boire du vin français. »

Les yeux du serveur glissèrent jusqu'à Red, puis revinrent au Russe. « Très bien, monsieur. »

Red esquissa un sourire pincé. Il savait que le Russe savait qu'il savait que le Russe parlait mieux anglais que lui. Alors combien de temps allaient-ils devoir prendre des gants en matière de *dialecte* ?

Le serveur sourit et effleura une ligne. « Un excellent hermitage...

– Vendu, dit le Russe. On commandera les entrées quand vous reviendrez. » Il ne regarda pas le prix.

« Très bien, monsieur. » Le serveur s'éloigna.

« Il paraît que c'est ici qu'on sert les meilleurs steaks de San Francisco, dit le Russe.

– Je m'en contrefous, dit Red.

– Vous avez bien raison, dit le Russe. Mais bien sûr, je me fiche que vous vous en contrefoutiez, comme vous dites. Nous sommes ici parce que j'aime les bons steaks. Prenez une salade si ça vous chante. Ou descendez-vous toute une bouteille de vin hors de prix. Ce soir, vous êtes mon invité.

– Je ne serais pas plus ravi si j'étais astronaute et que cet endroit s'appelle Vénus.

– Cosmonaute. » Le Russe croisa les mains sur le set de table, devant lui. Des éclats de diamant, sertis de façon à former la lettre P sur la chevalière en or qu'il portait au petit doigt de la main gauche, scintillèrent à la lueur des chandelles. « Est-ce qu'elle l'a ?

– Non, dit Red. Elle ne l'a pas.

– Mince ! (Le Russe s'adossa à la banquette du box.) Ça fait deux, avec vous.

– Trois, en comptant Charley. Et quatre avec le pauvre couillon qui a installé le truc au fond du bateau de Charley. »

Le Russe ouvrit une main. « Il a fait beaucoup, beaucoup d'histoires, ce type.

– Il s'appelait Arnauld. »

Le Russe posa son autre main sur la première. « Tout ce qu'il avait à faire, c'était nous dire la vérité.

– Comme si vous alliez reconnaître qu'il s'agissait de la vérité.

– Je la reconnais quand je l'entends, lui assura le Russe.

– Il l'a installé dans la quille… c'est ça ?

– Oui. Il nous a au moins convaincus de ça.

– En rendant son dernier soupir, sans aucun doute.

– Il n'existe pas de meilleur certificat d'authenticité. Quoique, en matière de certificat… (Vassily sourit) la tête était un coup de génie. »

Red ne répondit pas. Cette joute verbale ne rapporterait strictement rien à Arnauld, qui se contentait de faire son travail. S'était contenté. Pas plus qu'à Charley, du reste. Red soupira. Vingt ans plus tôt, la contrebande était facile. Ç'avait même été marrant. Mais peut-être avait-il déjà sorti ce petit couplet nostalgique et inutile aujourd'hui ?

Les consommations arrivèrent. Le temps que le serveur montre au Russe l'étiquette de la bouteille, découpe le manchon et retire le bouchon, le Russe avait descendu la moitié de sa vodka. Quand le serveur lui proposa de goûter le vin, il déclina d'un geste. Le serveur le fit goûter à Red. Je m'y connais en vin comme en cosmonautes, rumina Red. Il fit tournoyer le vin dans son verre. « Belle couleur », dit-il sans enthousiasme. Il but sa gorgée, la gardant en bouche un moment avant de déglutir. « Nom d'un chien. »

Le serveur s'illumina.

« La prochaine fois, dit le Russe tandis que le serveur remplissait à demi son verre, on appellera d'abord. On leur fera ouvrir la bouteille une demi-heure à l'avance. »

La prochaine fois, se dit Red, je serai beaucoup plus difficile à dénicher.

« Excellente idée, monsieur », approuva le serveur. Il remplit à demi le verre de Red et s'abstint d'énoncer la clause restrictive concernant carte de crédit et autorisation en cas de commande par téléphone.

« Du reste, comme je suis sûr que cette bouteille ne durera pas assez longtemps pour réaliser tout son potentiel, dit le Russe sans lâcher Red du regard, peut-être devrions-nous dès maintenant en commander une deuxième. Qui sera ainsi au mieux de sa forme au moment où nos steaks arriveront.

– À votre guise, Vassily », dit Red.

Le Russe appela le serveur d'un hochement de tête.

« Une autre ? » dit le serveur d'un ton neutre. Une deuxième bouteille de vin à deux cents dollars arriva, accompagnée de la perspective d'un pourboire supplémentaire de trente ou quarante dollars, ce qui ferait une tablée à cent dollars, or un cheval que le serveur appréciait courait le lendemain à Golden Gate Fields. Sans quoi, ni la tournure fleurie ni l'extravagance de la commande n'impressionnaient ce dernier.

« Ainsi, après avoir respiré comme il se doit, le vin réalisera son potentiel », dit le Russe. Au ton de sa voix, on aurait pu le croire en train de compter des pigeons à un arrêt de bus.

« Je m'en occupe tout de suite. Et puisque vous aimez tant ce vin, monsieur, avec votre permission je vais faire apporter un plateau de trois ou quatre hors-d'œuvre, offerts par la maison. Tartare de bœuf, croustillants d'oignons, haricots verts à l'huile d'ol... »

Red soupira tout à coup. Vassily agita évasivement la main. « Laissez tomber les hors-d'œuvre.

– Très bien, monsieur, enchaîna suavement le serveur. Avez-vous choisi votre plat principal ?

– Le plus gros steak que vous ayez, et sur pied », répondit le Russe, cette fois encore sans attendre son invité.

« Ce sera le Vaquero Porterhouse. Neuf cent cinquante grammes. Bleu. Et monsieur ?

– Le plus petit steak que vous ayez, dit Red. À point.

– Ce sera notre steak au poivre, monsieur, grillé, servi avec des oignons doux et une sauce cognac poivre en grains.

– Parfait.

– Quels accompagnements ? demanda le Russe avant de vider le reste de sa vodka.

– Deux sortes de légumes, monsieur. Vous avez le choix... »

Bon Dieu, c'est insoutenable, se dit Red. Pourquoi m'obliger à subir ce repas alors qu'on sait l'un comme l'autre que ça va mal finir ? Il va peut-être falloir que je tue ce type pour qu'il me laisse tranquille. Malheureusement, comme l'a notoirement dit l'ancien secrétaire à la défense Donald Rumsfeld en parlant de sa propre personne, nul n'est irremplaçable. Comme moi et comme ce brave Donald, Vassily travaille pour quelqu'un d'autre. S'il arrive quelque chose à Vassily, ses employeurs trouveront un autre gars, c'est tout. Or comme avec le bon Donald, ils ont d'abord engagé un enculé de première. Il faut donc que je tâche de le satisfaire d'une manière ou d'une autre.

Le serveur repartit. Le Russe descendit la moitié de son vin, se fourra dans la bouche un gros morceau de pain sectionné sans soin, qu'il fit descendre à l'aide de la seconde moitié de son verre. « Alors. (Il se resservit du vin.) Où est notre trophée, Mr Means ? Où est-il ?

– Si vous parlez de la brique, elle est sur la table à cartes de votre bateau. »

Tout en mastiquant une nouvelle bouchée de pain, le Russe le regarda d'un air attristé. « Je vous ai dit que vous pouviez la garder pour vous, Mr Means. Votre brique ne présente aucun intérêt pour moi.

– Elle ne m'intéresse pas non plus, Vassily. Prenez-la en gage de ma bonne foi.

– Mr Means. » Vassily avança le buste au-dessus de la table. Avec un regard en direction de la travée, il stipula à voix basse : « Nous sommes bien au-delà de la bonne foi. » Le nubuck bordeaux gémit tandis que l'homme renversait son poids contre le dossier de la banquette. « Il est question de résultats ou rien.

– Rien, c'est un grand mot.

– En ce qui vous concerne — ainsi que moi, du reste — (Vassily effleura le plastron de sa chemise), rien c'est tout sauf le résultat désiré. Il n'existe pas d'autre voie. Vous le savez, et je le sais. Et pour ma part, je suis fatigué d'en parler.

– Eh bien je suis ici pour vous dire, Vassily, que tout ce que j'ai à vous présenter c'est rien. Qu'est-ce que je peux faire d'autre ? Arnauld vous a assuré qu'il n'y avait aucune emmanche de sa part, et vous auriez dû en rester là, d'ailleurs. Il y a longtemps que personne ne s'est fait assassiner sur Rum Cay. »

Vassily leva son verre. « Noyade, dit-il. En faisant un carénage. Il s'est pris les pieds dans son narguilé. Tsss.

– Je n'y crois pas. Personne n'y croit. Il a vécu là quinze ans sans même jamais se trouver à court d'oxygène. D'ailleurs, Charley et lui, ils font la paire.

– Charley ? (Vassily fronça les sourcils.) Charley… (Il porta son verre à ses narines et huma le bouquet du vin.) Et qu'est-ce que j'ai à voir avec Charley ? (Il remua son verre de façon à en faire tournoyer le contenu le long des flancs.) Charley travaillait pour vous.

– Ouais, bon. (Red soupira.) Je n'ai jamais perdu un employé. Et la raison à ça, c'est que je ne leur ai jamais fait courir de risques auxquels — pas plus que moi — ils ne pouvaient faire face.

– Eh bien, maintenant vous en avez perdu deux. C'est sans doute lié aux statistiques. (Vassily sourit.) Bienvenue chez les pros.

– Ouais, dit Red sans enthousiasme. Les pros.

– J'aurais aimé voir la mine de la sœur quand vous lui avez montré la tête. » Vassily gloussa.

« Elle a du cran, dans son genre. (Red sourit.) Elle m'a sauté dessus armée d'un couteau et d'une bouteille de bière. Il valait mieux que vous ne soyez pas là.

– C'est vrai, constata simplement Vassily. Je l'aurais sûrement tuée. »

Red acquiesça. « Bien ce que je disais.

– Où est la tête, à propos ? »

Red haussa les épaules. « Là où vous l'avez vue pour la dernière fois. »

Le sourire de Vassily s'effaça. « Toujours à bord ? »

Red effleura son couteau à beurre. « Toujours à bord.

– Zut… Avec la brique de cocaïne ?

– Qui se trouve sur la table à cartes. Vous en êtes vraiment propriétaire ? (Red esquissa un sourire pincé.) Du bateau, je veux dire ? »

Vassily écarta son verre.

« Je suppose que le réfrigérateur n'est pas très loin des documents d'immatriculation ? »

Vassily ne répondit pas.

« Vous êtes censés les avoir constamment à bord, lui rappela Red, pour le cas où les garde-côtes vous aborderaient. »

Vassily tira un téléphone portable de la poche de poitrine de son Chesterfield plié sur le fauteuil à côté de lui, et appuya sur une touche présélectionnée. « Où, exactement, se trouve mon bateau, Mr Means ?

– Oh, dit Red, dans le coin. »

Vassily fit la grimace. « Il est en stationnement légal, au moins ? »

Red feignit l'étonnement. « Je n'ai même pas pensé à ça, vous savez.

– Miou Miou. (Vassily leva les yeux vers le plafond.) Rappelle-moi. (Il referma le téléphone et le posa sur la table, à côté de son verre.) Je vois.

– Bien, dit Red. C'est bien que vous voyiez. »

Les salades arrivèrent. Le serveur exhiba un moulin à poivre de la taille d'une quille de bowling. « Messieurs ? »

Red lui sourit. « Je vous en prie. »

Après avoir saupoudré la salade de Red, le serveur demanda à Vassily s'il souhaitait du poivre.

« Ouais. » La maussaderie apathique de Vassily laissait entendre à Red que le Russe aurait été tout à fait capable de tordre le cou du serveur dans le seul but de se sentir mieux. Il avait déjà observé ce niveau de contrariété. C'était l'un des impondérables du métier.

Le serveur s'éloigna, intact.

« Donc, reprit Red en enfournant une bouchée de fibres, *La Revanche de Kreutzer* est enregistré à votre nom. »

Le regard de Vassily se posa sur la clé. L'inscription *ARTICLES DE PÊCHE DELTA* était gravée en lettres blanches sur le flotteur. « Vingt ans que je voulais un bateau, dit-il simplement. Je l'ai acheté flambant neuf.

– Ma foi, dit Red, vous le tenez en super état, pas de doute.

– Il y a un type qui y travaille deux jours par semaine, dit Vassily d'une voix sourde. (Il regarda sa salade.) Alors comment ça va se passer ?

– Ça va se passer comme ça se passe déjà, Vassily.

– À savoir ?

– La sœur n'a aucune idée — pas la moindre — de qui nous sommes, de quoi nous parlons, ou de ce que nous recherchons. Encore moins de ce que son frère trafiquait. Ce qui tombe très bien, étant donné que lui non plus ne savait pas ce qu'il trafiquait. Pas plus qu'Arnauld ne savait ce que quiconque trafiquait, ajouta ostensiblement Red.

– C'est vous qui le dites.

– Le truc que je regrette, c'est d'avoir à vous le prouver.

– Et comment proposez-vous de procéder ? »

Red avait presque fini sa salade. « Il faut que j'explique à la sœur ce qui se passe. »

Vassily cilla.

« Voyez plutôt les choses sous cet angle : si elle sait déjà de quoi il s'agit, tout ce que vous aurez à faire, c'est la tenir à l'œil et, tôt ou tard, elle vous y conduira. Enfin bon, ce n'est pas qu'il y ait une… comment dire… une date de péremption ?

– Ça, c'est à l'employeur d'en décider, pas à l'employé. »

Red tourna la tête.

Vassily redressa la paire de fourchettes posée à côté de son assiette. « Sans parler du fait qu'ils feraient appel sans aucun état d'âme à votre… patriotisme inné. »

Red sourit. « Le patriotisme est sans doute bien des choses, Vassily, mais pas inné.

– Vous ne comprenez pas ce que je veux dire. Dans les cercles que je fréquente habituellement, le patriotisme est synonyme de soif de lucre.

– Ah. (Red hocha la tête.) La soif de lucre, je pourrais considérer ça comme inné. Oui… il se peut que vous ayez raison, sur ce point-là.

– Puis-je, comme on dit, renflouer la cagnotte ?

– Vous pouvez essayer.

– Trouvez ce que nous cherchons, dit doucement Vassily, et vous resterez en vie.

– Allons donc, Vassily, répondit Red, je connais l'enjeu. Je vois des morts…

– Vous n'avez aucune idée de l'endroit », trancha Vassily.

Red réfléchit. « D'accord, finit-il par répondre. Je n'en ai aucune idée.

– Vous ne vous estimez tout de même pas en position d'exiger plus d'argent ? » demanda Vassily, incrédule, en fronçant les sourcils.

« Bien au contraire. (Red secoua la tête.) S'il suffisait de vous rendre votre avance pour arranger les choses, je le ferais volontiers. Avec des intérêts.

— Les avances restent acquises, fit remarquer Vassily. La formulation est de vous. Qui plus est, vous avez perdu le fret. Il y a donc la question de… l'assurance. »

Red soupira.

« Alors, dit Vassily, que proposez-vous ?

– J'ai envie de la mettre dans le coup. Si elle sait ce qui se trame ou qu'elle arrive à le comprendre, et qu'elle est au courant du déroulement, elle finira par y voir clair, à condition de ne pas manquer de bon sens, et de toute façon elle n'aura pas l'esprit plus embrouillé qu'il ne l'est déjà. Je pourrais rester dans les parages, picoler avec elle, lui demander de tout me raconter sur son frère et choper un aperçu des lettres qu'il lui a envoyées pendant vingt ans, parler des petits amis qu'elle a eus, peut-être même devenir l'actuel ; mais ça ne nous aidera pas à trouver ce qu'on cherche si elle ne sait pas de quoi il s'agit. Si elle n'a aucune idée de ce dont on parle, elle n'est pas près de le trouver, ni même de le chercher, et en attendant elle se contentera de pleurer la mort de son frère. Une bonne occasion, en plus de la menace mortelle qui plane, pourrait bien lui affûter les idées. (Red s'empara de son couteau à steak.) Je suis prêt à vous parier qu'il se passera quelque chose. »

Ce fut au tour de Vassily de soupirer. « Quel mélodrame ! (Il était visiblement affligé.) Mais quoi ? »

Red posa la pointe de son couteau sur la croûte d'un morceau de pain. « Charley a quitté Rum Cay avec votre colis dans la quille de son bateau. Arnauld vous l'a dit, et c'est vrai. »

La lèvre inférieure de Vassily s'allongea et masqua la supérieure, ce qui eut pour effet d'ajouter une couche à sa cascade de mentons. « Il nous l'a dit, concéda Vassily. Compte tenu de… la situation… dans laquelle il se trouvait, nous l'avons cru. »

La mâchoire de Red se crispa. « Vous avez tué un homme pour rien », dit-il doucement.

Vassily posa la main sur son cœur. « Je n'étais même pas là. (Au bout d'un moment :) En général, on essaie de les tuer pour une bonne raison, ajouta-t-il avec un sourire vague. C'est vrai.

– Vous parlez comme un gamin qui s'est trompé de maison en livrant le journal.

– Curieuse comparaison. (Vassily se passa la main sur le visage.) C'est curieux de se dire qu'une ou deux vies, ça n'a absolument aucun sens. C'est un truc de la République des Conches ou vous êtes simplement idiot ? demanda-t-il d'un ton qui semblait exaspéré.

– La deuxième option, lui assura Red. J'ai cru tremper là-dedans pour le fric. Puis j'ai cru pouvoir aider un ami. Faire d'une pierre deux coups. Et, ma foi, les deux coups ont fait deux morts. Ce n'était pas pour le fric. C'était pour l'ami. Le genre d'ami dont vous ignorez tout. Mais tout bien pesé, poursuivit-il avec amertume, vous n'en ignorez peut-être pas tout. De toute façon, c'est ma faute.

– Qui ça ? Cet Arnauld ? Un zonard qui récure des coques de bateaux pour gagner sa croûte ?

– En fait, oui, il y avait aussi Arnauld. Mais je parlais de Charley. »

Vassily agita sa serviette. « Encore un zonard. Qu'est-ce qu'il foutait dans la vie, votre Charley, à part se balader dans son bateau ?

Mais je vais vous dire une chose. (Il lâcha sa serviette sur la table.) Si cette affaire s'est passée comme vous le croyez, alors ce type, Charley, n'est pas votre ami.

– Il l'était pourtant, insista Red. Charley était mon ami.

– Je vous croyais plus intelligent que ça, Mr Means.

– Je vous croyais plus intelligent aussi, Vassily.

– J'emploie des gens comme vous pour s'acquitter d'un boulot, et vous me croyez intelligent ?

– Là, vous marquez un point.

– Autre chose : retournez la fameuse sœur de Charley, sans quoi on va tous apprendre à quel point la vie a peu de valeur. (Il remplit son verre et en salua Red.) Même en Amérique. (Il lampa une gorgée à grand bruit.) Peut-être que, dans ce cas, la pierre s'en tiendra à deux coups. (Il but une autre gorgée, plus petite.) Au lieu de cinq.

– La sœur, moi, compta Red, et vous ? »

Les steaks arrivèrent. Les deux clients regardèrent d'un air morose les deux serveurs rectifier la disposition des verres, des assiettes, de l'argenterie. Une fois ses deux collègues repartis, le serveur initial arriva pour remplir à nouveau les verres. Il mit de côté la bouteille presque vide et flanqua les verres à vin de deux autres, avant de soumettre une nouvelle bouteille à l'approbation de Vassily. Le Russe y jeta un bref regard et lâcha un grognement. Le serveur entreprit de la déboucher. Vassily refusa de goûter. De même que Red. Le serveur posa la bouteille sur la table de façon à ce que les deux dîneurs en voient l'étiquette. « Autre chose, messieurs ? »

Vassily soupira bruyamment. Red répondit que tout allait bien. « Je vous souhaite un bon dîner », dit le serveur. Il déposa dans une coupelle le bouchon à deux cents dollars et s'en alla.

Vassily contemplait son assiette. Les neuf cent cinquante grammes de steak déployés sur toute la largeur comme un pardessus sur un repose-pieds. « Qu'est-ce que c'est que ça ? demanda-t-il au bout d'un moment.

– Des carottes, lui dit Red.

– Non, ça.

– Des gombos. »

Vassily cilla.

« Les Américains sont fous, finit-il par dire. Je vous accorde un mois. »

35

Les agents Protone et Few, vivante illustration des contraires. Tenailles puissantes au demeurant, ils avaient constitué un grand nombre de dossiers à charge. Pour peu que le Bureau du Procureur arrive un jour à s'organiser, ils pourraient même susciter en plus un grand nombre de condamnations.

Prenons Laval, par exemple. À l'époque où Protone faisait des rondes en tant que simple flic, Laval était un de ses dossiers préférés. La prédilection ultime de Laval était l'héro, bien sûr, mais tout le reste faisait l'affaire : Séconal, Toluène, sirop pour la toux, Vicodin, Oxycontin, oxycodone ; Percocet, Darvocet, Demerol ; morphine, laudanum, élixir parégorique ; Mandrax et cetera, *ad nauseam*.

L'alcool, il n'y touchait pas.

La spécialité de Laval, c'était le braquage de bagnole vite fait, on casse on rafle. Il quadrillait Hayes Valley à pied, à l'ouest de la salle de l'Orchestre symphonique, de l'Opéra, de l'École de danse. Dans le voisinage, il y avait beaucoup de restaurants et bars chicos. Le City Hall se dressait aussi sur Van Ness Avenue, juste en face des différents bâtiments culturels, mais les employés municipaux rentraient chez eux aux alentours de l'heure où les assoiffés de spectacles commençaient à se montrer — bien qu'ils se croisent parfois ; ainsi, une fois de temps à autre, Laval piquait un ordinateur portable ou un attaché-case à un employé du City Hall. Mais en général, c'était à des gens qui n'habitaient pas en ville et cherchaient à dénicher une place de parking pas chère ou même gratuite avant d'aller passer une heure et demie dans un fauteuil à deux cent cinquante dollars à l'Opéra ou la salle de l'Orchestre symphonique. Pas chère, en fait, jusqu'au moment où ils devaient se racheter une vitre en plus d'un ordinateur, ou un sac à main de marque, ou une chaîne hi-fi de bord, ou vingt CD, ou tout autre article que les gens sont assez naïfs pour laisser dans leur voiture sur le territoire de Laval.

Surinfectons la naïveté jusqu'à l'idiotie et *voilà**, on voit les choses comme Laval : les gens laissent des trucs dans leur voiture, ils sont idiots, ils méritent de se faire dépouiller. Les flics voient ça de la même façon, protestait Laval, et il est bien placé pour le savoir, il est tout le temps en train de leur parler. Il n'avait rien d'un voyou qui pétait une vitre sur la bagnole d'un connard sous prétexte que le connard en question ne lui avait pas laissé un petit quelque chose sur le siège arrière ou dans la boîte à gants. Laval ne se risquait jamais à braquer une bagnole sans être carrément sûr qu'il y avait quelque chose à rafler avant de se tirer au galop. Quand l'intervention prenait trente secondes d'un bout à l'autre, c'était un bon coup. Inversement, quand l'affaire tout entière était trop juteuse pour ne pas prendre trois voire quatre minutes, là il y avait comme un semblant de rancune, genre comment tu peux me faire ça à moi, mec ? Tu te figures que j'ai juste à piocher et faire mon choix dans tout ce merdier, et dans le noir en plus ? Pour qui tu me prends, bordel ? Superman et tout le merdier ? Qui voit dans le noir, et tout ? Alors une fois de temps à autre, il chiait sur le siège arrière, ou mettait le feu au tableau de bord, juste histoire d'égaliser les scores.

Mais par moments... Une fois, il repéra le coup depuis le carrefour précédent. Une hybride blanche, porte-plaque minéralogique pas de San Francisco — Merced, Modesto, Fresno ou Chico, ou un coin à la con du même genre, autocollant University of California Santa Barbara sur la vitre arrière et JUST MARRIED bombé à la mousse à raser. Il se rapprocha prudemment. Examina. Comme de bien entendu, le siège arrière était envahi de cadeaux de mariage.

Encore dans leurs papiers cadeaux, rose, blanc, bleu layette, certains façon batik, avec des cartes. Et grâce à sa couverture *du jour** — sans-abri ramassant des bouteilles —, Laval poussait un caddie ce soir-là. Transporter ? Pas de problème ! Et quel butin. Mixeur, iPod, batterie de cuisine en cuivre, four micro-ondes, grille-pain quatre tranches, X-box, assortiment de couverts, porte-documents plein de sex-toys...

Il pourrait se passer trois jours avant qu'il ne doive retourner travailler.

Laval ne chercha pas à dissimuler son approche. Il écumait le quartier comme un zombie en mission, ce qu'il était. Toutes les quatre heures, qu'il pleuve ou qu'il vente, week-end aussi bien que jours de semaine, à la pleine lune, par vent de soixante nœuds, défilé de la Gay Pride ou autre, Laval était de service. Il pouvait bien s'être payé des crises de manque à même le sol d'une cellule un nombre incalculable de fois — expérience des plus désagréables qui garantissait le sevrage à n'importe qui sauf aux irréductibles —, l'équation était simple : d'ici quinze ans, vingt grand maximum, il serait allongé sur une table d'autopsie sans que personne vienne le réclamer, mort. Rangé des bagnoles, pour ainsi dire. Laval écumait le quartier comme un soldat se taperait une marche de quinze bornes avec le sergent sur le râble qui le traitait de grosse larve, de couilles molles, de lopette finie à l'urine — bien que Laval n'ait pas fait son service. Un seul regard aux abcès dans le pli de ses deux coudes, entre tous ses orteils, sur le dos des deux mains, tout le long des mollets, aux quelques traces de piqûres frénétiques aux abords de la carotide, l'exempta sur-le-champ en tant qu'enrôlé ad vitam dans un autre genre d'armée.

Ce soir, il avait sur lui un cadenas de vélo et portait un petit sac à dos violet. Il marchait à contresens de la circulation sur un côté donné de la rue, partant du principe que l'automobiliste méritant qui le verrait fracasser une vitre de voiture ne pourrait le prendre en chasse à moins d'effectuer un demi-tour en catastrophe et de faire du scandale, alors que Laval aurait décampé longtemps avant que le citoyen en question, homme ou femme, ait immobilisé son véhicule, bien sûr, mais le véritable principe, c'était que marcher à rebours du sens de stationnement lui procurait une meilleure vue sur les sièges avant et arrière.

Étant masochiste depuis l'ère du liquide prébiotique, Laval nourrissait certains fantasmes et, ce faisant, partageait certains clichés avec ses victimes. Qui, par exemple, n'a jamais rêvé de loger une grenade à main à l'intérieur de son autoradio, la goupille fixée à une boucle d'un câble électrique détourné du dessous du tableau de bord, de telle manière qu'allumer la radio sans prendre certaines précautions arracherait la goupille de la grenade, laquelle, programmée pour exploser au bout de quatre minutes trente, enfoncerait le sac à dos de Laval à l'intérieur de son thorax ?

Mais Laval n'était capable de nourrir un quelconque fantasme que bien défoncé. Ce qui, les bons jours, représentait quatre périodes d'un quart d'heure, entre lesquelles il ne faisait que travailler, bosser bosser bosser, en mettant tout ça bout à bout on obtenait une vie. Le reste du temps, Laval n'avait qu'une idée en tête, qu'un but dans la vie, il était aussi rétif qu'un requin. Tellement au point qu'il semblait doté d'un sixième sens lui indiquant si, oui ou non, un habitant rusé des alentours de San Francisco avait fourré sous le siège passager la partie amovible de son lecteur de CD fantaisie, pour jouer plus malin que les Laval de la nuit citadine.

La marchandise en main, Laval gagna un appartement des cités d'immeubles, l'un des rares dont la porte donnait directement sur la rue, où la momie de la locataire initiale gisait, ratatinée et desséchée, dans un fauteuil roulant, puant la décomposition au stade terminal, pendant que son petit-neveu marchandait des articles volés qui finiraient au clou.

Les pestilences supplémentaires, qu'éclairait seulement un téléviseur, comprenaient moisissure, jarrets de porc carbonisés, bois vermoulu, cuillers brûlées, vieux vomi, urine de buveur de café instantané, pisse de chat sur moquette et rideaux en polyester, cornflakes croupis, fromage cramé, murs pourris et punaises de lit, entre autres.

Jamais plus de dix dollars par article. Deux articles, vingt dollars, à moins que le Flake — le surnom du type — sente que le manque se faisait particulièrement pressant chez Laval. Auquel cas : « Quinze, ma poule », disait le Flake, et sans toucher à la marchandise, il ajoutait un truc du genre : « Tu les as bien amochés, les fils de branchement.

– Allez, mec, geignait Laval, c'est mon anniversaire. »

Alors la grand-tante du Flake, dans son fauteuil roulant, avec une jambe en moins à cause du diabète et l'hôpital qui l'attendait pour amputer l'autre, que rien n'intéressait à part les cigarettes, le jambon Spam et le Coca, poussait des couinements stridents de perroquet. Ou, une fois de temps en temps, juste histoire de décontenancer Laval, elle grinchait comme un ara.

« Embête pas Mémé », lançait le Flake, impénétrable derrière ses verres fumés, insensible au culot de cette filiation présomptueuse. « Et dis voir, Laval. »

Laval, grincheux. « Quoi ?

– Arrête de te gratter. »

À l'époque où il faisait des rondes en tant que flic, Protone avait monté un dossier spécial sur Laval et l'avait coffré quatorze fois. Quatorze. Comptez-les. Laval ne fit jamais plus de quatre-vingt-dix jours et, la plupart du temps, on le relâchait parce qu'il y avait trop de monde en cellule, parce qu'il tombait sur un avocat commis d'office qui plaidait et gagnait à tous les coups, parce qu'il promettait de s'inscrire en désintox ou à Narcotiques Anonymes ou peut-être même en réorientation professionnelle, de se mettre à l'informatique, repartir de zéro, aller s'installer dans un grand immeuble du centre-ville… tout ce qu'il devait dire pour se retrouver dans la rue avant que les crocs du manque ne commencent à le dépecer pour de bon.

Protone s'était présenté à chacune des comparutions de Laval. Il déposait aussi chaque fois, au début. Mais à force, en le voyant arriver, l'avocat commis d'office conseillait à Laval de plaider le *nolo contendere*. En fin de compte, une juge fatiguée de voir Laval dans sa salle d'audience le condamna à une peine de quatre-vingt-dix jours de détention — la première de Laval en neuf ans de carrière.

La fois préférée de Laval ? Un jour, la veille de Noël, Protone l'avait alpagué, arrêté et mis au trou dès 9 heures du soir. À minuit, pourtant, Laval avait été relâché sur la foi de sa propre caution à cause du manque de place en cellule occasionné par l'arrestation collective de pères Noël devant un bar karaoké du quartier du Castro. Si la manœuvre épargna à Laval le spectacle des diverses cellules voisines pleines de pères Noël ivres braillant en chœur « Noël en prison », les bons soins de Laval, eux, n'épargnèrent pas une Range Rover toute neuve. Oubliant le cadenas de vélo confisqué par Protone à titre de preuve, Laval se rabattit sur un vieux truc de secours, le coup de pied de ninja. La vitre passager porcine de la Range Rover culmine assez haut au-dessus du sol, cependant, et les multiples coups de pied de Laval n'enfoncèrent la portière que deux fois avant qu'il n'arrive à en décocher un dans la vitre, et en plein milieu avec ça, pour retomber aussitôt sur son cul, échappant de peu au risque professionnel de se lacérer la jambe gauche et peut-être l'artère fémorale, condamnation à mort même pour quelqu'un d'aussi exsangue que Laval. Mais un iBook titanium couronna l'effort, ainsi qu'un téléphone portable et son chargeur, et Laval dévala Linden Alley ventre à terre, poursuivi par le klaxon inutile de la Range Rover.

« Putain, pas mal, lui dit Flake. Vingt-cinq dollars.

– Ooork », grincha Mémé, encore vivante à ce moment-là.

Si bien que Laval se retrouva assez défoncé pour aller errer parmi les voitures sur Van Ness Avenue, se faire coffrer pour ébriété sur la voie publique et perturbation du trafic, et se retrouva en cabane à 2 h 30 du matin le jour de Noël. Ce qui représentait deux heures et demie de liberté ininterrompue entre deux incarcérations. Peut-être un record. Peut-être pas. La compétition est rude pour ce genre d'exploits.

Protone, allongé sur un bout de carton à côté d'un caddie dans Ivy Street, petite rue dont l'extrémité est débouche sur Franklin Street, face à l'arrière du Louise Davies Symphony Hall, avait fait le compte. Le calcul était simple. Tout ce qu'il fallait faire, c'était prendre l'âge de Laval à l'ouverture de son casier judiciaire, 14 ans, et le soustraire de l'âge qu'il avait la dernière fois qu'il s'était fait serrer. Laval a l'air d'avoir cinquante-sept ans, mais il ne faut pas s'y laisser prendre : la bonne réponse c'est 37. Chiffre à multiplier par le nombre de soirées par an que Laval allouait vraisemblablement à son vice, soit 365 — et en lui laissant un peu de marge pour les années bissextiles, on obtient 8 395. Pour donner un peu de marge à la société, on retranche la durée moyenne non précisée que Laval passe dans une cellule ou une autre, mettons trente jours par an — la fameuse peine de quatre-vingt-dix jours était une anomalie sérieuse, et Laval avait passé un sacré savon à son avocat à ce propos. On obtient 335 jours ouvrés par an multipliés par 37 – 14 = 23 ans, soit 7 705 jours ouvrés. Et allons-y, retranchons les quatre-vingt-dix jours de condamnation : 7 615 jours ouvrés. Le brouillard fit crépiter les feuilles au-dessus de sa tête. Protone remua son cul gelé sur le carton aplati et releva le col de sa chemise en coutil matelassée.

L'autoradio amovible le moins cher qu'on puisse légitimement trouver coûte environ 175 dollars plus la TVA et la pose. Disons 225 dollars. Le moins cher que puisse coûter le remplacement d'une des vitres latérales d'un pick-up doté d'un joli début de bouteille, à condition de la trouver dans une casse, c'est à peu près 150 dollars, plus 50 pour la pose si la portière n'est pas endommagée. Ce qui fait 200 dollars. Vitre plus autoradio, on en est à 425 dollars. Sans compter les ordinateurs portables, instruments de musique, photos de bébés, argenterie huit couverts en argent massif, stock de CD, colliers de chien en strass, cannes, cartons et boîtes à outils (de moins en moins, toutefois, Protone l'avait remarqué, étant donné qu'il n'y a plus d'ouvriers qui habitent San Francisco), jumelles, appareils photo, bracelets, rouleaux de pièces de vingt-cinq *cents*, et cetera, et cetera. Restons-en à l'unité de base statistique de vitre plus autoradio, arrondissons à quatre cents dollars pour éviter à un quelconque sociologue gauchisant de dire qu'on exagère, et on arrive à un butin de carrière de trois millions et quarante-six mille dollars. Arrondissons à trois millions. Pourquoi pas ?

Un seul putain de junkie de merde.

Mais bon. On veut vraiment choper les boules ? Protone rapporte chez lui 35 272,57 dollars par an nets d'impôt les années où il ne fait pas d'heures supplémentaires, ce qui n'arrive jamais mais là n'est pas la question. Divisons par ce total la somme gagnée dans toute sa vie par Laval : combien de temps faudra-t-il à Protone pour égaliser ? Quatre-vingt-six ans et un peu plus de quatre mois. Arrondissons : quatre-vingt-six ans de ce merdier.

Mais voilà qu'une ombre entrait par l'ouest dans le pâté d'immeubles 400. Il y avait là un arbre sous lequel étaient garés deux véhicules. Ivy Street est une rue étroite à sens unique, orientée est-ouest, où on ne peut stationner que sur le côté nord. L'ombre se déplaçait vers l'est, sans vraiment chercher à dissimuler qu'elle hésitait devant chacune des vitres des véhicules garés là. Venait ensuite un tronçon prolongé sur lequel débouchaient allées d'accès et sorties de garages — culs-de-sac ne justifiant pas le risque à prendre. L'ombre poursuivit.

Et le voilà cet enculé, se dit Protone.

Protone avait un petit 7.65 automatique plat à canon court non enregistré dans un étui de cheville à l'intérieur de l'épaisse chaussette de sport qui tirebouchonnait hors de sa tennis gauche. Il avait un 9 mm Police Positive à canon court, une de ses armes de service, niché au creux des reins, dans la ceinture. Laval n'opposerait jamais une résistance qui nécessite d'être calmée d'une balle, mais on pouvait toujours espérer. Et on pouvait toujours tuer cet enfoiré, de toute façon. Un agent de la criminelle rétrogradé au rang de simple flic des rues est un type sacrément contrarié. C'est pourtant la marque d'un professionnel que d'affronter la tentation, et même de s'y colleter l'arme à la main, sans succomber. Si Laval savait seulement à quel point il était passé près, au fil des ans. Mais Laval ne savait pas grand-chose. Il avait un ensemble de croyances, un système de déni, une façon de se débrouiller qui ne souffrait aucun compromis, aucun accroissement systémique autre que la réclusion ou la mort.

Depuis son divorce, plutôt que de rentrer chez lui, Protone avait repris Laval comme dossier spécial. Il n'en avait parlé à personne… pas même à Laval. Il avait discrètement décidé un collègue de Parkside Station à le charger des heures supplémentaires. Il lui expliqua qu'il en avait besoin pour la pension alimentaire, et dans quelle mesure pouvait-il bien s'agir d'un mensonge ? Ce n'en était pas un du tout. Entre-temps, l'Association du Quartier Hayes Valley avait assailli son responsable, les flics, la municipalité, le maire et tous ceux auxquels ses membres purent penser de lettres, pétitions, appels téléphoniques, e-mails et déplacements en masse. Car en fait, Laval n'était pas le seul braqueur à sévir à Hayes Valley. Dans ce quartier, les premières lueurs de l'aube scintillaient toujours sur des débris de verre Securit. Les gens en avaient marre. Et donc le brave copain accorda de bon cœur à Protone les heures supplémentaires. Surveiller un unique pâté d'immeubles plongé dans le noir, déguisé en sans-abri, un soir après l'autre, c'était une corvée dont beaucoup rechignaient à se charger. Il faisait froid, c'était malpropre, généralement sans effet, et ça pouvait être dangereux.

Pourtant il était là, allongé sur le trottoir, et Laval était là aussi, en train de faire son repérage le long de la rue et d'arriver droit sur Protone. C'était presque trop beau pour être vrai. Presque trop tentant, aussi. Je devrais peut-être tout simplement l'abattre, cet enculé, pensa Protone. Puis il se ravisa. S'il éliminait Laval, il se verrait contraint de rentrer chez lui tous les soirs au lieu de venir ici. Chez lui, dans le minable garage meublé que le divorce lui avait à peine laissé de quoi louer dans le quartier Sunset. Chez lui, devant un plat chinois à emporter et les 275 chaînes télévisées vociférantes d'inepties, séries policières pour la plupart, chez lui pour retrouver les deux ou trois taies d'oreiller débordantes de linge sale qui le vouaient plus tôt que tard à deux heures d'horreur et de maladresse dans une laverie automatique à l'éclairage criard.

Il entendit le verre brisé avant même de comprendre que Laval passait à l'acte. Protone se tapit derrière le caddie. Il fallait reconnaître, reconnut-il, que Laval était devenu bon avec le temps. Il tira de sa poche une paire de menottes et une matraque.

Et ce soir, comme il pouvait le constater en filant sur le trottoir, Laval était au point. Il portait des gants de cycliste ou de batteur de base-ball pour ne pas s'entailler les mains, des vêtements noirs, pour la plupart, sans doute récupérés dans le conteneur de Saint Vincent de Paul. Même son sac à dos était foncé, et sous la capuche sombre sa tête se fondait dans l'obscurité.

Le temps que Protone remonte Octavia Street et les cinquante mètres de trottoir jusqu'au lieu de l'infraction, Laval avait ouvert la porte passager et seule sa jambe gauche était visible de l'extérieur, dans l'extension complète propre aux braqueurs de bagnoles. La victime était une Ford Excursion dernier modèle. Aucune alarme ne se fit entendre. Les froissements particuliers de cartes routières, assurance et certificat d'immatriculation, et d'un manuel du constructeur arrivèrent aux oreilles de Protone à mesure de leur chute sur le tapis de sol après avoir été déblayés de la boîte à gants. Puis vint un cliquetis de coffret à bijoux quand Laval rafla à deux mains les CD de la console centrale jusqu'à son sac à dos béant sur le siège passager.

L'odeur, à un mètre de distance, arrêta net Protone.

L'odeur lavalienne, reconnaissable, immuable et plutôt rance, celle-là n'y ressemblait pas. Laval actionna la crémaillère du siège passager qu'il propulsa en avant, puis entreprit de fourrager. Sa main rencontra une montre, qu'il fourra dans le sac à dos. Sous la banquette arrière, il trouva un petit parapluie pliant, le laissa tomber dans le caniveau.

Protone se tenait à la hauteur du pare-chocs arrière, stupéfait. Toutes ces années passées dans la police, toutes ces soirées à pister Laval, tous ces lieux d'infractions, ce comportement aberrant, ces perversions, ces charniers en sous-sols abritant les esclaves sexuels de salons de massage…

« Putain je rêve », gronda-t-il tout haut. Laval ne réagit pas. « Putain tu déconnes », cria Protone. Laval sortit la tête. « Tu sais pas reconnaître l'odeur d'un cadavre quand tu l'as sous le nez ? » Protone hurlait après Laval. Il agita les menottes et la matraque. « Regarde-moi ces mouches !

– Les mouches, dit Laval en se dégageant à reculons de l'interstice derrière le siège passager, ça fait partie de la vie.

– Il y a un truc mort là-dedans ! brailla Protone.

– Fous-moi la paix ! beugla Laval à pleins poumons. Tu me casses les oreilles ! (Il assena sur le toit de l'Excursion un coup de cadenas assez fort pour le cabosser.) J'ai *assez* de problèmes comme ça !

– Tu sens pas cette odeur ? (Protone balança l'empeigne de sa chaussure en direction des couilles de Laval et manqua son but.) Lâche cette arme ! (Il réitéra et manqua de nouveau.) Tu sens pas ce macchabée, petit connard de merde ? (Et bien que les mouches lui entrent dans la bouche :) Fais voir tes mains ! »

Laval essaya de frapper avec son cadenas. Sourire aux lèvres, Protone lui écrasa sa matraque sur le poignet. Le cadenas tomba à grand bruit sur le trottoir. Puis il donna un coup derrière l'oreille de Laval qui s'effondra. Tandis que Protone luttait contre l'envie d'enfoncer Laval dans le sol à grands coups de talons, l'autre lui enfonça les dents dans la cheville. « Tu es en état d'arrestation ! » déclara Protone en crachant des mouches, puis il abattit sa matraque sur la tempe de Laval. « Lâche ça ! » Laval s'exécuta le temps de hurler « Au secours ! », puis referma les dents sur le bout de la tennis de Protone.

Manifestement, Laval était défoncé au point de ne plus sentir la douleur. Ce qui exigeait du doigté. « Envoie le butin, enculé. » Protone attrapa une des lanières du sac à dos et tira d'un coup sec. Des CD se déversèrent sur le trottoir.

« Touche pas mes affaires ! » glapit Laval. Il infligea une torsion perfide à la cheville de Protone. « Touche pas mes affaires, mec ! » Les deux hommes se battaient sur un matelas croustillant de quatre ou cinq centimètres de verre Securit. Laval attrapa le sac par l'autre lanière.

Il ne me reconnaît pas, il agresse un flic, il est sacrément défoncé ce soir, se dit Protone en tombant sur le dos le long de la Ford. Refermant l'autre jambe sur celle que tenait Laval, il souleva quasiment son adversaire dans les airs et roula en arrière sur les épaules. Ses jambes et Laval continuèrent sur leur lancée, telles les aiguilles d'une horloge tournant à reculons, jusqu'à ce que la tête de Laval ait décrit une rotation en demi-cercle qu'interrompit le trottoir, accrue par une inertie pitoyable quoique prévisible s'exerçant dans l'axe de sa silhouette rongée d'héro et fracassant les vertèbres comme s'il s'agissait de soucoupes dans un chargeur industriel.

Laval se figea, poussa un soupir, et s'affaissa contre le pneu arrière droit de l'Excursion comme un sac de feuilles mortes.

Protone avait perdu les menottes. Il roula sur lui-même et se redressa à la force des poignets, pour s'apercevoir que ses paumes tentaient sans résultat d'écraser des dizaines d'éclats de verre Securit. Il s'effondra, tournant la tête de façon à se lacérer une oreille plutôt que le visage. Il se retourna sur le dos dans les morceaux de verre et resta immobile, hors d'haleine. La sueur lui ruisselait du cuir chevelu. Son bonnet avait disparu. Une putréfaction avancée, enfermée dans ce véhicule pendant une durée que seul un coroner pourrait déterminer, le prit à la gorge. Des milliers de mouches noircissaient l'espace entre la Ford et une vitrine allumée à l'embranchement d'Octavia Street. Protone connaissait cette odeur. Il ne l'aimait pas. Personne ne l'aimait. Du croissant mastiqué et deux tasses de café se ruèrent sur son sphincter œsophagien. Bon sang, mais comment Laval pouvait-il supporter de dépouiller un véhicule en dépit de ce relent âcre et sucré que seuls appréciaient les asticots et les vautours ?

« Laval… » Pas de réponse. « Oh. » Protone se retourna et secoua Laval. « Ça va ? » Laval ne bougeait pas. « Laval ! Sors-moi un mensonge. Dis-moi que tu es désolé… »

Un frisson parcourut les cinquante-cinq kilos de Laval. Ses lèvres s'entrouvrirent lentement et restèrent telles quelles. Un filet noirâtre d'à peine trois millimètres de large dégoulina en festons de la commissure de ses lèvres, plus sombre encore que son teint.

Tant pis pour la sécurité de l'emploi.

Le temps que le coroner arrive, le filet allait suivre un joint de dilatation jusqu'à la bordure du trottoir, encore en granit dans ce quartier de la ville, et s'accumuler jusqu'à déborder par-dessus pour disparaître au creux du caniveau dans l'ombre de l'Excursion.

Le coroner comptabiliserait trois corps, une fois qu'il les aurait trouvés, dont celui de Laval. NB, ajouterait l'e-mail, il y avait une tête excédentaire. Si bien qu'en fait, il y avait quatre morts. Laval était le macchabée manifeste. Les assistants du coroner qualifièrent de « capilotade » les deux autres corps qui ne purent être identifiés. Assassinés, toutefois. Ils purent au moins déterminer ça.

La tête portait des traces de congélation et décongélation. Pas de cause du décès. À moins de compter la décapitation. Ah. Ah ha. Ah ha ha… ha. Le coroner, Jimmy Nix, était un original. Il y avait trois tickets de stationnement sur l'Excursion, laquelle avait été volée à Berkeley.

En vérité, ces précisions n'en racontaient guère plus sur Laval que sur les trois victimes non identifiées. Les dossiers dentaires ne donnèrent aucun résultat. Même un tatouage, dont on ne déchiffra que *Semp... Imp... Dub...*, ne livra aucune indication. Une scanographie de l'unique signe distinctif présent sur l'autre ensemble complet de restes, un code barre haute résolution tatoué au laser sur le périnée, révéla une suite alphanumérique de quatorze caractères sans signification. Il n'y avait personne à contacter, pas la moindre trace du moindre parent, pas de signalement de disparition qui corresponde. Aucune personne aimée ne vint retenir ses larmes pendant que Jimmy Nix ouvrait les tiroirs respectifs du grand réfrigérateur. L'assistante sociale de Laval ne vint même pas contempler avec regret et opiner en murmurant : « Quel gâchis. »

Les auxiliaires médicaux firent une injection antitétanique à Protone sur place, le patron prit une déposition, le déchargea de la paperasse et pour un peu, bon sang, il lui aurait presque dispensé sur-le-champ un congé administratif. Le patron croyait lui rendre service.

Une voiture pie reconduisit Protone chez lui. Malgré une longue douche chaude et deux bières en bouteille glacées, un relent puant s'attardait sous ses ongles et le goût des mouches dans sa bouche, et de toute façon, la soirée s'était muée en une de ces nuits qu'il redoutait tant. Une nuit endurée chez lui, à scruter dans la lorgnette maison pas franchement marrante qu'est l'abreuvoir cathodique, à ne voir que ces deux semaines de congé, la bouche cadenassée par une sorte de ténesme vocal, quelque chose à dire, personne à qui le dire, et de toute façon pas de mots pour le dire, aucun moyen d'exprimer quoi que ce soit.

36

Au troisième dry martini, dynamité d'un trait d'absinthe, elle partit carrément en vrille.

CONFÉRENCE N° 4

La Bwana attendit que la foule en finisse avec la énième reprise du refrain de *Dollars d'Asie*, le mégatube de Condor Silversteed sous-titré « Impossible de mettre la main dessus ».

Les marchés s'effondrent
Les élections déraillent
Et les clés tournent vaille que vaille
Mais les serrures sont tout explosées

Le secours se vend
Mais on sait que rien ne dure
Personne s'en offusque
Vu que tout l'monde
Touuut l'monde
Touuut l'monde
Peut liiiiiiiiiiiire
Tes mails…

Après la Quietussification savourée de quelques anti-groupies, la foule se calma suffisamment pour qu'un coup de marteau la rappelle à l'ordre.

Le marteau, soit dit en passant, est un *Yubiwaza*, un marteau d'encadreur fabriqué au Japon, pourvu d'une tête en kryptonite de huit cents grammes capable d'enfoncer d'un seul coup une pointe à tête plate de 16 d (89 mm) lubrifiée, et de l'arracher de même grâce à son manche de 45 cm en pur Crunch des Forêts tropicales™, sculpté de façon à reproduire la forme de la tige svelte d'une orchidée par ailleurs disparue.

« Je n'ai pas assez de puissance ici pour montrer les vidéos sur ordinateur… »

Rires entendus émanant de la salle plongée dans l'obscurité, car il était notoirement connu que le Comité devait à la ruse, l'entreprise et l'espionnage de contrôler les ordinateurs les plus puissants de toute la Cryptopole.

« … mais vous noterez l'étymologie de *Zeitgeist*, un mot allemand : *Zeit* signifie le temps, *Geist* l'esprit. D'où sa signification : "l'esprit d'une époque". « Comme La Bwana débitait son laïus, les mots s'affichèrent sur le grand écran suspendu en hauteur derrière elle, ainsi que sur ceux fixés à hauteur d'homme au-dessus de tous les urinoirs du bâtiment, etc. « Les mœurs intellectuelles et le climat culturel d'une époque ou d'un âge donnés… » Les reliefs du sourire de La Bwana rayonnaient avec bienveillance sur la salle, dents coûteuses, lèvres sculptées, logo octogonal Škoda-Benz tatoué au laser dans l'incisive supérieure droite. « … que j'interprète généralement comme le moment présent, accompagné de son prolongement logique : l'extinction rapide. Songez aux pantalons pattes d'éléphant, à Herbert Marcuse, à la politique de dissimulation des orientations sexuelles au sein de l'armée (déferlantes de rires)… au respect de l'environnement (gloussements et ricanements)… Sans parler de la démocratie plénipotentiaire (à savoir : la strate d'ordures oubliées que laisse chaque soi-disant civilisation, société ou empire)… la nationalisation des banques et la privatisation des transports en commun, deux choses… dont les États à venir restent plus ou moins inconscients, pour ne pas dire qu'ils souffrent d'amnésie institutionnelle.

– Jeunes, cons et pleins de jus ! » cria quelqu'un du parterre.

La Bwana se pencha sur le micro, marqua un temps d'arrêt pendant que les rires enflaient puis décroissaient, et commenta d'une voix rauque : « C'est répugnant. »

Rires entendus.

« Il n'existe aucun moyen, reprit La Bwana, de prédire en quoi cela pourra consister. Nous avons encore le calendrier maya

— exemple que je choisis sciemment, ne serait-ce que parce qu'un grand nombre d'entre vous continuent à s'y référer. » La Bwana brandit alors un calendrier maya de la taille d'un portefeuille pour que tous puissent le voir, geste dûment reproduit en x 100 sur l'écran suspendu en hauteur derrière elle, à hauteur d'homme sur l'intérieur des portes des toilettes, etc. « Voyons donc ces calendriers mayas ! » Des dizaines, puis des centaines, et finalement un total de 758 mains gauches se levèrent en un clin d'œil, tenant chacune une reproduction format portefeuille du calendrier maya gracieusement offert par la BiggieBank en tant que partie intégrante de la convention fourre-tout. Sur les écrans apparurent en longs panoramiques de vagues cartes format portefeuille brandies par des membres fantomatiques.

« Mais nous ignorons complètement ce qu'il est advenu de la culture maya, n'est-ce pas ? »

Marmonnements confus.

« Alors réfléchissez-y. »

Des rhinogénériques infestèrent la salle d'une odeur d'électronique en fusion. La foule se mit à scander : « Réfléchis, poupée, réfléchis. Réfléchis, poupée, réfléchis… »

« Si vous étiez maya, reprit La Bwana tandis que le refrain s'étiolait sous son beuglement de stentor, avec votre appartement en copropriété à moitié payé dans la Cryptopole et cette fameuse promotion à la BiggieBank en bonne voie, et que d'un seul coup votre monde s'effondre complètement, qu'est-ce qui aurait le plus d'importance à vos yeux à l'heure où “eux” arrivent (une armée d'envahisseurs preneurs d'esclaves, s'adonnant sans retenue à une idolâtrie qui serait en fait l'exacte contraposée de la vôtre, à savoir : Eux ce n'est pas nous, donc non — eux c'est nous), à moins que “ça” arrive (tremblement de terre, astéroïde, épidémie) pour vous anéantir vous et votre famille, ou tuer les femmes et violer les hommes… qu'est-ce qui, sur le moment, aurait le plus d'importance à vos yeux, dites-moi : le calendrier accroché au mur, les rivets de l'armure du preneur d'esclaves, ou les symptômes spécifiques du virus ibola ? Celui qui provoque des hémorragies téléphoniques », précisa-t-elle obligeamment.

Un silence total s'abattit sur la salle. Même le bruit rose de diverses occurrences sphéroïdocentriques, s'oxydant au contact d'un large spectre de puces crâniennes vieilles de vingt ans, décrut jusqu'à un chuintement à peine perceptible.

« Zeitgeist, adiós. Et là, d'un seul coup aussi, vous reprenez conscience cinq bons siècles ou mieux, mille ans plus tard, pour découvrir que tout ce que les gens connaissent de vous et de votre époque (les rares qui s'y connaissent effectivement sont des spécialistes, et ce qu'ils savent est faux en grande partie), ce sont les restes partiels de votre calendrier, qu'un entrepreneur a découverts dans une strate de cendres d'à peine sept centimètres d'épaisseur, à quelque chose comme un mètre cinquante en dessous de l'amas compacté de dépotoirs commerciaux ultérieurs, strate qui n'est pas sans rappeler celle dans laquelle, poussé par votre grand-père, vous avez vous-même découvert, un jour de 1985 à Darwin, en Californie, un flacon bleu de médicament, sauf que s'il se trouvait à cinq centimètres de profondeur, il n'était sans doute là que depuis cent ans à peine. Or même le calendrier se résume principalement à sa pin-up, un joli garçon maya en déshabillé faisant tournoyer sur le bout de l'index un ballon de basket en caoutchouc plein, sculpté dans la pierre avec quelques scores placardés en dessous, des chiffres arabes principalement, en base dix, mais bien sûr le garçon maya n'évoque rien, étant donné que le sexe n'a plus de signification, de nos jours… » Gloussements parmi les jeunes, soupirs de la part des vieux. « … du coup personne ne comprend de quoi il est question, mais ça n'empêche pas les gens de supputer, bien au contraire, la pénurie de données attise les supputations, que par exemple une pleine lune le 13 juillet 1987, en conjonction avec Vénus et transitant le Sagittaire plus tard dans la soirée, annonçait la disparition de votre civilisation vingt-cinq jours, semaines, mois, années, décennies plus tard, avec d'énormes — j'entends par là gigantesques — implications quant au devenir de notre propre visibilité mille ans plus tard… c'est-à-dire maintenant ! Et tout le reste — les textos de la personne de votre choix continuant à vous assurer que tout allait bien, les pustules fleurissant sur votre visage dans le miroir, la poussière soulevée par l'armée d'invasion qui traversait à grand bruit le Bay Bridge (chef-d'œuvre d'ingénierie datant de 2013, que le dernier homme chargé de sauver la ville ne put se résoudre à détruire, ce dont les envahisseurs se chargeront avec grand plaisir une fois qu'ils n'en auront plus besoin) — tout cela et pratiquement tout le reste a disparu sans laisser de traces ; et nous, aujourd'hui, mille ans plus tard, n'avons même pas une rumeur sur laquelle fonder un fantasme à propos de votre…

– Zeitgeist ! complétèrent une centaine de voix.

– Zeitgeist, répéta La Bwana d'un ton comme introspectif. Un mot allemand, une forme composée signifiant temps et esprit, donc l'esprit des temps et, par conséquent, ni plus ni moins éphémère que la mode, la technologie, les transports motorisés, l'écrit, le tube cathodique, le ballon de basket de dix centimètres de diamètre en caoutchouc plein — Gesundheit — (rires) et bien sûr la coutume idiote de sacrifier l'équipe perdante, ou qu'à peu près n'importe quel objet culturel artisanal qu'on pourrait citer. Qu'avez-vous ressenti le soir où votre téléphone a succombé à l'épidémie, ou le jour où il a manifesté les premiers symptômes mortels ? En dehors du fait qu'un humain pourrait compatir à votre perte et peut-être même se joindre à vous dans votre affliction, bien que mille ans séparent votre perte de son empathie, il est également possible, voire beaucoup plus vraisemblable, que quelqu'un venant un millier d'années après vous et votre culture n'aura pas même l'ombre d'un semblant d'idée du fait que votre culture, votre époque et votre Zeitgeist aient seulement pu expirer, sans parler d'exister. Sans parler du fait que vous étiez là aussi. » La Bwana braqua l'index vers les lumières, à gauche, à droite, au centre. « Et vous aussi, et vous… Ah hahahaha…

– Ah hahahaha, répéta l'auditoire.

– Le Zeitgeist, entonna La Bwana d'un ton comme introspectif, risque fort d'être interprété comme la tendance d'une époque à surestimer son rapport à l'histoire… ou à n'importe quoi d'autre. Résumons-le à ça ! »

Un silence total s'abattit sur le Moscone Holodrome. On aurait entendu grincer une vis dans la cheville d'un ancien combattant.

« Qu'avez-vous fait pour Pi, aujourd'hui ?

– Hein ? demandèrent trois cents voix.

– Hein ? demandèrent les quatre cent cinquante-huit autres.

– Je répète, dit La Bwana : qu'avez-vous fait pour Pi, aujourd'hui ? »

Silence.

« Vous voyez ? L'inconscient collectif n'est pas mort ! »

Le silence propre à une populace qui vient tout juste de vivre un moment d'osmose avec une chose authentique, cette élision fugace entre un état d'ignorance et le suivant, pareille à un éclair de lumière tombant de la bouche d'aération dans le tunnel qu'est le champ visuel au travers duquel la pièce voyage à grande vitesse, en dehors de quoi il n'existe aucune preuve qu'un quelconque déplacement s'effectue véritablement, ce moment où, en dépit de tous les efforts du sous-comité qui dispense les Merveilles de l'Histoire, une particule de vérité ruisselle dans la rigole inclinée de la Zone de Bien-être comme un poil pubien dégringole le long d'une jambe de pantalon.

L'auditoire en eut le souffle coupé et fut pris de délire, et bien qu'à cette comparaison télépathique Tipsy s'agitât et fronçât les sourcils dans le fauteuil en cèdre, elle ne s'éveilla pas. Souffleté par un violent vent de brume, le verre à martini chut sans bruit dans l'étreinte des capucines.

« Le Zeitgeist », répéta La Bwana, comme pénétrée d'introspection, « est dérivé de la même époque allemande qui nous a légué l'héroïne et la propagande. Zeitgeist, héroïne, propagande... quel héritage ! (Puis La Bwana déclara :) *Et pourtant, tout cela, aussi, disparaîtra... !* »

Des simulacres animés de *Hypsignathus monstruosus*, dont la femelle est pourvue d'un ovipositeur de la taille d'une poignée de sabre, sillonnèrent en vols Möbius la microsphère, ovipositant dans tout l'holotorium des pastilles affichant l'un ou l'autre des slogans approuvés qui correspondaient à l'Info du moment (« On sert mieux l'État en silence », « Aussitôt après le match » proclamait l'un, « L'équipe perdante sera sacrifiée » complétait son jumeau, ainsi que de bonnes vieilles scies : « Résiste peu, obéis beaucoup », et le classique : « Ahhhh hahahaha... »). Les pastilles se disséminèrent Poissonnément sous la superficie pyrolysée de l'Holodrome, parmi délégués, télégués et hologués. Des faisceaux de lumières tournoyèrent au sein de la foule. Les dronifleurs gardaient leurs distances de Planck. Des Shadow9 dormaient dans les placards à persiennes, alignés en rangs, comme des chauves-souris, comme des *Hypsignathus monstruosus*, comme gainés de fourreaux. Une opération à petit budget.

Le noir se fit sur les accents du vieux tube de Condor Silversteed :

Tu es venue à moi
Comme une facture de nulle part...

Tipsy fronça les sourcils et s'agita dans son fauteuil. Avait-elle posté un chèque à la Compagnie du Gaz et de l'Électricité ? Mais elle ne s'éveilla pas.

… Le projecteur se ralluma au moment où Condor Silversteed en personne fit une apparition surprise, non pas pour se produire mais pour vous adresser de grands signes à vous, qui êtes prêts sur la gauche, et vous, prêts sur la droite, et vous, prêts dans le parterre…

Une jeune fille, debout tout près de l'agent Few qui bossait au noir, hurla : « Il m'a regardée ! Il m'a regardée ! » et s'évanouit de bonheur.

C'est la Vraie Vérité.

VI

Traversée vent debout

Un jour passé en mer ne compte pas
dans le total des jours alloués
à une vie d'homme

Sur le mur du Cat'n'Fiddle Pub
SAUSALITO, Californie

37

La mer des Caraïbes avait belle allure. Avec ses bleus céruléens. Des dauphins se pressaient en foule sous l'étrave, striaient d'air les flots par-delà le balcon avant, et poussaient des cris aigus. Des mouettes traînaient dans le sillage et chopaient les bouts de jambon fumé que Tipsy leur tendait du bout des doigts. Les poissons se chargeaient du peu que manquaient les mouettes. Un yacht à un million de dollars faisait route au moteur dans un sens, un yacht à deux millions dans l'autre sens, et tout le monde avait fière allure. Après s'être absenté pendant une courte période, Red retint une suite adorable dans un motel du front de mer, le temps de faire lustrer la carène et astiquer les parties inox. Il versa un curieux mélange d'eau de Javel et vinaigre blanc dans un récipient en verre posé sur un chauffe-plat sous les planchers, ferma les hublots et condamna hermétiquement la descente pendant vingt-quatre heures, aéra le tout pendant une journée de plus, et *voilà**, ni moisissure ni mousses, pas un seul organisme vivant ne survécut au dichlore ainsi obtenu.

« Cette mixture a l'air dangereuse, observa-t-elle.
– Seulement si on l'inhale, fit remarquer Red.
– Les insectes inhalent ?
– Non. Ils piquent. »

Red l'accompagna même au supermarché, le premier homme dans sa vie qui s'en donnât la peine, depuis le charpentier, et régla la note de quatre cent cinquante dollars de bibine et denrées diverses. Puis ils se rendirent dans une grande boutique d'accastillage et dépensèrent à peu près autant en équipement — vêtements de mer, écran total, shorts, chapeaux, fusées, piles, cartes. Red insista pour que Tipsy attende qu'il ait quitté la boutique pour payer les cartes en espèces. Puis ils allèrent dans une librairie où elle fit provision de romans à suspense en plus d'ouvrages à propos de femmes vivant à bord de bateaux, de femmes en mer, le *Guide du radar pour les nuls*, et un livre traitant spécifiquement de la façon d'attraper et préparer les poissons comestibles des Caraïbes. Pour les non comestibles, il y avait un appendice sur la taxidermie.

« Dis donc, dit-elle, regarde un peu les outils qu'il faut. »

Red jeta un coup d'œil. « C'est le même attirail que pour purger un diesel.

– Donc on est parés ?

– On est parés.

– Bon. Tu n'auras qu'à monter les trophées. » Elle ajouta le livre à la pile.

Red se contenta de rire et régla la note.

Tipsy n'avait jamais rien vu de pareil. Au bout d'environ une semaine, elle se rendit compte que San Francisco lui avait embrumé l'esprit aussi bien que le climat, et que jusqu'à ce voyage en Floride, une chose tout à fait fondamentale chez son frère lui avait échappé : la mer des Caraïbes est un endroit magnifique. Il y fait chaud, et alors ? Certains considèrent que c'est un plus.

« Si on reste sur l'eau, fit remarquer Red, la chaleur qu'il fait n'a pas d'importance. » La première fois qu'ils empruntèrent le ponton, poussant un chariot plein de livres et de provisions, Red s'arrêta le long d'un bateau immense. « Bienvenue à bord. »

Tipsy n'en croyait pas ses yeux. « C'est *Tunacide* ?

– À en croire le tableau.

– Red… il est magnifique !

– Toi aussi, répondit Red. Tu aimes, vraiment ?

– Si j'aime ? C'est le plus beau bateau que j'aie jamais approché d'aussi près.

– Il est pourtant bien plus petit que *La Revanche de Kreutzer*. »

Tipsy fronça les sourcils. « Jamais entendu parler.

– Bon, lança Red sans rien perdre de son enthousiasme, viens voir d'encore plus près. »

Pendant le voyage jusqu'à la Floride, ils étaient devenus inséparables. Ils se consultaient l'un l'autre pour les plus petites décisions. Le beurre de cacahuètes, par exemple. Onctueux, ou avec pépites ? Comme tu veux, ma chérie. Non non, c'est toi qui décides… Et qu'est-ce que tu dis de ce motel ? Mais oui, pourquoi pas…

La couchette du capitaine était aussi vaste et confortable que pouvait l'espérer quiconque doué d'un appétit raisonnable pour ce genre de choses, dans l'idée d'y attendre la fin de la saison des ouragans. Ils se mettaient au lit de bonne heure et se levaient tard. Ils jetaient l'ancre dans divers endroits secrets disséminés dans les Keys, plongeaient avec masque et tuba, préparaient d'excellents repas qu'ils prenaient quand bon leur semblait, buvaient à longueur de journée mais rarement trop — parole d'alcoolique ! En vérité, il faisait trop chaud pour s'imbiber vraiment. Tipsy se mit à prendre des bains de soleil, étendant un drap de bain moelleux sur la plage avant, avec écran total et chapeau, un Simenon calé entre le pont et la chaîne de mouillage de façon à ce qu'il ne risque pas d'être emporté avant qu'elle arrive ou n'arrive pas à le finir. Elle prit un beau hâle, intégral qui plus est : se baigner et prendre le soleil nue était tout à fait faisable dans tous les mouillages solitaires de Red, de même que manger et boire modérément de façon à le faire avec allure. Tipsy se limita vite à du vin blanc glacé coupé d'eau gazeuse et un cocktail du nom de Stormy Weather : un grand verre d'une pinte plein à ras bord de glace pilée, une petite mesure d'un excellent rhum haïtien, noir et bon marché, nommé *Dithyrambe du Gonave* dont *Tunacide* transportait deux caisses, un trait du jus du quartier de citron vert frais servi avec à titre d'antiscorbutique, le tout complété par de la bière au gingembre anglaise d'une acidité piquante comme jamais elle n'en avait goûté, dont il y avait au moins quatre caisses dans la cale. Parfait pour étancher la soif, fouailler la langue et fluidifier l'hémoglobine… un délice.

Finalement, Red était capable de préparer n'importe quel poisson de n'importe quelle façon que Tipsy le souhaite, sans parler des façons qu'elle ignorait souhaiter mais qu'elle apprit bientôt à réclamer avidement, et c'en fut terminé du fameux livre de cuisine, mais il avait aussi dans un coin de la tête une poignée de recettes insolites comme, par exemple, une salade César mortelle, une autre salade, sans doute thaï, à base de jicama et de piments serrano, ainsi qu'un plat marocain d'agneau aux abricots accompagné de semoule de couscous. Tipsy finit par laisser Red se charger d'au moins la moitié de la cuisine car, bien qu'elle ne fût pas complètement incompétente, la plupart de leurs repas se composaient de produits de la mer, complétés d'une céréale et d'un légume frais.

« La glace, lui expliqua Red, c'est la merde à conserver à bord d'un bateau, même un gros bateau puissant comme celui-là. Les installations nécessaires pour maintenir la réfrigération et fabriquer de la glace causent sûrement plus de problèmes aux navigateurs amateurs que cinq ou six des risques les plus courants de la navigation, quels qu'ils soient… mis à part, bien sûr, le fait de plonger bourré.

– Alors, releva Tipsy en faisant tinter la glace dans son verre vide, pourquoi les conserver ?

– Partout sous les tropiques, dit Red, la glace est une denrée d'échange de première importance. On peut tout se procurer en échange de pains de glace. (Ses sourcils s'agitèrent comme une double étude des mouvements dans le temps de la pupe en gestation.) La baise, par exemple.

– Ah oui ?

– Écoute plutôt. (Il s'éclaircit la gorge.) Hé, beauté. (Il fit tinter les glaçons presque fondus dans son verre vide.) Ça te dit, un peu de glace ?

– *Ouais*. »

Pendant que Tipsy passait ses journées à bronzer sur la plage avant, Red tuait le temps à l'arrière, sirotant de la bière tout en surveillant une paire de cannes à pêche. Sa peau claire lui interdisait de rester nu, si bien qu'il s'attifait d'une casquette de pêche à longue visière, avec oreilles rabattables et protège-nuque, d'une chemise à motifs d'ananas commercialisée sous la marque *Octopus and His Friends*, d'un pantalon de treillis à la ceinture duquel était passé un étui à outils multifonction, et d'une paire de tongs quand, sur le coup de midi, le pont devenait trop chaud pour y marcher pieds nus.

Donc, sur le coup de midi, Tipsy et Red se retrouvaient pour déjeuner et faire la sieste.

Dans l'ombre de la visière de sa casquette, les yeux de Red pétillaient tandis qu'il s'émerveillait de sa chance. À soixante ans bien sonnés, il y avait longtemps qu'il ne s'était pas payé du bon temps pour le seul plaisir du bon temps. Quand il levait le nez, il se rendait compte qu'une demi-heure ou trois quarts d'heure s'étaient écoulés sans laisser la moindre trace dans son esprit. Ou que l'appât avait disparu sur les deux lignes sans même qu'il l'ait remarqué. Il s'aperçut que ses mains, calleuses et durcies par des années à manier du matériel de navigation et de pêche, l'une des deux paumes barrée d'une balafre, avaient acquis une nouvelle sensibilité. Son centre de gravité s'était abaissé et sa présence physique, qui n'avait jamais été souple, devenait plus ferme que jamais.

Aux abords de la soixantaine, ayant conclu que la sexualité occasionnelle et convulsive qui le caractérisait depuis sa jeunesse était devenue, pendant qu'il se préoccupait d'autres choses, une affaire du passé, il avait essayé prostituées, call-girls et anciennes petites amies, et même une ou deux nouvelles têtes. Des clous ! Le cœur n'y était pas, tout simplement. Il préféra donc se concentrer sur la quantité de fric qu'il arrivait à faire en fournissant le moins d'efforts possible, et la quantité de poissons qu'il arrivait à prendre tout en restant assis à penser au fric.

Et maintenant, voilà qu'il se retrouvait en train de barboter dans les nombreuses criques, anses, bancs de sable et récifs des Keys, à se prélasser dans la sollicitude sans mélange d'une beauté de presque quinze ans de moins que lui, et ça semblait la chose la plus naturelle au monde. Pile quand on vient de perdre tout intérêt pour la chose…

Tout n'était pas qu'insouciance, bien sûr. Le problème demandait à être traité.

Et donc, un soir, après un délicieux repas de thon frais poché au vin blanc et à l'estragon, accompagné de riz sauvage, petits raisins blonds, noix et asperges fraîches, et pendant que Tipsy prenait son tour pour faire la vaisselle, Red remplit leurs deux verres et aborda le sujet.

« Il faut qu'on s'occupe du business. Sinon cette idylle (son verre à la main, il eut un petit geste circulaire) va s'arrêter sans crier gare. »

Tipsy portait un tablier et rien d'autre. Les liens pendaient du nœud qu'elle avait fait au creux de ses reins. Elle fit de la place pour une casserole dans le panier inférieur du lave-vaisselle, puis se redressa. « Pas plus compliqué que ça ?

– Pas plus compliqué que ça. »

Elle ferma le lave-vaisselle, le mit en route, et se retourna face à Red. « Bon, dit-elle, on a le bateau. »

Il fronça les sourcils. « Quel bateau ? »

Elle s'essuyait les mains dans le bas de son tablier. « Ce bateau.

– On a besoin d'un bateau ?

– On a besoin d'un bateau.

– Pourquoi ça ?

– Parce que, dit-elle, c'est ce que j'ai calculé. »

Red arqua un sourcil. « Merci de m'informer. »

Elle haussa les épaules. « Du moins, c'est ce que je pense avoir calculé. Et en plus, ajouta-t-elle en le regardant droit dans les yeux, je m'amuse bien.

– Ça ne mérite même pas une réponse. »

Elle ôta le tablier, le lui tendit et se dirigea vers leur couchette. « Apporte les trucs que tu as pris sur *Vellela Vellela*. »

Red passa dans le compartiment moteurs. Quand il revint avec la mallette, Tipsy s'était habillée et l'attendait. « Deux têtes valent mieux que trois, dit-il tout à trac.

– Ce n'est pas drôle.

– Écoute, mon cœur... dit Red.

– Ne m'appelle pas mon cœur.

– Tiens donc. C'est notre première dispute ?

– Qui est-ce qui se dispute ? répliqua-t-elle, les lèvres pincées.

– Bon. (Red tapota l'enveloppe étanche du bout de l'index.) Plus vite on résoudra ça et on agira, plus tôt on pourra se remettre à ne rien faire.

– Sans parler du fait que tu seras payé, souleva Tipsy. N'essaie pas de me faire prendre des vessies pour des lanternes. »

Red tambourina légèrement du poing sur la table à cartes. « Un peu que je serai payé, oui, et rubis sur l'ongle, dit-il doucement. *Tous les deux*... (il braqua l'index vers elle) on sera payés. D'ailleurs, pourquoi pas ? On est censés se farcir tout ce merdier pour rien ?

– C'est à la mort de mon frère que tu fais allusion quand tu parles de *merdier* ? » cria Tipsy.

Red respira un bon coup. Puis : « Tu sais très bien de quel merdier je parle. Toi... toi et moi... c'est la cerise sur le gâteau. Complètement inattendu. Que toi et moi... que nous deux... c'est... »

Tipsy passa devant lui pour s'engouffrer dans le carré. Red resta à la table à cartes, fulminant. Qu'est-ce qui ne va pas dans cette histoire, grommela-t-il tout seul, pour que je me sente obligé de faire n'importe quoi ? Il examina son verre. Est-ce que je deviendrais sentimental ?

Tipsy reparut. « Voilà. » Elle posa sur la table à cartes un coffret en cèdre gravé. « Tous les courriers que j'ai reçus de Charley. (Elle poussa le coffret de côté.) Mais ça (elle s'empara du livre de bord de *Vellela Vellela*), c'est la seule chose dont on aura besoin. »

Red s'éclaira. « Ça, c'est parlé. (Il poussa le verre de Tipsy vers l'autre côté de la table.) Assieds-toi. »

38

« Je suis convaincu que ça se trouve dans le livre de bord.

– J'aurais plutôt dit dans les lettres.

– Il n'a jamais rien dit dans ses lettres.

– Il n'a jamais rien dit non plus dans le livre de bord.

– Permets-moi de ne pas être d'accord. Si on considère que le livre est sincère…

– As-tu une quelconque raison de penser qu'il ne l'est pas ?

– Ce que je veux dire, c'est qu'on n'a aucune raison de penser qu'il est bidonné.

– Pure vérité.

– Bien. Si vraiment il n'est pas bidon, alors quoi ? »

Red secoua la tête, perplexe.

« Après avoir quitté Rum Cay, il a fait en tout et pour tout une seule escale, persévéra Tipsy.

– Albert Town.

– Retrouve-moi ça. »

Red ouvrit la couverture cartonnée gondolée par l'humidité, feuilleta un moment. « Il y est arrivé dans la soirée du 16 mars.

– Quelle est la date suivante ? »

Red tourna trois pages à l'écriture serrée. « Le 19 mars. (Il revint en arrière.) Il y a pas mal de blabla entre les deux.

– Mais il n'a pas encore appareillé.

– Non, en effet.

– Quelle est la date suivante consignée ? »

Red tourna les trois pages. « Le 19 mars.

– Qu'est-ce qu'il fait ?

– Il lève l'ancre. Je vois où tu veux en venir. Quoi qu'il ait eu en tête, Charley n'omettait jamais de noter ici tout ce qui avait trait à la navigation.

– Par conséquent, il a passé trois nuits et deux jours à Albert Town.

– Pure vérité.

– Pour quoi faire ? Il n'y a rien là-bas, pas vrai ? Tu parlais de ville fantôme.

– C'est Charley qui le disait. Moi, je n'y ai jamais mis les pieds.

– Qu'est-ce que tu faisais pendant ce temps-là ?

– Je pêchais.

– Ce retard ne t'a pas contrarié ?

– Non. Charley avait une longue traversée qui l'attendait. Je me suis dit qu'il faisait le plein de sommeil ; ou que, comme il naviguait à la voile, il attendait une météo favorable ; ou que, d'ailleurs, il pêchait, lui aussi. Charley aimait la pêche comme tout un chacun. Et pour tout te dire, il aurait pu rester une semaine à Albert Town que ça ne m'aurait pas dérangé. Il faisait un temps magnifique.

– Pas mal, comme histoire. En fait, elle est si bien ficelée que je parie qu'elle lui a servi de couverture pour faire son coup. Et ce n'est pas tout. Vas-y, lis.

– "Le feu d'Albert Town au tant, le feu de Long Cay au tant... Mouillé sur un fond de sable à l'ouest d'une anse, à deux pas d'une jolie épave..." C'est à ça que tu penses ?

– Une crise d'introspection, il a appelé ça.

– Excellente mémoire.

– Tu crois que tu pourrais calculer sa position à partir de ce qu'il y a là-dedans ? »

Red survola ce qui suivait. « Le reste n'est qu'un tas de conneries à propos de la récupération d'ancres et de chaînes de mouillage.

– En compagnie de Cedric Osawa, fit observer Tipsy.

– Exact, admit Red avec une moue. En compagnie de Cedric Osawa.

– Celui qui t'a offert le fameux couteau.

– Oui. Je le connaissais bien.

– Connai*ssais* ?

– On s'est perdus de vue ça fait un bail. (Il haussa les épaules.) Bon marin, bon mécano, excellent pêcheur. Charley et lui ont longtemps été très proches. Mais Charley avait pris ses distances à cause du goût prononcé de Cedric pour la poudre et l'alcool. Ce penchant avait fini par rendre sa fréquentation moins intéressante que par le passé.

– C'est un poivrot ?

– Apparemment.

– Eh bien, ce n'est pas une raison pour… (Tipsy s'interrompit, réfléchit à ce qu'elle était en train de dire et revint abruptement au sujet qui les occupait.) N'empêche, je pense qu'on pourrait se servir de lui. »

Red la regarda, puis secoua la tête. « On a autant besoin d'un tiers dans cette affaire que d'une…

– Que d'une balle dans la tête ? » termina-t-elle à sa place.

Il fit la grimace. « Disons simplement que j'espère que Cedric n'est pas la solution. Aux dernières nouvelles, il est devenu quelqu'un sur qui on ne peut absolument pas compter. »

Elle hocha la tête. « Je pense que son intervention est superflue. Quoique, si les choses avaient tourné autrement, il aurait pu se révéler utile.

– Comment ça ? interrogea-t-il avec un froncement de sourcils.

– Si, par exemple, tu n'avais pas récupéré ce livre. »

Mais Red pensait à autre chose.

« Poursuis ta lecture. »

Il s'éclaircit la voix et reprit : « "Du coup, nous avons passé la semaine à plonger dans les criques et sur les hauts-fonds dans un rayon de trois ou quatre milles en quête d'ancres abandonnées. Nous en avons localisé une douzaine…" Ça ?

– Continue.

– "… certaines étaient trop grosses… neuf pièces épatantes, aussi bien anciennes que modernes, illustrant la théorie du mouillage, et tellement de chaîne encroûtée d'anatifes que nous avons dû en laisser la majeure partie au fond…"

– On chauffe.

– Je ne vois pas qui va gober ça. Pas moi, en tout cas », fit-il observer avant de poursuivre : « "Nous sommes allés en déposer un gros paquet en haut d'une crique découvrant à marée basse, aussi loin qu'il nous fut possible de pousser à la nage l'annexe chargée à couler…" »

Tipsy tapa dans ses mains. « Ça y est, on y arrive.

– On y arrive ?

– Continue.

– “… dans l’idée que nous reviendrions un jour la chercher. Il y a dans un de mes livres de bord d’excellentes indications menant à ce trésor — ne pas oublier de prendre en compte quelque chose comme dix ans de variation de la déclinaison magnétique…”

– Stop », fit Tipsy.

Red cilla. Après un temps, il compta sur ses doigts, la main posée sur la table. Puis il recompta, plus lentement. « Il y a dix ans, Charley était en taule.

– Tu chauffes, l’encouragea Tipsy.

– Là, tu tiens peut-être quelque chose », marmonna-t-il avant de se remettre à lire : « “Ce soir, depuis ce mouillage, j’aperçois l’entrée du ruisseau en question. Chose curieuse, *Vellela* est mouillé sur l’exact contre azimut du vecteur reliant ce ruisseau au milieu de l’entrée du chenal de Man of War…” (Il releva la tête.) C’est une carte.

– Menant à un tas de chaînes d’ancre, le tempéra Tipsy.

– “… quiconque approchera le trésor s’en rendra compte, car tout ce fer affolera son compas. Je vois d’ici la tête que feront les chasseurs de trésor en découvrant qu’ils mettent au jour quelque chose comme cinq cent quatre-vingts kilos de chaîne galva triple B de 10…” (Il interrompit sa lecture.) Cinq cent quatre-vingts kilos de chaîne, répéta-t-il pensivement. De la triple B de 10. (Il tapota la page du bout de l’index.) C’est sacrément précis comme indication.

– C’est quoi, de la triple B ?

– C’est un type de chaîne à faible teneur en carbone, avec des maillons courts standardisés pour la plupart des guindeaux, expliqua-t-il tout en pensant manifestement à autre chose. Déterminer ce poids de chaîne n’était pas chose infaisable, concéda-t-il. Mais pourquoi se serait-il embêté avec ça ? En plus, elle est d’un dimensionnement supérieur à ce qu’on voit d’habitude sur la plupart des bateaux de plaisance au mouillage.

– Ce poids, c’était compliqué à mesurer ? »

Il opina, comme pour lui-même. « Oui, pas évident du tout. »

Tipsy opina à son tour. « J’en étais à peu près sûre.

– Là, tu me la coupes. »

Ils s’entre-regardèrent.

« D’ici, ça fait loin ? » demanda-t-elle.

Red déploya l’exemplaire de *Détroits de Floride et atterrages* qui avait appartenu à Charley, ouvrit les pointes du compas et mesura un degré de latitude sur la marge de droite. « Soixante minutes font un degré de latitude. Une minute correspond à un mille nautique. (Il montra l'écartement des pointes.) On a ici soixante milles. (Il parcourut avec le compas la distance séparant Albert Town de Key West.) … cinq, six, sept et des poussières — disons 450 milles à vol d'oiseau. Une traversée réelle approcherait plutôt les 550 milles.

– Combien de temps est-ce que ça prendrait ?

– Eh bien… (Il étudia la carte.) Si *Tunacide* était un oiseau et qu'on se relaie au quart vingt-quatre heures sur vingt-quatre en naviguant à dix nœuds, je dirais : seulement quarante-deux heures. Deux jours. Impossible cependant de tailler une route aussi rapide ou rectiligne, car ce serait aussi éprouvant pour nous que pour le bateau, personne ne dormirait et ça consommerait un maximum de carburant. La solution serait de naviguer de jour, de prendre un mouillage forain pour la nuit et de ne pas se presser. À ce train-là, la croisière pourrait durer entre, disons, dix jours et deux semaines. En pêchant un peu, en prenant de vrais repas, en faisant la sieste et en se tapant chaque nuit nos huit heures de sommeil… Et en veillant à bien être seuls.

– Ce bateau possède l'autonomie voulue ?

– Bien sûr que oui.

– Et pour ce qui est des vivres ? »

Il haussa les épaules. « Une nouvelle virée au supermarché.

– Qu'est-ce qu'on attend ? »

Red connaissait la date, mais n'en consulta pas moins sa montre. On était le 1er novembre. « La fin de la saison des ouragans, répondit-il.

– C'est quand ? »

Il sourit. « Juste après le dernier ouragan. »

Au bout de deux jours seulement, toute trace de mal de mer s'était dissipée. Elle n'avait jamais rien vécu de pareil. Des journées suffocantes. Des nuits étouffantes. Toujours une petite brise. Là-haut, des étoiles qu'elle n'avait jamais vues. Red lui en montrait cinq ou six chaque soir.

« Là, tu vois, ma belle, c'est la Grande Ourse.

– Je la connais, ta Grande Ourse.

– Ah oui ? Alors dis-moi un peu le nom de ses étoiles en commençant par le manche de la casserole. »

Silence.

« Allez. Tu sais qu'on la voit rarement aussi nette de la terre ferme, à moins d'être perché à quatre mille mètres dans les Rocheuses. À se geler le cul, en plus. »

Silence buté.

« En partant du manche, tu as Alkaid. Puis celle du milieu, Mizar, qui est une étoile double, soit dit en passant. Ensuite, tu as Alioth, Megrez. En descendant, c'est Phecda, puis on passe à Merak et, en remontant, c'est Dubhe. Si tu prolonges leur axe, tu tombes sur Polaris. L'étoile du Pôle.

– L'étoile Polaire.

– Tu n'es pas si ignorante que ça, finalement.

– Redis ça encore une fois et tu verras des étoiles beaucoup plus près de ton pif. »

Au début, Red restait avec elle dans la chambre de veille pendant qu'elle assurait son quart. Mais Tipsy assimila vite les rudiments de la lecture du GPS, apprit à compenser la dérive due à l'orientation et à la vitesse du courant, et à porter d'heure en heure la position sur la carte papier, opération à laquelle Red tenait absolument. Quand elle lui en demanda la raison, il ouvrit un tiroir. « Tu vois ça ?

– Oui, eh bien ?

– C'est un sextant.

– Ça me dit quelque chose.

– Tu devrais apprendre à t'en servir.

– Tu plaisantes ? »

Il engloba d'un geste les cadrans et boutons environnant la barre. « Si tout ça tombe en rade, ce truc te sortira d'affaire.

– Ça arrive, que ça tombe en rade ? »

Il haussa les épaules. « Ça ne s'est jamais produit. J'entretiens le bateau comme il faut. En tout cas, navigation aux instruments ou pas, j'aime bien savoir où je me trouve.

– Est-ce que ça fait appel aux maths ?

– Un peu, que ça fait appel aux maths.

– Moi aussi, j'aime bien savoir où je me trouve. Mais les maths ? Laisse tomber. Montre-moi plutôt comment fonctionne l'électronique. Comme ça au moins, je serai aussi performante que la batterie la moins chargée. »

Elle leva le pied sur la bibine, ne buvant pas une goutte pendant son quart, alors que Red ne pouvait pas en dire autant. Il partagea les quarts de Tipsy jusqu'à ce qu'ils aient tous deux confiance en ses capacités, et il s'avéra qu'elle apprenait vite.

La mer n'était pas agitée. Le ciel était sans nuages en dehors de quelques cumulus d'altitude. Il n'y avait même pour ainsi dire pas de trafic.

Ils furent toutefois approchés par un bateau des garde-côtes, de peut-être 45 mètres de long, armé à l'avant, à l'arrière et sur chaque bord, qui les élongea lentement. Red se trouvait alors à la barre. Il regarda le navire passer sans heurt, le timonier attentif à son sillage et au courant. Tipsy était allongée à l'avant, à plat ventre sur une serviette avec le livre de bord de Charley et un exemplaire de *Meurtre sur la digue* de Janwillem van de Wetering. Les lanières de son dos-nu reposaient sur le pont de part et d'autre de sa personne. Les pages du roman étaient malmenées par le vent. Elle sourit et agita le livre de bord à l'intention des trois paires de jumelles en batterie sur la passerelle du garde-côte.

Cette fille-là fait corps avec nous, se dit Red. Bien qu'il n'y ait pas de produits de contrebande à bord, l'idée que Tipsy savait se comporter en présence des autorités le tranquillisa. *Tunacide* rectifia son cap. D'un coup d'œil à l'écran placé au-dessus de la barre, Red s'aperçut qu'ils avaient atteint un jalon. Ignorant le garde-côte sur bâbord, il balaya du regard l'horizon tribord et finit par repérer un éclat. Il compta les secondes : ... deux, trois, quatre... À dix, nouvel éclat. Ce devait être le phare de Puerto Sagua de Grande. Il prit un compas de relèvement dans un tiroir et, sortant sur la plage arrière, braqua l'instrument sur l'horizon. Quand le feu envoya un nouvel éclat, il corrigea le relèvement et le lut : plus ou moins 172°. Ce petit compas portatif supportait une marge d'erreur de deux ou trois degrés. Se reportant à la carte, Red remarqua une anomalie. Le pilote prêtait à ce feu une portée de quatorze milles, alors que la carte ne lui en accordait que dix. Red effleura les commandes tactiles du bord inférieur du GPS jusqu'à ce que l'appareil crache son propre relèvement de ce phare. Mais il s'agissait bien sûr de celui qu'il y avait entré la veille en se basant sur la carte. Il se saisit du jeu de règles parallèles, antique instrument en laiton que lui avait offert des années plus tôt à Haïti un vieil homme fort impressionné de les avoir vus, Charley et lui, mettre toute une journée à traverser à la godille, faute de vent, la baie de Fort Liberté à bord d'une des prames non motorisées de Charley. Bonjour les ampoules et les coups de soleil... À partir d'une rose des vents imprimée en dessous de Cuba, il transposa le relèvement du phare de Puerto Sagua de Grande. Il procéda de même pour le feu de Cabo Sotavento, à six milles dans l'est. Il nota un petit problème de déclinaison magnétique, une menue différence entre celle qu'indiquait la rose et celle qui avait cours dans ces parages, mais elle n'excédait pas la marge d'erreur du compas à main. Il tira les deux lignes au crayon jusqu'à leur faire couper la route rectifiée de *Tunacide* et obtint ainsi un point le plaçant à douze milles du phare, soit à mi-chemin entre les deux valeurs données pour ce feu. Pas mal, considérant qu'il faisait grand jour.

Bien que contraire, ce courant d'un demi-nœud n'était guère un problème ; le vent, qui venait de l'arrière, levait toutefois un peu de clapot. Mais Tipsy était amarinée, maintenant. Elle avait retrouvé bon appétit. Désormais, chaque fois qu'il assurait ses quarts à la barre, Red sentait monter jusqu'à lui des arômes de cuisine. Le troisième jour, une heure après le lever du soleil, elle lui avait servi une assiette d'œufs impeccablement brouillés parfumés à l'ail et à l'Asiago, accompagnés d'épaisses tranches de bacon et de gruau au beurre, avec deux biscuits, un jus de pamplemousse rose fraîchement pressé et un grand pot de café. Il avait tout englouti…

« Ohé de la passerelle ! lança-t-il une heure plus tard. Voilà maintenant les garde-côtes cubains. »

C'était bien eux.

Tipsy agita la main. Les marins cubains lui répondirent de même.

« Il s'agit d'un Pauk II. Un navire soviétique. J'ai toujours entendu dire qu'ils n'en avaient qu'un. Ça doit être notre jour de chance.

– Je n'avais jamais vu le pavillon cubain.

– J'en ai un en bas. Je le hisse chaque 1er janvier, ce qui ne manque pas d'emmerder une certaine fraction de la population de Miami.

– Ce qui est le but recherché. »

Red souriait jusqu'aux oreilles. « Dis-moi, ma belle (il lâcha un rôt plutôt sonore), qu'est-ce que tu dirais de garer cette baille le long du trottoir, histoire de s'accorder un sieston ? demanda-t-il en jouant des sourcils.

– Qu'est-ce qui ne va pas avec le pilote automatique ?

– Il ignore tout des dangers de la navigation. (Il prit le compas à pointes sèches.) Tiens, regarde. (Puis, jetant un coup d'œil vers l'arrière :) Ne te bile pas. Les Cubains sont en train de passer leur chemin, et il n'y a pas de trafic en ce moment. Voyons voir… (De l'extrémité du compas, il montra un point sur la carte.) Quand Cay Lobos sera au… 94 vrai, attends voir, la déclinaison n'est ici que de 6° ouest — ouest, on ajoute —, ça fera donc du 100 magnétique. Maintenant, si on relève le feu de Cayo Confites, que voici, la carte le donne pour douze milles de portée, alors que le pilote lui en attribue dix-huit. Il faut garder un œil sur ces discordances. Ça arrive tout le temps. Partant du triangle d'incertitude que voici, revenons en arrière sur la route qu'on a parcourue. Reportons l'écartement des pointes du compas sur l'échelle des latitudes. On lit : treize milles nautiques. (Il frappa la carte du plat de la main.) Pas si mal pour un bateau de pêche. (Il traça un point sur la carte.) On programme un jalon ici. On reporte sa position aux plus proches ordonnée de latitude et abscisse de longitude, ce qui donne, sur leurs échelles respectives… c'est ça… et là… parfait. Puis on inscrit le résultat directement sur la carte, tout près du changement de cap prévu et de la position estimée. (Il ne levait même pas les yeux pour voir si elle suivait.) À présent », poursuivit-il, possédé par son sujet, « on taille la route suivant ce cap. (Il tira un trait le long du bord en piteux état d'une de ses antiques règles parallèles.) Et ce cap, c'est… (Il déplaça l'autre règle vers la rose la plus proche, juste au nord de la pointe orientale de Cuba.) Tu peux lire à ma place ? Je n'ai pas mes lunettes. »

Ses lunettes reposaient sur un tas de copeaux de taille-crayon, en compagnie d'une équerre d'architecte dont chaque arête était bordée de ruban adhésif. Cet instrument était inhabituellement petit. Son hypoténuse ne devait pas mesurer plus de douze centimètres.

Tipsy étudiait attentivement la rose. « Le cercle gradué extérieur, précisa Red. Chaque trait correspond à un degré. Ils sont fins, pas vrai ? »

Elle se mit à compter : « Un, deux, trois… »

Il chaussa ses lunettes. « Commence à soixante. Tu vois le soixante ? » Il le lui montra.

« Oui, ça y est.

– Le long trait suivant est le soixante-dix. » Il lui tendit le crayon, et elle s'en servit pour compter les traits les plus courts répartis sur la circonférence de la rose. « Soixante-dix-neuf », dit-elle. Red nota ce chiffre sur un bloc de papier brouillon. Sur le rabat, un visage de dessin animé mâchonnait un cigare.

Scowley Diesel Marine
Boca Chica Key
Floride
1-305-ON-PURGE
Scowley regarde les injecteurs
Et ça repart comme une horloge.

« Quelle est la déclinaison ?

– Hein ?

– Déplace ta règle. Jusqu'au centre de la rose, voilà. Décl. tant, augmentation annuelle tant. Elle va toujours en augmentant, si loin dans l'est.

– Huit degrés.

– Bien. Mais ce n'est pas la déclinaison qui a cours par ici. Regarde. (Il montrait sur la carte une ligne violette oblique, non loin du changement de cap prévu.) Pose le doigt dessus. (Elle s'exécuta.) Maintenant suis-la vers le haut jusqu'à ce que tu rencontres une notation de même couleur. (Ce qu'elle fit.) Qu'est-ce que tu lis ?

– Décl. 7°W. (2002).

– Cette carte se fait vieille. Quelle était l'augmentation annuelle ? »

Elle revint aux petits caractères occupant le centre de la rose. « Sept…

– Ce sont des minutes. Pas la peine d'en tenir compte. Bien, le cap vrai était… (il consulta son bloc-notes) le soixante-dix-neuf.

– Est-ce moins ou est-ce plus ? Autrement dit, est on retranche, ouest on ajoute », lança-t-elle fièrement.

Il abattit la main sur la carte. « Je vois que le métier rentre, fillette. »

Elle sourit avec modestie. « Je trouve ça vraiment amusant.

– Oui, fit Red, épanoui. Alors, ça nous fait… ?

– Quatre-vingt-six.

– C'est notre nouveau cap. (Il se pencha sur la carte.) Quatre-vingt-six degrés, magnétique. (Il traça un trait le long de la règle.) Ce qui va pour ainsi dire nous mener jusque… (Il écarta règle et crayon et se mit à étudier la carte.) Hmm…

– Dis, Red…

– Oui ? fit-il sans lever le nez.

– C'est quoi, ce scotch sur les bords de ton équerre en plastique ? »

Il n'y jeta pas même un coup d'œil. « C'est pour empêcher que l'encre bave et cochonne les traits.

– L'encre ? »

Il battit des paupières, la regarda brièvement, puis revint à la carte. « Il fut un temps où les hommes exécutaient à l'encre leurs dessins d'architecture et d'ingénierie. Dans le temps, je te parle. Avant les ordinateurs. »

Tipsy souriait en regardant l'équerre. « Au temps où Trafalgar n'était encore qu'une lueur dans l'œil de Nelson.

– Ouais, acquiesça-t-il de bon cœur. Et je te pose la question, chérie : tu trouves pas que rien ne remplace une bonne vieille carte en papier ? Allez, sois franche. »

Elle balaya la carte d'un regard. Celle-ci mesurait peut-être un mètre carré. Elle avait été plus d'une fois trempée et séchée. Y étaient éparpillés des crayons, un taille-crayon et des copeaux de bois, le compas à pointes sèches, deux règles différentes, la petite équerre et une autre, plus grande, une gomme, un volume des instructions nautiques, un exemplaire de l'*Almanach marin* de Reed et un verre contenant un doigt de rhum. La dernière croisière de son frère y était tracée, s'entrelaçant de plus en plus avec la route présentement suivie par *Tunacide.*

« Oui, dit-elle. Elle est très belle. (Elle lui ébouriffa les cheveux.) C'est pas comme toi. »

Red la surprit : « Je me fais l'effet d'un chiot qui vient de toucher son premier nonosse en caoutchouc.

– Je suppose que c'est mieux que se faire l'effet d'un chiot qui vient de subir sa première piqûre de guêpe. » Le rire de Tipsy avait des inflexions enfantines, mais il résonnait d'une information émanant d'une certaine partie de sa personne pour la première fois depuis longtemps. Red riait lui aussi.

« Il y a entre neuf et douze mètres d'eau de l'autre côté de Cay Lobos. (Il fit glisser les pointes du compas sur la carte.) Là-bas derrière, c'est le Grand Banc des Bahamas. Pas la moindre circulation de navires et une pêche de rêve. Vise-moi ça. (Il ouvrit le Reed et en feuilleta l'index.) Marlin, bleu et blanc. Espadon, voilier et autre. Dauphin, thazard noir, maquereau, plusieurs espèces de thon, bonite, bonefish, sériole, tarpon, barracuda et requin, requin,

requin… (Tipsy, debout auprès de lui, avait le bras posé sur ses épaules.) Assez de poissons et de mouillages pour plusieurs vies.

– Moi, ça me va, dit-elle. Mais quid de notre objectif principal ? »

Red hocha la tête. « Une fois passé le phare de cinq ou dix milles, on se tanque ici. (Il posa le doigt sur la carte.) Le récif Labanderas nous sépare du chenal, il y a des hauts-fonds ici, et ici. On gréera un feu de mouillage. C'est un endroit excellent pour passer la nuit, et il se pourrait fort qu'on l'ait pour nous tout seuls. Demain, on rejoindra notre route… ici. Il reste cinquante nautiques jusqu'au prochain jalon. (Il releva quelques cotes.) Vingt-deux degrés quarante minutes nord… Soixante-seize degrés dix-huit minutes ouest. Ça se fera dans la journée. Un coup de ligne de traîne, on met en panne pour cuisiner le poisson et déjeuner, faire la sieste… (Il lui effleura le creux des reins.) Après quoi on remettra en route pour une courte étape jusque… ici. De là, on suivra les sondes jusqu'à l'entrée du chenal de Man of War. Et de là… (il fit glisser les pointes du compas sur un golfe d'eaux libres) on rejoint Albert Town sur un seul bord.

– Et notre destinée manifeste, je suppose, dit-elle en hochant la tête d'un air méditatif.

– Quoi que ça puisse vouloir dire », marmonna Red sans lever les yeux de la carte.

39

Juste avant la tombée de la nuit, ils mouillèrent derrière le récif Labanderas. Là, ils avaient la mer pour eux seuls, et la mer c'était le monde. Sur le pont après quelques verres et le dîner. Des lueurs éparpillées dans l'obscurité indiquaient l'emplacement des bateaux de pêche et une plus grosse, Cayo Lobos. « Pas de doute, la Voie Lactée ramène notre brassage d'air, ici-bas, à sa juste proportion », murmura Tipsy en se blottissant contre le torse velu de Red. Ils étaient assis sur un amas de coussins, sur la plage arrière, adossés au rouf. *Tunacide* évitait tranquillement sur son ancre. De temps à autre, une vague balayait un rocher presque sec un quart de mille plus au nord, décochant une phosphorescence pareille au scintillement d'une rangée de dents. Red exhibait les siennes, mais il n'y prêtait aucune attention.

« Ouais, dit-il. Je suis sûre que tu n'ignores pas qu'il s'agit de la lisière de la galaxie ?

– C'est ce qu'on m'a expliqué. Mais tu sais, elles sont rares les nuits où les San Franciscains peuvent apercevoir la lisière de la galaxie. Se la représenter mentalement (elle gloussa), ce n'est pas la même chose.

– Pure vérité. Notre galaxie est en spirale, et ce que tu vois quand tu regardes la Voie Lactée, c'en est un des bords. Si la galaxie a la forme d'un doughnut, toi, ta tête, et San Francisco avec, vous êtes dans le trou du milieu.

– Un doughnut, bon sang, dit Tipsy. Est-ce qu'on en trouve seulement, des doughnuts, aux Bahamas ?

– Je n'en ai jamais vu.

– À San Francisco, on en trouve des bio.
– Je n'en doute pas. Mais pourquoi est-ce que les Bahaméens en mangeraient ? Les doughnuts, ça se marie avec le poisson ?
– Pas aussi bien que le pain de maïs.
– J'ai une excellente recette de pain de maïs. Le secret, c'est d'y mettre du miel et du babeurre.
– Ça fait deux secrets.
– Nan. Tout le monde le fait avec du babeurre.
– Ah bon ?
– Carmen prenait son miel chez un type qui avait installé des ruches dans un bosquet d'orangers au cap Sable, juste au sud de Whitewater Bay.
– Qui était Carmen ?
– Sans doute la Carmen dont le rein t'a permis de toucher un mandat de cinq mille dollars. »
Après un silence, Tipsy demanda : « Elle n'avait pas eu deux enfants de toi, en plus ?
– Si, en effet. » Red s'éclaircit la gorge.
« Ça devait être une histoire qui compte, alors.
– C'en était une, concéda Red. À une époque, on ne pouvait pas se passer l'un de l'autre. (Il marqua un temps d'arrêt, puis ajouta :) Ça paraît dater de si loin.
– Elle est morte, je crois me rappeler.
– Elle est morte.
– Et les gosses ? »
Red s'agita. « Ton front me coupe la circulation dans le bras. »
Tipsy ne bougea pas. « Comment est-ce qu'ils s'appellent ?
– La fille, c'était Pink. »
Tipsy sourit dans l'obscurité. « Ah oui ? Pink ?
– Qu'est-ce que ça a de si drôle ?
– Rien. Mais bon…
– C'était le choix de Carmen.
– Est-ce que la petite était son portrait craché ?
– Oui, c'était ça. Et ça doit l'être encore, de toute façon. Je n'ai pas eu l'occasion de la voir depuis longtemps.
– Pourquoi ça ? »
Red haussa les épaules. « Elle a très mal pris la mort de sa mère. M'a accusé d'en être responsable, alors qu'elle savait très bien que non. Je suppose. Elle avait quatorze ans, à l'époque. Un âge pas facile pour perdre sa mère quand on est une fille.

– Tu ne sais même pas où elle est ?
– Atlanta, aux dernières nouvelles. Elle est allée là-bas à sa sortie de prison.
– Quoi ?
– Comme je te le dis.
– Quel âge a-t-elle ? »
Red réfléchit. « Elle doit aller sur la quarantaine, maintenant.
– Elle pourrait être mère.
– Ça, confirma Red, ça se pourrait bien.
– Ça ferait de toi un grand-père.
– Pure vérité. (Red leva la tête et se gratta le cou.) Et toi ? demanda-t-il en reposant la main. Tu en auras un jour, des enfants ?
– On n'a pas encore fini avec les tiens. Parle-moi de l'autre.
– Le garçon ? Ernesto. Le Che sans le nommer. »
Tipsy remua, puis se réinstalla. « Je ne m'y serais pas attendue de ta part.
– À quoi ?
– À ce que tu donnes à ton fils unique le nom d'une figure emblématique révolutionnaire. »
Red se suçota une dent. « Pour te répondre dans l'ordre, c'est Carmen qui avait choisi le prénom, depuis quand est-ce qu'il serait mon fils unique, et il y a au moins deux façons de voir cette histoire de figure emblématique. »
De quelque part sur l'eau, assez loin pour que la source en soit invisible, arriva le faible bruit d'un groupe électrogène.
« Étoile filante.
– Où ça ? »
Il tendit l'index. « Pile en travers du Cygne. »
Elle suivit du regard la direction qu'indiquait le bras de Red. « Là ? demanda-t-elle en montrant du doigt.
– Ça, c'est un satellite.
– Ah oui ? On peut voir les satellites ?
– Difficile de ne pas les voir, par les temps qui courent.
– Alors j'ai raté l'étoile filante. »
Il laissa retomber son bras sur le genou de Tipsy. « Il y en aura d'autres. »
Sur l'eau, tout près de l'horizon, une flamme minuscule s'embrasa. « Qu'est-ce que c'est que ça ? »
Red plissa les paupières et gloussa. « Sans doute quelqu'un qui allume son charbon de bois. »

Elle rit. « Événement cosmique vérifiable. »

Ils regardèrent le flamboiement orange décroître jusqu'à disparaître.

« Et où est Ernesto ? »

Red ne répondit pas.

« Tu ne sais pas ?

– J'ai… perdu le contact.

– Tu sais peut-être quand même s'il est vivant, bon Dieu !

– Aux dernières nouvelles, il vivait à Orlando, dans un trou à rats. Il est tombé dans la dope. Ça fait… je pense que ça fait dix ans. (Dans l'ombre, Red tourna sa paume blessée vers le ciel, puis la retourna.) La dernière fois que je l'ai vu, il a fallu que je lui mette un pain.

– Que tu mettes un pain à ton propre fils ? »

Red soupira. « Je ne l'avais pas vu et n'avais pas eu de ses nouvelles pendant au moins un an. Il s'est pointé sur le ponton à quelque chose comme onze heures et demie un soir, défoncé au crack, m'a annoncé qu'il avait besoin de mille dollars et que j'allais les lui donner. On a échangé des mots à propos d'argent et d'amour filial nourri aux amphètes, et avant même que j'aie le temps de comprendre ce qui se passait, Ernesto m'a braqué un couteau sous le nez. Mon propre fils. Mais un couteau, ça reste un couteau. Je lui en ai collé une. (Red fit jouer les doigts qui couvraient le genou de Tipsy.) Il réclamait tout le temps que je le traite comme je traiterais n'importe qui d'autre.

– On dirait bien que ça a marché.

– Ouais. »

Ils se turent.

Tout près du bateau, un poisson fit un bond. Red jeta un bref regard à son matériel. La canne n'aurait pas été plus droite au râtelier.

« Et toi ?

– Quoi, moi ?

– Des gosses ?

– J'ai zappé cette étape. »

Red tourna la tête vers Tipsy dans l'obscurité, puis reporta le regard vers le ciel. « Personne ne zappe cette étape. »

Tipsy regarda au loin, par-delà le récif de Labanderas. « Ç'a été un drôle d'enchaînement de circonstances contraires. Au début, ça paraissait le piège. Plus tard, le bon type n'était pas en vue. Ensuite, ça avait l'air d'être drôlement du boulot, et dans quel but ? Juste pour participer à la grande loterie ? Regarde ce que toi... » Elle n'acheva pas sa remarque.

Red grogna.

« En plus, ça fait une bouche à nourrir. Et d'ailleurs, j'ai toujours entretenu l'idée illusoire que je suis venue sur cette planète pour faire autre chose que de l'élevage.

– Ah oui ? Qu'est-ce qu'il y a d'autre à faire ?

– Je ne sais pas. Pourquoi pas de la politique ? »

Red ne goûta pas la plaisanterie.

« Bon d'accord, alors la pêche. Pourquoi pas la pêche ?

– Ça, c'est parlé... »

Après un tranquille petit déjeuner, ils levèrent l'ancre pour suivre un rhumb les menant à un jalon situé à une vingtaine de milles dans le sud-ouest du chenal de Man of War. Tipsy regardait défiler le monde. Les sondes n'excédaient jamais sept ou neuf mètres. Il arrivait souvent que le fond remonte bien plus haut ; il devenait alors parfaitement visible, avec ses bancs de poissons, ses forêts de coraux, ses gorgones, de vastes étendues de sable blanc et, çà et là, un requin. Des nuées de petits poissons semblaient goûter l'ombre de *Tunacide*, et on aurait dit, parfois, que ce petit monde voyageait de conserve avec lui. Ils distinguaient aussi des épaves et, de temps à autre, croisaient un tourbillon engorgé d'algues, de bois flottés, auxquels étaient venus se mêler une sandale en plastique, une bouteille d'eau, un gobelet en polystyrène, un couvercle de glacière, une mouette morte ou un enchevêtrement de fil à pêche.

Red prit une bonite avec une tranche de bacon cru. Après avoir jeté l'ancre, il vida et cuisina son poisson, et ils le mangèrent pour le déjeuner. Il la surprit en apportant, avec les filets grillés, une salade de betterave et la sempiternelle bouteille de bière Kalik glacée. Elle n'avait jamais rien mangé de semblable.

Ils ne dépassaient jamais quatre nœuds et naviguaient souvent à vitesse encore plus réduite. Au bout de quelque temps, il apparut à Tipsy que Red n'était nullement pressé d'arriver à destination.

Parvenu au jalon, il coupa le pilote automatique et gouverna au sud-est jusqu'au suivant, douze ou treize milles dans le sud-ouest de l'entrée orientale du chenal. À partir de là, il ne quitta plus le sondeur des yeux et zigzagua à vue entre hauts-fonds sableux et têtes de corail, jusqu'à ce qu'ils aient deux ou trois amers à relever.

« On va faire du carburant à Man of War Cay, lui dit-il. Il y a une épicerie et un restaurant. Ce soir, on coupe à la tambouille. On va se réapprovisionner en lait et beurre, passer la nuit à quai et, demain matin à la première heure, entamer la traversée vers Albert Town.

– Ça représente quelle distance ? »

Red désigna la carte d'un hochement du menton. « À toi de me le dire. »

Deux minutes plus tard, et non sans une pointe de fierté, elle lui annonça que cela faisait quatre-vingt-cinq milles nautiques.

« En droite ligne, dit-il. Mais il y a du trafic dans le secteur, et aussi un peu de contrebande. Il vaut mieux traverser de jour. On peut espérer filer huit nœuds si l'état de la mer le permet. Ce sera de la navigation hauturière ; une bonne nuit de sommeil est donc de mise. À dix milles dans l'est de Man of War, le fond aura déjà dégringolé de plus de quinze cents mètres.

– Waouh, ne put que dire Tipsy.

– Si tu dois avoir le mal de mer, c'est là que ça va te tomber dessus.

– Je ne serai pas malade. »

Il lui adressa un bref regard. « Tu devrais te mettre un peu de crème à l'aloe vera. Le tube vert. Tu as pris un léger coup de soleil. »

Elle fronça les sourcils.

« Est-ce que tu t'es repassé de l'écran total ? » lui demanda-t-il avec tendresse.

À deux doigts de se rembrunir, elle tourna le dos pour lui dissimuler sa réaction. Il y avait beau temps qu'elle n'avait été amoureuse.

« Ça fait un bail que je n'ai pas vu le vieux Perry Joseph, dit Red. Des années que je ne suis pas venu dans le coin. Je me demande s'il est toujours de ce monde ? »

Au bout de sa troisième intervention sur le canal 16, en identifiant seulement le navire, il obtint une réponse : « Passez sur le 21. »

Red bascula sur le 42. « J'écoute.

– Ce n'est pas un plaisir inattendu », lança une voix impassible.

L'expression de Red se fit plus grave, mais il conserva un ton neutre : « Ça l'est pour moi.

– Quelle est votre longueur hors tout ?

– Cinquante-cinq pieds.

– Amarrez-vous à quai derrière la cabine de peinture, passé le quai de marchandises. »

Red hocha la tête, mais ne dit rien. Il entendit plusieurs clics : son correspondant éteignit son micro, le ralluma, l'éteignit de nouveau. Fin de la communication. L'air pensif, il raccrocha le sien sur le côté du poste.

« Qu'est-ce que ça veut dire ? demanda Tipsy.

– Je ne sais pas trop. Ça t'ennuie d'attendre à bord pendant que je vais aux renseignements ?

– J'ai le choix ?

– Non.

– En ce cas, j'attends à bord pendant que tu vas aux renseignements.

– Merci. »

Il y avait toutes sortes de bateaux à quai ou au mouillage à Man of War Cay, et dans les états les plus divers. Certains semblaient ne pas avoir navigué depuis des années et ne plus jamais devoir reprendre la mer. D'autres avaient l'air de sortir tout droit d'un salon nautique. D'autres enfin semblaient être passés par tous les ports du globe et n'en avoir pas encore terminé.

À son retour, Red avait l'air soucieux.

« Alors ? s'enquit Tipsy.

– Des types ont demandé après Charley. Il y a environ deux semaines de ça.

– Ils sont toujours dans le coin ? »

Il haussa une épaule.

« Qui était-ce ?

– Tout ce que Perry Joe a su me dire, c'est ce qu'ils n'étaient pas.

– À savoir ?

– Ni des flics, ni des fédéraux. Ni des types d'Interpol.

– Des gens normaux, quoi. (Elle le regardait avec attention.) Est-ce que ça se tient ? »

Il se mordait la lèvre. « Oui, malheureusement.

– La mer est vaste, dit-elle après un temps.

– Pure vérité. Je suis idiot de m'en faire », déclara-t-il subitement avant d'éteindre le bouton Envoi de l'AIS. Comme aucun moteur ne tournait, l'appareil ne risquait pas d'émettre, mais quand même.

Il tapota de l'index le côté du poste. « Mais pourquoi ici ? dit-il après avoir réfléchi un moment. Entre tous les endroits possibles.

– Pourquoi pas ici ?

– S'ils sont partis de Rum Cay, il est logique qu'ils soient venus chercher ici. (Il agita la main sans regarder.) L'endroit est mieux équipé que beaucoup. »

Elle haussa un sourcil. De là où elle se trouvait, ce port ne payait guère de mine. « Chercher Charley, tu veux dire ?

– Qui d'autre ? demanda-t-il en la regardant.

– Nous, voilà qui d'autre. »

Il hocha la tête.

« Le livre de bord était en ta possession », dit-elle en plissant les paupières.

Il hocha une nouvelle fois la tête. « Il l'est toujours. Et pour répondre à ta question, personne d'autre ne l'a eu sous les yeux.

– Plus précisément, qui d'autre est au courant pour Albert Town ? »

Il secoua la tête. « Personne. »

Une goélette était mouillée de l'autre côté du chenal, quand bien même Tipsy ne l'aurait pas appelée ainsi. Vieille d'un siècle, elle mesurait vingt-cinq mètres de long. Ses ponts étaient en teck brut, ses bois vernis en teck huilé et le reste peint en noir ou en vert foncé, excepté les espars, passés à la lasure. Les voiles, soigneusement ferlées, étaient serrées à l'intérieur de housses bien taillées, vertes elles aussi. Le haubanage était parfaitement ridé. Le gréement courant était en textile synthétique moderne et des winches avaient été installés. Entre grand mât et mât de misaine se dressait une superstructure de belles dimensions, pourvue de fenêtres à rideaux de dentelle et de larges manches à air en bronze. Ce navire était en tout point parfait, à l'exception de son nom.

« *Laburnam Villa*. Qu'est-ce que c'est que ce nom ?

– Il existe toutes sortes de bateaux, dit Red, et toutes sortes de gens pour les baptiser. (Son œil se posa sur la carte.) Allez, on boit un coup. »

Tipsy continuait d'examiner la goélette. « Combien coûte un bateau comme celui-là ?

– De combien disposes-tu ? répondit-il sans quitter la carte des yeux. Plus une rallonge. »

Un jet d'eau se mit à cracher sur la muraille de *Laburnam Villa*, un pied au-dessus de la flottaison.

« Qu'est-ce que c'est que ça ?
– La pompe de cale, dit Red.
– Il a une voie d'eau ?
– Toutes les coques en bois font de l'eau », expliqua Red en souriant avant d'ajouter : « Chérie.
– Et *Tunacide*, interrogea-t-elle après un silence, il fait de l'eau, lui aussi ?
– Pas encore. »

Ils firent le plein de mazout, achetèrent un peu d'épicerie et mangèrent des *conch fritters* à terre, dans un café désert. Red ne présenta Tipsy à personne. Le lendemain à la première lueur, *Tunacide* appareillait.

Au bout d'une heure, comme l'avait promis Red, ils naviguaient sur des fonds de plus de quinze cents mètres.

40

Au moins ne me perçoit-elle pas comme le genre de type à rester en retrait dans la conversation, au cours du dîner ou après plusieurs cocktails, et à attendre qu'elle sorte une bourde pour lui tomber dessus, l'humilier, la rabaisser.

Hier soir encore, elle m'a dit : « Quentin me répétait toujours : "Tu as envie de t'éclater avec un type ? Cherche-toi quelqu'un de plus vieux. Tu ne le regretteras pas." Et tu sais quoi ? — elle a ajouté en se pelotonnant contre moi. Il avait raison. »

Entre vingt et trente ans, je me disais : une nana de ton âge ? Laisse tomber. Tiens, voilà dix *cents*, rappelle-moi dans dix ans. Une fille, il lui faut de l'expérience, de la bouteille, qu'elle soit allée voir ailleurs. Plutôt deux fois qu'une.

Merde. Une trombe. Ce nuage noir a l'air inoffensif. Long et bas, dans le sud-est. Pas d'affolement. Je n'ai pas croisé de trombe depuis…

Soudain, la température se mit à chuter. « Hé ! hurla-t-il en direction de la descente, ferme le capot avant et tous les hublots. (Un coup d'œil au baromètre lui montra une aiguille en train de dégringoler.) Ne te soucie pas de ce qui traîne sur le pont. Je me charge de tout rentrer. »

Il embraya le pilote automatique et courut à l'arrière. Seau à appâts, glacière, épuisette, gaffe — le tout fourré dans le coffre, moraillon dûment rabattu. Le vent forcit, porteur d'un sifflement inquiétant qui se faisait de plus en plus strident. Après avoir libéré la plus coûteuse des deux cannes, une Casa Vigía, il revint à reculons s'asseoir sur la chaise de barre, pivotante et rembourrée, tout en rembobinant plusieurs centaines de mètres de fil aussi vite que le lui permettait la manivelle du moulinet. Il était en train de se demander s'il n'y avait pas mieux à faire, quand le bas de ligne jaillit par-dessus le tableau et alla rebondir sur l'échelle du pont volant. Au même instant, le vent frappa pour de bon.

Il avait orienté *Tunacide* en avant toute au sud de la trajectoire apparente de la trombe. Mais la survente fit pivoter la proue vers le nord et coucha le bateau sur bâbord. Tout ce qui traînait sur la plage avant, lotion solaire, fauteuil, serviette, lunettes de soleil, verre à cocktail, roman policier, disparut. Red laissa choir la canne sur le pont entre chaise et console pour reprendre la barre en manuel. « Accroche-toi ! » hurla-t-il par-dessus son épaule, peut-être sans nécessité. « Laisse tout tomber et accroche-toi ! » Il entendit à peine sa propre voix dans le vacarme. Une vague se dressa. *Tunacide* l'aborda de face, se cabra violemment. Un fracas prolongé monta du coin cuisine. Derrière lui, Tipsy eut la bonne réaction en s'agrippant aux mains courantes de la descente et en ramenant les pieds sous elle, de sorte qu'elle était pour ainsi dire montée sur cardan. Malgré cela, elle se retrouva en apesanteur, soulevée en l'air lorsque l'avant tomba dans le creux. Quand l'arrière se leva, épousant le mouvement, les hélices sortirent de l'eau et les moteurs s'emballèrent. L'ancre, une Danforth de trente-cinq kilos, rompit ses saisines et joua les filles de l'air, planant au-dessus de l'étrave comme si elle ne pesait plus rien. Quand la proue enfourna au fond du creux et que le bateau se trouva pratiquement arrêté, l'ancre retomba et ouvrit un trou béant dans le pont, juste derrière le guindeau. Alors, outre la lame suivante, un mur liquide porté par le vent assaillit le bateau. Tandis qu'une cataracte s'engouffrait dans le trou et inondait le compartiment, un pied d'eau balaya le pont sur toute sa longueur et alla frapper la lisse de couronnement, passant pour moitié par-dessus le seuil surélevé de la descente et trempant Tipsy jusqu'aux genoux, tout en s'élevant jusqu'au repose-pieds de la chaise du capitaine.

Et aussitôt, tout fut terminé. L'ombre qui avait pesé sur le navire filait déjà en direction du nord-est, abandonnant *Tunacide* maintenant baigné d'un grand soleil. Le sifflement diminua jusqu'à ne plus se distinguer du bruit des membranes des trois pompes de cale, des deux V8 Caterpillar et de l'eau s'écoulant par tous les dalots.

Red se retourna vers le grain qui s'éloignait et constata que la deuxième canne et son moulinet étaient partis avec. Achetés chez un prêteur sur gages, ils ne représentaient pas une grande perte. Arrivée pépère, départ on ne peut plus spectaculaire. D'ailleurs c'était de sa faute : il s'était laissé surprendre. Une petite semaine à naviguer sur le Grand Banc des Bahamas, à boire, manger, pêcher et se prélasser sur la couchette double, à se contempler le nombril et admirer les astres, avait réduit sa vigilance comme peau de chagrin. C'est le grand large, ici, crétin, et tout ce que t'a coûté ton inconséquence jusqu'à présent, c'est ton engin de pêche numéro deux, un trou à l'avant et une bonne dose d'humidité en bas. Compte tenu du vaste éventail des possibles, ce n'est pas cher payé. Paré à resserrer les boulons ?

Le vent mollit à dix nœuds et la mer reprit le rythme d'une longue houle, tous deux de sud-est. Red était attentif à tous les aspects de la situation, mais ce qu'il trouva le plus remarquable fut la réaction de Tipsy lorsque, cramponnée aux rampes de l'échelle, elle avait vu l'eau lui monter aux genoux et lui gicler au visage.

Elle avait affiché un sourire. Un grand sourire de dément qu'aurait arboré n'importe quel aventurier.

Elle s'éclate, se dit-il.

Pendant toutes les années qu'il avait passées en mer des Caraïbes, jamais une trombe pareille ne lui était tombée dessus, et aucune des femmes avec qui il aurait alors pu se trouver n'aurait vécu ça avec une telle équanimité. Elle n'en sait pas assez pour avoir peur, pensa-t-il. Mais tout ce qu'elle dit fut : « Et ce trou, à l'avant ? »

Elle souriait encore. Il avait déjà croisé ce genre de sourire par le passé. Il était l'expression de la jubilation qu'éprouve le marin-né. Elle aurait pu être un enfant qui, prenant la barre pour la première fois, se voit soudain seul aux commandes de sa destinée manifeste et se met à gouverner comme s'il avait fait cela toute sa vie.

Pas un de ses enfants à lui, se dit-il sombrement. Pour eux, ni barre ni gouverne. Des gosses à la dérive. Il n'avait aucune foi en la psychiatrie, mais à un moment donné, Carmen l'avait persuadé d'emmener leur fille voir un psy. Au bout de deux séances, la gonzesse l'avait pris à part pour lui demander s'il avait entendu parler du principe de réalité. Un truc dans le genre marche ou crève, vous voulez dire ? avait-il répondu. Eh bien (elle avait sourcillé), la définition classique évoque la capacité de l'individu à appréhender le monde qui l'entoure et à s'y adapter pour s'assurer au bout du compte la satisfaction de ses besoins instinctifs. On dirait bien que vous êtes en train de parler du bonheur, avait dit Red. C'est ça, confirma la psy, or votre fille est malheureuse. Je vous ai filé deux cents billets pour vous entendre m'annoncer que ma fille, qui est malheureuse, est effectivement malheureuse ? avait-il explosé. À partir de là, les choses étaient allées de mal en pis. Tout ça pour dire que cette femme-ci, Tipsy, est la sœur de son frère : elle adore être en mer.

« À présent, tu sais ce qu'est une trombe, lui dit-il.

– C'est donc ça ?

– Ça faisait un bout de temps que, pour ma part, je n'en avais pas vu. Et jamais d'aussi près.

– Plus près, c'est possible ?

– Tu n'as qu'à y aller, dit-il avec une fausse candeur. Je t'attends ici. »

Ils s'esclaffèrent.

« Avant de repartir, je vais boucher ce trou. Reste ici et laisse Otto aux manettes. Si tu en vois une autre approcher, tu prends la barre, tu libères Otto et tu gouvernes au sud-est de la perturbation. (Il jeta un regard vers l'affichage du GPS.) Sinon, huit nœuds, cap au 10. »

Elle remit le bateau sur sa route et rebrancha le pilote. « Voilà ce que je propose, commandant : vous faites ce que vous avez à faire sur le pont ; moi, je me charge de l'intérieur.

– Où étais-tu, toutes ces années ? dit-il en souriant malgré le trou béant dans le pont.

– À San Francisco », lui répondit son équipage, trempé jusqu'aux os.

Après avoir récupéré et solidement saisi l'ancre, Red se servit d'une paire de pinces à long bec pour nettoyer les éclats de polyester bordant le pourtour du trou, les jetant par-dessus bord à mesure qu'il les détachait. Une fois la brèche nettoyée, il en prit les mesures à l'aide d'un mètre à ruban. Après quoi il descendit dans le poste, traça un rectangle sur une chute de contreplaqué marine de 18, et le découpa à la scie sauteuse. Ensuite, il creusa à la défonceuse une gorge de 12 millimètres sur le périmètre du quadrilatère. Puis, après avoir passé l'aspirateur pour ramasser la sciure, il étendit sur la pièce de bois un apprêt à séchage rapide.

La troisième ou quatrième fois qu'il alla prendre des outils à l'arrière, il constata que Tipsy avait remis la cuisine parfaitement en état.

Qui dit que ça ne peut être que la mauvaise personne, le mauvais moment, le mauvais endroit ? se demanda-t-il.

Il remonta sur le pont avec le morceau de contreplaqué et un seau plein d'outils, tout en déroulant une rallonge électrique. De la passerelle, Tipsy lui décocha un sourire et leva les mains. Simple comme bonjour, semblait signifier ce geste. Un coup d'œil en l'air lui montra que le temps de la Caraïbe avait recouvré son aspect béatifique habituel : un grand soleil couronnant un ciel cobalt, des altocumulus défilant vers le ponant, çà et là une inoffensive tête de cumulonimbus, une houle de sud-est rien moins qu'imposante — majestueuse, aurait-on pu dire — d'une période de peut-être trente secondes, paradant sous dix nœuds de vent avec des risées à quinze. Loin d'avoir retrouvé ses vingt-six ou vingt-huit degrés habituels, la température ne dépassait guère vingt degrés après le passage de la dépression. La plage avant était déjà sèche. Le reste de la traversée promettait d'être sans histoires. On reconnaîtra quand même Long Cay avant la tombée du jour, pensa Red tout en se sanglant des protections aux genoux. Il s'agenouilla non sans raideur pour présenter la pièce. Celle-ci chevauchait le trou de cinq centimètres sur chaque côté. Ça ferait l'affaire pour le moment et peut-être pour toujours. Il retourna le contreplaqué pour en poncer les arêtes. Il frotta les abords du trou avec un chiffon imbibé d'acétone. À l'aide d'une pompe à silicone, il déposa sur le pourtour un généreux bourrelet d'adhésif blanc. Cette pompe couinait comme une sterne. L'opération terminée, il se redressa en position accroupie, dos tourné à la passerelle. Le bonhomme se fait un peu raide, pas vrai ? Depuis ma jeunesse, j'ai bien rapetissé de trois foutus centimètres et je suis devenu plus lent. Et ces trois semaines passées à convoyer des bagnoles, à trimballer des têtes et des nanas d'une côte à l'autre et retour n'ont pas arrangé les choses. Fut un temps où j'étais capable de soulever un moteur pour le sortir de la cale, sans parler d'une transmission. Je pouvais parer un direct avec la main droite tout en expédiant un crochet du gauche. Fini, tout ça. Désormais, je n'ai plus que la ruse, arrrh. Il fit la grimace. C'est pas nouveau, remarque. Si j'avais abattu finement mes cartes… ma carte… je pourrais être en train de jouer à la pétanque dans une maison de retraite. Mais je me retrouve ici. À soixante-quatre ans, sans rien d'autre que des cargaisons de tee-shirts et des gens bizarres qui tirent mes ficelles de loin. Un trou dans le bateau ? Pas un problème. Mais des gens bizarres qui tirent mes ficelles ?

Qu'ils aillent se faire foutre.

Il appliqua un boudin de silicone sur le périmètre de la pièce de contreplaqué, puis, la tenant par deux angles opposés, il la fit pivoter du bout de ses majeurs et la déposa sur le trou. Pas mal, comme positionnement, presque parallèle à l'axe du bateau. Il pesa sur la pièce, y faisant progressivement porter tout son poids jusqu'à ce que le joint déborde sur les rives. Le scellement serait étanche.

Il s'accroupit de nouveau. Il avait mal dans le bas du dos et pas qu'un peu. Ce mal de reins était une des raisons pour lesquelles il avait vendu son cher *Barbarosso*, ketch aurique de quelque soixante-trois pieds, car, bien que ce bateau fût équipé à cet effet, il n'était plus capable de le mener en solitaire. C'était une chose que de hisser la corne de grand-voile ; c'en était une autre de l'amener dans un grain. Il arrivait même que la corne d'artimon lui mène la vie dure. La dernière fois qu'il était sorti en solo, il s'était fait un tour de reins rien qu'en bordant une écoute de foc. Le retour au port avait été un supplice, une douleur comme il n'en avait jamais éprouvé, bien pire qu'une blessure au couteau ou un coup à la tête, ou même que la douleur ressentie la fois où il s'était fait écraser le pied entre un bateau et le bord d'un ponton. Le pied en question restait douloureux. Le dos était devenu aussi imprévisible que peu fiable…

Mais avec une femme comme Tipsy, on pouvait peut-être repartir à la voile. Il prit une visseuse dans le seau, inséra dans le mandrin à serrage rapide une fraise combinée à un foret pilote et perça un trou chanfreiné dans un coin de la plaque de contreplaqué. Puis il monta un embout de vissage sur sa machine et fixa cet angle de la pièce à l'aide d'une vis galvanisée Torx à tête fraisée de 5 x 45, sans toutefois la serrer à fond. Ayant de nouveau changé d'embout, il retoucha légèrement la position de la pièce et fora un avant-trou dans l'angle diagonalement opposé au premier. Il remonta le foret pilote sur le mandrin et entreprit de percer sur le pourtour de la pièce une série de trous fraisés, également espacés. Après avoir chassé poussière et copeaux, il se servit d'un couteau à enduit de 25 pour appliquer dans chaque trou une noisette de mastic adhésif.

Son dos s'était considérablement ankylosé, et il éprouvait des élancements dans les muscles parallèles à sa colonne vertébrale. Il déversa les outils sur le pont, retourna le seau et s'assit dessus.

Enseigne tous ces trucs à Tipsy, se disait-il. Elle apprend vite. Mes connaissances et sa sagacité naturelle, mon expérience et sa jeune échine, ma sagesse et l'agilité de sa jeunesse…

Tout en troquant la fraise à lamer contre l'embout Torx, il eut une pensée pour le jumeau de ce dernier, qui gisait depuis plusieurs mois au fond de la mer à quarante ou cinquante milles dans le nord de La Havane. Embout Torx, inoffensif petit morceau de métal, c'est toi qui m'as mis dans ce pétrin. Il rumina un moment cette pensée. Je ne sais plus trop comment je me suis fourré dans ce pétrin.

Foutue technologie. Il fit tourner la visseuse tout en tenant le mandrin afin de s'assurer qu'il était bien serré. Un *aïe !* de plus pour la paume pas encore tout à fait guérie de sa main gauche. Les sacrifices d'un skipper ne connaissent-ils donc jamais de fin ? Il préleva quatre ou cinq vis dans leur sac en toile. La pointe de l'une d'elles le piqua sous l'ongle de l'index, y faisant perler une minuscule goutte de sang. De la sueur lui dégouttait au bout du nez. Pour ça, mon pote, se dit-il tout en enfonçant une vis dans un angle de la pièce, tu aurais pu vivre différemment. Il vissa une quatrième vis dans le coin opposé à la troisième. Tu aurais pu aller au bout de ton troisième cycle et décrocher ce diplôme en génie civil. Il finit de serrer les deux vis d'ancrage. Tu es allé jeter un coup d'œil à l'université de Clemson, en Caroline du Sud. Quel patelin de merde, et même après toutes ces années tu frémis encore rien que d'y penser. Il enfonça la cinquième vis au centre du côté tribord de la pièce. Je ne me rappelle pas l'année exacte. C'était au vingtième siècle. Une tache de rousseur sur le thorax d'un aoûtat, historiquement parlant. Il avait le regard posé sur la vis suivante. Une époque tellement lointaine qu'on n'y connaissait pas les vis Torx. Il l'enfonça. En ce temps-là, pour poser les plaques de plâtre, on utilisait des pointes galvanisées à tête plate. Qui dit mieux ? Il enfonça une autre vis. Les tubes au néon existaient déjà, par contre. Ça, je m'en souviens. Il y en avait des rangées et des rangées, qui bourdonnaient au-dessus d'armées de chaises et pupitres monobloc au vernis écaillé depuis longtemps, aux tubes métalliques de la même couleur que les caractères sur la carte de visite de la Faucheuse. Radiateurs en fonte le long du mur sous des fenêtres à meneaux — ça flanque les chocottes d'y repenser. Et avoir survécu à ça ? Une balle de fusil esquivée, ni plus ni moins. Simple vitrage : froid en hiver, étouffant en été ; guêpes maçonnes crevées sur le rebord poussiéreux des fenêtres ; sols en lino brun veiné de vert. Murs peints d'un gris difficilement imitable, la même teinte que les radiateurs. Mais tu avais pigé le truc. Il engagea une nouvelle vis dans un avant-trou fraisé. Pour la peinture, ils avaient tout bonnement réuni tous les restes de bidons de vingt litres pour les déverser dans un fût de deux cents et peindre tout l'établissement avec la couleur ainsi obtenue. L'école d'ingénieurs tout au moins. Ah, mon embout tourne à vide. Vis foirée, tel est le terme consacré ; il n'y a que les techniciens pour l'utiliser. Il ressortit la vis, la jeta par-dessus bord. Ça leur avait fait économiser pas mal de fric, probablement assez pour peindre la fac d'anglais en rose. Nouvelle vis. À moins qu'ils n'aient investi l'excédent dans la grande règle à calcul de démonstration en bambou accrochée au-dessus du tableau noir. Des semestres entiers étaient consacrés au maniement de la règle à calcul et de ses échelles logarithmiques. Cette saloperie devait bien mesurer soixante centimètres de large sur trois mètres de long. Encore toute une technologie balayée par le progrès. Disparue comme les glaciers du parc national de Glacier. Les bateaux à voile existent encore. Où est-ce que ça t'a mené ? Te voilà en train d'enfoncer des vis. De visser année après année. Visser ou se faire visser, le voilà ton principe de réalité. Prends les calculatrices, par exemple. Encore une de foirée. L'embout Torx sauta de la tête de vis et creusa une belle petite éraflure dans le pont. Non pas sur la pièce de contreplaqué, mais sur le pont. Une veine de pendu. Nouvelle vis. Apprendre à Tipsy comment faire ça. Cette technologie changera probablement avant que je trouve le temps de le faire. Je n'aurai jamais assez de temps. Ce sont des pensées de ce genre qui ont ralenti mon cheminement jusqu'à ce beau merdier. C'était écrit. Où ça ? Celle-ci, applique-toi. Il la vissa sans problème. Sur le tableau d'affichage. Comme gravé sur une plaque. Comment fait-on pour oublier le cauchemar de quelqu'un d'autre ? De la même façon qu'on s'en souvient ? Bonne réponse, même si c'est une question. J'en ai une autre. Vas-y, balance. Comment fait-on pour s'en souvenir ? À l'aide d'un chiffon, il nettoya l'embout Torx empoissé de mastic. Le rêve d'un homme, c'est le cauchemar d'un autre ? Il replia son chiffon autour du silicone, puis s'essuya le front avec. Rien que des questionnements. Il jeta le chiffon de côté et préleva quelques vis. L'école avait beau être déserte, le tableau d'affichage de la fac d'ingénierie était rempli d'offres d'emploi, toutes jaunies et desséchées. Friables et couvertes de chiures de mouches, oubliées depuis le printemps précédent. General Electric. La Navy. IBM. Lockheed. Boeing. La FoMoCo. Le ministère des Transports de Géorgie cherchait deux ingénieurs civils. Seulement, il y avait cette plaque scellée au-dessus du tableau, et la notice nécrologique qui l'accompagnait. Il enfonça une vis. La tête se noya d'un demi-centimètre dans le contreplaqué. *Ce panneau est un don de Henry C. Greenly, le plus beau fleuron qui puisse sortir de cette école*. La vis suivante était d'une douzaine de millimètres plus longue que les autres. Il la jeta par-dessus bord. Cette notice expliquait que Hank Greenly avait pris sa retraite après avoir consacré la totalité de sa carrière d'ingénieur civil à une unique portion d'autoroute, longue de dix-huit kilomètres, entre Wilson, en Caroline du Nord, et une localité du nom de Pittsboro. Il avait présidé le projet dès le tout début. Il s'était chargé de bout en bout du financement, des permis dans leurs tenants et leurs aboutissants, de l'étude sur l'impact environnemental, des plans, de leurs révisions, des demandes d'agrément, des révisions supplémentaires, des calculs de conformité, des calculs de risque sismique, de l'obtention des tampons et parafes, des présentations et agréments, des expropriations, relogements et indemnisations sur l'ensemble du tracé et de la zone à viabiliser, du lancement des travaux, d'un sous-traitant incompétent, du mauvais temps, de la mutilation accidentelle d'un conducteur d'engins, de poursuites contre un cadre soupçonné de corruption, qui choisit de répondre d'une infraction mineure et plaida non coupable du premier chef d'accusation, de trois cas de morsure de serpent, d'une moufette enragée qui s'en prit à un membre du Congrès en visite, du refus de remblais humides, de remblais gelés, de bétons de qualité inférieure, de la formulation et de la sortie en trois exemplaires — avant l'âge de l'informatique — des ordres de modification... L'autopont, les quatre ensembles de bretelles d'accès et de sortie, la rampe de mise à l'eau, les six ponts de chemin de fer et les deux barrages que comprenait le cahier des charges, plus dix-huit kilomètres d'autoroute à quatre voies avec terre-plein paysagé, le tout construit sur des marécages et des sables mouvants. Chaque mètre carré de terrain dut être déblayé et remplacé par du remblai sec, qui fut compacté. Il fallut en tout vingt-quatre ans pour mener à bien le projet, ensuite de quoi Hank Greenly prit sa retraite. Ces dix-huit kilomètres d'autoroute à quatre voies occupèrent toute sa carrière professionnelle, et quand ils furent achevés, il l'était lui aussi. Il avait survécu à ses parents, à son seul frère, ainsi qu'à sa femme et à leur enfant, qui se firent emboutir à trois kilomètres de Bun Level, en Caroline du Nord, par un camion transportant des grumes, alors qu'il participait ce week-end-là à une réunion marathon d'arbitrage d'un contrat à Charlotte. Un jour, un pêcheur vit Hank, quelques mois après son départ à la retraite, debout en haut de l'un des deux barrages dont la rumeur disait qu'ils n'avaient été construits que pour protéger la villégiature du gouverneur, située à quelque trente kilomètres en aval. Sans raison apparente, Hank en contemplait le déversoir, très loin en contrebas. Cet ouvrage présentait une belle structure curviligne, tracée au fil à plomb et à la chaîne longtemps avant l'avènement du théodolite à laser. Plus personne ne revit Hank Greenly. Sa retraite dura onze mois. Pour finir, un infarctus foudroyant eut raison de lui dans son fauteuil devant la télévision. Il aimait les vieux westerns, les films de cow-boys. Le stress de la cessation d'activité ne saurait être surévalué, comme le dit quelqu'un lors des obsèques. Or il se trouvait que Red Means avait travaillé un été sur ce chantier, l'année précédant son achèvement, trois ans avant qu'il décide de ne pas s'inscrire à l'école d'ingénieurs, ni dans aucune fac. Il passa les mois de juin, juillet et août à graisser les engins, à fixer des lames sur les niveleuses, à rechaper des bulldozers, mais il n'avait aucun souvenir d'un Hank ou Henry Greenly. Il semblait pourtant impossible qu'ils ne se soient pas rencontrés au moins une fois...

Ce ne sont pas les histoires troublantes qui manquent, dit-il au contreplaqué, mais il s'agissait là d'une des plus déconcertantes que j'aie entendues jusqu'à ce moment de ma folle jeunesse. Des légions d'anecdotes lamentables ont été amplement triées, classées et agrafées par le temps dans la chambre forte du cerveau. Toujours est-il que, pour finir, un pick-up pourri l'emporta loin de la Caroline du Sud, et pas assez vite à son goût. Il ne leva le pied que lorsque la route fit défaut, trois semaines plus tard, devant une digue sur laquelle une vingtaine de personnes attendaient tranquillement le crépuscule. Il demanda par la fenêtre du véhicule de quoi il retournait. Une jolie fille au sourire éclatant, en robe légère, à califourchon nu-pieds sur un vélo mangé de rouille, dépourvu de dérailleur et monté de pneus ballon, lui répondit que, pour ce qui était des couchers de soleil, l'important était de pratiquer une routine quotidienne. Elle lui souhaita la bienvenue à Key West et lui tendit un joint. Elle s'appelait Carmen...

« Red ? »

Il leva les yeux. Le bord de son couvre-chef occultait une partie de la personne de Tipsy.

« Ça va ?

– Mais oui », assura-t-il. Il regarda la pièce de contreplaqué. Toutes les vis étaient en place. Il avait même passé sur le pourtour l'extrémité arrondie du manche de son couteau à enduit, après l'avoir mouillée, afin de lisser le joint et d'enlever le surplus de mastic. Il ne lui restait plus qu'à enduire chaque tête de vis, laisser sécher et donner un coup de peinture. Demain, peut-être.

« Red ?

– Quoi ?

– Il fait très chaud ici.

– Pure vérité.

– Tu es sûr que ça va ? » Elle s'assit à califourchon sur ses genoux, face à lui. Le seau ploya. Il laissa choir son outil et la prit dans ses bras.

Il plissa les paupières. Elle commençait à prendre un joli hâle. Elle lui souriait. « Mais oui, dit-il. Je suis en super forme.

– Prouve-le », dit-elle avant de l'embrasser.

41

Ils mirent l'annexe à l'eau, non sans difficulté. Il s'agissait d'un vieux youyou en contreplaqué entièrement doublé de polyester. Bien qu'il n'eût pas cinq ans, le petit moteur hors-bord ne voulut pas démarrer. Après avoir empli l'air matinal de vapeurs d'essence, Red le souleva du tableau arrière et, tout en l'invectivant, le remonta à bord pour ne pas s'encombrer d'un tel poids mort. « J'avais acheté cette saloperie pour qu'elle me trimballe, pas pour me la coltiner », marmonna-t-il avec aigreur avant d'empoigner les avirons.

Ils partirent de bonne heure, mais ils n'avaient pas parcouru une demi-encablure, que déjà le visage de Red était en nage. Il lâcha les avirons, se noua un mouchoir autour du crâne, ôta sa chemise, but un peu d'eau, puis se remit à tirer sur le bois mort, cependant que Tipsy l'enduisait d'écran total. Tourné vers l'arrière, il exposait son dos aux rayons obliques du soleil, et la sueur luisait sur ses épaules constellées de taches de rousseur. La dent de requin oscillait à son cou au bout de la chaîne en or et venait battre contre la toison mi-grise mi-cuivrée qui bouillonnait sur son torse.

Leur position les plaçait sous le vent de la pointe méridionale de Long Cay, ce qui les protégeait également du courant. Mais l'embarcation dansait sur une jolie houle qui leur arrivait par le travers. De temps en temps, des paquets de vallisnérie, piquetés d'éclatantes pousses vertes et violettes, s'accrochaient à la pelle des avirons. Red les rentrait périodiquement pour les dégager de ces algues, et en profitait pour souffler. Ses bras puissants ne rechignaient pas à la tâche, mais Tipsy et lui avaient veillé une bonne partie de la nuit pour étudier de près le journal de bord et les lettres de Charley, renversant même un fond de rhum sur la carte de Long Cay la plus détaillée — au 1 : 3 000 000e — qu'ils aient pu trouver à Key West. « Une carte du détroit de Mayaguana, répétait-il, et ni Long Cay ni Crooked Island ni même les Acklins n'y sont nommées. »

« À t'entendre, c'est comme si on cherchait à acheter un vibromasseur au Vatican.

– Tu n'as que faire d'une connerie de vibromasseur, assura-t-il. Je te parle du détroit de Mayaguana. »

Tout en buvant une nouvelle rasade de rhum, Red pesta à propos de l'échelle équivalente proposée par son coûteux système de navigation qui affichait plus ou moins les mêmes données que la carte papier, c'est-à-dire pas grand-chose. Il s'agissait décidément d'un coin perdu.

Ils avaient emporté cette carte ainsi qu'une bonne partie de ce que Red avait récupéré sur l'épave de *Vellela Vellela*, les lettres de Charley à Tipsy ayant un rapport avec leur présente entreprise, un GPS portatif et le compas de relèvement. Il y avait aussi, posés sur la pièce de quille, une pioche, une pelle, une canne planteuse, une machette et une serpe, ainsi que des palmes, un masque et son tuba, sans oublier la glacière, qui renfermait deux cartons de six Kalik et quatre litres d'eau. La deuxième fois qu'il rentra les avirons, Red s'ouvrit une bière avec les dents et recracha la capsule dans la mer des Caraïbes.

« Voilà bien la connerie la plus macho que j'aie vue depuis la fois où George Bush s'est posé sur ce fameux porte-avions », commenta Tipsy.

Il lui proposa une gorgée. Elle déclina. Il vida la bouteille d'un trait, puis la lança vers le ciel. « Si j'avais le fusil, grogna-t-il, je l'aurais pulvérisée, tout comme on a fait à ton portable.

– J'ai trouvé ça défoulant, reconnut-elle. N'empêche, je voudrais bien savoir comment va Quentin.

– Primo, tu m'as dit qu'il n'a pas de portable. Deuzio, je te répète que de toute façon il n'y a pas de réseau dans le coin. Détends-toi et savoure l'instant. Dans pas longtemps, grâce à la technologie, le silence des grands espaces ne sera plus qu'un souvenir.

– En tout cas, si tu explosais des bouteilles à coups de fusil, tous les chasseurs de trésors à trente kilomètres à la ronde sauraient qu'on est ici.

– Pas d'inquiétude. (Il s'essuya la bouche et se remit aux avirons.) Aujourd'hui, on est seuls dans le secteur. Sauf si tu comptes les fantômes.

– Comment ça, pas de casino ?

– Uniquement le Grand Casino.

– C'est la même chose que la Destinée Manifeste ?

– Tu sais que les casinos des Bahamas se targuent d'offrir les gains les plus élevés au monde.

– Ça veut dire quoi ? Qu'ils te laissent ton caleçon ?

– Pure vérité. » Red rigola, puis jeta un regard par-dessus son épaule. « On va revoir notre première instruction. »

Tipsy ouvrit le journal de bord de *Vellela Vellela* à une page marquée d'un trombone déjà rouillé sous l'action de l'air salin.

... ne pas oublier de prendre en compte quelque chose comme dix ans de variation de la déclinaison magnétique. Ce soir, depuis ce mouillage, j'aperçois l'embouchure du ruisseau en question. Chose curieuse, Vellela *est mouillé sur l'exact contre azimut du vecteur reliant ce ruisseau au milieu de l'entrée du chenal de Man of War, soit au 277° vrai...*

Le papier réverbérait avec intensité le flamboiement du soleil. Tipsy en détourna les yeux. Red avait soigneusement positionné les deux ancres de sorte que le relèvement, obtenu par GPS, du centre du chenal de Man of War passe par l'axe de *Tunacide* et de ses deux chaînes. Il avait donné beaucoup de longueur au mouillage de l'arrière, qui était orienté vers Long Cay. Il avait pourvu cette ancre d'un orin, avec un pare-battage en guise de flotteur. La ligne droite passant par ce dernier et par la poupe du bateau se confondait exactement avec l'azimut de l'entrée du chenal de Man of War.

Il rentra les avirons et tripota le GPS portable jusqu'à ce que l'appareil accroche trois satellites et lui donne la position. « Hmm, fit-il en regardant par-dessus ses demi-lunes. C'est pas toujours aussi mauvais, mais regarde ça. (Il inclina le petit écran et y projeta l'ombre de sa main.) La petite flèche, c'est nous. Ce trait qui ondule, c'est la courbe nord-ouest de Long Cay. » Il tendit le bras vers l'avant.

Tipsy regarda dans la direction indiquée, examina le rivage, puis revint à l'écran. « D'après ce machin, constata-t-elle à voix haute, on est engagés d'une centaine de mètres sur la plage.

– Échoués en beauté. Et dans quelle direction se trouve-t-elle, cette plage, la vraie, là-bas devant ?

– Vers l'est, plus ou moins.

– Exact. Et où est-elle sur cet écran ? »

Tipsy se pencha de nouveau au-dessus du GPS. « Vers l'ouest ?

– C'est ce que, dans le métier, on appelle une position dégradée, grogna Red. Technologie de mes deux. (Il éteignit l'appareil, le laissa tomber dans le fourre-tout, le fit suivre de ses lunettes.) Mais ça s'annonce pas mal pour un début, ajouta-t-il en actionnant un aviron pour placer le youyou sur le vecteur défini par le flotteur et le tableau arrière de *Tunacide*. Deux cent soixante-dix-sept degrés vrai, ça passe par le bateau et ça pointe directement sur le chenal de Man of War. Plus huit degrés quarante-cinq minutes de déclinaison ouest. Plus six minutes multipliées par dix ans, soit un degré d'augmentation... c'est bien ça ? »

Suivant du doigt les chiffres étagés en colonnes dans la marge de la carte, Tipsy arriva au résultat. « Deux cent quatre-vingt-six.

– Jettes-y un œil et passe-moi l'ancre. »

Elle lui remit une petite Danforth de dix livres rongée par le sel et sa longueur de mouillage en polypropylène, qu'il déposa à l'avant, derrière lui. Elle prit le compas de relèvement jaune, le leva à hauteur de son œil et l'orienta vers le flotteur de l'orin et la poupe de *Tunacide* en alignant pinnule et encoche.

« Tu relèves combien ?

– Deux cent... Ces traits vont de deux degrés en deux degrés ?

– De cinq en cinq.

– Trois cent...

– Allez, allez », fit-il impatiemment.

Tipsy lui enjoignit de la fermer. Mais chaque fois qu'elle abaissait l'instrument pour lire le résultat, celui-ci lui échappait.

« Merde à la fin ! File-moi ça... »

Elle écarta le bras pour tenir le compas hors de sa portée. « Parce que toi, tu savais lire un compas au berceau ?

– Exactement, grogna-t-il. Allez, donne.

– Laisse pisser. Je vais y arriver.

– Tiens, en parlant de ça... » Il se leva, alla se poster à l'arrière de l'embarcation sans trop la faire rouler, ouvrit la fermeture éclair de son short et projeta par-dessus bord un arc de cercle de bière en fin de carrière.

« Si tu faisais ça de l'autre côté », commenta Tipsy, qui tenait le compas à bout de bras, un œil fermé, l'autre plissé, « je pourrais viser juste par-dessous. »

Il referma sa braguette. « T'aurais eu l'impression d'entrer dans le port de Saint-Louis[1]. (Il s'étira les épaules, puis vint se rasseoir.) Alors, ce foutu relèvement ?

– Je crois que ça donne deux cent quatre-vingt-deux. »

En même temps que le youyou pivotait vers bâbord, l'aiguille du compas s'orienta vers tribord. Red joua de l'un ou l'autre des avirons jusqu'à ce que Tipsy parvienne à faire sa visée.

« Bon sang de bonsoir…

– Tu viens de te soulager, lui rappela-t-elle. Détends-toi un peu.

– Ça me fait penser. (Il vida une nouvelle bière.) Putain, ce que ça fait du bien ! (Il fit claquer ses lèvres et lança la bouteille vide en direction de *Tunacide*.) J'espère qu'on va pas tomber en panne.

– Il t'en reste dix.

– C'est bien ce que je dis.

– Deux cent quatre-vingt-six. On y est. »

Red regarda vers le large. À peut-être un quart de mille du youyou, le pare-battage dansait sur l'eau, en étroite juxtaposition avec le centre du tableau arrière du bateau, comme s'il s'apprêtait à tirer une ligne joignant les deux embarcations. « Jusqu'ici, tout baigne. (Soulevant les deux jambes, il opéra prestement un demi-tour sur son banc.) Et maintenant, voyons l'entrée de ce ruisseau. (Il prit les jumelles et, après un rapide coup d'œil vers l'arrière, tourna le dos à *Tunacide* pour balayer lentement le rivage de Long Cay.) Trop loin », marmonna-t-il avant de donner les jumelles à Tipsy et de se retourner pour reprendre les avirons.

Quand elle leva les jambes pour se tourner vers l'avant, Tipsy manqua de renverser l'annexe.

« Une femme ne doit jamais perdre de vue que son cul est son centre de gravité, observa Red en la regardant fixement.

– Je ne te ferai pas l'honneur d'une réponse.

– D'accord, du moment que tu ne nous infliges pas le déshonneur d'un chavirage. »

Ils couvrirent un quart de mille supplémentaire.

« Bon sang », grogna Red. Il dégoulinait, le foulard qu'il portait sur la tête était gorgé de sueur, la plaie de sa main tout enflammée.

---

1. Red pense au Gateway Arch, monument de Saint-Louis (Missouri). (*N.d.T.*)

« Qu'est-ce que ça aurait coûté d'emporter une paire de gants ? » demanda-t-il, ne s'adressant à personne en particulier.

« De la prévoyance, répondit Tipsy du tac au tac. Je ne sais pas pourquoi, ajouta-t-elle en balayant le rivage avec les jumelles, mais je n'arrive pas à identifier ce que j'ai sous les yeux. »

Red fit décrire un demi-tour à l'embarcation et lâcha les avirons. « Donne. (Il regarda à son tour.) Je vois. (Puis, lui rendant les jumelles :) Là-bas. »

Il orienta de nouveau l'étrave vers le rivage et se remit à manier les avirons avec force et régularité. Tipsy lui faisait corriger son cap de temps à autre, mais, tout en surveillant le sillage et *Tunacide*, Red conservait une trajectoire remarquablement rectiligne. Ils ne tardèrent pas à discerner la rumeur du ressac. Tipsy reposa les jumelles. Red jeta un coup d'œil en abord. « Il y a un léger courant. (Il plongea les doigts dans l'eau, les porta à sa bouche.) De l'eau douce. »

Tipsy sourit. « Tu crois ? »

Il regarda à gauche, à droite, et se mit à rire. Une plage s'étendait de chaque côté : ils avaient piqué directement sur l'embouchure du cours d'eau.

« Il s'agit bien d'un ruisseau. Exactement comme Charley l'a indiqué. »

Red fit la grimace. « Il me paraît trop profond. (Il regardait pardessus bord.) Il prétend que Cedric et lui y ont poussé leur canot à pied.

– Oui, mais il était chargé de près de six cents kilos de chaînes.

– … ce qui ferait couler bas le nôtre. Le leur était toujours à flot, toujours manœuvrant.

– Peut-être qu'il était plus grand.

– Peut-être que c'est de la foutaise d'un bout à l'autre, déclara-t-il sombrement. (Il donna quelques vigoureux coups d'aviron.) Regarde le fond. Tu aurais pied, tu crois ? »

Elle se pencha pour regarder. « Non. Mais il fait si chaud. J'aimerais bien essayer.

– Garde un œil sur le compas. »

Red se remit aux avirons pour remonter le léger courant. La plage se couvrit de buissons et les berges se rétrécirent au point que la végétation forma bientôt une voûte au-dessus d'eux. « Dis donc, regarde un peu ça ! » lança soudain Tipsy alors qu'ils se trouvaient deux cents mètres en amont de l'embouchure. Elle lui montrait le compas en ayant soin de le maintenir à l'horizontale. « Avant, le nord était par là.

– Il s'affole, observa Red. (Ils échangèrent un regard.) C'était pas de la foutaise, finalement. (Il regarda par-dessus bord.) Ça fait un putain de tas de chaînes. Il y a trois mètres de fond par ici. C'est peut-être marée haute. Qu'est-ce que ça aurait coûté de consulter l'horaire des marées ? Non, ne réponds pas. »

Le ruisseau s'était creusé en s'étrécissant. La végétation qu'il alimentait formait maintenant un véritable ombrage au-dessus d'eux. Après avoir dirigé le youyou vers la rive sud, Red s'accrocha à une branche de casuarina pour éviter de repartir avec le courant. L'aiguille du compas, devenue inutile, tournoyait dans son bain de glycérine.

Red réfléchit à voix haute : « Pour ce que j'en sais, après sa mise en liberté conditionnelle, Charley n'a revu Cedric qu'une seule fois. C'était à Key West. L'autre vivait à bord d'un bateau qu'on lui prêtait, une véritable épave, et il s'enfilait sa bouteille de vodka par jour.

– Ça fait un peu beaucoup, reconnut Tipsy.

– Ils avaient beau être potes de longue date, le tableau n'a pas été du goût de Charley. Il est remonté à Miami et il est venu me voir. Je lui ai dégoté le boulot à la Guadeloupe, et ç'a été la fin de Charley et Cedric.

– Cedric est évoqué dans pas mal de lettres. Et puis, brusquement, plus rien. »

Red dressa une oreille. « Tiens, ça, c'est un solitaire siffleur. (Ils écoutèrent.) Sympa, comme oiseau. (Il modifia sa prise sur la branche.) Selon moi, s'il y a bien là-dessous un trésor en chaînes, Cedric et Charley l'ont déposé ici il y a au moins vingt ans de ça, avant que Charley aille en taule.

– Dans ce cas, ces dix années d'augmentation de la déclinaison ne sont évoquées que pour nous fournir un azimut ?

– Possible. Ou pour signaler l'endroit à ceux qui seraient dans la combine. (Red regarda vers l'amont, puis vers l'aval.) Ça fait vingt ans d'ouragans et d'érosion. » L'avant tribord du youyou toucha en douceur la berge nord. Tous deux regardèrent par-dessus le liston bâbord. Le fond semblait d'argile lissé. À une soixantaine de centimètres au-dessus, deux petits poissons tenaient tête au courant.

« Des cyprinodons, dit Red. Excellents, comme appâts.

– Red ? Comment ferais-tu si voulais creuser un trou, là au fond, y enfouir quelque chose et reboucher ? »

Il secoua la tête. « Faudrait travailler en caisson.

– C'est-à-dire ?

– On descend une buse ou un batardeau — ou bien encore on le construit avec des pilots qu'on enfonce à l'aide d'un mouton hydraulique ou — Dieu nous en garde — à coups de masse. Après avoir pompé l'eau, on peut creuser.

– C'est pour empêcher que l'eau ne gêne le travail ?

– Oui. Mais en l'occurrence, ce serait parfaitement infaisable.

– Oui. (Elle promena son regard alentour.) Mais Charley est venu ici.

– Il donne une assez bonne description du coin.

– Ils ont donc balancé leurs chaînes et ils sont repartis. Au fil des années qui ont suivi…

– La nature a tout recouvert. »

Elle se donna une claque sur l'épaule. « Qu'est-ce que c'est que ça ?

– Des aoûtats. C'est une des raisons qui font que plus personne n'habite ici.

– Merde ! (Elle s'appliqua une nouvelle claque.) Comment se fait-il qu'ils ne te bouffent pas ?

– Ils me bouffent.

– Mais alors ? » Elle se donna deux nouvelles claques.

« Alors quoi ?

– Comment se fait-il que ça ne te rende pas dingue, comme moi ? » Encore une claque.

Il haussa les épaules. « C'est parce que je m'en fous.

– Lâche cette branche. Sors-nous d'ici.

– Qu'est-ce que tu fais de…

– Dégageons d'ici. On regagne la plage et on réfléchit à tout ça autour d'une bière.

– Là, je suis ton homme. » Red lâcha prise, laissant l'embarcation partir au fil du courant. Il débordait les rives à l'aide d'un aviron. Ils ne tardèrent pas à entendre de nouveau les vagues briser paresseusement sur la grève.

Le ruisseau laissa derrière lui les buissons et perdit de la profondeur en s'évasant sur la largeur de l'estran. Red tira le youyou au sec, débarqua matériel et provisions, puis dressa la coque sur chant en la calant à l'aide des avirons de façon à ménager un peu d'ombrage.

Tipsy se débarrassa de son short et de son dos-nu. « Je reviens tout de suite. » Elle s'avança dans le ruisseau jusqu'à avoir de l'eau aux genoux et s'y laissa tomber de côté. « Elle est glacée ! » cria-t-elle, le souffle coupé, en ressortant la tête de l'eau. « C'est super !

– Cette eau provient d'une source », lui lança Red, avant d'ajouter pour lui-même : « C'est peut-être marée descendante. » Il s'assit à l'ombre de l'annexe et sortit une bière de la glacière. Quand Tipsy reparut, des gouttelettes ruisselant sur sa chair de poule, il avait troqué sa bouteille vide pour une pleine. Il la regarda d'un œil admiratif cambrer les reins pour s'essorer les cheveux, paupières closes face au soleil.

« Une bière ? proposa-t-il en lui tendant la bouteille qu'il venait de décapsuler.

– Rien qu'une gorgée. (Elle en descendit la moitié.) Bon sang, ce que ça fait du bien ! dit-elle en abaissant la bouteille.

– En plus, c'est pas ça qui te cassera les pattes, dit-il en puisant une troisième bière dans la glacière. Elle n'est pas très alcoolisée. Idéale pour les tropiques.

– Si tu le dis. (Elle lui remit la bouteille vide, qu'il rangea dans la glacière.) Comment ça ? Plus de tir au pigeon ?

– Sûrement pas, dit-il en lui faisant les gros yeux. Regarde autour de toi. Le coin est impeccable. J'entends contribuer à le maintenir en l'état.

– Impeccable sauf si on compte les remontées acides dues à l'esclavage, fit-elle observer.

– Ça, c'était il y a deux cents ans. (Il désigna la mer d'un geste.) Là-bas, une bouteille se pose sur le fond et ça fait une gentille bicoque pour un bernard-l'ermite. Alors qu'ici, ce serait moche. »

Tipsy vint le rejoindre à l'ombre. « Je ne te percevais pas du tout comme quelqu'un qui se soucie d'écologie.

– C'est qu'il faut pas mal gratter », reconnut-il.

Elle prit la pochette étanche, en sortit le contenu. « Qu'il ait tenu à protéger son livre de bord de l'humidité, ça se comprend, dit-elle en posant le cahier de côté. Idem des papiers du bateau, de son argent et de son passeport. En revanche, ces deux pages arrachées au livre de Ricketts… »

Red les examina. « Je m'étonne que la moisissure ne les ait pas attaquées depuis longtemps.

– Pourquoi les conservait-il, d'après toi ?

– Parce qu'il avait donné à son bateau le nom de la créature décrite là-dedans. (Il haussa une épaule.) Sinon, pourquoi veux-tu ? »

Tandis qu'elle lisait les deux pages, il s'abîma dans la contemplation du ressac.

« Il y a un passage que tu n'as pas lu », dit-elle.

Il plissa les paupières. « Celui qui décrit comment vogue la bestiole ?

– Oui, c'est ça. »

Il continuait de regarder les vagues briser sur le sable. Tipsy lui fit la lecture :

L'aptitude à naviguer de la Vellela *peut être mise en évidence à même la grève, dans une grande retenue d'eau peu profonde. À Dillon Beach, un été, George Mackie imagina une expérience aussi simple qu'ingénieuse en utilisant en guise de témoins comparatifs des capsules de bouteille en plastique (en bons témoins qu'elles étaient, celles-ci traversèrent le bassin en droite ligne). En calculant l'angle d'arrivée de la* Vellela *de l'autre côté, il découvrit que les « meilleurs voiliers » pouvaient naviguer jusqu'à 63° sur la gauche du vent. Il semblerait donc que l'expression « près du vent » qualifie avec musicalité* Vellela vellela Linnaeus*, cette créature errant au grand large.*

« Alors ? » interrogea-t-elle non sans douceur.

Red porta la bouteille à sa bouche. « Alors, quoi ?

– Soixante-trois degrés, voilà quoi. »

Il enfonça la langue dans le goulot, interrompant ainsi le flux de la bière, et battit des paupières.

« Soixante-trois degrés », répéta Tipsy.

Il abaissa la bouteille et regarda en direction du large. À peut-être un mille de là, *Tunacide* dansait au bout de ses lignes de mouillage. En dépit de la distance, il apercevait une mouette posée sur l'antenne radar. Les deux pages du Ricketts étaient agitées par la brise. Il les effleura du regard, puis leva les yeux vers le haut de la plage au moment où une paire de grands casuarinas s'inclinèrent puis se redressèrent dans l'air invisible. « Quelles conditions de vent Charley rapporte-t-il pour les journées qu'il a passées ici ? »

Tipsy ouvrit le livre de bord à l'emplacement marqué d'un trombone. « Vent de 10 à 15 nœuds du sud-est, le premier jour… (Elle tourna une page.) Idem le deuxième jour. (Elle passa à la page suivante.) Idem le troisième jour.

– Conditions assez typiques des Bahamas », dit-il, le regard toujours perdu au loin. « Du sud-est, répéta-t-il. Si tu étais pointilleuse, tu aurais dit : du cent trente-cinq. À gauche du vent, indique Ricketts ? »

L'index de Tipsy glissa sur la page imprimée. « … jusqu'à 63° sur la gauche du vent.

– Autrement dit, il tire un bord. (Il orienta une main tendue, paume verticale, vers le sud-est.) Ainsi donc, ton *Vellela Vellela* remonte à soixante-trois degrés sur la gauche du vent. (Il inclina la main comme gîte un voilier.) Il s'agit par conséquent d'un bord tribord amures…

– Il dit sur la gauche, objecta Tipsy.

– Silence. Le bord sur lequel on navigue est nommé d'après le côté du bateau qui reçoit le vent. Cent trente-cinq moins soixante-trois… (Sa main pivotait dans le sens inverse des aiguilles d'une montre.) Soixante-douze degrés. (La main s'immobilisa.) Est-nord-est.

– Soixante-douze degrés, répéta Tipsy.

– Pure vérité. (Il déplaça un tout petit peu la main.) Soixante-dix-huit magnétique.

– Soixante-dix-huit magnétique, répéta-t-elle d'un air songeur. À partir d'où ? » interrogea-t-elle, lâchant des yeux la main de Red pour le regarder, lui.

« À partir de la chaîne », dirent-ils en chœur.

Il se releva, opéra un demi-tour pour se tourner dans une direction à peu près médiane entre le méandre oriental du cours d'eau, sur sa droite, et la plage, sur sa gauche.

« Oui, mais avec un compas qui s'affole, demanda Tipsy, comment déterminer la bonne direction ?

– Facile. On s'éloigne suffisamment de la masse métallique pour pouvoir relever le contre azimut. Comme on l'a fait pour le bateau. (Il plissa les paupières.) Soixante-dix-huit plus cent quatre-vingts égalent deux cent cinquante-huit. Le voilà, le contre azimut, et il nous place sur la rive nord du cours d'eau. Le problème se résume donc à savoir sur quelle distance on suit ce cap. Mais peut-être y a-t-il un autre relèvement qui nous permettrait de faire un point. Peut-être l'observation d'un astre. (Il se tourna pour cracher sous le vent.) On va peut-être avoir le plaisir de crapahuter dans le coin en pleine nuit. »

Ils se mirent à cogiter. Red descendit jusqu'au rivage, marcha un moment dans l'eau. À son retour, il s'assit et cala sa bière en l'enfonçant dans le sable. « Relis-moi encore une fois ce qu'a écrit Charley. »

Tipsy s'exécuta.

« C'est forcément ça, dit-il. Tu piges le truc ?

– Non. Qu'est-ce qu'il y a à piger ?

– Quelle quantité de chaîne, déjà ?

– … *tellement de chaîne encroûtée d'anatifes*, lut-elle.

– Certes. Mais ensuite. Ce qu'ils ont planqué. »

Elle parcourut le manuscrit. « … *cinq cent quatre-vingts kilos de chaîne galva triple B de 10.* Tu penses que ça correspond à une mesure de longueur ? »

Il secoua la tête. « Je ne crois pas. Ça pourrait être des centimètres, des décimètres, des mètres, des brasses, voire des encablures. Encore qu'autant d'encablures nous enverraient loin à l'est de l'île Mayaguana sur plus de cinq mille brasses d'eau bleue.

– Alors à quoi est-ce que tu penses ? Cinq cent quatre-vingts n'est pas le nombre qui nous intéresse ?

– Pourquoi est-ce que ce serait uniquement de la chaîne de dix ? demanda-t-il en regardant la rive opposée comme s'il en attendait une réponse. Combien d'ancres avait-il trouvées ? »

Tipsy jeta un coup d'œil à la page. « Une douzaine ? Qu'est-ce que ça change ?

– Pourquoi une douzaine d'ancres différentes auraient-elles toutes le même format de mouillage ? D'autant que même douze ancres identiques n'ont pas nécessairement le même.

– Je sais à peine ce qu'est un mouillage », avoua Tipsy, agacée.

« C'est la longueur de chaîne ou de câblot reliant l'ancre au bateau et vice-versa. Cinq cent quatre-vingts kilos. Je suis censé connaître la réponse.

– La réponse à quoi ?

– Le rapport poids/longueur d'un dimensionnement de chaîne donné. Il arrive que la question soit posée à l'examen du permis des cent tonneaux. Enfin, c'était le cas autrefois. Aujourd'hui, peut-être que tout ce qu'on demande, c'est le nombre de bandes que compte le drapeau américain.

– Treize, répondit machinalement Tipsy. Mais on avait déjà arrêté que Charley n'avait pas la possibilité de peser des centaines de kilos de chaîne ni de raison de le faire.

– Cette chaîne est bien là, mais il ne l'a pas pesée du tout, et ça ne change rien. Il a opéré à rebours et imposé ce chiffre.

– À rebours à partir de… ?

– La distance.

– Et donc le véritable poids de la chaîne qui dort au fond de ce ruisseau…

– … ne nous intéresse en rien.

– Et la lumière se fit. (Tipsy dodelinait de la tête, l'air pensive.) Les oiseaux de la clairvoyance gazouillent, et je commence à te croire.

– Je suis censé connaître la réponse. (Il examinait la cicatrice qui lui barrait la paume de la main.) Ça m'embêterait d'avoir à retourner au bateau rien que pour chercher ça.

– Tu as un bouquin là-dessus ?

– J'ai des tas de bouquins, qui regorgent de tables. Mais laisse-moi réfléchir. Tiens, passe-moi une bière.

– Tu en as déjà une.

– J'en veux une fraîche. »

Elle lui tendit une nouvelle bouteille.

Red l'ouvrit avec les dents, recracha la capsule dans la glacière et but une longue gorgée.

« Red…

– Referme le couvercle, tu laisses entrer les calories, et goûte-moi ce beau temps. »

Ayant remis le couvercle en place, elle se laissa envelopper par les Bahamas. L'alizé. Le cours d'eau bruissante. Le ressac. Une mouette virant sur l'aile au-dessus de la grève. « Deux virgule vingt-cinq kilos au mètre, déclara subitement Red. Oui, la 10, c'est quelque chose comme deux kilos vingt-cinq. (Il la regarda.) Tu sais comment je m'en souviens ?

– Tu as passé de la chaîne en contrebande ? »

Il secoua la tête. « Non, il n'y a pas de fric à se faire dans la chaîne. Mais ça recoupe les unités de poids qu'on utilise dans le commerce de la poudre. »

Tipsy le regardait, les yeux ronds. « Si le reste de la réalité pouvait avoir une explication aussi rationnelle, finit-elle par dire.

– Là, tu tiens quelque chose. Prépare-toi à calculer. » Il se leva pour gagner une étendue de sable fraîchement lissé. La marée est donc bien en train de descendre, se dit-il. À haute voix, il demanda : « Cinq cent quatre-vingts ?

– Exactement, répondit Tipsy qui l'avait suivi avec les documents.

– Des mètres. (Il se laissa tomber à genoux et, de l'index, écrivit le nombre en grand sur le sable.) Toujours préciser les unités.

580 kilos de chaîne divisés par 2,25 kilos au mètre… (Le sable volait.) Ce qui fait deux cent cinquante-sept virgule une flopée de sept. Arrondissons à 257. Mètres.

– Deux cent cinquante-sept, répéta Tipsy. Mètres. »

Après avoir tracé un cercle autour du résultat, il se releva. « Rhabille-toi. »

Lorsqu'ils eurent remonté la moitié du cours d'eau, Tipsy maintint le youyou contre le courant pendant que Red faisait une visée. « Voilà, dit-il en indiquant la rive nord du tranchant de la main. C'est de ce côté. »

Cent mètres en amont, la rose du compas s'affola. Red lança la petite ancre de dix livres dans la fourche que dessinaient sur la rive sud les racines aériennes d'un bouquet de casuarinas, puis il dévida le câblot en textile jaune à mesure que l'embarcation redescendait vers l'autre berge. Une fois débarqués outils et matériel, il fit passer le câble de l'avant à l'arrière sous les deux bancs, en ramena une ganse autour du dernier et tourna deux demi-clés sur le courant, après quoi il s'enfonça à reculons dans les taillis tout en dévidant le dormant. Parvenu à l'extrémité, il se déplaça de gauche et de droite en arc de cercle tout en gardant un œil sur le compas de relèvement, cependant que Tipsy veillait à ce que le canot demeure à l'aplomb de la masse de chaîne. Quand il le jugea bon, Red ficha en terre le fer plat de la pioche, d'un coup puissant qui l'enfonça jusqu'au manche, puis y noua l'extrémité du bout en polypropylène, faisant observer d'un ton sentencieux : « Trois points forment une droite.

– Ça y est, j'ai compris, dit Tipsy.

– Suis le vecteur jaune. Sans t'arrêter, sauf si tu rencontres un anaconda.

– Ah, parce qu'il y a des…

– Mais non, je te fais marcher. En revanche, isolés comme on l'est, ce pourrait être l'endroit idéal pour croiser un iguane. Ils sont pas mal grands, soixante voire quatre-vingt-dix centimètres de long. Mais ils sont herbivores, donc seuls les végétariens ont du souci à se faire. En fait, ils raffolent de la plante que voici. Le bois-chandelle-noir, on l'appelle par ici. Ils aiment bien aussi ces feuilles de mapou blanc. Seulement, ils sont très appréciés des hommes, des cochons sauvages et des chiens, c'est pourquoi ils commencent à se faire rares. Ouvre quand même l'œil, car ils sont sympas à regarder. Quelle longueur on a trouvée, déjà ?

– Deux cent cinquante-sept.

– Mètres. Deux cent cinquante-sept moins les quarante que mesure le polypropylène, ça fait deux cent dix-sept. Quel était le contre azimut ?

– Deux cent cinquante-huit.

– Ah oui, c'est ça. Pas étonnant que tu t'en souviennes. Je n'avais même pas remarqué. Bon, tu continues dans la même direction. Quand tu auras parcouru une cinquantaine de mètres, tu te retournes et tu te déplaces latéralement jusqu'à me relever au deux cent cinquante-huit. Tâche d'être précise, parce que, d'ici un ou deux reports, le bout et l'annexe ne seront plus visibles. Une fois que tu auras pris ce relèvement, je viendrai vers toi en comptant mes pas. Ne bouge pas avant que je t'aie rejointe. »

Le terrain, sablonneux, comportait toutes sortes d'arbres, de broussailles, de plantes et de fourmis. À un moment, ils durent s'arrêter le temps que Red s'enlève une épine du cou-de-pied à l'aide des pinces à bec de son multi-outils. Ils eurent bientôt parcouru deux cent dix-sept mètres sur l'azimut de soixante-dix-huit degrés. Il faisait chaud comme dans un four. La colonisation du hâle de Tipsy par les aoûtats avait tout d'une dermatite naissante comme en provoque le sumac vénéneux. Leurs empreintes de pas se perdaient derrière eux entre les arbres. Le youyou et sa ligne de mouillage n'étaient plus en vue.

À la fin du cinquième transfert de cette marche à la boussole partie du ruisseau, Red compta à voix haute ses trois dernières enjambées et s'arrêta à quinze mètres de Tipsy.

Ils se dévisagèrent un instant, comme cloués sur place, puis, toujours immobiles, se mirent à inspecter du regard les alentours. Ne s'offrait à leur vue que la flore indifférenciée de l'archipel des Bahamas.

« Au moins, il y a un peu d'ombre, par ici », finit par dire Tipsy.

Red ficha devant lui dans le sable les deux lames de la canne planteuse. « Tu vas décrire une spirale dans le sens des aiguilles d'une montre en t'éloignant peu à peu de ce point central. Moi, je vais me déplacer en sens inverse.

– Qu'est-ce qu'on cherche ?

– Aucune idée. N'importe quoi d'insolite. Une bouteille de bière. Un sol fraîchement remué — encore que ça ne nous avancerait guère. (Il montra plusieurs emplacements.) Ces îles pullulent de pécaris, ils retournent le terrain quelque chose de sérieux. »

Tipsy faisait des écarts pour éviter des plantes d'apparence épineuse, puis s'efforçait de revenir sur le bon parcours tout en conservant l'outil sur sa droite. Le sable gardait témoignage de leur passage. Le soleil pesait sur la scène. L'avifaune donnait de la voix. Quarante-cinq minutes s'écoulèrent.

Red n'était plus en vue quand il l'appela. Lorsqu'elle le rejoignit, à environ soixante mètres au nord-ouest de leur point de départ, le trou mesurait déjà une cinquantaine de centimètres de profondeur.

« Ça, c'est la patate-bord de mer. (Il montra d'un mouvement de menton une plante desséchée gisant à l'envers à quelque distance de là.) Elle porterait une très jolie fleur si Charley ne lui avait pas sectionné les racines avant de la replanter. (Il déversa une pelletée de sable en abord du trou.) Si cette fleur avait éclos, on aurait pu passer le restant de l'année à chercher. (Il enfonça le fer de l'outil en pesant dessus avec le pied.) Deux ans, peut-être. »

Quelques pelletées plus tard, Tipsy s'aperçut qu'elle retenait son souffle. Soudain, la lame rencontra du métal.

Se laissant tomber à genoux, Tipsy entreprit de déblayer le sable. Red prit l'écope de l'annexe dans le sac en toile et la lui donna. Il s'agissait d'un pot à lait en plastique d'un litre et demi de contenance, pourvu d'une anse en forme de D, et d'un bec verseur. Idéal pour de l'eau, idéal pour du sable.

Deux minutes plus tard, Tipsy avait dégagé le couvercle carré rouge et bleu d'une grande boîte à biscuits en fer-blanc. Elle creusa sur le pourtour de façon à se ménager une prise ; mais la boîte ne voulait rien savoir. Red s'agenouilla à son tour, et tous deux se mirent à la faire jouer d'avant en arrière tout en dégageant le sable à pleines poignées. La boîte commença de s'élever à contrecœur jusqu'à ce que, sur un dernier effort, Tipsy parte à la renverse, la boîte retournée sur les genoux.

Elle se releva, la remit à Red, puis, à deux mains, se débarrassa du sable et des fourmis dont elle était couverte. « *Petits-beurre extra fins de Tante Marie*, lut-il à voix haute. *Jamais un thé sans Tante Marie.* » La chose mesurait trente centimètres de haut sur vingt de côté. Le couvercle était scellé au ruban adhésif. « Charley était buveur de thé, observa Red avec l'ombre d'un sourire, et il ne se déplaçait jamais sans son rouleau d'adhésif. » Il sortit son multi-outils de sa gaine, en déplia la lame de couteau et le tendit par le manche à Tipsy en même temps que la boîte en fer-blanc.

Elle prit le tout, s'accroupit sur ses talons, posa la boîte sur chant et se mit au travail.

Il lui fallut un moment pour inciser le ruban sur les quatre côtés. Quand ce fut chose faite, le couvercle s'ôta facilement. À l'intérieur, nichée entre plusieurs épaisseurs de papier et des sachets de dessicatif comme on en trouve dans les paquets de chips, se trouvait une petite fiole en verre de couleur ambrée. Sa capsule, de plastique noir, était scellée d'une bande d'adhésif de deux centimètres de large.

« Les pages qui manquent dans le livre de bord, dit Tipsy.

– Dans ce cas, il devrait y en avoir dix », se souvint Red. Elle inclina la boîte pour qu'il voie à l'intérieur. « Et on dirait qu'elles ont beaucoup à dire. »

Elle tendit la fiole à Red, puis sortit les feuilles de la boîte et en compta dix. Chacune était couverte recto verso de l'écriture appliquée de Charley.

Red leva la fiole au soleil qui filtrait à travers les branchages. « Comme on se retrouve, mon salaud. » Il la rendit à Tipsy qui, après l'avoir examinée de plus près, demanda en fronçant les sourcils : « Ce ne serait pas une mèche de cheveux ?

– De cheveux présidentiels.

– Mon frère est mort pour une mèche de cheveux, dit-elle avec amertume, et ce n'était même pas des cheveux de femme.

– On n'est pas dans *Ivanhoë* », lui rappela-t-il.

Elle lui rendit la fiole. Il l'engagea dans la gaine de son multi-outils et rabattit le languette velcro par-dessus.

Sans raison particulière, elle laissa retomber la boîte à biscuits dans le trou. « Ma foi, je ne sais pas quoi dire. » Du bout de la chaussure, elle y poussa aussi le couvercle.

« Il n'y a rien à dire. » Red se sentait tout à coup très las. De sa paume blessée, il frotta sa barbe de trois jours. « Absolument rien. » Un ange passa, à la faveur duquel ils se rendirent soudain compte du silence qui s'était installé entre eux deux. Finalement, Tipsy replia la lame du multi-outils et le tendit à Red. « Mets-le dans le sac », lui dit-il. Elle ouvrit le fourre-tout pour l'y déposer à côté du GPS, des bouteilles, des papiers de *Vellela Vellela* et de l'automatique de Red. « Tu veux une bière ? »

Il cligna des yeux. « Putain, oui. Allez, on se boit une bière. »

Elle lui tendit deux bouteilles qu'il ouvrit l'une après l'autre avec les dents en recrachant les capsules en direction de la boîte à biscuits. L'une tomba à l'intérieur, l'autre ricocha sur le côté. Il lui donna la première bouteille et leva la sienne : « Santé.

– Santé », dit-elle d'une petite voix. Elle le regarda boire une longue gorgée. « Alors, demanda-t-elle lorsqu'il eut abaissé sa bouteille, quelle est la suite du programme ?

– La suite du programme ? »

Elle acquiesça, sans le lâcher des yeux.

Il paraissait peu enclin à répondre. « La suite du programme… » Il écarta les bras. Il y avait peut-être un peu de regret dans sa voix. De la tendresse, même. Peut-être aussi une note d'humour.

« Maintenant, dit-il, je suis censé te supprimer. »

42

Bien chère sœurette,

J'ai ma foi fini par en écrire un. Et qu'est-ce que ça a donné ?

Un roman à énigme.

Plutôt marrant.

Bien sûr, un roman n'est à énigme que si celle-ci est résolue. Ou bien est-ce le contraire ? Allez, parlons vrai : les énigmes de ces romans finissent par être élucidées pour la plupart, les grandes énigmes le sont parfois, et certaines ne le sont jamais. On est d'accord ?

Prenons, par exemple, la relativité. La relativité a été élucidée. Encore qu'on puisse soutenir que la relativité est un parfait exemple de solution en quête d'une énigme, un mystère qui fut débrouillé avant que quiconque sache qu'il s'agissait d'un mystère, un arcane qui a posé — et continue de poser — beaucoup plus de questions qu'il n'a fourni de réponses.

Mais nous autres, simples mortels, n'avons pas à ratiociner sur de telles questions. Laissons des types comme Schopenhauer — j'ignore pourquoi le nom de ce con me passe tout à coup par la tête — apporter des solutions impossibles à des problèmes insolubles. On préfère de loin des énigmes de type einsteinien. Au moins, avec Einstein, on peut s'y coller et piger quelques trucs, comme le rayon de Schwarzschild, pour prendre un exemple modeste. La solution d'Einstein est celle qui continue de payer. Pour dire les choses simplement — et pourquoi faire compliqué ? —, la solution de Schopenhauer au mystère va te gâcher ton premier café de la matinée en t'amenant à comprendre que la volonté de vivre est la seule réalité, que cette volonté, qui nécessite une lutte constante, n'est jamais satisfaite et que son seul retour sur investissement est une souffrance perpétuelle. Ça, bien sûr, la souffrance, elle est de partout et de toujours. Tout cela a un côté bouddhiste. Les bouddhistes professent que la souffrance est inhérente à l'existence, mais que l'extinction intérieure du moi et du désir temporel élève à un état d'illumination spirituelle qui transcende et la souffrance et l'existence. Dont acte. Je suis en train de pomper dans différents volumes couverts de moisissures, dont les pages sont agitées par les vents de mon esprit en dépit de leur (et de son) humidité. Pour ma part, je pense que (a) l'« extinction du moi intérieur » entraîne plus de souffrance qu'à peu près tout ce qu'on peut faire sur cette terre (excepté la « guerre préventive »), que (b) la souffrance préventive n'est pas vraiment ce dont parlait le Bouddha, et enfin (c) je ne suis pas bouddhiste, je suis taoïste. « Quand la vie survient, c'est que son heure est arrivée. Quand elle s'en va, c'est la succession naturelle des événements. Accepter avec équanimité toutes les choses qui se produisent dans la plénitude de leur époque, et s'accommoder de la succession naturelle des événements, revient à se tenir hors de la troublante atteinte du chagrin et de la joie. Tel est l'état de ceux que les anciens disaient "délivrés de l'asservissement". » Passage que je recopie dans La Pensée chinoise *de Mr. H.G. Creel. Ajoute à cela un zeste de Tchouang-Tseu, prédécesseur de Lao-Tseu, celui qui nous légua le* Tao-tö king, *et tu obtiens une philosophie propre à satisfaire Horace, sinon Schopenhauer. Jusqu'à un certain point, en tout cas. Non que Horace ait eu l'avantage sur l'un ou l'autre de ces deux types. L'un des avantages qu'il y a à se trouver à cette extrémité-ci de l'histoire plutôt qu'à l'autre ou même au milieu, c'est qu'ici, à l'extrême pointe, nous disposons de toutes ces myriades de morceaux choisis pour garnir nos cervelles pointues d'intellos. Appelons ça un consumérisme spirituel flagrant.*

Évidemment, le problème de cette approche, c'est qu'une vie affranchie de la joie et du chagrin n'est pas si intéressante que ça.

J'ai donc écrit un récit à énigme, et juste pour s'assurer qu'il est bien libre de toute entrave, l'auteur ne restera pas pour le dénouement*. *Et toi, es-tu là pour y assister ?*

Je suis pratiquement certain que tu seras présente pour l'élucidation, car il y avait un peu trop d'indices au long de la piste pour que toi — oui, toi —, tu ne piges pas. Ce qui me rappelle une fois de plus que je dois me débarrasser des 276 précédentes pages de ce manuscrit. Est-ce que tu remarques que ceci est la page 279 et que les deux précédentes sont numérotées 277 et 278 ? Ah hahahaha... C'est énorme, non ? Ça l'est en tout cas pour moi. Cela a commencé comme un roman, mais a fini par englober différents scénarios ou synapsis — elle est bonne celle-là. Doucement sur le rhum, sinon je vais vraiment y laisser synapses et synopsis, ce qu'on appelle une tempête sous un crâne, La Tempête *de Shakespeare est le seul livre sur lequel j'ai séché, mais ce récit, mon récit, n'est pas aussi serein, aussi achevé et optimiste...*

Où en étais-je ?

L'élucidation. Le finale*. Finale *suppose musique. Le* dénouement*. *Voilà qui est mieux.*

Oui, dit-il en caressant le paquet de feuilles comme s'il s'agissait d'un vieux chien, voici le roman qui est devenu son propre dénouement, tout en cessant, de façon significative, d'être un roman. À vrai dire, il n'a jamais été cohérent en tant que roman, mais j'ai trouvé intéressant de rédiger jusqu'au bout ce que j'espérais voir se répéter sous forme de comportement humain. Comme Tchouang-Tseu se le demanda : « Qui donc a le loisir de se consacrer, avec une allégresse si effrénée, à faire que se produisent ces choses ? » Moi, voilà qui. Moi, Charley !

On entend parler de gens qui brûlent leurs pièces de théâtre dans l'évier de la cuisine, et j'ai moi-même un jour fourré dans un poêle à bois tout un premier jet de ce roman. Eh bien, je peux t'assurer que, dans un cas comme dans l'autre, ça ne marche pas. L'envie est toujours là. Sur son lit de mort, Kafka demanda à Max Brod de brûler ses œuvres complètes. Entendu, lui répondit Brod. Kafka trépassa, et l'autre ne tint pas sa promesse. Il était son meilleur ami et réciproquement ! Peut-on dire que Kafka est passé à la postérité non seulement parce qu'il n'a pas réussi à faire disparaître son œuvre, mais également parce qu'il fut trahi ? D'accord, il constitue une exception. Mais l'histoire de la littérature est tissée d'exceptions. Et comment est-ce que cela cadre avec la suppression du moi ? N'est-ce pas Philip Whalen, lui-même authentique rôshi zen, qui disait : « Exige qu'il y ait une voix, puis écoute » ? Bon, passe à l'étape suivante. Demande-toi : Écouterais-je une voix qui n'aurait pas appris de la souffrance ?

Brûler un roman minable est une chose, mais saborder Vellela Vellela *est une tout autre tasse de rhum. Et, du même coup, j'enverrais par le fond cette répugnante petite fiole. Tout ce que je sais, ce sont les bribes que m'a confiées Arnauld. Des bribes ? Tu parles, un vrai moulin à paroles ! Tout le monde le tient pour un traîne-lattes, mais je me demande si Red a idée de tout ce qu'il sait. À ce que j'ai compris après avoir comblé quelques lacunes, il apparaît que les gens pour lesquels Red a entrepris de transborder ce matériel génétique sont une bande de royalistes que la ferveur nationaliste a conduits à croire qu'ils pouvaient se hisser à la tête de la soi-disant première puissance en combinant leurs magouilles habituelles et une figure de proue plus ou moins permanente. Rien de bien nouveau. Arnauld trouvait cela carrément grotesque. Ils se figurent que ce coup de pouce génétique serait un peu comme de s'enfiler des stéroïdes avant un triathlon. Pas de doute, ils aiment quand c'est truqué. C'est leur vision des choses. C'est ce qu'ils croient.*

J'ai plongé sous la coque, bien évidemment. Je l'ai fait sitôt arrivé ici. Et qu'ai-je découvert ? Un kilo de poudre ? Exact. L'ADN du président ? Exact — même si je n'étais pas censé le savoir. Et quoi encore ?

Un putain de transpondeur, dont personne ne m'avait parlé. Si bien que la grande question a aussitôt été de savoir qui suivait Vellela Vellela *à la trace. Red ? Arnauld ? Je ne sais quelle tierce partie ? Ou bien — autant envisager le pire — étais-je le seul dans le paysage à ne pas savoir de quoi il retournait ?*

Impossible de me débarrasser purement et simplement du transpondeur. Cela reviendrait à se trahir. Et je suppose que tant qu'il émettra de là où il est censé émettre, les choses se dérouleront conformément au programme, quel qu'il puisse être. Et si ce programme inclut mon interception ? Eh bien, si je me débarrasse de l'ADN, ils n'auront pas ce qu'ils veulent. Ils iront se faire foutre, voilà tout. Et si c'est la coke qui les intéresse ? Encore plus simple : ils n'auront qu'à la récupérer. Je me fiche bien d'un kilo de poudre.

Il me faut cependant envisager ceci : et si j'arrive sans encombre à Key West ?

Mon nouveau plan s'énonce comme suit. Puisqu'on me file le train, je touche terre à nouveau, comme je suis censé le faire, mais pas là où je suis censé le faire. Une fois remonté le courant au-dessus de Boca Chica Key, et s'il ne s'est rien passé de fâcheux dans l'intervalle, je laisse partir le transpondeur au fil de l'eau, je tourne à gauche pour entrer à Key West en laissant au Gulf Stream le soin d'emporter ce mouchard vers le nord-est, en direction de Boca Chica. Sitôt à terre, je fais une photocopie du journal de cette croisière et je te l'expédie par la poste. Aux yeux de la plupart des gens, ce texte passerait pour un simple tissu de divagations. Aux tiens, il révélera indices et conseils indispensables, en fonction de ce qui va se passer entre aujourd'hui et le moment où je te l'enverrai, et il contiendra tout ce qu'il te faudra pour que, moyennant quelque cogitation, tu arrives jusqu'ici, à savoir Long Cay.

Ensuite, je mets la main sur Cedric Osawa, parce que s'il y a à Key West quelqu'un qui sait quoi faire d'un kilo de cocaïne, c'est lui. Pour ce qui est de convertir cette poudre en espèces, il saura à qui s'adresser. Je l'intéresserai pour partie, et roule, ma poule. Ensuite de quoi... je reprends la mer, sur laquelle j'entrerai tout bonnement dans l'histoire ; ou bien, ce qui sera peut-être préférable, j'abandonne Vellela Vellela, *je le laisse là où il est amarré, ce qui devrait me garantir au moins quelques jours d'avance, le temps d'imiter le tigre de Tasmanie et de disparaître. Pourquoi cela ? Parce que le moment est venu. La Colombie-Britannique, le Yukon, l'Alaska, la Thaïlande, le sud de la France... Du moment que je m'extrais de ce sac de nœuds et que je change de décor, peu m'importe où je vais.*

De plus, cerise sur ce gâteau nommé Fini-Charley, je vais mettre sac à terre*, *ce qui, dans le langage des marins, signifie renoncer à naviguer.*

Tu m'as bien lu. Melville l'a fait. Conrad également. Pourquoi pas Charley ?

À ceci près que, contrairement à eux, j'ai l'intention de cesser d'écrire, et non de m'y mettre. Plus de trafic de drogue non plus, ce qui va peut-être sans dire. On ne me retrouvera jamais. Pourquoi ? Parce que je ne serai plus moi !

Je ne me suis jamais occupé de ma sœur comme je l'aurais dû, Red m'a embarqué dans une vie d'oisiveté, et voilà qu'il me baise sur cette affaire, et donc... cette fiole est mon legs à vous deux.

Sans blague, j'ai tellement les jetons que ça me donne envie de gerber.

Comprends bien ceci : ce que tu en feras est notre legs au monde. Écoute-moi bien. Aujourd'hui, je rends service à tous, excepté Red Means et ceux qui l'emploient. L'altruisme est mon vérin de quille. Nul ne saura jamais si j'ai coulé avec mon bateau ou pas. Et, hormis le facteur vengeance, ce qu'il sera advenu de moi sera sans importance. Si tu décides de faire entre-temps ta fortune, il se pourrait fort que le reste du monde écope de la gouvernance qu'il mérite. Par reste du monde, j'entends l'humanité. Après cela, qui sait ? La Nature aura-t-elle le dernier mot ? Considérons que toi et moi réduisons la marge d'incertitude.

Alors que j'écris ces mots, une ampoule électrique emberlificotée dans du fil à pêche et de la vallisnérie défile sur tribord. J'avais coutume de repêcher ce genre de trucs et de m'en défaire comme il convient. Mais cela fait un bout de temps qu'il y en a de trop grandes quantités. Si tu veux un présage de la fin de partie, feuillette Archipelago, *de Susan Middleton et David Littschwager*[1], *de la page 208 à la page 213.*

L'homme fait aussi partie de la nature, bien évidemment, et vice-versa hélas. Quel nœud de contradictions, remarquait Ésope, que cette créature qu'on appelle l'homme, capable de souffler d'une même haleine le chaud et le froid. Mais il y a surtout que cette haleine est fétide.

En mer, le feu fait peur. J'ai pourtant envisagé de déposer le manuscrit au petit jour dans un youyou, de craquer une allumette et de laisser le tout partir à la dérive. Superbe façon de passer la journée, que de contempler sur l'horizon le fumigène conçu pour exterminer les drosophiles de l'esprit...

Tu comprends pour quelle raison je ne publierai jamais rien en dehors de mon homérique Traité des Comparaisons et métaphores grinçantes. *Un peu comme un* Petit Nixon à l'usage des amateurs.

Ce scénario avec le youyou. Ah, la morne psychologie de toute cette mise en scène. Cependant, quoi qu'elle puisse être d'autre, la psychologie n'est pas LA VRAIE VÉRITÉ.

Pourquoi est-ce que je m'obstine à aller à la ligne ?

---

1. Ouvrage non traduit à ce jour.

Pour finir, l'apraxie va me gagner. Ou bien je serai broyé dans les salles de torture de l'idéologie. Écrire avec du jus de citron serait exagéré. Voire hystérique. Mais cela sentirait bon. Je pourrais utiliser une plume de mouette. Laïus invisible qu'il faut chauffer au-dessus d'une ampoule allumée afin de pouvoir le déchiffrer. Jusqu'au point où il n'y aura plus de réflexion sur ce qui aura été écrit. Ces journalistes qui concluent leur article en revenant au point de départ, comme si leur introduction était une accroche conçue d'entrée, et qui en font un petit paquet bien ficelé ? Non que je flétrisse la méthode ni n'en veuille à la profession de ses ficelles. L'histoire de l'art est une histoire d'exceptions. Traversée vent debout *sera-t-il du nombre ? N'en connaîtrai-je jamais la fin ? Difficile de croire que je pourrai me retenir de guetter de loin, quoique certains mystères gagnent à rester inobservés. Peut-être* Traversée vent debout *en fait-il partie.*

Et maintenant parlons sérieusement.

Tu as trouvé ces pages dans un coin perdu, scellées dans une boîte en fer-blanc enfouie sous trois pieds de sable. Outre un certain nombre de feuilles arrachées à un livre de bord, tu as découvert cette lettre, dernier chapitre d'un roman défunt et non regretté. Je m'en remets plus ou moins au fait que si toi, ma sœur, tu ne le trouves pas, il est probable que nul n'y parvienne et que, par conséquent, cette lettre ne soit jamais appelée à changer le monde. Ni à en inaugurer un nouveau. Ni à rééditer les mêmes vieilles conneries. Cette dernière proposition n'est peut-être que trop évidente.

De qui provient cet ADN ? Cette source d'infos qu'est Arnauld n'a pas su me le dire. Ce qui signifie probablement que Red ne le sait pas non plus. Mais ces tifs peuvent fort bien renfermer l'autoportrait du futur dauphin ou de la future dauphinette du nouvel ordre mondial de derrière les fagots. Je suppose qu'il est aussi possible de prédéterminer le sexe ?

Aussi saugrenu que cela puisse paraître, il y a des gens qui sont prêts à tuer pour posséder cette fiole. Et tous ne sont pas mus par l'appât du lucre — pas foncièrement, du moins. Certains d'entre eux croient vraiment à ce qu'ils font. C'est pourquoi cette fiole présente quelque valeur. En tout cas, ils lui ont consacré des ressources considérables. L'abandonner sur place et ficher le camp, ça ne marchera pas. Prends garde.

Les gens avec qui il te faut traiter — car tu n'as pas le choix : tu dois traiter avec eux — ne posent pas de questions. En tout cas, ils ne t'en poseront pas à toi. Ils sont très puissants. Même si tu es parvenue jusque-là, et peut-être justement parce que tu y es parvenue, tu ne pourras pas longtemps éviter d'avoir affaire à eux. Ils sont probablement embusqués pas loin, à attendre que tu les conduises jusqu'à la fiole.

L'avantage, c'est qu'avec cette fiole, tu as les cartes en main. Gagné ! Ding ding, ding ding ding. Essaie d'éviter le paoh *fatal !*

Il y a des acquéreurs potentiels à tous les coins de rue. Des citoyens des anciens pays du bloc de l'Est, par exemple, sans idéologie particulière, qui cherchent simplement à jouer les intermédiaires. Des membres de certaines familles, autre exemple, qui, respectueux ou pas, reconnaissent le potentiel intrinsèque de cette fiole. Je préfère l'orthographe phiole. *Elle a un côté étrange. Ou jacobin. Oui, je bats la campagne. Je suis furax et j'ai la trouille. Concentre-toi, Charley, concentre-toi.*

Il y a aussi les membres de différents partis politiques qui voudraient substituer le matériel génétique d'un individu qu'ils estiment... non pas plus méritant, mais... plus approprié, c'est-à-dire plus propre à mettre la planète en coupe réglée. C'est la Vraie Vérité. Bien sûr, beaucoup de ces acquéreurs potentiels ne disposent pas de fonds suffisants pour miser dans cette partie. Certains d'entre eux, qui ne sont pas connus pour leur manque de culot, pensent que la phiole doit revenir à ceux qui ont le programme le plus fourni. Si tu as un programme fourni, tu l'emportes. Pourquoi payer ? En cas de besoin, ils se débarrassent toujours de leur philosophie de l'entreprise et des marchés dérégulés.

Et puis il y a les Fous.

Méfie-toi des Fous, sœurette. Tout en représentant ta meilleure perspective pécuniaire, ils te tueront s'ils n'aiment pas ta façon de négocier.

Les Fous ont plus que du respect pour ce projet. Ils lui vouent un culte fétichiste, ils sont prêts à faire de cette ampoule une relique religieuse. Ils ont déjà commencé à jeter les bases d'un culte qui tournera autour d'une personnalité soigneusement préparée pour le rôle. Sa destinée est préprogrammée. Garde bien cela en tête. Et ne viens pas m'adresser des protestations. Ce n'est pas moi qui ai mis tous ces rouages en branle. Je ne suis que le sociopathe qui a posé la main sur un des leviers.

J'oubliais de parler de la provenance de la phiole. Pas d'inquiétude. Un petit oiseau m'a dit que si tu jettes un œil à la volumineuse hagiographie de Kissinger (définition de hagiographie *: biographie d'un saint) publiée il y a peu, j'en ai oublié le titre,* Un visionnaire, *quelque chose comme ça, la séquence du génome se compose de chaque troisième paire de lettres en partant de la dernière page du texte — exception faite des notes en fin de volume et de l'index —, et en parcourant l'ensemble du livre à rebours, de la fin jusqu'au début, exception faite de la préface. Ce qui n'explique sans doute qu'en partie pourquoi la lecture en est si fastidieuse.*

Pas d'inquiétude, le problème, ce n'est pas de savoir si, oui ou non, cette mèche de cheveux est, mais de survivre au fait qu'elle soit arrivée en ta possession.

Tu vas découvrir que je t'ai légué une sorte de patte de singe. Tu te rappelles cette histoire ?

Bon sang ! J'essaie d'adopter un ton crépusculaire et j'ai bien du mal. Tout bien considéré, c'est pas trop ça. Tu ne peux pas savoir combien de fois je me suis embarqué dans cette lettre. Au moins deux fois. Il n'y a que deux jours que j'ai quitté Rum Cay, et c'est seulement hier matin, après avoir plongé sous la coque, que je me suis aperçu que j'avais un problème de plus sur les bras. Tu imagines Arnauld me sondant pour savoir si j'avais une clé Torx de 2 à manche en T à lui prêter ? Ce crétin me croit né de la dernière pluie ou quoi ? Dès qu'il m'a posé la question, j'ai compris que quelque chose ne tournait pas rond. J'ai menti, mon pote : c'est seulement en arrivant à Saint-Jean que j'ai remarqué que le chantier utilisait des vis Torx. J'ai bien envisagé de leur substituer des cruciformes, mais ce n'était pas une nécessité. En plus, merde quoi, je ne pouvais pas les remplacer sans me procurer un tournevis ou un embout Torx, et avec un embout, j'aurais eu besoin d'une clé à chocs, et avec la clé à chocs il fallait aussi un compresseur, un tuyau, une rallonge, et je me serais bientôt retrouvé emberlificoté dans le sac de nœuds de Möbius également appelé Baille Ton Oseille — tu vois ce que je veux dire ?

Arnauld s'est fendu la poire. Te bile pas, mec, il me dit. Moi va bidouiller un truc. Il paraît qu'il ne faut employer le parler du cru que si on est à la traîne dans les sondages. Si tu trouves ces pages, c'est que je ne serai plus en état de m'en faire, pas vrai ? Et si tu ne les trouves pas ? Alors, je suis en train de m'adresser au côté obscur d'un couvercle de boîte à biscuits.

Peut-être qu'après tout la révision compulsive n'est pas une si bonne chose que ça. C'est ce qui m'a freiné toute ma vie. J'ai connu un pianiste, un type talentueux, mais qui n'arrivait pas à jouer un morceau de bout en bout. Il s'arrêtait en jurant et rejouait encore et encore le passage qu'il avait foiré. Une fois qu'il en était satisfait, il reprenait au début et butait bientôt sur une autre mesure. Il n'allait jamais au bout d'un morceau. Quelqu'un lui rappelait qu'à en croire Thelonious Monk, il n'existe pas de note fautive. Qu'il aille se faire foutre, répondait mon copain, Monk était un génie, moi je ne suis qu'un pianiste.

Tu comprends ? À la différence de ceux qui veulent mettre la main sur cette phiole, je ne suis pas obsédé par ce que je laisse derrière moi.

Si j'avais eu la puce à l'oreille un peu plus tôt, j'aurais pu écrire sur de la toile cirée ou je ne sais quoi, sur un support durable, *car va savoir combien de temps cette lettre restera sous terre. Ça me rappelle la fois où nous avons enterré ce portefeuille indien pueblo que papa avait rapporté du Nouveau-Mexique. Après y avoir fourré des billets de Monopoly et l'avoir enveloppé de papier aluminium, on l'a enterré derrière la maison — tu t'en souviens ? On s'est servis d'une boussole et du mètre à ruban de maman pour mesurer la distance du trou jusqu'à un poteau de clôture dans un sens, et jusqu'au pommier dans l'autre. Mon premier point par relèvements ! À l'heure qu'il est, ce jardin est probablement devenu une galerie marchande. Un centre antialcoolique. Une armurerie. Je me suis toujours demandé si quelqu'un l'avait retrouvé, ce portefeuille. Peut-être qu'une pelle mécanique l'aura déterré. À quoi pouvait-il ressembler ? Complètement décomposé ? Est-ce qu'on a pu identifier ce dont il s'agissait ? A-t-on éprouvé de l'étonnement, de la consternation ou bien de la peur ? Y a-t-on tout simplement vu une niche manigancée par deux petits gosses ? Ou bien l'engin l'aura-t-il sorti de terre pour le déposer dans la benne d'un camion, et de là direction la zone à remblayer, sans que personne ne s'en avise jamais ? C'est plus probable. Bien plus probable.*

Comme pour Traversée vent debout.

Décomposé sur place. Décomposé en paix. Décomposé à l'insu de tous.

Je vois que nous arrivons au bout de la page 295. Quel récit. Il me tarde de me lancer dans une fabuleuse dernière croisière, suivie d'un changement radical de paysage mental et physique. C'est la Vraie Vérité.

Avec toute mon affection,
Charley

P.S. Quand ils te trouveront — car ils te trouveront —, fais affaire avec eux, puis disparais. Prends ce qu'ils t'offrent, et file.

P.P.S. Si ça marche, achète-toi des tas de livres et un joli bateau.

Après tout, tu vois où les livres et les bateaux m'ont conduit ?

43

En rentrant à San Francisco, Tipsy trouva un monde changé.

Ça commença avec un coup d'œil rapide au *Chronicle* dans le taxi qui la ramenait de l'aéroport.

Chouuuette, pensa-t-elle au deuxième renvoi de la une, tout niqué, plus personne à qui le vendre. Sauf la politique étrangère fondée sur la xénophobie, bien sûr ; ça, ça n'avait pas changé.

Ça continua avec une carte de visite coincée entre sa porte d'entrée et le bourrelet isolant, juste à côté de la poignée, là où personne ne pouvait la rater.

Vassily Novgorodovich
PetroPozhirat, LLC
Moscou, Londres, La Havane
Beverly Hills, Guandong, Caracas
(+33) 01 46 09 88 88

Ça doit être lui, le type, se dit-elle.

Le premier avis, au sommet du tas de courrier, annonçait la coupure de sa ligne de téléphone pour cause de non-paiement. Elle devrait verser tant pour solder son débit, et tant pour rétablir la ligne, avec dépôt de garantie non récupérable pendant un an pour prévenir toute récidive, et le fournisseur réserverait son numéro de téléphone pendant trente jours à partir de la date de l'avis, quelque quarante-sept jours plus tôt. Elle allait devoir s'acheter un nouveau téléphone, en plus, à qui la faute.

Elle trouva ensuite une carte postale de sa propriétaire.

C'est quoi ces deux loyers de retard, bon sang ?

Entre autres avis du même genre de la part de la Compagnie du Gaz et de l'Électricité et du service des eaux, elle découvrit, tiens, son permis de conduire rétabli depuis peu, une facture astronomique du groupement d'assurances imposé aux conducteurs à risques, et deux lettres identiques émanant du même cabinet juridique, datées à un mois d'intervalle.

Chester, Plowright & Samuels
721 Montgomery St, Suite 903
San Francisco, CA. 94111
415-546-3231

Mme Teresa Powell
321-A Quintara St.
San Francisco, CA
94116

Madame,

Veuillez, je vous prie, prendre contact dans les meilleurs délais avec notre étude au sujet de la succession de M. Quentin Asche.

Salutations distinguées,

Hanford Reach

Tipsy se surprit à tendre spontanément le bras vers le téléphone pour appeler Quentin et lui demander s'il était vrai qu'il soit mort.

« Ça ne marchera pas pour plusieurs raisons », dit-elle à la pièce vide.

Sa mort n'avait rien d'inattendu. Quentin était malade depuis longtemps. Pourtant, elle ne s'était jamais autorisée à imaginer la vie sans lui.

Tournant le dos au reste du courrier, elle sortit. Les capucines semblaient d'une vigueur exubérante, et un moqueur polyglotte perché au sommet du figuier faisait toutes sortes de vocalises. Le coussin du fauteuil en cèdre était couvert de feuilles, de poussière et de crasse urbaine. Elle le retourna et s'assit. Puis pleura un moment.

Plus tard, elle transporta une brassée de correspondance jusqu'à une laverie automatique, six rues plus loin, où elle se servit de la machine à monnaie et du téléphone pour appeler la compagnie de télécommunications, celle du gaz et de l'électricité, l'assurance, et sa propriétaire. La femme qui répondit à l'étude notariale mit Tipsy en attente, mais reprit très vite la communication pour lui donner un rendez-vous deux jours plus tard, à 10 h 30 du matin. Une fois qu'un type pas terrible conduisant un pick-up eut démarré la BM et regonflé les pneus, Tipsy roula jusqu'à sa banque sur Irving Street et y déposa assez d'espèces pour couvrir les débits.

Il faisait à San Francisco ce temps frais que les habitants du quartier des Avenues connaissent mieux que quiconque en ville. Assise dans le fauteuil en cèdre, emmitouflée dans une couverture, Tipsy pensait. À des choses comme : est-ce que le beau bronzage que j'ai pris aux Caraïbes va durer assez longtemps pour en mettre plein la vue à Faulkner ? Puis elle se rappela que Faulkner devait avoir rejoint depuis longtemps son bateau dans les îles San Blas, ou à Zihuatanejo ou Dieu sait où, et qu'il y resterait jusqu'à ce que le printemps prochain soit bien entamé. Non seulement ça, mais maintenant que Charley était mort et qu'il n'y avait plus de lettres à recevoir, elle avait deux raisons de moins de voir Faulkner. Quentin mort, autrement dit plus personne avec qui picoler, ça en faisait quatre. Et pour finir, si elle arrêtait complètement de boire, elle totaliserait cinq excellentes raisons de ne plus jamais franchir le seuil de ce bar.

Elle se procurerait sa dose de politique dans les journaux. Ou à la radio. Ou même sur Internet.

On aurait dit que quelqu'un avait basculé un aiguillage sur les rails qui se déployaient devant elle.

Elle tritura le médaillon ancien qu'elle portait au creux de la gorge.

En voiture pour la bifurcation !

Pour commencer par le commencement, elle se rendit au bureau du coroner, sur la 4e Rue. Comme de bien entendu, la morgue avait sur les bras une tête non identifiée.

« Il faut que je la voie », leur dit-elle. Le réceptionniste, qui était shérif adjoint, lui demanda d'attendre. Au bout d'à peine cinq minutes, Jimmy Nix en personne fit son apparition. Il se débarrassa d'une paire de gants en latex, les laissa tomber dans une poubelle, se présenta, prit le dossier que lui tendait son réceptionniste, et fit entrer sa visiteuse dans un ascenseur qui les descendit trois étages plus bas, au congélateur.

Jimmy Nix enfila une nouvelle paire de gants, sortit un sac en plastique transparent d'un tiroir réfrigéré, le posa sur une table en inox, en ouvrit la glissière et après en avoir extrait la tête, l'orienta de façon à ce que Tipsy voie ce qu'il restait du visage. Lèvres, yeux et lobes des oreilles avaient disparu. Il subsistait un peu du nez, ce qui aidait bien. Tonsure grise déchiquetée. La pâleur n'était pas sans évoquer une couleur souvent appelée gris IBM.

« Est-ce qu'il y avait une boucle d'oreille ? » demanda Tipsy.

Nix consulta son dossier. « On a trouvé un anneau en or de huit millimètres de diamètre dans le conduit auditif gauche. Si vous voulez, je peux…

– C'est lui », dit Tipsy d'une voix étonnamment ferme. Elle posa alors les mains sur la tonsure dépenaillée, souleva la tête et l'embrassa.

« Hum. (Le coroner posa une main gantée sur l'épaule de Tipsy.) Ce n'est pas réglementaire. »

Bien que ce soit froid au toucher, c'était comme tenir un morceau de corail gros comme un crâne et évidé par les animaux marins. « Vous pouvez m'accorder une minute, non ? dit Tipsy. C'est mon frère. »

Jimmy Nix avait assisté à bien des scènes de ce genre. Il se détourna, en apparence pour poser ses documents, mais, en fait, pour laisser à cette pauvre femme un instant avant de la convaincre de lâcher la tête coupée.

« C'est bon. Merci. » Tipsy effleura sa manche tout en comptant mentalement jusqu'à trois. Puis elle demanda au coroner si elle pouvait lui emprunter une paire de ciseaux.

Jimmy Nix haussa un sourcil. « Je peux vous demander pourquoi ?

– J'aimerais garder une mèche des cheveux de mon frère », répondit Tipsy d'un ton sobre.

Jimmy Nix cilla.

« En souvenir », ajouta-t-elle.

Nix avait la réputation, dans le service, de ne pas se laisser facilement démonter. Mais pour l'heure, il avait le sentiment que son calme n'était qu'une frêle cabane bâtie sur des sables mouvants.

« Vous êtes bien convaincu qu'il s'agit de mon frère ? »

Le coroner confirma d'un hochement de tête.

« C'est vrai qu'on n'était pas très proches. On ne s'était pas vus depuis quinze ou seize ans. (Tipsy écarta les mains et les tendit vers la tête posée sur la table.) Mais c'était toute la famille que j'avais. »

Jimmy Nix ouvrit un tiroir étroit dans un placard à roulettes et y choisit une paire de ciseaux à suture très pointus en inox.

Tipsy coupa une mèche de cinq centimètres juste derrière le conduit auditif gauche de Charley, et fit en sorte de récupérer aussi le bulbe de certains cheveux. « Merci beaucoup. » Elle rendit les ciseaux à Jimmy Nix, lui tendant les anneaux en premier. « Je peux vous ennuyer encore un peu en vous demandant une enveloppe, ou peut-être un sachet à glissière ? »

Quand il eut refermé les restes dans leur propre sac qu'il remit dans le tiroir réfrigéré, Tipsy demanda à voir l'agent Protone.

Jimmy Nix, qui tournait le dos pour refermer le tiroir, grimaça. « Pourquoi lui ?

– Il est flic et je le connais. Il faudrait sans doute que je parle de tout ça à un flic ?

– Vous n'en connaissez pas un autre ? » Nix temporisait, sans se retourner.

Tipsy réfléchit un instant. « Il y avait bien son équipier.

– L'agent Few, confirma tristement Nix.

– C'est ça. Oscar Few. Il suffit de faire l'effort et ce n'est pas un nom si difficile à mémoriser.

– C'est vrai. Je vais vous dire une chose. (Nix se retourna.) Laissez-moi prendre votre déclaration et, si je peux me permettre, un échantillon de salive.

– Un échantillon de salive ? Pourquoi faire ?

– L'ADN. (D'un revers du pouce, Nix désigna le tiroir, derrière lui.) Si c'est bien votre frère, je peux vous remettre ses restes. Ça prendra à peu près un mois.

– Oh, ma foi… Oui. Bien sûr. (Puis, sans se soucier de l'effet que produiraient ses propos, elle lui demanda :) Ça doit pouvoir se faire, une crémation crânienne… non ? Ou alors… il faudrait que je le fasse enterrer ? »

La frêle cabane de la réputation de Jimmy Nix commença à s'affaisser. « Je…, commença-t-il. Je suis sûr que… (Il désigna d'un doigt la porte d'entrée.) Nous avons une base de données dans laquelle figurent les crématoriums et les entrepreneurs de pompes funèbres. Il y en aura sûrement un… »

Les yeux humides, Tipsy secoua la tête.

Jimmy Nix lui effleura l'épaule. « Vous avez tout le temps d'y penser.

– Merci », murmura-t-elle.

Plus tard, en gagnant le couloir, elle formula quelques questions : « Qu'est-ce qui est arrivé à mon frère ? Où l'avez-vous trouvé ? Avez-vous trouvé le reste de son corps ? Et pourquoi est-ce que je ne peux pas voir les agents Protone et Few ? »

Jimmy Nix secoua la tête. « Il n'y a jamais eu de corps. Et encore plus étrange, miss Powell, c'est l'agent Protone qui a trouvé les restes de votre frère.

– Ah bon ? Mais où ? Comment ?

– Dans une voiture. Juste la tête. Avant de pouvoir vous en dire plus, ajouta-t-il, il va falloir que je sache si quelqu'un a remplacé l'agent Protone sur cette enquête à l'heure qu'il est. La piste est un peu… froide. »

Tipsy s'abstint de relever le sous-entendu. « Protone s'est rendu compte qu'il s'agissait de mon frère ?

– Pas à ma connaissance. Pour ce qui a trait au dossier (Nix brandit la chemise cartonnée), votre frère est encore un John Doe, comme on appelle les anonymes : John Doe N° 12. »

Nix estimait, en accord avec la politique du service, qu'il convenait de ne pas mentionner les John Doe N° 10 et 13, des fois que Tipsy sache quelque chose que le service ignorait, du reste il semblait totalement inutile d'entraîner Laval Williamson dans cette histoire. Au moins, on savait ce qui était arrivé à Laval, songea Nix, morose, et qui il était. D'un autre côté, n'être capable d'expliquer qu'un meurtre sur quatre n'arrangeait pas franchement les statistiques, et il se l'entendait dire à chacune des réunions de service auxquelles il assistait.

« Protone ne veut pas me parler ? demanda Tipsy. Moi, j'aimerais vraiment lui parler.

– Il ne peut pas. (Nix tapota le dossier contre la jambe de son pantalon.) Vous non plus.

– Mais pourquoi ? » insista-t-elle.

Visiblement agacé, Nix lâcha brutalement : « Le lieutenant Protone est décédé. » Là, pensa-t-il, je suis carrément à la ramasse.

Tipsy s'arrêta net. « Je vous demande pardon ? »

Nix, qui s'était détourné pour précéder Tipsy dans le couloir, se retourna pour lui faire face. Il n'y avait pas de fenêtres dans ce couloir, mais un grand nombre de portes. Une longue enfilade de tubes au néon bout à bout conduisait jusqu'à l'ascenseur, au fond du couloir. « En même temps qu'il retrouvait les restes de votre frère, expliqua Nix à Tipsy, l'agent Protone a accidentellement tué l'auteur d'un crime qui n'avait aucun rapport.

– Je ne comprends pas. Aucun rapport avec quoi ?

– Au cours d'une arrestation. (Saisi d'un trouble qui ne lui était pas coutumier, Nix secoua la tête.) Il était en train d'arrêter un petit voleur, un braqueur de bagnoles. Qu'il a chopé en flagrant délit. Un branleur des rues, sans plus. (Il s'éclaircit la gorge.) Pardonnez-moi l'expression.

– Elle m'est familière.

– Un branleur des rues professionnel. (Le pli de la bouche de Nix se durcit.) Un type qui n'en valait pas la peine. Un simple clodo. Quelqu'un qui ne valait pas cher… (Il reprit son sang-froid.) Excusez-moi. Ce n'est pas ce que je voulais dire. S'il y a une chose qu'on apprend en travaillant dans le coin (il tendit le dossier en direction de la porte qu'ils venaient de franchir), c'est que quand la Faucheuse vient nous chercher, on est tous des clodos. Certains, bien sûr, se font faucher plus ras que d'autres. (Nix se suçota une dent.) Le type en question a résisté à l'arrestation, il y a eu lutte, Protone lui a accidentellement brisé la nuque. (Nix poussa un soupir houleux.) Pour faire court, en attendant l'enquête et la résolution de l'incident, Protone a été mis en congé d'office.

– Je suppose que c'est la procédure habituelle.

– C'est la procédure habituelle, et c'est un congé payé. »

Tipsy fronça les sourcils. « Quand tout ça est-il arrivé ?

– Il y a trois ou quatre mois. » Nix se mordit la lèvre.

Tipsy attendit.

« Vince… je veux dire Protone… n'a pas supporté de ne pas travailler. Il se contentait de rester chez lui, dans son appartement, à boire de la bière en regardant la télé à longueur de journée. Une heure ou deux dans un bar ou un autre, ça n'arrangeait rien. Au bout de deux semaines, il s'est suicidé avec son revolver de service.

(Le regard de Nix se perdit dans le vague.) Vince m'a dit un jour qu'il ne s'était jamais rendu compte à quel point un divorce peut mal se passer avant de commencer à fréquenter les laveries automatiques. »

Tipsy porta le bout des doigts à sa lèvre supérieure. Ils sentaient le formol. « Ah, réussit-elle à dire en laissant retomber sa main. On dirait qu'il faisait partie de vos amis.

– À une époque (Nix hocha la tête), on a tenu un bar ensemble. Vince n'a pas résisté à la proximité de l'alcool. J'ai fini par le convaincre de vendre sa part à un nouvel associé et j'ai suggéré qu'il investisse dans un magasin de cycles ou une échoppe de glaces, quelque chose comme ça. En tout cas, pendant toute l'année dernière ou à peu près, il a traversé de sales trucs personnels. (Nix agita les mains.) Le divorce lui a coûté sa maison, dans laquelle il avait grandi, la moitié de son salaire, et sa voiture. Il n'y avait pas d'enfants. Il doublait son temps de travail pour se donner un peu d'air financièrement, mais aussi de façon à passer le moins de temps possible chez lui, vu que chez lui, c'était un garage reconverti, au diable dans le quartier des Avenues. Une pièce, sans compter la salle de bains.

– Les Avenues, on peut s'y sentir seul, plaça Tipsy d'un ton compatissant.

– Il n'avait pas de pièce d'identité sur lui quand il s'est dézingué, pas un des flics ou des auxiliaires médicaux venus sur place ne le connaissait... Je vais vous dire une chose, ajouta Nix après un bref silence. Venir au boulot et trouver Vince Protone sur la table, ça n'a pas été une partie de plaisir.

– Oh, je suis navrée. Je suis vraiment navrée », répéta Tipsy — stupidement, lui semblait-il.

« Ça va aller. (Nix prit une profonde inspiration et souffla bruyamment.) Merci. Compte tenu des circonstances, c'est gentil de votre part de me dire ça. (Il la regarda.) Je suis navré pour votre frère. Vous disiez que vous n'étiez pas proches ? »

Tipsy cilla. En effet, elle avait dit ça. Et c'était vrai... non ? Elle amorça un hochement de dénégation, puis se contenta d'agiter un peu la main.

« Non, mais écoutez-moi s'admonesta Nix. C'était votre frère, bon Dieu. Excusez-moi. »

Tipsy se contenta d'opiner.

Après un instant d'hésitation, Nix s'écarta et elle s'avança la première dans le couloir. L'attente devant l'ascenseur fut interminable. Quand les portes finirent par s'ouvrir, Tipsy pensa à demander : « Mais… »

Nix entra dans l'ascenseur et s'affaissa dans un coin. Les portes se refermèrent, et la cabine s'éleva. « Oui ? » lança-t-il d'un ton las, levant les yeux vers les chiffres, au-dessus de la porte.

« Mais, et l'agent Few alors ? Est-ce qu'il a… Est-ce qu'il a un nouveau partenaire ? Excusez-moi, ajouta-t-elle précipitamment. Je ne sais pas comment ça marche, ces trucs-là.

– Few… (Nix la regarda, baissa le nez vers ses chaussures, et secoua la tête.) Few a pété les plombs.

– Il était bouleversé, vous voulez dire ?

– Non, répondit Nix. Je veux dire qu'il a pété les plombs. (Il la regarda.) Enfin bon, bien sûr qu'Oscar a été bouleversé par la mort de Protone. Complètement bouleversé. Mais d'autres trucs le bouleversaient aussi. Les autorités en place mettaient la pagaille dans ses dossiers. Il bossait au noir, en plus, il assurait la sécurité dans des congrès et des concerts rock, ce genre de boulots merdiques, je veux dire minables, des boulots minables pour une paie minable. Ça l'épuisait. Il passait aussi beaucoup de temps avec des forums de dicussion sur les conspirationnistes, à la recherche d'une piste d'enquête dont la hiérarchie les avait évincés, Protone et lui. Tout le temps qu'a duré son divorce, Protone était pratiquement aux abonnés absents vis-à-vis du boulot. Oscar a essayé de maintenir l'enquête en vie pendant son temps libre, mais tout ça l'a rendu parano au point de parler tout seul. On l'a affecté à un poste de secrétariat, mais son responsable n'a pas réussi à le couper d'Internet. Là-dessus, Protone est revenu et s'est mis à se défoncer en doublant ses gardes, exactement comme Oscar. S'ils avaient travaillé ensemble, ils seraient sans doute tombés endormis à tour de rôle. Mais, même s'ils formaient une bonne équipe, la direction les a maintenus à l'écart l'un de l'autre. Protone a rué dans les brancards à propos de sa réaffectation, il a même plaidé la cause d'Oscar, spontanément je le précise, et pour sa peine, il a été réaffecté à Park Station. » L'ascenseur s'arrêta et les portes s'entrouvrirent, mais Nix n'y prêta aucune attention. « Avant que quiconque n'ait eu le temps de s'en rendre compte… » Nix se reprit. Il tapota la tranche du dossier contre la paume de son autre main. Au bout d'un moment, il poursuivit : « On pourrait sûrement dire que, pour Oscar, le suicide de Protone a été la goutte qui a fait déborder le vase. Quand je disais qu'il avait pété les plombs, c'est qu'il avait pété les plombs, ça l'avait détraqué, on aurait dit qu'il avait perdu la tête. Pour faire bref, Oscar Few ne fait plus partie des forces de police. Oscar Few a… (Nix approcha le dossier de son front jusqu'à le toucher, presque comme s'il saluait, puis le pointa en direction des portes ouvertes.) … pris la porte. »

Il se révéla que remettre à plus tard l'appel du numéro figurant sur la carte de visite ne servit à rien. Quand Tipsy arriva à l'étude notariale, le Russe y était, lui aussi, et l'attendait. Elle ne l'avait jamais vu, bien sûr. Elle le prit d'abord pour un des notaires.

« Bon voyage ? » demanda-t-il en se levant d'un fauteuil en cuir. Il tenait à la main un borsalino.

« Hum », fit le notaire aux cheveux argentés en se levant de son propre fauteuil, derrière un bureau. « Voici monsieur Vassily Novgorodovich, et je suis Hanford Reach. »

Le Russe tendit sa main libre et inclina la tête. « Enchanté. » Tipsy rendit la poignée de main avec hésitation.

Le notaire Reach lui serra la main à son tour, en se penchant par-dessus son bureau. « Comme vous le savez sans doute déjà », dit-il, invitant d'un geste Tipsy à s'asseoir, « monsieur Novgorodovich est l'exécuteur testamentaire de Quentin. »

Tipsy, qui était presque assise, se redressa soudain.

« Nous nous sommes efforcés de vous contacter, madame Powell, précisa le Russe. Nous commencions à nous inquiéter un peu. Mais à en croire le joli bronzage que vous avez, peut-être étiez-vous tout simplement en vacances ?

– Oui, répondit lentement Tipsy. Mes premières vacances depuis… bien des années. » Elle se laissa glisser dans le fauteuil.

« Ah ! Magnifique. Et où êtes-vous allée ?

– Aux Caraïbes », répondit Tipsy en l'observant.

Le Russe sourit. « J'adore les Caraïbes. »

Le notaire s'éclaircit la voix. « Étant donné qu'aucun de nous ne vous a jamais vue auparavant, madame Powell, je me demandais s'il vous serait possible de nous fournir une pièce d'identité comportant une photo ? »

Tipsy le regarda comme s'il venait de lui poser une question beaucoup plus personnelle. « Pardon ?

– Ce n'est qu'une formalité. (Reach agita la main, un sourire affable aux lèvres.) Nous savons qui vous êtes. »

Tipsy présenta son permis de conduire récupéré de fraîche date. Reach y jeta un coup d'œil et le tendit au Russe qui refusa d'un geste. Le notaire fit venir une secrétaire et lui remit le permis. « Trois copies, je vous prie, certifiées et signées. Une simple formalité, répéta-t-il tandis que la secrétaire s'en allait. Donc, madame Powell, nous vous rencontrons enfin. Quentin m'a parlé de vous bien souvent au fil des années, et toujours en témoignant le plus grand respect à votre égard. (Reach joignit le bout des doigts sous son menton, puis les inclina en direction de Tipsy.) Je suppose que vous savez également que vous êtes l'unique héritière des biens de Quentin Asche ? »

Deux heures plus tard, devant les bureaux de l'étude notariale, dans le pâté d'immeubles 700 de Montgomery Street, le Russe demanda à Tipsy si elle l'avait sur elle.

Elle effleura l'encolure de son pull à l'endroit où, sous le lainage, le médaillon pendait au creux de sa gorge. « Vous êtes aussi cet homme-là ?

– Je suis aussi cet homme-là.

– Il est à mon appartement.

– Bien, dit Vassily.

– On pourrait s'y retrouver demain, pour le café. Disons, dix heures ? »

Vassily sourit.

Chez elle, trois quarts d'heure plus tard, elle retira le médaillon en faisant passer la chaîne par-dessus sa tête et le lui tendit.

Vassily sourit et secoua la tête. Ainsi elle l'avait eu sur elle tout du long. Il ouvrit le médaillon et en examina le contenu. « Gris. (Il referma le médaillon d'un claquement sec.) Exactement ce que la *glasnost* a fait à mes cheveux. À l'époque où j'en avais encore, bien sûr.

– Je croyais que c'était la *perestroika*.

– Que non. » Vassily fit glisser le médaillon pour le séparer de sa chaîne.

« En tout cas…

– Oui. (Vassily retourna vivement le médaillon au creux de sa paume.) Joli coup.

– Les douanes ne l'ont même pas regardé. À propos…

– Oui ?

– À qui sont ces cheveux, au juste ? »

Vassily secoua la tête. « Je n'en ai aucune idée.

– Ah, et à qui pensez-vous qu'ils soient ?

– D'après ce qui se dit, ils appartenaient à un ancien président américain.

– C'est ce que j'ai entendu dire aussi. De quel parti ? »

Vassily écarta les mains. « Le stress de la fonction suprême fait grisonner tous ceux qui l'exercent.

– Mince, dit Tipsy, vous n'avez pas envie d'avoir une vague idée du bord pour lequel vous travaillez ?

– Essayez de voir ça ainsi, suggéra Vassily.

– Oui ?

– Ce ne sont pas les cheveux d'Eisenhower. »

Tipsy sourit.

« Donc. (Vassily lustra l'avers du médaillon avec son pouce.) Il y a un solde à régler.

– Ce n'est pas Red qui facture ?

– Ce n'est pas auprès de Red que j'ai pris livraison. C'est lui qui vous l'a remis ?

– Vous ne l'avez pas vu en entrant ? » demanda Tipsy aussi nonchalamment que possible.

Vassily la dévisagea, puis sourit. « Ce type a toujours une longueur d'avance sur moi. Je me demande pourquoi.

– Parce qu'il est plus jeune que vous ?

– Peut-être », dit doucement Vassily.

Un instant s'écoula. « De combien, le solde ?

– Quarante mille. »

Tipsy lâcha un sifflement étouffé. « De nouveau quarante mille au tomber de rideau ? »

Vassily hocha négativement la tête. « Red aimait toucher soixante pour cent d'entrée de jeu. »

Les sommes concordaient. « Soixante mille. »

Vassily acquiesça.

« Pour ça, dit-elle en désignant le médaillon, plus le kilo de cocaïne ? »

Vassily mit le médaillon à l'abri dans la poche de son gilet, en face de celle contenant sa montre. « Je n'ai jamais entendu parler d'un kilo de cocaïne.

– Vous avez le solde sur vous ? »

Vassily tapota la poche de poitrine de son pardessus.

« Un pardessus, c'est une bonne idée à San Francisco », dit Tipsy.

Vassily opina. « En Russie aussi.

– Quand êtes-vous allé en Russie pour la dernière fois ? »

Vassily sourit. « Il doit y avoir une quarantaine d'années. »

Tipsy hocha la tête. « J'ai la même impression avec San Francisco. »

Vassily hocha la tête. « J'aime San Francisco.

– Mais quand même. » Après un bref silence, elle répéta : « Quand même ? »

Vassily haussa les épaules. « C'est purement théorique.

– Qu'est-ce qui est purement théorique ?

– Les quarante mille.

– Pourquoi ça ? »

Vassily eut un sourire sans joie. « Maintenant, je suis censé vous supprimer.

– Quel est le problème ? Vous avez obtenu ce que vous veniez chercher.

– Pure vérité », dit Vassily.

Cette réponse déstabilisa Tipsy. « Pourquoi employez-vous cette expression ?

– Oh, juste pour m'assurer, répondit Vassily.

– De quoi ?

– De votre… intimité avec Red Means.

– Mon intimité ? Vous voulez dire que, maintenant que vous savez que j'ai côtoyé Red Means assez longtemps pour m'habituer à ses façons de parler minables, vous vous croyez autorisé à faire des suppositions déplacées ? »

Vassily gloussa.

« Alors, comment l'avez-vous pêchée, celle-là ? » lui demanda-t-elle.

Vassily sourit. « J'apprends vite.

– J'ai une meilleure idée, dit Tipsy.

– Alors, feu !

– Mieux que ça.

– Dites toujours ?

– Donnez-moi le fric, prenez la première porte que vous voyez et continuez tout droit. »

Vassily la regarda. « C'est Red Means qui vous a dit de me dire ça ?

– On s'est consultés. »

Ce fut seulement alors que Vassily remarqua la chemise à motifs d'ananas jetée sur une pile de livres, à côté de l'unique fauteuil d'aspect confortable de l'appartement, trop grande de plusieurs tailles et plus criarde que tout ce que Tipsy pourrait souhaiter porter. Une chemise de vraiment mauvais goût. Vassily se laissa aller à un tiraillement peiné de sa lèvre inférieure. Sans Miou Miou pour couvrir ses arrières, il allait devoir s'habituer à se demander s'il ne versait pas dans la sénilité.

« Mais d'abord, dit Tipsy, interrompant ce monologue intérieur, vous souhaiteriez peut-être m'expliquer comment vous vous êtes retrouvé exécuteur testamentaire de Quentin ? »

Vassily haussa les épaules. « Le bon type, au bon endroit, au bon moment ? » Il inclina la tête d'un air interrogateur. « Comment vous retrouvez-vous son héritière ?

– Je n'en ai aucune idée, répondit-elle franchement.

– Gros tas de fric, fit remarquer Vassily. L'année prochaine à la même époque, vous aurez des ennuis d'impôts.

– Sacrée mise en garde, persista Tipsy.

– Pure vérité. Et ça ? » Il toucha le médaillon au travers du tissu de sa poche de gilet.

Tipsy hocha la tête. « La bonne fille, au bon endroit, au bon moment. »

Vassily sourit. « Qui est-ce qui apprend vite, maintenant ?

– Je commence à vous apprécier.

– N'en faites rien, conseilla Vassily. Je ne suis pas appréciable.

– Voulez-vous que je vous dise un truc ?

– C'est moi qui suis censé vous dire quelque chose. »

Elle désigna la poche du gilet. « Livrez ça, et le boulot est terminé.

– Le boulot est terminé, confirma Vassily.

– Et ensuite ? »

Vassily sourit. « Je vais peut-être faire un long voyage aux Bahamas.

– Ah bon ? répondit Tipsy d'un ton léger. Vous n'y étiez pas tout récemment ?

– C'était sous-traité. » Vassily secoua la tête. « Je ne supporte plus le décalage horaire.

– Par vous ? Sous-traité, je veux dire ? »

L'expression de Vassily resta impénétrable. « J'avais du pain sur la planche ici même, à San Francisco.

– Alors c'est bien vrai ? Vous livrez ça et vous en avez fini ?

– J'en ai fini.

– Des projets ? »

Vassily ne répondit pas.

« Quel âge avez-vous, Vassily ?

– Soixante-treize ans.

– Vous vous amusez encore dans cette branche professionnelle ?

– Non, dit Vassily, sans trahir aucune émotion. Plus.

– Pas comme avant. »

Vassily s'autorisa l'ombre d'un sourire. « Pas comme avant.

– Mais vous ne savez pas quoi faire d'autre. »

Il haussa les épaules.

« Les échecs ? » proposa-t-elle.

Il chassa l'air entre ses lèvres.

« C'est juste que j'ai entendu dire je ne sais où que les Russes sont dingues des échecs.

– Vous avez vérifié votre épargne retraite, dernièrement ? » demanda Vassily.

Tipsy partit d'un grand rire.

« Et pour couronner le tout, ajouta-t-il d'un ton lugubre, je suis propriétaire d'un bateau. »

Aux alentours de minuit, le même soir, à environ une rue de chez Tipsy dans le sens du vent, Mrs Eloise Kleinzahler interrompit l'attention concentrée que son mari portait à une émission sur la Seconde Guerre mondiale diffusée par History Channel. C'était le quarante-deuxième épisode et il n'en avait pas manqué un seul. « Auggie, brailla sa femme, tu sens cette odeur ?

– Quelle odeur ? demanda le vieil homme sans lâcher l'écran des yeux.

– Ça sent les cheveux qui brûlent.

– Putain, mais ferme la fenêtre ! » suggéra Mr Kleinzahler. Une colonne de chars Tigre traversait à grand bruit l'écran de cinquante-deux pouces, et la neige voltigeait. Tout en portant à ses lèvres son quatrième Old Overholt avec glace, il ajouta : « C'est sans doute l'autre crâne chauve de travesti, plus haut dans la rue, qui frise sa perruque. C'est quoi son nom ?

– Miss Enchantment quand elle chante sur scène. Bert Fortunato quand il distribue le courrier. »

Mr Kleinzahler en connaissait un rayon sur l'alcool et la Seconde Guerre mondiale. Mrs Kleinzahler savait tout ce qu'il y avait à savoir sur les voisins.

« C'est ça. » Le père Kleinzahler fit cliqueter les glaçons dans son verre. Quand les Panzer se répandaient à travers l'Europe gelée, pensait-il, les Boches se bourraient tous la gueule au cognac qu'ils ramassaient dans les pillages. « Miss Enchantment, dit-il tout haut, qui frise sa perruque pour le karaoké. »

VII

Au bord de la projection

44

Invité à s'asseoir pendant qu'il attendait, Red tournait en rond entre les quatre murs de l'antichambre.

Celui du fond accueillait la porte d'accès au saint des saints, dont la platine du judas analogique reproduisait en bas-relief le chondrophore *Vellela vellela*. D'emblée, Red avait trouvé le dispositif ignoble. Et appris à le respecter. La lame bien aiguisée inspire le respect. Ignoblement ironique, ironiquement respectueux. « L'un des rares exemples de vie hauturière que le promeneur peut s'attendre à rencontrer sur la grève. » Il appliqua l'embout en caoutchouc de sa canne contre la plaque. Espèce bientôt éteinte, évidemment. Et qui ne s'en trouvera que mieux, ajouta-t-il en gardant pour lui cette pensée.

À gauche de la porte, dans le prolongement d'une table intégrée où une holopendule trônait sur un exemplaire du *Chondrophore Journal — Destination Lune : tous en voiture ! —*, un coûteux canapé en L avec fauteuil assorti épousait l'angle de la pièce et longeait tout le mur sud. Au-dessus était accroché un portrait à l'huile d'un Red Means idéalisé tenant d'une main une bouteille de Kalik et, de l'autre, un maneton de barre à roue. Le vent soulevait ses très longs cheveux cuivrés dans lesquels avait été tressée une plumule d'albatros. Espèce éteinte, assurément. Red semblait scruter sa voilure ; mais comme voiles et gréement se trouvaient hors du cadre de la toile, il pouvait aussi bien regarder loin, très loin dans l'avenir. Ou peut-être suivait-il du regard une lame bien aiguisée en train de lacérer ses voiles.

À droite de la porte par laquelle Red avait été introduit dans la pièce, le mur est consistait intégralement en une brume électrolytique encadrée de deux pilastres, ainsi que de moulures au sommet et à la base.

Les pixels de la brume grouillaient d'Info. Deux bandeaux défilants et deux déroulants, la grande image en fond, et deux flux insérés, d'une résolution assez élevée pour rendre leurs propres bandeaux défilants, pourtant beaucoup plus petits, parfaitement lisibles.

Le pli de la bouche de Red se durcit un peu. Son tout nouveau Quietus version 6 auquel il n'était pas encore habitué réduisit le son jusqu'à un pépiement infime qui semblait émaner d'une pièce voisine. Il fut surpris et satisfait que l'appareil fonctionne dans ce lieu. Le gadget, du genre porte-clés à l'ancienne, lui avait coûté 75,50 euroshells dans une vente sur saisie de BayFill, mais la tranquillité d'esprit sporadique qu'il apportait en justifiait le prix. Bien que le vieillissement physique se passe plutôt bellement chez lui, occasionnant une décrépitude perceptible il est vrai, Red trouvait sa capacité à résister à l'angoisse engendrée par l'Info, toute et n'importe quelle Info, de moins en moins souple. Il avait vaguement entendu parler d'un Homozap, un genre de Quietus réglé pour annuler tout son émis par des humains ; mais ces appareils, s'ils existaient — ou plus vraisemblablement, quand ils existaient —, devaient être hors de prix.

Détail incongru, de l'avis de Red en tout cas, on avait laissé le mur est transparent. Nul ne pouvait reprocher à cette entreprise de préserver l'espace, bien sûr, mais même si ses moyens le lui permettaient assurément, un mur transparent placardait littéralement la richesse. Et c'était une bonne idée, ne serait-ce que pour la vue sur la muraille de la Transbay Tower, dont l'arc venait d'être achevé et que la baie vitrée est encadrait : dressée, fière, mesurant presque trois kilomètres d'un bout à l'autre, depuis l'emplacement de l'ancien stade de base-ball jusqu'à Telegraph Hill, au nord, comme si ouvrage d'architecture et baie vitrée avaient été installés l'un pour l'autre.

Ce qui, une fois considérés les différents aspects en cause, se dit Red avec lassitude, était sans doute exactement le cas.

L'idée lui vint de lever les yeux. C'était là.

Évidemment. Tout était possible avec les milliers de brumes-pixels existant sur le marché, mais les adhésifs n'avaient pas été perfectionnés. Au sol, sous une protection transparente, rien ne se révélait plus facile. À la verticale, sur un mur plat, ou des murs incurvés, facettés ou ondulés ? Aucun problème. Et les structures décoratives en voxels ne tarderaient sûrement pas à rallier le marché. Une fresque de plafond en pixels représentait toutefois le summum de l'opulence contemporaine. Cela étant, l'image n'était pas si surprenante que ça. De fait, elle était évidente. Induite par la dépense, pourrait-on se dire, ne serait-ce que pour compenser l'impression qu'elle n'était là que pour épater.

Une tonalité se fit entendre. La porte du mur ouest coulissa, et Red entra en clopinant dans une salle où régnaient richesse et bon goût absolus, le premier signe en étant qu'aucune Info de quelque nature n'y était audible ou visible. Ça valait mieux : son appareil ne fonctionnerait pas ici.

« Red, Red, Red ! »

Elle ne se leva pas pour le serrer dans ses bras. Les choses n'en étaient plus là depuis longtemps.

Red était cerné de trois côtés par des paysages bahaméens. Cieux d'azur, nuages rebondis, casuarinas, mangroves, palmiers, littoraux de sable blanc, canot à avirons en bois échoué sur la plage, et même une ou deux constructions délabrées. Inutile, il le savait, d'essayer d'identifier l'origine de la voix. Pas tant que la Sécurité le scannait, en tout cas.

À présent, on l'interrogeait. Aimez-vous les fontaines ? Kalik, bien sûr. Ou ce thé vert torréfié ? Rien ? Et la sensation d'entendre une nouvelle tardive de Tchekhov. *La Dame au petit chien*, peut-être ? Une fatalité mélancolique ? Très bien. Et la sensation d'être assis ? Préféreriez-vous être debout ? L'alternative est autorisée.

Et cetera. Red laissa les sondes le passer en revue, d'ailleurs pourquoi pas ? Il n'avait pas le choix. De toute façon, c'étaient des appareils haut de gamme, pas plus invasifs pour ses tissus que des neutrinos pour un parpaing. Ce n'était pas comme aller voir un dentiste du vingtième siècle, disons, ou se nourrir par les moyens d'autrefois. Entre autres ironies, cette mascarade était destinée à le mettre à l'aise.

Et elle était là. Sans une ride de plus que le jour où elle avait arrêté de boire, ce qui était d'autant mieux pour tenter d'orienter le sort du garçon tel qu'elle le percevait à la lumière du sien. *In Detox We Trust*. Confiante. Pas le moindre stigmate d'alcool ou de cigarettes, pas même la légère cicatrice caractéristique de la pose d'une puce télécom. Et aucune autre notable non plus. À moins que l'on compte…

« Comment va le garçon ?

– Tu n'as pas regardé le plafond ? Il est au sanctuaire.

– Si, avoua Red avec un soupir, bien sûr que j'ai regardé le plafond. Très impressionnant. Comment fais-tu pour que ça tienne en place ? »

Elle éluda avec la réponse habituelle : « Mes installateurs sont grassement payés.

– Bien entendu. Mais qu'est-ce qu'un plafond — le tien ou celui de n'importe qui d'autre — a à voir avec le garçon ?

– Le garçon en question va se reproduire. Ça nécessite au moins l'illusion de sa présence physique. » Un peu plus de dédain.

« Ah. (Red hocha la tête.) Bien sûr. (Il posa la canne en travers de ses genoux.) La reproduction. Je me suis dit que c'était la raison pour laquelle tu exhumais la grande loterie de sa conception.

– Ça a marché une fois. (Elle haussa les épaules.) Et la production avait coûté cher. Alors… »

Dans un bosquet de bambous, derrière elle, le regard jaune d'un tigre observait fixement Red.

Brusquement, il baissa les yeux. Était-il *vraiment* assis ?

« Tu as envie de le voir ?

– Bien sûr », mentit Red.

Un garçon de treize ans en short, débardeur, fixe-chaussettes et chaussures à la Buster Brown, apparut sur l'une des plages. Le nimbus entourant l'image n'avait rien d'une clarté bahaméenne.

« Klegan, lança Red d'une voix lasse. Bon sang que tu as grandi. »

L'hologramme scruta par-delà Red. Peut-être parce que le garçon ne le reconnaissait pas, ou simplement en raison de la mauvaise qualité du signal, ou d'un signal sciemment limité par la Sécurité, Red ne put le déterminer. D'ailleurs il s'en moquait. Mais cette ambiguïté lui rappela l'ancienne technologie GPS. C'était un trucage au rabais. Et bien sûr que c'était voulu.

Le garçon aurait ses ennemis à lui. Entre autres jouets.

« Klegan. (Tipsy gronda le garçon.) Veux-tu bien dire bonjour à ton oncle Red ? »

Le garçon cessa de scruter et haussa les épaules. « Bonjour.

– Joli accent, commenta narquoisement Red.

– Scolarité anglaise, renchérit fièrement Tipsy. C'est un diplomate-né. Bonne année de Beijing, Klegan.

– Gung hay fat choy, Shushu. » Comme l'hologramme joignait une légère courbette à ses vœux, Red ne put s'empêcher de remarquer la *hauteur** dédaigneuse de l'enfant, en même temps que le mépris déliquescent qui filtrait de ses inflexions. En raison de la retransmission, sans aucun doute, l'axe de la courbette semblait plutôt dirigé vers le tigre que vers Tipsy. Le tigre cilla enfin. À la vue de l'image de Red. Ou peut-être de son scan rétinien.

Shushu mon cul, oui, fulmina amèrement Red. Ce petit morveux de mes deux va causer notre mort à tous. C'était une pensée qu'il s'était déjà formulée un nombre incalculable de fois, cependant, et sur le moment, il haussa un sourcil pseudo-avunculaire. « Combien de langues parle-t-il ?

– Juste les quatre. Klegan, mon chéri, observe la plus grande piété. Je te verrai demain matin.

– Et dans tes rêves cette nuit », dit le garçon, complétant une formule courante. Il envoya un baiser en direction du tigre.

Tipsy le lui retourna quand même. Avec un grésillement rappelant celui d'une torche enfoncée dans un nid soyeux de livrées d'Amérique, l'image du garçon se décomposa.

Le bruit d'une fontaine visible dans le jardin au-delà du mur situé à main gauche de Red s'éleva. Le bureau de Tipsy apparut, une platine frappée d'un chondrophore ornant le panneau frontal. La distance verticale entre le centre de la platine et le bord inférieur du panneau, rapportée à celle séparant le centre du bord supérieur, devait être le Nombre d'Or.

« Il va bien, ce garçon ? demanda négligemment Red. Avec les radiations et tout ? »

Tipsy éluda la remarque. « On n'imaginerait pas ce qu'un gosse est capable de manipuler de nos jours. Tous ces trucs, dans le vestibule extérieur, dont tu espères te protéger avec le gadget que tu as sur toi.

– Ces trucs qui, sinon, releva Red, auraient de quoi mettre la moelle épinière en feu ? »

Tipsy éluda la remarque. « Ça ne le canalise pas du tout. Il est capable de travailler sa syntaxe chinoise allongé par terre, pendant que des escargots lui nettoient les orteils, et encore mieux avec seize chaînes en train de déblatérer dans les quatre langues. (Elle eut un sourire rayonnant.) Parfaite concentration. Le lendemain, son tuteur non flagornant lui décerne d'excellentes notes et approfondit le sujet. » Tipsy contempla le mur situé sur sa droite. En tant que femme regardant une fontaine de jardin par la fenêtre de son bureau, elle était totalement crédible. « Si tous les autres gosses de sa génération sont aussi imperméables à l'Info que Klegan, le ministère de l'Info a du souci à se faire. »

Red sourit. « Mais Klegan n'est pas comme tous les autres gosses. »

Habituellement, une telle remarque entraînait un surcroît de sourires rayonnants. Mais pour l'heure : « Exact. (Tipsy s'agita.) Pourtant, nous avons… j'ai… tenté de lui apporter tous les vestiges d'une vie normale.

– Si, par normale (Red plissa les lèvres), tu entends Info nuit et jour, événements célestes préformatés, biodiversité asymptotique de la singularité, plastiques indiscernables des chairs et vice-versa, dévouement filial holographique tout droit sorti du grand holo-merdier, et un mariage préarrangé pour son quatorzième anniversaire avec une pouffe de trois ans son… »

Tipsy leva une main, la paume face à Red, et il interrompit la litanie. Quelquefois, les sondes étaient un petit peu moins perspicaces que des neutrinos. Mais Red était constamment fatigué, sa résistance était au plus bas, et il ne serait jamais capable de s'offrir une formule immunitaire vraiment complète. Qui plus est, il ne s'en était pas occupé depuis cinq ou six ans.

Complète était un mot relatif, de toute façon, se dit-il avec amertume. Toute configuration complète disponible dans le commerce étant prééquipée de mendiants d'Ithaque, virus à string, ports entrants arachnoïdes et réinitialisations gouvernementales totales en guise de distractions, frissons existentiels, et contrôle absolu, les euroshells ne se justifiaient pas vraiment.

Red observa Tipsy. Elle-même, était-elle à l'abri d'une réinitialisation ?

Seulement tant que ce gamin sera de ton côté, beauté.

Juste par curiosité… Red se leva et, en clopinant, décrivit un cercle devant le bureau de Tipsy. Tout en faisant mine d'arranger ses testicules dans son pantalon, il actionna le Quietus version 6.

« Assieds-toi, Red », l'entendit-il clairement dire.

Dépassé. Perte sèche : 75,50 euroshells. Il aurait mieux fait de se payer un lait frappé à la sérotonine.

Il s'assit. Au moins, pensa-t-il ironiquement, ça marche pour l'Info diffusée dans la rue. Jusqu'à maintenant, en tout cas. Tant que le ministère de l'Info ne diffusait pas d'Info non falsifiée, argumenta-t-il. Ou que…

Ou que Tipsy ne s'était pas elle-même muée en pure Info.

Ah, se dit Red, on en revient à Turing. Pendant que moi, je me tourne les sangs à déterminer si je suis en train de parler à un humain ou à une machine, il semble qu'il soit devenu évident pour une machine de déterminer si, oui ou non, elle a affaire à un humain. Quelle brume-vision baignait mon visage idiot pendant que je tournais le dos à ce plus sinistre progrès ?

Qui est-ce que je fais marcher ? Voilà bien longtemps que je n'ai seulement pas entendu parler d'un progrès qui ne soit pas sinistre, sans parler de m'y faire baigner.

Tipsy s'éclaircit la gorge. En d'autres circonstances, ce simple fait, cet aveu oblique de phlegme pourrait être considéré comme une courtoisie ostentatoire, une sorte de déclaration d'humanité.

Mais les circonstances n'étaient pas autres.

« Laisse-moi t'aider à m'aider à t'aider, dit Tipsy.

– Merci beaucoup, Tipsy, mais je…

– Ce n'était pas une demande, lança-t-elle sèchement.

– Certes, acquiesça Red avec empressement.

– Tu es en quête de chômage, lui dit Tipsy.

– En fait, je…

– Ça marche, la pêche ? »

Red souleva sa main libre de la poignée de sa canne et, d'un geste immémorial, la tendit à l'horizontale, paume vers le sol, et l'agita en un mouvement de rotation. « Euh, dit-il. Bof. » Chose navrante, cependant, c'était devenu vrai. Même la cessation d'activité de toutes les pêcheries industrielles, ordonnée au niveau mondial, avait échoué à faire revenir le poisson.

Tipsy sourit. « Pourquoi continuer à t'en donner la peine ? Si tu as besoin de protéines, passe une commande. Chaque fois que tu reviens des Bahamas, tu me dis que la pêche s'est encore dégradée.

– C'est la Vraie Vérité », répondit Red.

Le pli de la bouche de Tipsy se durcit. « Pas très judicieux, comme mot d'esprit, Red, dit-elle, si tu cherchais bien à faire de l'esprit.

– Puis-je te rappeler… »

Tipsy brandit un tridactyle comminatoire, connu d'un bout à l'autre des Républiques comme le nec plus ultra en matière d'homozap. « La configuration complète n'en fournit pas de plus cher que le mien », lui rappela-t-elle.

Configuration complète, pensa Red. Voilà une expression qui doit être employée à bon escient. Et si on la remplaçait par *lucidité préformatée* ?

« … histoire », acheva Tipsy.

Red cilla. Il n'avait pas enregistré le début de sa phrase. Involontairement, il secoua la tête, comme pour se clarifier l'esprit. Depuis quelque temps, il se retrouvait souvent de l'autre côté d'un fossé indéfini entre ce qu'elle venait de lui expliquer et ce qu'elle était en train de lui dire. De plus en plus souvent.

« C'est le mot, poursuivit-elle. Et c'est à toi qu'on le doit. »

Un de plus, pensa Red. Elle avait toujours été friande du mot juste. Un poète satirique avait même composé sur le sujet — friande historique, friandise torique, brillante hystérique : régal des papilles, pour elle et pour luiiiiille — avant de se voir réinitialisé sans laisser la moindre trace publique ; pour réapparaître ensuite, sans aucun doute, en tant que cadre moyen au formatage de l'Info dans l'usine à hymnes de Condor Silversteed. La première chose sur laquelle Red exerçait tous les Quietus qu'il ait jamais eus était la soi-disant musique de cet enfoiré.

« Il s'en est fallu de peu, disait Tipsy. Il a pourtant échoué et c'est Red Means, le héros du Peuple, qui a dû se frayer un chemin dans la Légion des Cedric et sauver la mise. Aucun doute là-dessus. C'est dans les archives historiques. »

Exact, se dit Red. Et moi j'ai tué le démoniaque lieutenant Miou Miou grâce à mon pouvoir de divination du scénario postchondrophorien qui allait suivre. Mais que penser du fait que Red Means avait tranché la tête du propre frère de Tipsy ? Ça ne comptait sûrement pas pour rien ?

« Nous avons persévéré… »

Nous (Red ricana intérieurement) persévérons dans le récit à trous.

« Le monde avait besoin de l'humanisme foncier de mon frère, et le méritait », récita-t-elle, embrayant dans le registre tantine bien pensante, « sans parler de ses divers talents. Ténacité, capacité à se servir d'outils, à garder la tête froide dans les moments difficiles…

– Oui, oui, oui ! lâcha Red avec agacement. Elle est bien, celle de la tête froide… ! » Et regarde avec quoi tu te retrouves, s'abstint-il de lancer tout haut. Une illusion de dialogue, alimentée à coups d'euroshells et d'années, avec un véritable petit Caligula. Sauf qu'il n'est plus si petit que ça, bon sang. Et voilà que maintenant, tu vas le marier ? Qu'est-ce que c'est que ça ? Une pulsion destructrice assumée sur le tard ?

Cet éclat le surprit au moins autant qu'il surprit Tipsy.

« Sans toi, je n'aurais jamais pu le rencontrer », énonça-t-elle simplement.

Encore un argument qu'il avait déjà entendu. En fait, il n'avait fallu que six mois à Red, et six mois sans forcer, pour identifier un sniffeur de poudre au sein de l'antenne san-franciscaine de la Cavalcade des Merveilles, et ce fut à peine l'instant d'après, à l'échelle du tableau d'ensemble, que Klegan, tout juste post-cognitif, eut l'occasion de comprendre la nature de son lien particulier avec une spécialiste en immobilier de la Cavalcade nommée Tipsy Powell.

Red avait conseillé à Tipsy d'attendre pour voir ce qu'il adviendrait. Mais non.

Il n'eut jamais vent de ce qui arriva au sniffeur de poudre.

Pas plus que quiconque.

Elle clama qu'il avait mené à bien une mission quasiment impossible, et il la laissa clamer. Ça ne valait même pas la peine d'en rire. Il regarda le tigre. Le tigre le regarda.

« Klegan est comme ça, poursuivit Tipsy. Le monde a besoin de lui, et le mérite. C'était entièrement pour le bien de tous… »

Qu'il en avait donc marre, de cette expression.

« … notre but est plus noble. Nous…

– J'ai envie de prendre ma retraite, voilà tout », coupa Red.

Silence.

Bon, maintenant que c'est lâché, continuons à mettre les pieds dans le plat.

« Quand je vois ce petit endomorphe… (Il tendit sa canne en direction du volume de plage précédemment occupé par l'hologramme.) C'est tellement astucieux, tellement patient, tellement… *triangulé*…

– Tellement avancé ? » suggéra Tipsy.

Tellement à vomir, pensa-t-il qu'elle aurait dû dire. Désillusion sur désillusion. Regarder ce gosse dans les yeux, c'est comme regarder par le mauvais bout d'un viseur de fusil.

« Et tu sais, personne au monde ou presque ne prend le mot *descendant* comme une insulte, contrairement à toi. (Elle porta la main à sa poitrine et ajouta, d'un ton un peu trop pénétré :) À commencer par sa Tantine chérie.

– Justement. (Red sauta sur l'occasion.) Pour moi c'est… c'est tout le contraire d'un mot à l'ancienne. C'est de mauvais goût. Je ne le comprends pas. J'ai lu plus de six cents livres depuis notre…

– Changement de fortune, suggéra Tipsy.

– … et je ne le comprends toujours pas », poursuivit Red, exaspéré, sans prendre la peine de lui rappeler qu'il s'était principalement agi de romans et d'ouvrages d'histoire, avec des titres tels que *L'Histoire d'une vie*, n'ayant que peu, voire pas du tout, de rapport avec la théorie politique, laquelle était devenue la spécialité de Tipsy une fois qu'elle eut maîtrisé l'immobilier. Si ce n'est qu'ils avaient bel et bien un rapport. « Oh, je ne souhaite que du bien au monde et cetera, tout ce qu'il y a de mieux. Mais quant à moi, moi-même, je n'apprécie plus ce qui se passe autour de moi, Tipsy, tout simplement. Et je ne comprends pas ton aveuglement volontaire. Tes sondes sont capables de piger ça ? »

Elle balaya d'un geste cette question.

« Tu ne peux pas savoir ce que c'est que d'avoir atteint soixante-dix-neuf ans. Mais quand tu le sauras, laisse-moi te dire une chose : tu n'auras pas plus envie que moi de pousser jusqu'à cent neuf. »

Tipsy faillit rire. « C'est leur argument promotionnel ?

– Ridicule, renchérit Red. Je suis fatigué. Le bruit, les images, la surenchère de leur omniprésence, la conscience de mon rôle dans tout ça. (Il désigna la salle d'un geste de la poignée de sa canne.) Je n'arrive pas à dormir. Je n'ai pas besoin d'un boulot. Je n'arrive pas à penser. Je n'arrive pas à faire mon boulot. J'ai seulement envie de pêcher du matin au soir. Vu qu'il n'y a plus de poisson, ça revient au même que de ne rien faire. Tu comprends ça ? (Il promena la canne devant lui d'un geste ample.) Sans parler de ma réputation. Le moins fuyant de mes vieux copains — sur les deux ou trois encore en vie — joue la fille de l'air dès qu'il me voit arriver. Aucun ne reste assez longtemps dans les parages ne serait-ce que pour exprimer son mépris ! Et pourquoi ? Parce qu'ils ont peur de toi. Pas de moi. De toi… Et s'ils s'attardent quand même ? (Il afficha une mine désapprobatrice.) C'est par flagornerie pure et simple. Voilà tout. Ça me rend malade. Toi-même, tu dois te souvenir de la peur, également appelée respect, que j'inspirais autrefois à mes clients. Ton ami Quentin, par exemple.

– Le Vénérable Asche, si tu veux bien, stipula froidement Tipsy.

– J'avais oublié la Révision, dit Red d'un ton ironique.

– Ne fais pas le caustique avec moi », lança-t-elle, d'un ton d'où la menace n'était pas absente.

« Vieillir, ce n'est pas pour les pirates ! (Red fit sauter sa canne du sol et la rattrapa à mi-longueur au creux du poing.) Il était terrorisé de faire un tour en bateau avec moi ! Et maintenant que j'ai son âge ? (Red lâcha un gloussement sans joie.) Moi aussi, je suis terrorisé de faire un tour en bateau avec moi. (Il était sans doute le seul au monde à trouver ça drôle.) S'il ne nous avait pas claqué entre les doigts, tout se serait goupillé autrement. Il t'aurait peut-être fait entendre raison. En tout cas, tu serais restée fauchée et à l'heure qu'il est, tu ne serais sans doute qu'une ivrogne pleurnicharde habitant un vague sous-sol entièrement meublé de romans policiers… »

Red s'arrêta, puis se renversa contre le dossier de sa chaise. Là, ça devrait suffire, se dit-il gravement. Comme il l'avait déjà fait un nombre incalculable de fois, il reluqua en douce les divers coins et recoins de la salle, dans la mesure où ils étaient discernables. Où pouvait-elle stocker tous ces romans policiers ? N'y avait-il que lui, Red, qui soit convaincu de leur existence ? Convaincu de la nécessité de leur existence ? Et l'alcool ? Elle avait à peine un soupçon de poches sous les yeux…

Il cilla.

Ne restait-il plus que lui comme apostat ?

Ah, ma foi, se contraignit-il à penser. Le progrès. Fais gaffe à ce que tu souhaites, mon vieux Red…

Tipsy sembla accuser le coup. La fontaine faisait un bruit de feuilles agitées par le vent. Red prêta l'oreille. Un crépitement de palmes dans la brise tiède, une Kalik glacée à l'ombre du bimini, une sieste dans un hamac tendu entre grand mât et mât d'artimon, le hamac qui se balance tout seul…

Et on se réveille mort.

Ça me paraît bien ; Red se renfrogna, l'air féroce. Vraiment bien.

« Je suppose que tu sais que tout ça (le geste de Tipsy engloba la salle) appartenait autrefois au Vénérable Asche ? »

Bien sûr, qu'il le savait. Et maintenant, où va-t-on ? Red s'agita avec gêne. « Ça… fait longtemps, Tipsy, avoua-t-il. Madame Powell, Servante de Notre Avenir. Héroïne du Peuple. Mentor de Klegan. » Il ne put s'en empêcher. Énuméra ces titres sans réprimer un sourire railleur. À quoi bon ? Il avait aidé cette femme à organiser ce désastre.

Il se redressa subitement sur sa chaise et changea de ton. « Je repars pour les îles demain, annonça-t-il calmement. Et je ne reviendrai pas.

– Je vois », dit-elle avec une étonnante équanimité. Elle voyait effectivement, il s'en rendit compte. Et elle s'en moquait. Autant que lui. Le regard de Tipsy se fixa sur une distance intermédiaire et la projection de Tantine se figea.

Aïe, se dit Red.

Le mur, à droite de Red, se repixellisa tout à coup en une fenêtre à meneaux de bois à la peinture écaillée, pourvue de seize petits carreaux. Le bruit de la fontaine s'éloigna et les échos d'une circulation lointaine s'infiltrèrent dans la salle, comme par une fenêtre ouverte. On y discernait le barrissement distant d'un klaxon pneumatique sur le toit d'une locomotive diesel, une locomotive diesel désaffectée depuis longtemps.

« Le Vénérable Asche chérissait cette vue, dit la voix de Tipsy. Toutes les Infos continuent à le dire. »

Alors ça doit être la Vraie Vérité, se dit mentalement Red, d'ailleurs qui ne chérirait pas une telle vue ? Ou n'importe quelle vue, du reste ?

« Contemple-la », proposa la voix de Tipsy. D'un ton qui charriait un soupçon d'intransigeance.

Red contempla. Une moitié de la fenêtre était ouverte, les cimes de grands eucalyptus encadraient la vue. Une brise faisait crépiter leurs feuilles olive, roussâtres, et d'un rouge de sang séché. L'air était frais, turbulent et, entrant d'ouest en est, il s'agita véritablement, apportant l'âcreté saline de l'océan vaste et froid. Un geai buissonnier, perché sur une branche, disputa un chat domestique, loin en dessous de l'appui de la fenêtre, qui pourchassait et assenait des coups de patte à un papillon, un monarque, le long d'une enfilade de pas japonais en séquoia enfoncés dans la terre sous des amas de feuilles roulées par le vent.

Au-delà de l'avant-scène que formaient les eucalyptus, venait un panorama d'une sublimité bucolique oubliée. Au bas de la pente, à peut-être deux rues de distance, les cheminées effilées de la savonnerie Pioneer, un groupe hétéroclite de bâtiments de bois jaunes, lâchaient de somnolentes bouffées de vapeur. Plus loin, au-delà des plaines qui se déployaient à partir du flanc nord de Potrero Hill, des wagons de marchandises en provenance de tout le continent attendaient patiemment en rangs parmi lesquels se déplaçait un minuscule chef de train en salopette à rayures bleues et blanches, la lanterne à la main. Au-delà des gares de marchandises, se dressait la tour la plus occidentale de l'ancien Bay Bridge, au-delà s'élevaient les contreforts abrupts de Yerba Buena Island, épanouis de verdure grâce aux bienfaits du premier mois de pluies hivernales, et loin au-delà s'élevaient les collines fauves de Berkeley où, en scrutant très attentivement, Red aurait pu apercevoir les contours cylindriques du laboratoire de radiation Lawrence, puis, au-delà, la résolution baissait et on commençait à discerner les coins et arêtes de la technologie.

Par un effort de volonté, Red maintint son esprit juste en deçà de la limite externe de cette projection.

C'était là, se dit Red, penaud, que le lawrencium avait fait une entrée en scène fracassante, avant de s'éteindre de plus belle, comme sciemment. Trois cinquièmes de nanoseconde, se rappela-t-il. C'était toute la durée de vie qu'avait eue le lawrencium.

Existait-il vraiment une touche de réinitialisation ? Il ne le saurait sans doute jamais. Il attendit. L'image de Tipsy fixait la distance intermédiaire sans émotion. Elle n'avait pas eu d'autre regard depuis bien longtemps.

« Considère que tu es à la retraite », finit-elle par dire.

Épilogue

J'aurais pu te l'apprendre, moi,
Mais tu es jeune, et nous parlons
Deux langues bien différentes.
W.B. YEATS, *Deux ans plus tard*[1]

Huandyai et Crowder allèrent voir le Charley pour solliciter la permission de faire une promenade à pied.

Ça mettait toujours Huandyai mal à l'aise de passer voir un Charley. Les yeux suivaient le visiteur quoi qu'il advienne, que la tête parle ou pas. Il ne savait pas trop quelle en était la technologie. Mis à part quand elle s'appliquait aux chaussures dernier cri, il ne connaissait pas grand-chose à la technologie.

Crowder, c'était une autre affaire. Ses chaussures aussi, d'ailleurs. Les chaussures de Crowder passaient du mode Skate au mode Amortisseur et inversement en huit à dix explosions neuronales. Celles de Huandyai mettaient des siècles à changer de mode et le faisaient souvent tomber. Il avait découvert qu'il était beaucoup plus sûr de les laisser programmées sur Manuel. Mais il n'y avait que Placard qui soit plus lent que Manuel.

« Qu'est-ce qui se passe, les gars ? demanda le Charley.

– Il me faut une nouvelle paire de chaussures », geignit Huandyai.

La tête s'abstint de relever. Huandyai savait que s'il lui posait à nouveau une fausse question, le programme basculerait par défaut

1. In *Quarante-cinq poèmes* (éd. Gallimard, traduit par Yves Bonnefoy).

en Sédition et qu'une fois planté, il faudrait la journée pour se sortir du pétrin. Parents, Conseillers, ramassage du retour déduit de son Contrat Social… la totale.

Ou presque.

Crowder fit taire son ami. « Il a besoin de chaussures neuves, en effet, dit-il, mais ce qu'il veut, en réalité, c'est faire l'école buissonnière et s'offrir une sortie éducative dans les Headlands. »

La tête battit des paupières et enregistra. « Est-ce que ça a un lien acceptable avec vos études ? » demanda-t-elle à juste titre.

Crowder était prêt. Si ça n'avait tenu qu'à Huandyai, Crowder aurait un bureau depuis lequel il dirigerait le Secteur scolaire au grand complet. « On étudie les oiseaux, dit le garçon. Les oiseaux chanteurs de Californie. »

Les yeux, qui étaient retournés à leur examen normalement vigilant d'Union Square, abaissèrent un regard en coin vers Crowder. « Tu te souviens des oiseaux chanteurs ? » demanda le Charley.

Crowder secoua la tête. Le pourcentage de chances d'arriver à mentir à un Charley était faible, et il le savait très bien. « Non, monsieur, avoua-t-il sincèrement. Mais un oiseau a été localisé l'an dernier dans les Headlands et…

– Quelle espèce ? demanda la tête.

– Une paruline à croupion jaune », répondit aussitôt Crowder.

Les paupières du Charley battirent deux fois.

Ouaouh, se dit Huandyai avec une réelle admiration. Ça, ça exige un sacré tri de données.

« Bel oiseau, finit par dire le Charley.

– C'est ce qui se dit, monsieur », répondit ingénument Huandyai.

Les yeux eurent le temps de rouler en direction du petit avant que la tête annonce : « Pas vu récemment. (Ils revinrent se poser sur Crowder.) Dernier aperçu datant de presque… neuf ans.

– Ça alors ! lança Huandyai d'une voix flûtée. L'année où je suis né.

– Ouaouh », fit de même Crowder, jouant à fond le mode ingénu. « Je ne me rendais pas compte que ça faisait si longtemps. » La tête gloussa sans joie. Le son qu'elle produisit n'était pas sans évoquer un bidon de sauce soja vide ricochant le long des parois d'un conduit de désenfumage. « C'est-à-dire sûrement les deux tiers de ta date limite de divertissement actuelle », lança le Charley, avant d'ajouter d'un ton sévère : « N'est-ce pas, fiston ? »

Crowder, qui gloussait timidement, dans le but d'amadouer le Charley, approuva avec une précision bien rodée : « Virgule huit-cent dix-huit, monsieur.

– Virgule neuf, exactement, se hâta d'ajouter Huandyai.

– En fait, monsieur », dit Crowder, s'enhardissant à développer, « neuf divisé par onze égale zéro virgule huit un huit un huit un huit un huit, *ad infinitum*. Un développement décimal périodique, quoi.

– Très intéressant », répondit le Charley sans manifester le moindre intérêt.

Entièrement d'accord, se dit mentalement Huandyai.

Crowder, qui savait son Histoire, pensa : quand je serai grand, en ce qui concerne certains algorithmes, il y aura du changement. Mais : « Oui, monsieur, se borna-t-il à répondre.

– Tu sembles avoir du talent pour les chiffres, dit le Charley d'un ton comme songeur. Si tu devais te mettre aux mathématiques, à ton avis : théoriques, ou appliquées ?

– Appliquées, monsieur », répondit aussitôt Crowder. Comme toujours, non seulement il savait son Histoire, mais savait aussi quoi dire. « Il n'y a jamais de mathématiciens en assez grand nombre pour entreprendre une analyse de marché.

– Très bien, déclara le Charley.

– Merci, monsieur. »

Un moment de pur algorithme s'écoula en silence. « Vous êtes bien conscients, les garçons, qu'il n'y a encore pas de services électroniques là-bas, dans les Headlands, leur rappela le Charley avec condescendance.

– Oui, monsieur, répondirent-ils à l'unisson.

– Alors soyez prudents. Veillez à prendre des vitamines et de quoi boire avant de partir. Et aussi de l'écran solaire.

– Oui, monsieur », répondit Crowder.

Sur un coup de coude de son ami, Huandyai le parodia servilement : « Merci, monsieur. »

La tête battit des paupières. « J'enverrai un e-cephal à vos parents.

– Merci, monsieur », dit Crowder, non sans laisser transparaître un semblant d'hésitation.

Aïe aïe, se dit Huandyai.

« Tiens donc ! dit le Charley en rouvrant les yeux. Ta mère a disparu peu après ta naissance, et ton père est un mineur d'hapkéite.

– C'est vrai, monsieur », répondit Crowder.

Et personne ne dit pourquoi, compléta Huandyai en son for intérieur.

« Mais vous pouvez lui envoyer un e-cephal sur la Lune, précisa Crowder. Évidemment, ça mettra deux secondes cinquante-six, aller-retour. (De la pointe du pied, il traça un cercle dans le glebstrat.) S'il n'est pas au fond de la mine, bien sûr. »

Où Crowder sait mégabien que son père se trouve, comprit Huandyai.

« Tu crois ? » répondit la tête avec un brin d'irritation, comme s'il était nécessaire de leur rappeler que la seule chose archidangereuse qu'un gosse ou, du reste, n'importe qui d'autre puisse faire au monde serait sans doute d'expliquer à un Charley une chose qu'il ne savait pas. « Et qui tient la boutique, alors ? »

Crowder fit la grimace. « Oh, j'ai des logiciels jusqu'à plus soif, monsieur. Ne vous inquiétez pas pour ça. »

La tête se contenta alors de dévisager Crowder. Sans plus ciller. « Et tu as appris à truander les logiciels au point de faire l'école buissonnière ? »

Crowder regarda ses chaussures comme pour éviter de perdre de vue quelque démarcation visible entre bobard et mensonge. Il n'y avait guère qu'un certain nombre de subtilités dont un gosse puisse se sortir lorsqu'il traitait avec un Charley, et aucune d'entre elles ne concernait la sécurité de la patrie. Tout en regardant ses chaussures, il glissa un regard flamboyant vers Huandyai, car ce dernier, pourtant plus jeune d'à peu près deux ans, semblait parti pour instaurer une certaine distance entre eux deux. Mais Crowder tint bon, et hocha la tête. Puis il marmonna quelque chose.

« Je n'entends pas ce que tu dis », lui annonça la tête.

Cette tête aurait dit ça en n'importe quelle circonstance, Crowder le savait bien. Pourtant il marmonna de nouveau quelques mots.

« Je répète », dit la tête, d'un ton où filtrait déjà moins de patience, « je… n'entends… pas.

– Je disais, monsieur, qu'il faut bien qu'un gamin découvre où sont les limites, énonça clairement Crowder en relevant la tête. Monsieur », ajouta-t-il.

Huandyai savait que son ami avait mégatrop la gnaque. C'était d'ailleurs une des raisons pour lesquelles il aimait bien traîner avec lui. Mais cette tactique, ou Dieu sait comment Crowder considérait ça, semblait vouée à les acheminer tous les deux vers une séance officielle de cuisson fessière. Pourquoi ce bouffon ne pouvait-il se tenir tranquille ? Tout ce qu'ils voulaient, c'était faire l'école buissonnière et aller se promener dans les Headlands, bon sang de Kleganneries.

Ils entendaient presque le silicone solliciter la superconductivité. Mais au bout de ce qui leur sembla une éternité, la tête revint. Toujours sans lâcher des yeux Crowder, elle dit : « Pas mal du tout, gamin. Personne ne t'a jamais dit que tu pourrais avoir les qualités nécessaires pour être un pilote d'élite de la patrie ?

– C'est vrai ? mentit Crowder.

– Je coche ta carte, informa le Charley avec une condescendance avunculaire. Et on verra. »

Pour ce qui était de ça, les deux gamins savaient qu'il disait vrai.

« Maintenant filez », dit le Charley avec les inflexions bourrues de la fierté sentimentale.

« Merci, monsieur », lancèrent presque simultanément les deux garçons. Et bien que les chaussures de Crowder enclenchent aussitôt le mode Skate, l'expédiant à l'autre bout d'Union Square et vers le nord à rebours de la circulation sur faisceau radial de Powell Street avant que Huandyai n'ait eu le temps de passer manuellement de Parking à Trottine pour finalement arriver à Galop, ce dernier n'était pas si loin derrière.

L'œil arrière du Charley, dont l'algorithme ne prenait jamais la peine de faire battre la paupière, les regarda partir.

Malgré la chaleur qu'il faisait ce jour-là, l'ascension jusqu'à Coyote Ridge depuis Tennessee Valley ne présenta guère de difficultés aux deux paires de chaussures. Pressentant la terre battue, les deux paires basculèrent vers des réglages obscurs proches de Randonnée Primitive. La paire de Crowder possédait toutes sortes de modes de Marche, en fait elle disposait de la dernière option qu'on puisse avoir pour moins de cinq cents euroshells, qui s'appelait Trot Erratique ; et celle de Huandyai s'en sortait bien, une fois manuellement actionnée n'importe laquelle de ses trois fonctions de Marche ; mais Randonnée se révéla une fonction rudimentaire pour l'une et l'autre paires. Cela dit, l'ergonomie des deux paires était incroyablement plus moderne que, disons, les pieds nus. Tu entends ce que l'Info e-céphale ?

En tant qu'habitué de la dernière bibliothèque de San Francisco, Crowder avait pris le temps d'en feuilleter le vaste stock de cartes marines sur papier, et avait fini par remarquer la minuscule dénomination de Pirates Cove, à peine à quelques kilomètres au nord de San Francisco, dans l'étendue immobilière non exploitée la plus âprement disputée qui existe encore en Californie du Nord. La carte présentait l'endroit sous le nom de Marin Peninsula ; les gens du coin l'appelaient les Marin Headlands.

Ce nom lui plut. Lecteur précoce et vorace, Crowder avait depuis longtemps torpillé la division décimale de Dewey 910.45, « Voyages et Aventures maritimes », qui comprenait un grand nombre d'ouvrages de navigateurs en solitaire du vingtième siècle, aussi bien que de pirates des siècles précédents, si bien que, comme beaucoup de jeunes garçons avant lui, Crowder avait la tête pleine de boucaniers et de voiles claquant au vent.

Et il se trouva donc qu'une journée d'école buissonnière avait été prévue. Chacun des garçons avait rechargé ses chaussures, fait provision d'écran solaire, et préparé un solide déjeuner de vitamines et de liquides désaltérants.

En fait, ça ne faisait que trois kilomètres à vol de drone, une fois que le faisceau radial les eut lâchés à l'embouchure de Tennessee Valley, mais presque huit à cheminement de chaussures. Les deux premiers kilomètres, au fond de la vallée qui mène à Tennessee Cove, sont plats, les huit cents mètres suivants remontent en lacets jusqu'à la crête, et les trois kilomètres suivants ne sont que zigzags, canyons, sentiers de crête, traces de coyotes et terriers de gauphres prouvant que l'homéostasie du gauphre/coyote suit tranquillement son cours, ainsi qu'une grande quantité de sumac vénéneux. Ils ne virent pas la moindre paruline à croupion jaune — et n'en auraient pas vu même en plaçant une tête de surveillance constante sur le point le plus haut de la crête et en l'y laissant pendant les cent années à venir. Huandyai ne le savait pas, mais Crowder s'en doutait, et le Charley avait les statistiques pour lui. Mais le Charley était programmé pour dispenser l'Espoir aux citoyens chaque fois que ça ne coûtait rien au Programme, si bien que les rumeurs annonçant que la paruline à croupion jaune ne serait pas une espèce disparue étaient encouragées. Cela dit, étant donné que Crowder ne connaissait personne qui ait jamais réellement vu d'oiseau autre que corbeau, mouette ou pigeon, et en dépit de cette preuve que l'homéostasie de la charogne/ordure suivait tranquillement son cours, ce qui révélait sans doute, pouvait-on penser, la bonne santé de l'homéostasie de l'oiseau/insecte, les enfants étaient bien obligés de se poser la question.

Comme de bien entendu, à peine s'était-il formulé cette pensée qu'un urubu à tête rouge s'éleva au-dessus de la lisière de la falaise, sur leur gauche, à moins de dix mètres. Deux cent cinquante ou trois cents mètres en dessous de cette lisière, le Pacifique bouillonnait sans répit au pied de la falaise, et bien que cette précision ne fût pas dénuée d'intérêt en soi, l'apparition d'un membre relativement rare de la famille des *Cathartidés* indiquait qu'il devait y avoir d'autres petits mammifères relativement morts dans les parages.

« Il y en avait des tas, avant. Ils restent posés dans les arbres le matin, avec les ailes dépliées comme ça. (Crowder écarta les bras.) Ils doivent attendre que le soleil les sèche pour pouvoir voler.

– Ça met sûrement moins longtemps qu'avant, grommela Huandyai en essuyant la goutte de sueur du bout de son nez. Ils mettent de l'écran solaire ? »

C'était typique de Huandyai. L'État l'intimidait, mais il ne prenait pas grand-chose pour argent comptant. C'était une des raisons pour lesquelles Crowder le laissait traîner avec lui. Ça, et le fait que ses chaussures n'étaient jamais à jour, alors qu'il avait des parents. Crowder savait des tas de choses sur des tas de trucs, mais il était convaincu que lorsqu'on avait des parents, les chaussures se mettaient automatiquement à jour. Huandyai n'avait jamais réussi à débarrasser Crowder de ce préjugé, et Crowder gardait le gamin dans son orbite parce qu'il était persuadé que, tôt ou tard, les chaussures de Huandyai se mettraient à jour et qu'il serait lui-même sur place pour le lui faire remarquer.

Tout ça passait commodément sur le fait que les parents de Huandyai, qui cumulaient quatre emplois à eux deux, gagnaient trop bien leur vie pour avoir droit au contrat social qui mettait automatiquement à jour les chaussures de Crowder.

Ils atterrirent dans Pirates Cove en même temps qu'une cascade de cailloux de serpentine et d'echeverias déracinées et, bien qu'il fût déjà presque l'heure de rebrousser chemin, en prévoyant qu'il fasse encore jour au bout du trajet de retour, ils étaient tous les deux vraiment contents d'avoir fait cette marche. L'anse se déployait au pied d'une entaille formant un cirque dans la haute paroi des falaises battues d'embruns qui s'étiraient du nord du cap Bonita, sur la rive nord du Golden Gate, jusqu'à Stinson Beach, à quelque chose comme douze ou treize kilomètres à vol de drone en patrouille. Pirates Cove se situait à mi-chemin. Il n'y avait pas d'eau douce sur place, il fallait environ une demi-heure pour y descendre depuis le sommet de Coyote Ridge, et le trajet inverse pouvait prendre deux fois plus, en fonction de la chaleur, du type de chaussures qu'on avait aux pieds et de la relative profusion de sumac vénéneux.

Il y avait tout un tas de laminaires, bois flotté, ampoules électriques, téléphones jetables, bourre à cartouches de fusil, plumes, seringues et bouts en polypropylène jaune marquant la laisse de haute mer. Huandyai et Crowder prirent tout le temps qu'il leur fallait pour explorer ces résidus. La mer faisait un tel vacarme autour d'eux, et renvoyait un tel souffle de la face des falaises qui les encerclaient sur trois côtés, qu'une distance d'à peine dix mètres entre les deux garçons leur donnait assez d'espace mental pour que chacun oublie presque qu'il n'était pas complètement seul.

L'anse tout entière ne faisait que cinquante à soixante mètres d'un bord à l'autre, avec à son embouchure le Pacifique qui pilonnait et pourléchait deux gros rochers. Le plus proche était assez accessible pour avoir l'air de peut-être pouvoir s'escalader à marée basse. Aujourd'hui, en cet instant, la marée était basse. Et les cybercauseries annonçaient que l'exploitation minière de la Lune avait un effet négatif sur les marées — pas aujourd'hui, mec !

« Pourtant c'est vrai, tu sais, lâcha sombrement Crowder. Les calculs sont consultables.

– L'Info te libère », parodia joyeusement Huandyai tout à trac, en entourant d'une très longue algue brune la palissade en bois flotté du château fort qu'il était en train de construire.

« Qui tu cherches à retenir, derrière ta muraille ? » demanda Crowder en fouillant paresseusement du bout d'un bâton le sable noir massé autour de galets ronds, à la lisière des vagues.

« Personne, répondit Huandyai qui n'écoutait qu'à demi. Je me disais que ça serait un bon emplacement pour un Charley. »

Crowder réfléchit. « Il faudrait qu'il fasse presque la taille d'un humain adulte. Tu as déjà vu un aussi petit Charley ?

– Nan.

– Je me disais, aussi. Il y en a un, tu sais.

– Quoi donc ? » Huandyai n'écoutait pas vraiment.

« Aussi petit.

– Ouais, ouais. Au Sanctuaire. (Huandyai plissa les paupières.) C'est quoi, ces trucs ? »

Crowder battit des paupières à plusieurs reprises en inspectant la portion de ressac éclairée par ses chaussures. « Ça s'appelle des *Vellela vellela*, ou des méduses voilettes.

– Ça, c'est tes chaussures qui te l'ont dit, obligé.

– Ça doit être la Vraie Vérité.

– Chouette couleur.

– Ouais. (Crowder battit des paupières.) Porphyre. Elles ont l'air fraîches. Il y en a des sèches, ici. Allez.

– Allez.

– On va se baigner. »

Huandyai leva les yeux vers son ami, puis les tourna vers la mer. « Sans nos chaussures, tu veux dire ?

– À l'aise ! Pourquoi pas ? C'est que tu veux rentrer chez toi avec des chaussures mouillées ? Sans parler du fait que les tiennes rétréciraient, à tous les coups », ajouta-t-il d'un ton méprisant.

L'eau était froide, mais moins qu'avant, Crowder rassura Huandyai là-dessus. À en croire ses chaussures, la marée était étale, mais quand même, il fallait être prudent, la houle étant d'une puissance trompeuse. L'amplitude entre la vague lorsqu'elle s'enflait et lorsqu'elle se retirait pouvait atteindre un mètre à un mètre vingt, et elle était capable de faucher sous lui les jambes de n'importe qui.

Mais que c'était grisant ! Aucun des deux garçons ne s'était jamais baigné ailleurs que dans une piscine municipale, or là, c'était une expérience complètement différente. La mer était plus froide, bien sûr, et quand Crowder revint sur la plage il consulta ses chaussures pour découvrir que la température de l'eau atteignait à peine dix-huit degrés, plus chaud qu'elle ne l'avait jamais été, à en croire le profil que ses chaussures avaient eu la prévoyance de télécharger avant que les garçons ne quittent la pénombre du satellite, mais assez froid pour lui bleuir les lèvres.

« C'est quand même super froid », bredouilla Huandyai en claquant des dents. « La vache. » Il se frotta le visage dans son tee-shirt et contempla la mer. « On devrait revenir ici une fois par semaine.

– C'est sûr qu'en revenant aussi souvent que ça, on découvrira si oui ou non il y a des parulines à croupion jaune, dit Crowder en guise de renfort approbateur.

– C'est ce qu'il va falloir qu'on dise au Charley à chaque fois ?

– À l'aise. Pourquoi pas ? Il nous prendra pour deux ornithologues en herbe.

– Je croyais qu'en herbe, c'étaient les botanistes. »

Huandyai était très fort en mauvais jeux de mots. C'était une autre des raisons pour lesquelles Crowder le laissait traîner avec lui. « Très drôle, déclara-t-il d'un ton sans joie. Allez !

– Allez quoi ?

– On escalade ce rocher. »

Huandyai lorgna le rocher qu'indiquait son ami. « Tu crois qu'on peut ?

– À l'aise. Pourquoi pas ? Mais d'abord, on prend nos vitamines. »

Bien que Crowder n'eût pas de parents à proprement parler, il était discipliné pour ce qui touchait à sa santé. Sans doute parce qu'il n'a pas de parents, se dit Huandyai en avalant, régurgitant, puis ravalant par trois fois.

Crowder entra dans l'eau du côté plage du rocher. Bien qu'il en fût à l'abri, la houle monta des genoux du garçon jusqu'à ses épaules avant de redescendre. Mais Crowder avait du cran, et c'était un rapide, en plus. D'un signe, il invita son ami à le rejoindre et, avec la confiance innocente d'un petit frère, Huandyai laissa Crowder le soulever plus haut que ses épaules, porté par la vague suivante. « Il doit y avoir des prises quelque part en hauteur », cria-t-il par-dessus le fracas de galets brassés par le reflux, les pieds de Huandyai sur ses épaules. La vague suivante lui arriva au menton.

« Il y a une racine…

– Attrape-la ! »

Huandyai l'attrapa. Son poids quitta les épaules de Crowder à l'instant où la vague suivante culminait, soulevant le grand presque à la hauteur des genoux du petit. Mais les mains mouillées de Crowder ne trouvèrent rien à agripper et, faute de coordination, le garçon dégringola. La houle le submergea. C'est pas de la rigolade, se dit Crowder quand il refit surface en crachant un jet d'eau salée.

Huandyai ne pensait plus du tout à Crowder. Il escalada la pente abrupte avec une agilité gracieuse qu'il n'avait pas souvent l'occasion de déployer. Les aventures de ce genre étaient rarissimes en ces temps d'années scolaires de quarante-huit semaines et d'algorithmes parentaux de grande envergure, et donc, bientôt, il disparut derrière le sommet de la formation rocheuse. « Allez viens ! cria-t-il par-dessus son épaule. On voit le Japon, d'ici ! »

Le Japon doit être plus près de la Californie qu'autrefois, pensa sardoniquement Crowder. La vague suivante le souleva sans peine jusqu'à portée de la racine, et en refluant, le laissa presque entièrement hors de l'eau.

Au-dessus, pour le moment, pensa-t-il gravement. Se hissant dans une déclivité où pullulaient ficoïdes glaciales aux feuilles charnues et autres echeverias, il prit le temps d'examiner les parois des falaises qui se dressaient sur trois côtés au-dessus de l'anse. Bien que tout le bois flotté qu'ils avaient ramassé se fût trouvé trois ou quatre mètres à peine au-dessus de la marée du moment, au pied même de la falaise, près des traces qu'ils avaient faites dans le sable, il constatait que certaines marées hautes, en tout cas, s'élevaient jusqu'à un bon mètre de hauteur sur la paroi. Le rocher en forme de cheminée se dressait à l'extrémité sud de la plage. Le sentier, seule voie permettant de sortir raisonnablement de l'anse, étant donné que broussailles et rochers n'étaient par ailleurs que sumac vénéneux et parois verticales, descendait au travers d'une étendue à pied sec à l'extrémité nord de la plage, juste au-delà de ce que ses chaussures lui avaient appris à appeler un agave, ou maguey (*Agave americana*). Mais ses chaussures lui disaient que dalle pour le moment puisqu'il ne les avait pas aux pieds. D'ailleurs, puisque son regard tombait dessus, elles étaient là-bas, avec celles de Huandyai et deux tas de vêtements, à moins de deux mètres de la lisière des vagues. Contre cinq mètres un peu plus tôt. La marée est donc montante. Super. Il pourrait peut-être écrire une applet pour la nouvelle génération de chaussures, qui leur permettrait de réagir aux signes de la main. Nous devons repenser notre logist…

« Crowder ! Hé, Crowder ! Crowder ! »

Crowder leva la tête. Les pieds nus de Huandyai apparurent cinq ou six mètres plus haut et avec eux, une pluie de cailloux et morceaux de végétaux.

« Eh ! Oh ! » glapit Crowder, baissant la tête pendant que les débris dégringolaient sur son crâne, ses épaules, puis en dessous de lui et dans l'eau. « Putain de putain !

– Crowder !

– Quoi !

– Crowder, Crowder ! »

Le gosse avait l'air de paniquer. Est-ce que c'était trop haut pour lui, là-haut ? Il était peut-être tombé nez à nez avec une paruline à croupion jaune ?

En tout cas, Huandyai ne cessait de répéter le nom de son ami, à peu près comme il aurait pleuré le départ de sa mère sur le prothorax d'une nourrice.

Et une fois que Crowder se fut hissé à ses côtés, il comprit pourquoi.

« Putain de putain, Crowder. (Huandyai était bel et bien effrayé.) Putain mais oh. (Au bord des larmes, mais furieux aussi, il lança un regard accusateur à Crowder.) Tu savais que c'était là, ça ? C'est pour ça que je suis monté le premier ? »

Crowder hocha négativement la tête. « Non, petit. Non… »

Le crâne et les quelques os qu'il distinguait ou reconnaissait comme tels gisaient, épars, sur le dôme inégal du rocher, entre cailloux blanchis de guano et succulentes spiculeuses. Ils étaient absolument nettoyés de toute chair, et sans doute décolorés, en plus. Crowder n'en était pas sûr, car il n'avait encore jamais vu d'os humains. Ils semblaient tout autant envahis de lichens et de guano que les rochers qui les entouraient, toutefois, et devaient donc être là depuis un moment.

« C'est humain, ça, hein ? » demanda Huandyai d'une voix chevrotante.

Çà et là, des lambeaux de tissu, dont certains piqués de végétation poussée carrément au travers de la matière, palpitaient au vent.

« Ça m'en a tout l'air, dit Crowder.

– T-tu cr-crois que c'est un ga-, un gamin ?

– Comme nous, tu veux dire ? (Crowder rampa devant Huandyai et s'approcha du crâne.) Qu'est-ce que ça changerait ?

– J'en sais rien. P-peut-être que ce rocher a, euh, ses préférences.

– Tu veux dire qu'il exige un sacrifice des humains qui viennent ici ?

– Ouais. Quelque chose dans le genre.

– Comment tu sais que ce gars-là a été tué ? Peut-être qu'il est mort ailleurs, quelque part, et qu'un urubu à tête rouge l'a apporté ici pour le bouffer ?

– T-tu vas le toucher ?

– À l'aise. (Crowder manifestait plus d'assurance qu'il n'en éprouvait.) Pourquoi pas ?

– Ah putain, ça c'est super, dit Huandyai. Putain.

– Regarde ça.

– C'est quoi ?

– Une montre, je crois.

– Comment ça donne l'heure, ça ?

– Elle avait des flèches qui pointaient vers les chiffres. Des aiguilles, ça s'appelait.

– Des aig-aiguilles ? Et ça le p-p-piquait pas, le gars ? » Huandyai gloussa.

Un jeu de mots en plein pétrin, se dit Crowder. Le gamin va bien.

« Ç-ça veut dire que ce m-morceau, là (Huandyai montrait du doigt), c'est un poignet ? »

Crowder lâcha la montre.

« Je t'ai eu, constata indiscutablement Huandyai.

– C'était pas toi que j'entendais chouiner il y a deux minutes ? grogna Crowder.

– Chouiner ? (Huandyai se redressa de tout son mètre vingt, indépendamment du fait qu'il était à genoux.) Je chouine pas, moi.

– C'était peut-être un enregistrement, concéda Crowder.

– Mais bon, concéda à son tour Huandyai, il faut quand même reconnaître…

– Ça met les nerfs en pelote, suggéra aimablement Crowder tout en fourrageant dans les rochers et les ossements.

– Exact. (Huandyai extirpa délicatement un bout de tissu de sous une succulente.) C'est quoi, ça ? »

Crowder plissa les paupières. « Une espèce de médaillon. À moins que ça soit une haute dénomination de… comment on appelait ça, déjà ?

– Comment on appelait quoi ?

– C'est le même mot… tu sais bien.

– Si toi tu le sais, alors je le sais, obligé. »

Huandyai claqua des doigts. « Auxiliaires publics insignifiants. »

Crowder fronça les sourcils. « Des pièces ? »

Huandyai claqua des doigts. « C'est ça.

– C'est vrai. Elles ont survécu à leur appellation pas très flatteuse. Au départ, c'était un élément de monnaie. Il y en avait des tas. Plein de civilisations en ont utilisé pendant, putain, au moins deux mille ans, j'imagine. (Il passa le doigt sur l'objet.) Les pièces s'appelaient aussi de l'argent. Il existait des expressions comme argent de poche, argent d'appoint, pour désigner une petite somme insignifiante. Les gens faisaient tinter des pièces dans leurs poches quand ils s'ennuyaient ou qu'ils avaient la tête ailleurs.

– Celle-là est plutôt balèze, tu ne trouves pas ? (Huandyai la montra du doigt.) Pour une poche, je veux dire.

– Elle devait valoir très cher. »

Huandyai prit aussitôt un air dépité. « Si on avait tes chaussures, on pourrait leur demander.

– Ah, tiens, ça me rappelle », dit Crowder. Il se tourna et jeta un bref regard à la plage. « Regarde. »

Huandyai suivit du regard la direction indiquée par l'index de son ami. « Nos affaires ? Nos chaussures ?

– Elles sont à… je dirais un mètre cinquante de la frange des vagues.

– C'était idiot.

– Un de nous deux au moins s'en sera rendu compte, lui rappela ostensiblement Crowder.

– Si on rapporte ça, dit Huandyai, il y a un archéologue qui se paiera du bon temps.

– Je dirais qu'on dispose d'à peu près dix minutes, dit Crowder en regardant la plage.

– Le plus important ça doit être le crâne, non ? Même s'il lui manque la mâchoire du bas ? »

Crowder secoua la tête. « On est nus. Jamais on arrivera à le ramener jusqu'à la plage. »

Huandyai se renfrogna. « À ton avis, ça fait combien de temps qu'il est là ? »

Crowder secoua la tête. « Assez longtemps pour que les oiseaux aient arrêté de s'intéresser à lui, je dirais. De toute manière, qu'est-ce qui te dit que c'était un homme ?

– Bonne question. Ça peut se déterminer grâce aux os ?

– Peut-être, à condition de trouver les bons. Ou d'analyser l'ADN.

– Je parie qu'il n'est pas tout entier ici, en fin de compte. Les charognards les moins costauds sont sans doute partis avec les plus petits morceaux. Les doigts, les orteils. Les trucs comme ça. Ils ont transporté ça au diable et on ne les a plus revus. Je parie qu'ici, il souffle un putain de vent de folie en hiver, assez fort pour emporter des bouts. »

Huandyai croisa les jambes, posa le menton au creux d'une paume et examina les lieux. L'os auquel pendait la montre reposait sur le sol, devant lui, ainsi que la grosse pièce. Montre et pièce étaient copieusement rouillées, et couvertes d'une moisissure verdâtre et orange qui devait pousser de préférence sur le guano. Un *champignon scatophytique*, disons. Mais comme il la contemplait sans penser à rien de précis, il se rendit compte que certaines parties de la surface de la pièce avaient une apparence alphanumérique. Un relief, peut-être. Il tourna légèrement la tête et parvint à distinguer un 8, un 1 et un 6, qu'il déchiffra mentalement, en remuant les lèvres comme à son habitude lorsqu'il lisait. Un plutôt grand nombre. Logique. C'était une grosse pièce. Il savait que les anciens mettaient toujours des trucs connus sur les pièces. Des empereurs, des massacres, des chiens, ce genre de choses. Il aurait vraiment voulu un chien.

Une vague particulièrement forte s'écrasa côté mer contre la paroi du rocher, et son écume jaillit au-dessus des deux têtes des garçons, si bien que des gouttelettes scintillèrent dans les airs entre Huandyai et le soleil couchant.

« Ouaouh ! » Huandyai présenta sa langue aux éclaboussures pailletées et goûta le sel marin.

« Tiens, annonça Crowder depuis l'autre versant du replat rocheux, j'ai sans doute trouvé une main.

– Avec une autre montre ? » demanda Huandyai en papillotant facétieusement des yeux dans la lumière aveuglante.

Crowder réapparut. « C'est un peu comme un puzzle. » Dans ses paumes jointes en coupe, se trouvaient plusieurs phalanges et des os carpiens au fond d'une boîte plate et déformée.

Huandyai prit la boîte. « C'est quoi, ça ?

– C'était juste à côté de tout un tas de petits os. Il y en a d'autres autour de l'entrée d'un trou. » Crowder s'abstint de préciser qu'il avait eu peur d'enfoncer sa propre main à l'intérieur, et n'en avait donc rien fait.

La boîte était faite d'un genre de plastique déformé. Ça, au moins, ils le constataient. Les UV l'avaient salement abîmée. Si le plastique avait un jour été translucide, les rayons du soleil l'avaient rendu opaque et avaient fait naître dans la masse des bulles de toutes tailles. Aucun des deux garçons n'avait jamais vu une boîte comme celle-là.

Ils l'examinèrent à tour de rôle, la maniant d'abord avec précaution. Mais bien vite, Huandyai, qui était d'une curiosité insatiable, entreprit de la triturer, pensant sans doute qu'il pourrait l'ouvrir. Mais il n'avait pas le moindre outil, pas même son mini-canif de quatre centimètres, le plus grand qu'un garçon de son âge eût le droit de posséder. Il tritura la boîte, en scruta l'intérieur, la tritura de plus belle, la cogna contre un rocher, la brandit à la lumière.

« Tu sais, finit par dire Crowder en regardant la plage par-dessus le sommet du rocher, il faut vraiment qu'on se tire d'ici. » Il tourna la tête et regarda vers l'ouest. Le soleil allait encore briller pendant à peu près deux heures. « Et quand je dis se tirer, c'est vraiment ça. Sinon, il y aura un incident. Et s'il y a un incident, on ne nous laissera plus revenir ici avant qu'on ait triplé notre terminale, et à ce moment-là, on sera tellement mûrs qu'on trouvera que ça ne vaut plus le coup. Non seulement ça, mais il n'y aura pratiquement plus de temps prévu — peut-être même plus du tout — pour les aventures. »

Huandyai émit un grognement. Il porta la petite boîte rectangulaire à son oreille et la secoua. « Hmm. » Il y avait une fente le long du bord, et pour la dixième fois au moins, il essaya de voir à l'intérieur tout en secouant la boîte. « Il y a quelque chose, là-dedans, dit-il en plissant les paupières.

– Une forme de vie, tu veux dire ? » demanda Crowder.

Huandyai la retourna de façon à placer la fente sur le dessous et tapa deux fois la boîte contre la paume de sa main. Des petits bouts d'un fin matériau couleur cannelle tombèrent par la fente. Le garçon retourna aussitôt la boîte en l'écartant de sa paume, mais les morceaux n'avaient pas l'air d'être encore vivants. Momifiés, desséchés ou déshydratés, peut-être, mais pas vivants. Ils étaient tout marron, anguleux, et de formes diverses. Plusieurs d'entre eux avaient deux bords parallèles. Aucun ne mesurait plus de deux centimètres de long. Ils ne pesaient pratiquement rien, semblaient totalement périssables, légers comme l'air, avec une surface importante par rapport à leur poids, si bien que la brise du large les balayait sans peine à mesure qu'ils dégringolaient de la boîte, emportés dans les airs comme des fils de la Vierge. Si l'un ou l'autre des garçons avait eu l'occasion de souffler le duvet d'un pissenlit, il aurait pu comparer les deux phénomènes. Mais aucun des deux n'avait jamais vu de pissenlit. Les débris s'éparpillèrent dans les airs au-dessus de la plage comme une nuée d'insectes volants. Et, de fait, une libellule apparut, chopa un des morceaux marron, le lâcha, en chopa un autre.

« Putain de putain ! s'écria Huandyai. Tu as vu ça ?

– *Corydalus cornutus*, dit Crowder. Elle n'a pas l'air d'aimer. (Il désigna la petite boîte.) Peut-être qu'à une époque, c'étaient des aliments ? »

Huandyai agita la boîte au-dessus de sa tête. Il en tomba à nouveau une pluie de petits morceaux marron que le vent emporta. La libellule se détourna et s'éloigna, cependant, planant au-dessus de la plage et disparaissant rapidement. « Ouais, dit pensivement Huandyai. Tu crois que c'était la bouffe de ce gars-là ? »

Crowder haussa les épaules. « Ça l'est plus. »

Le petit serra les doigts sur la boîte. « Je vais l'emporter. Peut-être que tes chaussures sauront ce que c'est. »

Crowder se mordit la lèvre. Il n'avait pas envie de s'avouer qu'il était soudain frappé de superstition, mais… « Tu crois qu'on doit déranger cet endroit ? demanda-t-il. Le déranger encore plus, je veux dire ?

– Tu ne disais pas qu'il y en a des tas, de ces récipients ? Ou de ces réserves à graines ? Ou je ne sais quoi ? »

Crowder acquiesça. « Si. Mais.

– Celle-là, personne ne la réclamera, juste celle-là », dit Huandyai, une légère intonation suppliante filtrant dans sa voix.

« C'est sûr, trancha Crowder au bout d'un moment. Mais juste celle-là. Allez, on y va. (D'un hochement de la tête, il désigna le bord du rocher.) Tu ferais bien de passer le premier. »

En descendant, Huandyai dérapa et tomba tête la première dans quelque chose comme deux mètres d'eau.

Il n'avait pas disparu sous la surface que Crowder se jetait du haut des trois derniers mètres de roc et plongeait entre son ami et la haute mer. Il l'attrapa par les cheveux et se hissa péniblement sur la plage, surpris et effrayé par la violence des vagues refluant de la grève abrupte et caillouteuse. En un rien de temps, son effort les laissa épuisés, égratignés et hors d'haleine, au-delà de la lisière des vagues qui progressait, et tout près de leurs affaires.

Ils soufflèrent. Huandyai ne pipait pas mot. Ils l'avaient échappé belle, sans doute, mais ils étaient tirés d'affaire, essoufflés et trempés jusqu'aux os. Difficile d'imaginer que quiconque puisse voir cette aventure autrement que d'un mauvais œil, aussi la garderaient-ils longtemps pour eux, même après s'être mis à partager des secrets avec les filles.

Les deux garçons étaient à mi-chemin de Tennessee Valley, sur les hauteurs de Coyote Ridge, quand Huandyai repensa à la petite boîte en plastique.

« Où est-ce qu'elle est ? lui demanda son ami.

– Je l'ai lâchée en tombant. » Huandyai se retourna pour contempler la crête en direction de Pirates Cove complètement masquée aux regards, à présent. « Je n'y ai plus du tout pensé.

– Bon, alors celle-là a disparu, lui dit Crowder pour le consoler. Mais il y en a encore tout un tas au sommet de ce rocher. (Il posa la main sur l'épaule de Huandyai.) On en rapportera une autre la prochaine fois qu'on viendra dans le coin.

– À l'aise », lança le petit sans grande conviction, le regard toujours tourné vers le sentier. Ravins et canyons, derrière eux, étaient déjà envahis d'ombres, et l'air s'était considérablement rafraîchi. « À l'aise qu'on fera ça. »

Finalement, les garçons étant très en retard, un incident avait été déclaré. Mais ils s'en dépêtrèrent. Ni l'un ni l'autre ne parla à quiconque de ce qu'ils avaient vu ce jour-là. Et comme Crowder l'avait prédit, onze années bien comptées s'écoulèrent avant que Huandyai retourne à Pirates Cove. Il s'y rendit seul, cette fois, car cela faisait plusieurs années que Crowder avait disparu.

Il ne restait alors plus la moindre trace de l'agent Few, ni de ses cassettes.